甲鱼不是龟 著

大泼猴

出五行

下 西行证道

天地出版社 | TIANDI PRESS

图书在版编目（CIP）数据

大泼猴. 下，西行证道 / 甲鱼不是龟著. —成都：天地出版社，2018.8

ISBN 978-7-5455-3744-4

Ⅰ. ①大… Ⅱ. ①甲… Ⅲ. ①长篇小说—中国—当代 Ⅳ. ①I247.5

中国版本图书馆CIP数据核字（2018）第040907号

大泼猴(下)：西行证道

DA PO HOU (XIA) : XI XING ZHENG DAO

出品人　杨　政
著　者　甲鱼不是龟
责任编辑　杨永龙　李晓娟
封面设计　思想工社
电脑制作　尚上文化
责任印制　葛红梅

出版发行　天地出版社
（成都市槐树街2号　邮政编码：610014）
网　址　http://www.tiandiph.com
http://www.天地出版社.com
电子邮箱　tiandicbs@vip.163.com
经　销　新华文轩出版传媒股份有限公司

印　刷　河北鹏润印刷有限公司
版　次　2018年8月第1版
印　次　2018年8月第1次印刷
成品尺寸　160mm×240mm　1/16
印　张　125.25
字　数　1918千字
定　价　178.00元（全四册）
书　号　ISBN 978-7-5455-3744-4

咨询电话：（028）87734639（总编室）
购书热线：（010）67693207（市场部）

目录

百世情

西行证道

佛拦道阻

和解

寻找白素

奎木狼

第三世

江流

第四百七十九章

谈

六百五十年后……

五行山下，人迹罕至的角落里，一猴一僧静静地对视。

缓缓地，玄奘松开了点在猴子额头上的手，双手合十，面容平静，却凭空多了一种身心疲惫的感觉。

天空点点繁星闪烁，放眼望去，眼前的一切竟是如此的荒凉。

不像一开始他所知道的是五百年，而是六百五十年。猴子在昏迷中度过了一百五十年，醒来之后又被压了五百年。

谁能想象叱咤三界的齐天大圣、万妖之王，竟以这种方式在这个荒无人烟的地方孤孤单单地度过了漫长的岁月，为了摘一颗果子而发愁呢？

“看够了吗？有什么感想？”

猴子冷笑着，红了眼眶。

八百年了，这就是他的八百年，一段不堪回首的过去，从踏出花果山的那一刻开始。

他拼命地想要抓住一切，守住一切，到头来，却只是不断地失去，直至孑然一身……

玄奘淡淡叹了口气，轻声道：“施主此番经历，倒是出乎贫僧的意料，原来你恨的根本不是天庭，而是佛祖如来。”

猴子瞥了玄奘一眼：“恨吗？”

“不恨？”

猴子微微愣了一下，好半天，才吧唧着嘴说道：“我也不清楚，困在这里，该想的，不该想的，愿意想的，不愿意想的，都已经想了无数遍，想烂了，也想腻了。我也不知道自己还恨不恨，不过如果你放我出去，我应该还会去灵山与他战上一场吧。”

玄奘半眯着眼睛笑了出来：“可是施主方才与贫僧不是这么说的，施主方才说的是，修仙是为了长生，出来要烧了天庭。”

猴子扭过头去不看他，喃喃自语道：“年纪大了，记错仇家，不行吗？”

“哦？”玄奘靠坐在石壁上，抬头仰望漫天繁星，叹道，“那就姑且不论了吧。事到如今，贫僧再问施主一句，施主可愿出来？”

“你还以为我会跟你去取经？”

“施主可听清楚了，贫僧问的是，施主可愿出这五行山？”

猴子深吸了口气，懒懒地抬起眼皮瞧了玄奘一眼，道：“你这话是什么意思？我不愿去取经你也愿意放我？”

一只甲虫缓缓地爬着，压弯了青草。

玄奘低头捋着衣袖，许久，轻声叹道：“来时，贫僧对能否说服施主随贫僧西行尚存疑虑。可如今，那疑虑却已经打消了。”

“什么意思？就不怕我出去一棒子打死你？”

玄奘一下笑了出来：“生生死死，死死生生，又算得了什么呢？若是怕死，贫僧又如何会千里迢迢，一路向西？施主莫不是真以为贫僧历尽艰辛西天取经只是为了成佛？”

说着，玄奘笑眯眯地瞧着猴子，那眼睛弯如月牙儿。

猴子一下子有些蒙，看玄奘的眼神顿时多了几分警惕。

醒来发现自己被压在五行山下的那一刻，他就已经猜到了事情的因由。

如来，自然是不可信的。相应的，他所说的关于天道轨迹之中没有取经一环一事，以及佛法传播于他无益之事，都有待斟酌。

可猴子实在没搞明白取经对佛门有什么实际意义。

占地盘？发展势力？

别说佛门了，道门都对这个没什么兴趣。道门中人和佛门中人在本质上是一样的，只求提升自己的修为，只不过佛门斩断了七情六欲，做得更加彻底而已。而这三界之中热衷于壮大势力的，也许就只有当初他麾下的花果山以及天庭的将帅了。这当中，天庭的将帅还要受天条的限制，自然无法随意发展。

“你想骗我去干吗？”

“骗你？”

“不是吗？你们这帮秃驴的话，老子一个字都不会信，所以，也不会中你们的计的。”猴子哼了一声，懒懒地缩了缩脑袋道，“况且，老子在这里过得挺安逸的，真心没想出去，你说什么都没用。”

“真心不想出来？”

“真心不想。”

“真心？”

“真心！究竟想问几遍，你这和尚真的很烦你知道吗？一大清早过来打搅老子睡回笼觉，一直到现在还死赖着不走，真想一棍子砸烂你的脑袋！”

面对着怒视自己的猴子，玄奘摊了摊手道：“施主要杀贫僧，那也得先出来才能杀啊！就你如今这般光景，修为全封，就是贫僧站着不动你也杀不了啊！”

“你——！”猴子一拳重重捶地，深吸了两口气，平复了下情绪，冷冷道，“没兴趣跟你打嘴仗。总之，老子不想听你说任何东西，不想出去，更不想西行取经，只求你别在这里烦我。就这样了。”

说着，猴子用仅能动的一只手抱住脑袋，不再搭理他了。

玄奘无奈地叹了口气，伸手取来靠在石壁上的法杖，一步步朝着白马走去。

“真就走了？”猴子偷偷瞥了他一眼。

玄奘走到白马边上将法杖捆到马上，伸手将行囊解了下来，从中取出装水的竹筒和几张薄饼拿在手中，又朝着猴子走了过来。

“你他妈的怎么又回来了？”

“贫僧说过要走了吗？”玄奘抬手朝猴子展示了下自己手中的竹筒和薄饼，笑道，“贫僧可不比你，有天道金身。贫僧只是一介凡躯，自然也逃不过吃喝拉撒睡，看了一天，贫僧也饿了，得吃点干粮。对了，你要不要来点？”

“吃干粮……然后呢？继续和我扯皮吗？”

“当然。不劝得施主出山，贫僧誓不回头。”玄奘煞有介事地点了点头，指着自己的行囊道，“行囊中有被褥，若是今夜依旧说服不了施主，贫僧暂时就住在这儿了。对了，来之前贫僧已经看过了，距离这里五里路便有个村庄，若是贫僧自带的干粮都吃完了还说服不了施主，那贫僧只好到那边去化缘了，这一来一回，最多也就一个时辰的路，不碍事。实在不行，贫僧还可以在这里起座寺，收徒立派，将旁边的荒地开垦成农田，自耕自食，自给自足，什么时候说服了施主，什么时候再起程。这行囊里，耕种的种子也是有的，不过费些功夫罢了。施主大可不必为贫僧忧心。”

猴子顿时有些傻眼了。

他摆出这架势是怎么回事？这秃驴还真打算死缠烂打到底啊？

玄奘自顾自地甩开袈裟，在猴子身旁坐了下去，将一块薄饼递到他面前道：“怎么样，来一块尝尝？虽说不是什么山珍海味，但几百年没吃了，你应该会喜欢。”

猴子毫不犹豫地将玄奘的手拍开了。

见状，玄奘也不再让了。他仰望着星空，一面啃着薄饼，一面乐呵呵地说道：“贫僧说笑的，我们应该，明天黎明之前就可起程，无须在这里耽搁太久。”

猴子也不接话，只用手将自己的头托住，当玄奘不存在。

好一会儿，玄奘慢悠悠地吃饱喝足了，拍去手中的饼屑，长叹道：“让施主久等了。咱接着说吧。贫僧方才看了施主的记忆，如今也让施主看看贫僧的记忆，如何？看完了，贫僧就放你出来，至于你愿往东往西，还是往南往北，甚至要当场杀了贫僧，都随你。”

“啥？”

也不管猴子愿不愿意，甚至还没等猴子反应过来，玄奘已经捉起他的手直接点在了自己的额头上。

猴子注视着玄奘那带笑的双目，眼角微微抽动。

缓缓地，四周的景象如同波光粼粼的水般不断地变换，一座寺庙出现在了猴子面前……

第四百八十章

抗旨西行

金山寺，从江流懂事开始，就从未变过。

高高的山，小小的寺庙，十几个师兄弟，三两个长老，每天晨起不变的钟声，日复一日，年复一年。

外界的风雨与这座古寺，似乎从来就没有半点儿关系。

信众一直都是山脚下的几户人家，偶尔有远道而来礼佛的施主，便会让住持法明师父高兴上好一阵。

可每当兴头过了，法明又不禁忧虑起来。

“菩提本无树，明镜亦非台。本来无一物，何处惹尘埃。”好长一段时间里，法明都不断地叨念这句话。

江流知道，法明是在为自己的高兴而自责。

佛家追求无物无我，为了远道而来的施主前来礼佛而高兴不已，本就是修行不够的表现。

“为什么开心也是修行不够的表现呢？”

江流不禁想。

从小在金山寺长大，他几乎熟读所有佛教经典，一众师兄弟、住持师父和几个长老都赞叹他有佛骨，江流却一直不以为意。

经书里面明明白白地写着问题的答案，不知为何，江流明知道正确的结果，却还是感觉那一本本佛经如同巨石一般压在自己的胸口，让他透不过气来。

好在孩童的天真总能让他忘却这与自己年纪不相符的烦恼。

他从不礼佛，也不念经，每天只是和村庄里的孩子捣鼓着掏鸟蛋、逗蛐蛐。可每当法明看不下去有意责难的时候，他又总是能对答如流，让法明哑口无言。

每每如此，法明总会苦笑着说：“青出于蓝而胜于蓝啊，为师辩法，却还不如你。只希望为师有生之年能看到你造下伟业。”

江流却总是笑，笑而不答。

他知道，法明所说的“伟业”，无非是立地成佛。

可是，江流真想成佛吗？

成佛说是脱离苦海，可江流却也舍不得那发自内心的笑。为什么超脱八苦的时候，连高兴的权利也要一并丢了呢？

日子一天天过，江流从小捣蛋鬼变成了孩子头儿，但依旧是山上山下地倒腾。

终于，十八岁的生日到了。

法明找来江流，要让他受具足戒，当个真正的和尚。

江流取下僧帽，摸了摸自己引以为傲的头发，问道：“不剃头，行不？”

“为僧怎可不斩断红尘？”法明反问道。

“师父斩断了吗？”

“这……”

“若是斩断了红尘，为何还要开宗立寺？修佛本是一个人的事情，与他人何干？这不是经文上明明白白写着的吗？心中清，则世界明。”

法明闭上了嘴，他知道自己是辩不过江流的，只能看着江流乐呵呵地将僧帽又戴了回去，转身边走边哼，用唱戏的口吻长叹道：“若是斩不断，剃头何用？剃头何用啊！”

无奈，法明只能将他列为俗家弟子，给他分派了担柴挑水的俗事。

一日，法明正在房中念经，江流突然主动来找他，叩拜道：“师父，徒儿想下山。”

法明一惊，连忙道：“下山？何故下山？”

江流仰起头轻声道：“徒儿听闻自己顺江而来，想寻生身父母。”

闻言，法明紧蹙着眉头摆了摆手：“那不过是红尘俗事，不理也罢。”

“理不清，又怎能不分青红皂白地斩？斩不断，修行何用？”

眼看着江流又摆出辩法的架势，法明沉默了。

许久，他眨巴着已经有些老花的眼睛轻声道：“不是为师不允，只是天下之大，你又往何处寻？”

“既是顺江而来，必是沿江而寻。若是有缘，必然能寻得着；若是无缘，也好断了徒儿的念想。还请师父成全。”说罢，江流又叩拜了下去。

再仰起头时，他静静地注视着法明。那眼睛就像能看清天地的真理一样，清澈得令人自卑。

许久，法明也只能苦笑道：“因果循环啊……徒儿，去将为师那紫檀盒子取来。”

“是。”江流叩首，转身去法明的卧榻取来他平日里当成宝贝一样的紫檀盒子。

法明开了锁，将一锦绢取出，交与江流：“徒儿且看。”

这锦绢手感顺滑，柔软至极，乃是江流平生未见的上好料子。只是绢上字字血迹，让人惊心。

江流翻开锦绢，顿时面色大变，脸上尽是从未有过的惊恐：“师父……师父既知徒儿身世，为何不早早告知！”

“虽知身世，却又恐误了你修行，故而不宣。今日你执意下山，也只好……”法明欲言又止，微微颤抖着取出一汗衫交与江流道，“此汗衫当初与你同篮而来，你且收好，权当是信物。”

江流只觉得一股气血涌动，几欲喷洒而出，却也忍住，深深叩拜。

“弟子这就去了了尘缘，若得归来，必常伴师父膝下，以报十八年养育之恩。”

“去吧。”法明紧紧闭上了双眼。

江流默默地走出金山寺，径直下山。

这一刻，天边流云飞舞。

次日，江流来到江州私衙，求见生母殷温娇。

那衙役见他身穿僧袍，却留着一头俗世长发，只当是鸡鸣狗盗之辈，不允入内。

恰逢言语激辩之时，有一中年妇人推门而出。

江流见其生得雍容，举手投足间尽显华贵之气，当即上前拜见："女施主有礼了。"

那妇人一见江流，大惊失色，口不能言，细细打量，又面露疑惑，双手合十敬道："小师父何许人也？"

"鄙人祖籍海州，现为金山寺一俗家弟子。"

"海州？"妇人又问，"既是海州，为何又在江州出家？"

"盖因家父高中状元，奉皇命往江州赴任，途中遭遇贼人，父被杀，母被占，鄙人满月即被流放江中，幸得金山寺恩师搭救，方保性命。"

妇人顿时面色煞白，急忙握住江流手腕，道："请小师父入内安坐。"

待坐定，命人上了茶，屏退左右，妇人悻悻问道："小师父方才所言，可有凭证？"

江流掏出血书，双手奉上："有汗衫血书为证。"

那妇人将信将疑，翻开血书看了一眼，却是哭笑不得，片刻之后，又面露难色，淡淡道："贱妾正是殷温娇。"

江流猛地一睁眼，当即跪下，喊道："母亲在上，请受孩儿一拜！"

不知为何，他从殷温娇眼中看不到丝毫愉悦之色。按理说，十八年骨肉分离，再相见，不应如此。

莫不是书信有误？

殷温娇扶起江流，嘘寒问暖，又问清了这十八年的过往，俨然一副慈母样，却只字不提报仇之事，只道："我儿接下来意欲如何？"

"上京，告御状！"江流果断回答。

殷温娇顿时面如死灰，哀然道："不可。"

"为何不可？"

"我儿已是出家之人，怎管得俗事？"

"孩儿未剃发，未受戒，怎算得出家人？如此大仇，不报枉为人子！"

此话坚决，殷温娇犹豫再三，也只得叹息道："御状又如何轻易告得，你外公乃当朝殷丞相，待我书信一封，你且往长安，交与他便可。"

说罢，殷温娇取来笔墨，书信一封，封蜡，交与江流。

江流收好信件，三拜殷温娇，方出了私衙大门。

他返回金山寺，收拾了行囊，日夜兼程赶往长安。

半月后，皇城东街殷丞相府。

“请施主代为通报一声，有江州亲戚来访。”江流对把门的小厮说道。

他依旧是那身衣着，多日赶路，衣裳已是破烂不堪，那小厮上下打量江流两眼，当即大喝道：“去去去，小叫花子别处去！此处哪里有你家亲戚！”

江流犹豫片刻，只得改口道：“鄙人乃江州游僧，受殷丞相之女殷温娇之托带来家信一封，还烦转交。”

说罢，他便从衣袖中掏出未开封的书信交与小厮。

那小厮将信将疑，接过信封看了两眼，想来是不识字，便将侧门开了一条缝，悄悄进去了。

不多时，大门洞开，一位发须斑白、衣着华贵的老者携众人而出，手中紧握之物，正是方才的信函。

江流见到老者，当即双膝跪下，喊道：“外公，请受小孙一拜！”

说罢，江流便磕了三个响头。

殷丞相见了江流，感慨万千，拉着江流的手便往府里去。

待坐定，殷丞相方道：“你父母之事，我已知晓。你已是出家之人，此事待我细细思量。你且住下。”

“全凭外公做主！”江流当即叩拜。

当晚，殷丞相便为江流安排了住处，衣食用度一概不缺。如此多日，却不见再提报仇之事，只言要给江流谋一名寺住持之位。

江流道：“大仇未报，无心他想。”

殷丞相却只是顾左右而言他，不作详谈。

月余，江流按捺不住，只身往皇城，见一高冠老者欲出城，他言明来意，当即受引见，告了一纸御状。

当夜，殷丞相受唐皇急诏，面圣回府之际见了江流，他却只是一味叹息。

次日，殷丞相发六万御林军往江州，拘捕了江流杀父仇人刘洪及李彪。

应江流之请，李彪被当街活剐。又奏请了圣裁，要将刘洪在洪江渡口剖心以祭亡父陈光蕊，得圣允。

祭奠当日，江流请母殷温娇往洪江渡口观看，殷温娇闭门不出，无奈江流只能单人前往。

待剖了刘洪祭奠，忽见江上一尸骸漂来，细看，那尸骸面容与江流如出一辙！

江流失声痛哭，以为是亡父显灵。

未想，那尸骸竟睁开眼睛，死而复生。他只道："当日放生之金鲤乃此处龙王，故而得其救助，他收了我的尸骸魂魄，今日沉冤得雪，我故而复生。"

忽闻一衙役来报："夫人已自缢身亡，留书曰，'一女不事二夫'。"

江流顿觉晴空霹雳，哭喊道："母亲何必如此？"

殷丞相只叹了一句："女儿贞烈，当日为保亲儿委身贼人，今日沉冤得雪，乃去。"

说罢，他便着众人返，不再理会江流。

洪江渡口，只留陈光蕊、江流二人。

江流失声痛哭，陈光蕊却只是默不作声。许久，陈光蕊方道："你对我有恩，方如实相告。"

江流不解，夹带抽泣喊道："父亲何故如是说？"

"你可知，你生日几时？"

"只知是盛夏之时。"

"你可知我与你母何时成婚？"

"这……"

"立春。"陈光蕊淡淡说了一句，转身便走。

一道霹雳闪过天际，江流恍然大悟，只觉得胸中一阵剧痛，一股鲜血喷出，他随即深陷昏迷。

当地渔民将江流送返金山寺，江流昏迷七日，寺外竟无一人来探，仿佛尘缘真断。

七日之后，江流醒来，恍恍惚惚间见师父法明递来一碗清水。

江流饮下，法明又去倒。

江流问：“师父，那血书，可是与徒儿顺江而来之物？”

法明身躯一震，背对江流，却是不语。

“我母成婚之前，便与刘洪有往来，我乃刘洪之子，与陈光蕊无干。今天想来，那血书所写分毫不差，怂恿我上京告状，却未提及徒儿生父乃是陈光蕊。想来，必不是我母亲笔……”

法明不答。

“为何我与陈光蕊生得如此相似，却不似那刘洪？师父，徒儿心中苦啊。”江流仰面叹息，久久无法自拔。

法明低头倒水，又将水递到江流面前，道：“既知俗世苦，何不成佛？”

江流不接水，只道：“师父可否告知，那血书是谁人予你？”

“那日为师在江中救起你，是夜，正法明如来托梦，告知他日若你要下山，便将这血书交与你，无须多言。醒来之时，已见血书安放床榻。”

“正法明如来？”江流苦笑道，“他为何要陷我于不义之地？我母弃我于江，恐也与其脱不了干系。”

法明双手合十，道：“阿弥陀佛，那刘洪罪孽深重，今日之果，也是他自种的恶因，徒儿无须自责。”

“那徒儿又种了什么因？”江流茫茫然道，“莫不是徒儿前世乃罪孽深重之人，今世方要杀父害母，遭这等罪，落得众叛亲离的下场？”

“善与恶，黑与白，皆因心而生，以世人之所喜为自喜，以世人之所恶为自恶，必入了魔障，无法自拔。有道是心清，则世界明。徒儿今日之苦，全因心中不清。”

“知，却不悟。”

“此乃众生之苦。”

是夜，正法明如来入梦。

“金蝉子，你可悟了？”

“金蝉子？”

“你乃金蝉子转世，成佛，尔后有惑，自愿堕入轮回经历十世修行，愿受众生之苦，求心中至道。今十世之期已满，若是你悟了，从今开始，应当刻苦修行，脱八苦，他日必重返极乐，列佛陀之位。”

梦中，江流面色淡然，如似镜秋水。

“列佛陀之位？我之苦，修行得脱，众生之苦又当如何？世间受此苦难者，又岂止我一人。”

“这……”

“成佛，必放下，无欲无求，无执念。每每看见那信众前来礼佛，我便想笑。那佛经里已写得明明白白，他们一味贿佛，却不知西方众佛早在成佛之日便没了心肝，又怎会施惠于他。”

“成佛本是度己，又干众生何事？那众生欲脱苦海，自会千辛万苦随众佛乞佛法，何需你管？金蝉子，你前世已有此惑，今世依旧，恐是入了魔障，今生亦无法修得虚空。”

说罢，正法明如来离梦而去。

江流缓缓睁开眼睛，眼前一切懵懵然：“修虚空？哼！”

数日之后，江流康复，日日将自己锁在藏经阁中，遍阅佛典。

法明只道是江流顿悟了，心中宽慰，怎知江流长发一日日脱落，直至一根不见。

一日，江流来到法明座前，三叩九拜，道：“师父，弟子要远行。”

“远行？徒儿欲往何处？”

“西天雷音寺！”

忽闻一道晴天霹雳掠过窗前，法明大惊。

江流立法号玄奘，却不上戒疤。

半月后，玄奘来到长安，寻了当日引见的老者，得见御颜。

庙堂之上，唐太宗高坐龙椅，细细打量着玄奘。

玄奘身披临行前法明赠送的袈裟，手持九环法杖，头戴红色万佛冠，气度非寻常人可比。

“下跪何人？”

“贫僧玄奘，乃一游僧。”

“所求何事？”

“贫僧欲往西天求取真经，恳请陛下恩准，批得通关文碟，得保一路畅通。”

太宗轻捋长须，道：“我大唐泱泱大国，有佛经万典，何须西方求取？”

“此皆度己之经。”

“度己之经？你这和尚说得有趣，你不求度己，莫非还求度人？”

“贫僧所求，度众生。”

“度众生？朕闻佛祖教人为比丘，上从如来乞法以练神，下就俗人乞食以资身。度众生，又何需你？”

“众生愚昧，又怎能受此苦修？故而传播不广。”

“哦？那你欲如何？”

“西方诸佛不度众生，我便度。西方诸佛不送经来，我便去取。众生不求法，我便送去。众生不度己，我度众生。”

这一通话说下来，整个大殿寂静无声，在场的朝臣皆是一愣。

许久，太宗轻声道：“佛学需斩断执念，你如此心性，已有了执念，如何成佛？”

“今生今世，不求成佛，只求普度众生。还望陛下成全。”说罢，玄奘深深叩拜下去。

这一霎，大殿之中所有人皆望向了太宗皇帝。

太宗也不言语，只俯视玄奘思量着，许久方开口道：“如此僧人，确实难得。只可惜我大唐国教乃道教，故而，不允。”

“若贫僧执意前往？”玄奘猛然抬头，目光淡然。

“那便是抗旨不遵，当斩首午门。”说罢，太宗做一手刀下切之势。

玄奘不语。

太宗又道：“朕常闻出家人不打诳语，今日在这大殿之上，朕要你立誓，今生今世，不往西方。否则，以抗旨论处。”

玄奘依旧不语，不拜。

许久，太宗拂袖道：“拉下去，打入天牢，明日午时问斩！”

是夜，玄奘牢中打坐，有一狱卒悻悻前来。

"我乃正法明如来化生，金蝉子，你可知错？"

玄奘面色淡然，答道："贫僧何错？"

"你执念度众生，却不知众生愚昧。如今被打入天牢，只等明日问斩。届时，十世之约一过，百世修行烟消云散，再轮回，便与凡人无异。"

玄奘轻蔑一笑。

"若知错，我便救你于水火。待出了牢狱，你必要苦修，不得再有那度众生的妄念。"

玄奘闭目，双手合十道："众生愚昧，莫非你我也愚昧？众生多疾苦，佛位如何安坐？心中有惑，又如何成佛？若天要玄奘遭此灾祸，玄奘无话可说，只等明日午时，断了这百世孽缘。"

狱卒冷哼一声，转身便走，半晌，又折返，道："你执意西行，究竟为何？"

"为取法，普度众生之法。"

"你又如何知道，这西行路上有你所求之法？"

"无法，便找如来问个明白，解了百世的疑惑！"

"此去西行十万八千里，妖魔众多，危险万般，你凡胎肉眼，又如何去得？"

"如若天地无道，便让我死在西行路上，来世不再做这无法斩断凡尘的秃驴。"言罢，玄奘双目紧闭，不再多言。

狱卒长叹，却是不忍，许久，小声道："此去西行路上，有一山，名唤五行山，山下压一神猴，乃六百五十年前万妖之王。如得他保护，西行路上必一路畅顺。我传与你两道口诀，一可破除五行山之封，二可透视凡人心事。此便当是了结你我当日看顾之约。往后之事，你就好自为之吧。"

御书房中，太宗翻阅奏折，却久久看不进去，甚是烦躁。

一大臣悄悄问道："陛下何故如此？"

"朕在思量今日那和尚。普度众生啊……如此雄心朕尤不及，只可惜他错投了门派。"

"臣有一言，不知当讲不当讲。"

“讲，恕你无罪。”

那大臣躬身拱手道：“近来道教势大，隐有渗透朝廷干预朝政之势。如若让那玄奘取来真经，佛教盛，也不失为一牵制之法。”

“朕已认了那老子为祖，君无戏言。”

大臣俯首称是，不再多言。

未多时，一太监疾奔入内，禀道：“陛下，今日那和尚玄奘在牢里失了踪！”

“失踪？”太宗握笔的手顿住了。

“必是越了狱抗旨西去！陛下可即刻拟旨，着人出神武门一路西去搜寻，必可追回！”大臣拱手谏道。

“不追。”太宗摇头。

“那，着人送去通关文碟？”

“不送。”太宗依旧摇头。

太监与大臣你看我，我看你，一时无所适从。许久，大臣才小心翼翼地问道：“那，是否通报沿途关卡放行？”

“不报。”说罢，太宗面带微笑，伸手拿起奏折细细批阅。

长安城外，玄奘勒马回首，遥望长安无尽繁华。

“有秋风，有明月，一人一马，西行，足矣！”

一次震动三界六道的伟大远行就此拉开了序幕。

第四百八十一章

风雨欲来

星光下，一阵微风卷过，扬起了玄奘火红色的袈裟，四周寂静无声。

二十年的记忆一闪而过，所有的幻觉都消散了，一切恢复如初。

猴子微微瞪大了眼睛，有些错愕地注视着玄奘。

“抗旨……西行？”

玄奘点了点头，双手合十：“不只是抗旨，兴许，还是逆天。没有通关文牒，没有天庭的支持，更没有灵山的许诺，甚至在那大雷音寺中也不会有贫僧欲取之经，什么都没有，只有你我两人，还有一颗半普度众生之心。”

“我是那半颗？”猴子哑然失笑。

“不是吗？”玄奘微笑着反问道。

猴子抹了把脸，长长地叹了口气，轻声道：“普度、度己……我算是明白了，难怪一直没见到菩萨，只出来个正法明如来。原来大乘佛法至今都没出现啊……合着我知道那部《西游记》，结果不但没受益反而被误导了，难怪我所知道的佛跟这个世界的佛压根儿就是两回事……”

玄奘微微一愣，道：“菩萨、大乘佛法？这些我可从未在你的记忆里见过，所指何物？《西游记》倒是听你提过几次，但贫僧一直不甚明了，可否细细一说？”

猴子懒懒地打了个哈欠，掏着耳朵。“说什么？懒得说！还是那句话，老子不想离开这里，哪儿都不想去。你还是趁早走人吧，该干吗干吗去。”说着，猴子又扭过头去不看玄奘。

半晌，当他再次回过头来的时候，却发现玄奘依旧坐在原地一动不动地瞧着自己，眉目带笑。

“我们谈谈吧。”

“谈什么？”猴子厌烦地说，“你真以为我会随你西行吗？”

玄奘淡淡叹了口气，道：“不是贫僧以为。贫僧早就说过，我们谈谈，若是将一切都弄清楚了，施主还是不愿意随贫僧西行，贫僧必不勉强。毕竟，施主是不死不灭之躯，贫僧却只是一介游僧，若真在这里浪费个三五十年，到时候便是施主愿意了，贫僧怕也走不动了。届时，真就百世修行烟消云散了。”

玄奘顿了顿，正色道：“相比施主，时间对贫僧来说更加宝贵。”

猴子哼地笑了，无奈摇了摇头道：“难得你还有这觉悟，行吧，你想怎么谈？”

闻言，玄奘微微一笑，道：“这普度之功，西行之妙，贫僧便不多讲了，想必，施主对此也不感兴趣。咱就谈谈施主为何不出五行山，又为何出五行山，以及出来之后的事情，如何？”

猴子枕着手臂玩味地瞧着玄奘道：“行，你说。”

玄奘干咳两声，捋了捋衣袖，双目平视前方，缓缓道：“依贫僧之见，施主之所以不肯出五行山，无外乎三个原因。其一，怕贫僧骗施主，毕竟施主对佛门印象着实差，而贫僧也属佛门。施主会有如此想法，是意料中事。其二，数百年过去了，佛祖如来修为早已恢复如初，若此时施主出山，免不了又是一场虚实大战，天地崩坏，殃及众生。而施主又没有把握赢。况且，若施主一直在此，施主所关心之人，自然会安然无恙，若施主出来，反倒增添了他们的危险。这其三嘛，乃是因为施主心已死，以至于……”

“第三个我没听明白。”猴子拉长了声音道。

玄奘当即打住，稍稍沉默了一下，笑了笑，接着说道：“这其三既然施主没听明白，咱暂且不谈。这其一，贫僧解决不了，得靠施主自行判断，想必谈完，施主也就心中有数了。如此一来，咱先谈这其二，不知可否？”

“说。”猴子翻了个白眼道。

玄奘微微点了点头：“先说如来佛祖。佛祖之天道，乃是‘无我’。若其不做越心之事，任你如何强横，哪怕毁了这天地，也无法击败他。这一点，施主该比贫僧更加清楚。普天之下，能击败‘无我’之人，若是先前，非三十三重天上太上老君莫属。可太上老君的天道石已彻底毁坏，即便再过千年，恐怕也无法恢复如初。如此一来，这天地间便只一人可破‘无我’。”

“谁？”猴子微微侧过脸去。

见状，玄奘双手合十，似笑非笑地躬身道：“正是贫僧。”

“你？”闻言，猴子冷笑一声，扭过头去悠悠叹道，“我看你是没睡醒吧，连佛光都没了，你破‘无我’？你在逗老子吗？”

“施主不信？”

“你说呢？”

玄奘又笑了笑，深吸了口气，道：“施主可知，你那天道‘无极’何故得而复失？”

“道心破了。”

“若是如来佛祖佛心破了会如何？”

猴子微微一愣，半天才缓过神来，回过头来问道：“你想说什么？”

“佛门四大皆空，佛法不空。既然如此，佛法便是他的佛心。”玄奘两手一摊，坦然道，“而贫僧，能破他的佛心。”

闻言，猴子顿时哑然失笑。他半眯着眼睛问道：“怎么破？你倒是说来听听。”

玄奘略微想了下，侧过脸去注视着猴子道：“成佛，抛弃所有的一切，四大皆空，唯留佛法，由此而论，佛即是佛法，佛法，即是佛。佛与佛之间的战争，斗的不是力，而是‘知’，是‘行’，说到底，乃是意识之争。若是坚守的‘法’败了，那么佛，也便成了无根之萍，失去了存在的意义。施主可知，当日金蝉子的佛身如何失的？”

猴子的眉头顿时微微蹙起，他有些迟疑地说道：“我记得是灵山辩法战败失的。怎么？你是想说让你再跟如来战一场，你能赢？要这样那就简单了，我背上你，到灵山，见如来，不过举手之劳，一炷香的时间都用不了。可你真能赢吗？可别到时候我出来了，你又输了，累及旁人啊。”

说罢，猴子意味深长地瞧着玄奘。

玄奘笑了笑，摆手正色道：“哪里是那么容易，要辩法，除了‘知’，还要‘行’。所以，西行一路，名为取经，实为证道。”

“说了半天，你还是没办法破如来的佛心咯。”猴子哼笑道，“要我保护你没问题，谁来了我都能挡，可是如果如来亲自来了呢？那记忆里的东西你又不是没看到，他来了，我可救不了你。到时候，道还没证，你就身首异处了，我找谁哭去？”

这一通话说下来，玄奘却不以为意。他仰着头，遥望着星空，淡淡笑了笑，叹道：“他不会来。”

“你怎么就知道他不会来？若我是如来，你要破我佛心，我三下五除二就把你宰了，话都不多说半句。”

“若你是如来，贫僧也就省去那么多事了。”玄奘笑了笑，侧过脸来瞧着猴子道，“他不会来，是因为他不能来。”

“什么意思？”

“贫僧先前已经说过，佛法之争，乃是意识之争。”玄奘注视着猴子，似笑非笑地说道，“他为何要来？如你所说，贫僧要破他佛心。可若他相信所持佛法真高于贫僧所求之法，贫僧此行，不过自取其辱罢了，他何须在意？若他真忧心贫僧能破他佛心，以至于亲自对贫僧出手，那么，他未战，先败。届时，即便贫僧身死，如来佛心也已不保。不知，这理由施主可还认可？”

这一字一句，他说得轻巧，可落到猴子耳中却犹如雷鸣一般。

西行……到头来，取经不过是一个名目，真正的原因，乃是教义之争！

一阵微风从身旁刮过，许久，猴子抬头看向玄奘，一脸的惊恐。

见状，玄奘缓缓仰起头，平视前方。

那目光之中透着不同于先前的冰冷，他更如同一位运筹帷幄的谋士。

他迎着风，又说道：“不过，此行也有风险。一则，阎王易见，小鬼难缠，如来虽不能对贫僧动杀心，却可以设下重重险阻劫难，那灵山佛座下的罗汉、僧侣，但凡利益攸关者，皆可对贫僧出手。

“应对如来，贫僧心中有数，可凭这凡身却斗不赢其他。再者，行普度之法，必使佛门一改昔日固步之姿，行传教之实。那天庭、道门，也必不希望贫僧证道。若他们出手，莫说贫僧只存这一世，便是再有十世，也不够。再加上这一路的妖魔，呵呵呵呵……其艰险，可想而知。

“你乃万妖之王，又孤身击败过天庭，与那如来有血海深仇。若贫僧此行得证大道，可破如来佛心，令你大仇得报。这普天之下，护贫僧西行者，除了你齐天大圣孙悟空，还真找不出第二个人了。”

玄奘话音未落，一道惊雷响彻天际！

灵山大雷音寺，如来缓缓地睁开双目。

一位佛陀急匆匆地闯入大殿，双膝跪倒在地：“启禀尊者……”

话音未落，如来缓缓地摆了摆手，示意他退下。

见状，那佛陀只得点了点头，躬身退出殿外。

如来侧过脸去，斜视着一旁的正法明如来道：“可是你让金蝉子去找那妖猴的？”

“正是。”正法明如来躬身答道，“弟子已将破除五行山之封的口诀交与金蝉子。”

顿时，整个大殿陷入了无尽的沉默之中。

阵阵轰鸣声中，天边云层翻滚，已成风雨欲来之势。

猴子缓缓地笑了，悠悠叹道：“看来，他已经知道了。”

一道闪电从眼前掠过，照亮了玄奘的脸庞。

“贫僧不只要让他知道，贫僧还要让天庭知道，让三界都知道……贫僧来了，一步步地，来了。”

此时此刻，他迎着风，负手而立，面无惧色。

第四百八十二章

出 山

玄奘卷起袈裟，提起前摆，绕过山间的巨石，一步步朝着山顶走去。

夜风在山间呼呼地吹着。

远处的电闪雷鸣渐渐变成了一声声闷响，就像一只野兽亮出了爪牙，在低吼着释放某种敌意，却始终没有扑过来撕咬。

大概，连这天地也已经明白，眼前这将生死置之度外的取经人是吓不倒的。

“我还没答应呢——！”猴子拉长了声音道。

“贫僧说过，施主答不答应，贫僧都会放。待到封印解开，施主是留是去，要往哪儿走，贫僧都不阻拦。”玄奘依旧一步步往山顶走去，轻声道，“贫僧曾发宏愿普度众生，而对贫僧来说，施主也是众生之一，自然也在普度之列，既然见着了，若是无所作为，岂不有违本心？”

猴子趴在枯草堆里一动不动，像睡着了一般安静，可那眼睛分明又半睁半闭。

许久，玄奘终于登上了山顶，面对着那巨石，面对着那巨石上历经六百五十年风雨的梵文。

没有过多的言语，他双手合十，双目微闭，缓缓低头，口中念念有词。

待到那口诀念完，他伸出一指轻轻点在巨石上。瞬间，一道金光冲天而起，巨石上的梵文如同湖面的波纹般荡漾，化作点点晶莹之物飘散在风中。

玄奘两鬓间的锦带也随风飘扬。

他缓缓地舒了口气，转身一步步下山，回到猴子面前，躬身道：“该说的都说了，那封印贫僧也已经解开，出还是不出，便由施主自行决定吧。叨扰多时，贫僧这就拜别。若是有缘，自会再见，若是无缘……贫僧只求施主一件事。”

猴子呆呆地枕着手臂，看着近在咫尺的枯草，有些茫然地问道：“什么事？”

玄奘双手合十，淡淡道：“贫僧希望施主出来后，无论遇到何事，切勿轻易动怒。如来与施主有血海深仇，天庭与施主有宿怨，放下佛法不论，即便施主与之再起争端，也无可厚非。可这三界众生，却未曾获罪于施主，还请施主切勿再做出毁坏天地之事，无论何时何地何事，都该念及苍生……切莫忘了初衷，莫忘了，施主所守护的妖族，施主所在乎之人，所爱之人，也同样生活在这片天地之中。玄奘在此替苍生谢过施主。”

说罢，玄奘躬身行礼，转身走了。

恍惚间，猴子似乎想起了另一位故人。

那个夕阳下弓着身子坐在石头上、好似为了生计发愁的老农的背影，至今铭刻在他的心中。

“老白猿啊……呵呵呵呵。”想着，他无奈地笑了笑。

老白猿和玄奘，兴许，他们才是同一种人吧，能力虽有高低之分，却拥有同样的心。至于自己，虽然从老白猿的手中接过了那棒子，却始终没有真正做到过。

待到翻身上马，玄奘才最后回头望了猴子一眼，握紧了缰绳，扬起马鞭，策马西去，再没回头。

猴子静静地目送着玄奘，一言不发。

许久，待跑出五里之外，玄奘方勒马回首。

那远处的高山，微微颤抖着，在阵阵轰鸣声中裂开了一条缝，紧接着，炸开了。

一道金光瞬间消失在东方的天空中。

望着天际，望着天边渐渐露出的鱼肚白，玄奘淡淡笑了笑，掉转马头，继续朝着西方而去。

此时，他们都没注意到，高空中有一辆巡天府的马车疾驰而过……

灵山大雷音寺。

大殿内，依旧是一片寂静。

那侧边上的一众佛陀罗汉，全都默默注视着如来与正法明如来。

许久，如来缓缓闭上双目，轻声道：“那妖猴恨我佛门入骨，你助那妖猴脱困，是为何意？”

“弟子本意，并非助那妖猴脱困。”

“非助那妖猴脱困？”

“弟子本意，乃是考验金蝉子。”正法明如来双手合十，轻声道，“他痴言求取普度之法，若是他口中普度之法并非妄语，那么，度得众生，自然也度得那妖猴。”

“若是度不得呢？”

“若是度不得，又将妖猴放了出来，届时，三界众生危矣，又何来普度之说？金蝉子，也该为这十世辩法画上一个句号了。若是真度得，倒不失为一件大功德，于佛门有益无害。”

闻言，如来却只是笑，不再发问。

许久，站在另一边的文殊出列，双手合十，躬身道：“真要考验，弟子倒有一策，不知可否？”

文殊这么一说，所有的佛陀当即都朝他望了过来。

九重天上，一位天将紧握着一份奏折匆匆行走在空旷的广场上。那四周旗帜招展，大批身穿银色铠甲的天兵分列两旁，看上去威风凛凛。

六百五十年前那一战，对三界来说是噩梦，对天庭来说更是如此。

天军序列几乎损失殆尽，仙家、天兵，其阵亡人数多达百余万。那些宫殿多被一把火烧了个干净。

可以说，猴子一人一棍，几乎将整个天庭，甚至整个道门先前万年的积累全部毁了。

而今，历经六百五十年的重建，如今的天庭，虽说比不得鼎盛时期，但也已经初具规模，只是由于人手问题，许多监督凡间以及阴间的职能不得不先行搁置，为此，就连原本不得触碰的天条仙令，也做了极大的调整。以至于虽是一样的景色、一样的着装、一样的称呼，此天庭与彼天庭，实则差别极大。

很快，那天将便快步踏上了长长的白玉石阶，绕过灵霄宝殿来到御书房前，却被把门的天兵拦了下来。

“劳烦通传一声，就跟陛下说，末将有紧急军情启奏，半点儿耽误不得。”

“紧急军情？”

“对，紧急军情，必须即刻觐见陛下。”

说话间，那天将已经不自觉地用袖口抹了三次汗，看得把门的天兵都有些呆了。

那把门的天兵稍稍犹豫了一下，躬身拱手道：“将军稍候，容卑职禀报陛下，再行回复。”

说罢，他便转身打开御书房的门，进去了。

不多时，大门洞开，几位仙家从里面走了出来，一个个乐呵呵地朝着前来报信的天将拱手，那天将却只是勉强笑了笑，连回礼的心思都没有，只是一个劲儿伸长了脖子往里望，时不时去抹额头的汗珠。

从门外看去，这御书房与六百五十年前并无多大不同，依旧是那般华贵典雅，甚至连摆设都别无二致。若不说破，便说是当日未经战火恐怕都大有人信。

只是，这御书房的主人却已经换了。

很快，那把门的天兵也从御书房里走了出来，侧身道：“将军，陛下有请。”

天将点了点头，连忙大步向前，跨过门槛之时还不小心绊了一下。

如此情形，若是平时必尴尬不已，只是今日，他却压根儿没心思理会。刚一站稳，他便快步朝着御书房里屋走去。

在里屋中，龙案前一身龙袍的中年男子端坐着。

这男子面如冠玉，蓄着长须，两道眉足有一尺长，垂于两边，很有一番帝王之姿，只是那炯炯有神的双眼却布满了血丝，看上去极为疲惫。

当日猴子杀玉帝、西王母，连带将他们的魂魄也一并毁了，以至于天庭重建，却没办法将他们复活。经三清协商，只得另立新帝。

而这一位，便是新任的玉帝——张百忍。

见了玉帝，那天将忙单膝跪地，将手中奏折呈于额前道：“启禀陛下，这是巡天府方才送来的奏折。”

“巡天府的紧急军情？又是谁闹事了？九头虫，还是牛魔王、鹏魔王？”闻言，玉帝不由得抬手揉了揉睛明穴，长叹了口气，苦笑道，“李靖不是刚刚与他们缔结了协议休兵吗？这帮妖怪，真是一天都不消停。”

那天将低着头，轻声道：“启禀陛下，不是他们……”

“不是他们？难不成是吕清和多目怪？他们可甚少生事啊。”说着，玉帝伸出了手。

一旁的卿家连忙从天将手中接过奏折，转交玉帝。翻开奏折，只一眼，玉帝的脸刷的一下就白了，他瞪大了眼睛，眼角猛地抽搐。

跪在龙案前的天将小心翼翼地注视着玉帝，轻声奏道：“启禀陛下，南赡部洲有一山，名唤两界山，因新近发生大异动，扰了民生，巡天府便着巡天将前去查看，发现那两界山已经崩裂。听山民说，那山下原囚有一妖猴，此次异动，乃是那妖猴破开了封印出逃所致……巡天府怀疑，那出逃的妖猴，便是久寻不获的妖猴孙悟空。”

“孙悟空……”

对天庭乃至于三界来说，“孙悟空”这三个字都是个噩梦啊……难道在自己手上，那噩梦要重演吗？隐隐地，玉帝也有些慌乱了。他猛地眨巴着眼睛，指着那天将道：“可知那妖猴现在何处？”

“那妖猴已逃去无踪，巡天府现正派人四处搜寻。”

“动……动作别太大，切勿惊动了他。若是有了确凿证据证明那妖猴便是孙悟空，也要先禀报三清再行定夺，切勿莽撞激怒了他。”

“诺。”

那天将正要转身，玉帝又嘱托道：“通知李靖，在形势明朗之前，切勿再对凡间用兵，以免徒生事端。”

“连对散妖也停止……”

“对。”玉帝斩钉截铁地答道。

第四百八十三章

造访龙宫

漆黑一片的海流中，猴子缓缓前行。

几条长得奇形怪状的鱼从他身边缓缓而过，直到发现了他，才一惊，遁去无踪。

猴子依旧面无表情地前行着，那双目一点神采都没有，就如同刚睡醒一般。

许久，远处出现了一点亮光。

远远地，他望见了山峦环绕之中的东海龙宫，如同一只巨大的章鱼横卧海底伸出自己的触手一般。

阔别六百多年，龙宫依旧是那么富丽堂皇，一点都没有变啊。

他稍稍犹豫了一下，笑了笑，加速前行。

不多时，几只游弋的虾兵迎了上来，手持兵刃指着猴子高声叱喝道："来者何人？龙宫重地，岂容闲杂人等擅闯？"

"让敖广出来见我，或者让敖听心出来也行。"猴子面无表情地说道。

那几只虾兵顿时一怔。

正殿中，一只蚌壳微微张合，吞吐着气泡，着装艳丽的蚌精往来不断。那四周的一个个夜明珠将一切照得通亮，遍布的红色珊瑚尽显华丽。

在这殿堂之上，四公主敖听心正细细地向她父王汇报龙宫近期施政的细则。

一位蟹将急匆匆地奔入殿堂之中，跪地奏道："启禀陛下，那宫门外来了一只妖猴，说要见您……"

“一只妖猴？”

“是小七吗？”敖听心轻声道。

“不是，若是小七末将认得。”

敖听心笑了笑，道：“莫非那花果山又出了一只炼神境的猴妖？这倒是可喜之事啊。”

龙王淡淡看了蟹将一眼，随口问道：“对方可通报了姓名？”

“不曾，那身上亦无任何标识。”蟹将拱手道，“他直呼陛下名讳，却不肯自报家门，扬言说要陛下出去见他，若是陛下不在便让四公主出去见他，那口气甚为狂妄。几只虾兵前去驱赶，却都敌不过他一招儿。依末将看，那修为起码有化神境以上，故而先行禀报陛下，再行定夺。若是陛下确认不认识这么一只妖猴，末将这就去调集禁卫将他驱出东海。”

那蟹将再仰起头时，却见老龙王与敖听心脸色煞白，不由得有些茫然地缩了缩脑袋。

六百五十年的光阴，龙宫除了少数几个修为有所成的大将和那些立下了功劳被赐蟠桃的功臣，大多都已经更换了数遍。

对未曾经历那场大战的人来说，猴妖仅仅是猴妖，三界之中，猴妖何其多。但对经历过那场大战的人来说，“猴妖”两个字意味着一种可怕的可能性。而能直呼东海龙王名讳又认得四公主敖听心的猴妖，距离那种可怕的可能性又近了一步。

许久，老龙王注视着蟹将轻声道：“那妖猴衣着如何？”

蟹将略微想了下，道：“妖猴身上并无衣物，只是捆了几片香蕉叶，与方化形的小妖无异。可是修为，却非同一般。”

老龙王已经开始冒汗了。他侧过脸去对着敖听心道：“你觉得，会是谁？”

此时，敖听心也是一脸的凝重。她紧蹙着眉头道：“化神境的妖怪，该都是有些见识的。若是无甚实力，定不会傻到孤身闯龙宫才对。这三界之中能孤身闯龙宫且面无惧色的猴妖，当数那行踪不定的猕猴王与猬狨王。若是他们还好，毕竟他们与牛魔王是结义兄弟，牛魔王又与天庭刚休兵，该不会随意起祸端。可一来那猕猴王、猬狨王与我东海龙宫素无往来；二来，他们也断不会捆几片香蕉叶子就上门。如若不是他们的话……”

话到此处，敖听心便没再往下讲。

老龙王看上去已经有些慌乱了，那扶着龙椅的手松了又紧，紧了又松。

许久，敖听心躬身道："父王，听心与花果山上下都有些旧情分，不如就先让听心出去看看吧。"

"也……也好。"老龙王抬手将那蟹将招到身前，低声道，"将禁卫都召集起来，随行保护四公主。"

"诺。"

还没等那蟹将转身，敖听心便伸手制止了。她轻声道："免了。若是猕猴王或者猬狨王，必无大碍；若是那另一个，即便将龙宫所有人召集起来，也无所作为，反倒容易让对方误会。"

"对对对。"老龙王连忙道，"你看父王都糊涂了，对对对，听心说的是。"

不多时，龙宫紧闭的大门便缓缓敞开了。

敖听心提起裙摆跨过门槛，远远地便看见一众兵将将猴子团团围住。在那包围圈的正中，猴子懒懒地坐在一块石头上。

见到猴子的瞬间，敖听心整个呆住了。

她一眼就认出了猴子，藏在袖中的手暗暗攥紧了。

猴子撑着膝盖缓缓地起身，仰起头，一步步朝着敖听心走去。

"站住！见了四公主还不下跪行礼！"

见状，那四周的兵将赶紧手持兵刃上前阻拦。

敖听心连忙高声叱道："住手——！全都退下！擅动刀兵者斩！"

这一声叱喝之下，那一众兵将一怔，一个个面面相觑，收起武器，缓缓退下了。

"别担心，我不想打架。"与敖听心擦肩而过，猴子跨过门槛大步朝着龙宫内围走去。

敖听心咽了口唾沫，收了收神，连忙转身碎步跟了上去，那神色看上去就像一个小丫鬟，看得一众兵将都傻了眼。

有堂堂四公主跟着，这一路自然无人阻拦。龙宫里的人一个个恭敬地行礼，只是他们看猴子的神情都有些诧异。

待走到龙宫的内院，猴子才停下了脚步，眨巴着双眼朝着四周望了好一会儿，问道：“你们龙宫的宝库在哪里？太久了，我都忘了。”

“在这边。”敖听心低着头连忙快步上前带路，小心翼翼地问道，“大圣爷想找什么宝物，可否告知听心？”

“就是想找件衣服穿罢了，想去见见故人，总不能绑着两片叶子就过去吧？几百年没见了……这样太狼狈了。”猴子道，“想了半天，只想到你这里，所以就过来了。”

自始至终，无论他的语气还是神态，都充满了倦意。

一路走到龙宫宝库前，敖听心福身行礼道：“大圣爷还请稍候片刻，听心这就让人去取钥匙，只需片刻便可。”

“行吧，快点。”猴子点了点头道。

敖听心伸手招来一只虾兵，让他去取钥匙。

那虾兵虽然还没弄清楚究竟发生了什么事，但四公主亲自下令，他自然不敢怠慢，应了声“诺”便赶紧跑开了。

待那虾兵走后，猴子才瞥了敖听心一眼道：“干吗那么怕我？记得以前你还敢给我添乱来着。”

“那是听心年幼不懂事。”说着，敖听心连忙福身道，“听心替龙宫上下谢过大圣爷当日不杀之恩。”

听到这一句，猴子顿时笑了出来，道：“你这……可真够拘谨的。你龙宫也没得罪我，我杀你们干吗？况且，杨婵的嫂子还是西海三公主，真要论起来，我们还是亲戚。若是对你们龙宫动手，她还不扒了我的皮！”

敖听心缓缓起身，小心翼翼地问道：“大圣爷去见过杨婵姐了？”

“还没，打算换身衣服就去见。还想见见其他人，也不知道他们现在都怎么样了。”

“这些年……大圣爷都在哪里呢？听心听说大圣爷被佛门囚禁了，没想到……”

“是囚禁了没错。”猴子仰起头，有些疲惫地叹道，“关了六百五十年，刚出狱。”

说着，他自己呵呵地笑了起来。

敖听心却不敢跟着笑，只如同一个小丫鬟般站在猴子边上。

好一会儿，猴子问道："花果山现在怎么样了？这么近，你应该知道吧？"

"听心闲暇时都会过去走走。"

"哦？"

"自从大圣爷您失了音讯，花果山就散了。当日一战，也将花果山打成了一片焦土。如今倒是还有些小妖生活在那里，只是当日熟悉的人，却一个都不在了。"

"小妖……都有名字吗？"

"草小花，大圣爷还记得吗？"

"那株仙草？"

"嗯。那次大战之后，因为您失了音讯，众妖意见不合，妖族便分裂了。牛魔王、鹏魔王、九头虫、吕清、多目怪各领一支，各奔东西。那小的就数也数不清了。草小花说是要回水帘洞，所以战后不久，便返回花果山定居。"

"真没想到最后死守花果山的会是她。"说着，猴子抬手揉了揉眼睛。

敖听心抬眼注视着猴子，小心翼翼地问道："大圣爷……接下来打算怎么办？"

正当此时，那虾兵取来了钥匙，快步跑到敖听心面前双手呈上。

敖听心接过钥匙，打开了宝库的门，那眼睛却还时不时看向猴子，依旧是小心翼翼。

"现在什么打算都没有，走一步看一步呗。"说着，猴子往前一步，伸手推开了大门。

此时，三界之中，一个来自灵山的小道消息已经传开来了，说是有一个来自东方的和尚奉佛祖之命往西天取经。

有人说，这和尚乃是佛祖如来座下二弟子金蝉子转世，只需吃他一口肉，便可长生不老，无须每到寿元将近之时再想方设法弄蟠桃，找人参果。

有人说，其手中佛祖所赐金钵，可聚天下财物。

有人说，其身上佛祖所赐袈裟，若是披上了，便可白日飞升！

那传言越来越玄乎，越来越匪夷所思。

更有甚者，竟指天起誓，说是佛祖如来已明言，此次西行，乃是考验，若他能平安抵达大雷音寺自然是好，即便他中途被妖怪吃了，被凡人杀了，也是天命使然，断不追究……

一时间，三界风起云涌！

第四百八十四章

施主，请自重

一步步走在龙宫的宝库之中，猴子有些茫然地四处张望着，敖听心寸步不离地跟在身后。

金色的地砖、朱红的柱子，随处可见散落的黄金，宝石在壁上夜明珠的照耀下不断地闪烁，这里的一切看上去都是那么刺眼。

若是几百年前，这些俗物猴子该正眼都不会瞧吧，可现在，每件东西他都会细细打量，看得入神。

六百五十年的光阴，整个世界都变了，这未经战火的东海龙宫，应该属于变化最小的地方吧。可不知为何，猴子总觉得眼前看到的东西，哪怕是一块砖头、一根柱子，都与几百年前看到的不同。

也许，他自己也变了。

所有的一切，看上去陌生得让人有种想要流泪的冲动。

“大圣爷，铠甲存放在这边。”

“哦。”猴子连忙收了收神，那感觉，就像刚从睡梦中被唤醒一般。他尴尬地眨了眨眼睛道：“知道了。”

敖听心领着猴子，缓缓走过从堆积如山的珍宝中腾出来的一条小路，一步步朝着宝库的深处走去，身后始终跟着的几只虾兵远远地望着。

还没等两人来到存放铠甲的府库，龟丞相已经弓着身子小跑着追了上来。

见了猴子，他一个飞身扑倒在地，叩首道：“不知大圣爷驾临，老臣有失远迎，实在罪该万死！请大圣爷恕罪！”

这一幕，看得身后的几只虾兵都傻眼了。

即便是对龙王，他们也从未见这龙宫中“一人之下，万人之上”的老丞相如此敬畏啊。

眼看龟丞相行此大礼，猴子却只是回头淡淡地看了一眼，轻轻摆了摆手道：“起来吧。”

闻言，龟丞相朗声道：“大圣爷不宽恕老臣，老臣不敢起来。”

“我很累，懒得讲话，你懂我的意思吗？”

这句话猴子说得轻巧至极，龟丞相却听得一阵哆嗦，他不由得咽了口唾沫，往后缩了缩，直到见一旁的敖听心正悄悄给自己使眼色，才颤颤巍巍地起身。他的头依旧深深地埋着，时不时抬起眼皮小心翼翼地看向猴子。

他稍稍沉默了一下，拱手低声道：“大圣爷，老臣替我家龙王向您请安了。”

“你家龙王？”猴子微微一愣，眨巴了两下眼睛，揉了揉太阳穴，恍然大悟似的说道，“对了，来了还没见你们老龙王呢。我想在你们龙宫宝库拿点东西，你们龙王不介意吧？”

“哪能介意啊？”龟丞相连忙堆起笑脸，一脸谄媚地说道，“我家龙王说了，我们龙宫的，就是大圣爷您的。只要大圣爷您想要，就是要拔他的胡子，他也毫无怨言。”

“不介意就好。”

说着，猴子就要转身，龟丞相又连忙说道：“另外，大圣爷，我家龙王已在大殿设宴恭候，稍后，等大圣爷挑完了所要的东西，还请移驾大殿，让我家龙王尽一尽地主之谊。”

还没等猴子回答，龟丞相的眼珠子滴溜儿转了两圈，又补充道：“还有，我家龙王交代了，若是大圣爷您想要，而我东海龙宫宝库又没有的，只要您说一声，天上地下，我家龙王必定尽力为您搜寻。”

说罢，龟丞相便一脸谄媚地望着猴子，猴子却依旧面无表情，看上去神色之中还带着疲惫。

许久，猴子扭头看向敖听心，道：“一会儿再说吧。”

敖听心会意地点了点头，迈开小步，继续带着猴子沿过道缓缓地走，只留下龟丞相呆立在原地。

半晌，他也犹豫着跟了上去。

黎明时分，天开始飘起了毛毛细雨。

玄奘骑着马，半眯起眼睛沿着崎岖山路缓缓地走着。迎面而来的雨滴将他浑身上下都打得湿漉漉的。

渐渐地，前方的路变得泥泞不堪，雨也越下越大了。

远远地望见路边一个破损的亭子，玄奘干脆快马加鞭，将马直接骑上凉亭，卸下行囊来避雨。

望着灰蒙蒙的天，他不由得深深一叹。

此时，远处山林间，文殊与一位年轻僧人正远远地注视着玄奘。

许久，那僧人缓缓地笑了出来，轻声道："那妖猴也没跟他一起西行。就他这样能走到灵山大雷音寺？我看他连今天这关都过不了。"

文殊也不答话，只是伸手拨开遮挡视线的叶片继续细细地打量玄奘。

走入一个低矮的府库内，猴子见到了如同军阵一般排布开的足足近千套铠甲。那一件件看上去虽说不一定比得上天庭大将所穿的铠甲，但比起普通天将所穿，已经好太多了。

敖听心转过身来福身行礼，轻声道："我东海龙宫所藏铠甲都在这里了，可要衬得起大圣爷身份的铠甲，这宝库之中恐怕一时间还难以找到。"

"我看这里的铠甲都挺好。"猴子摆了摆手道，"说到底，也就是个遮羞物罢了。若是对方能伤我，莫说龙宫了，这天地间恐怕也找不出一件铠甲防得住。"

"大圣爷说的是。"敖听心微微点了点头，转而对龟丞相道，"去替大圣爷取几件里衣过来吧。"

"诺！"龟丞相连忙点头，转身快步走了出去。

猴子缓缓地走在过道上，一件件地瞧着，目光淡然。

不多时，他在一件金色铠甲前停下了脚步，伸手抚着胸甲上的雕文。

"大圣爷喜欢这一件？"

"这一件，跟当时我从天庭回花果山的时候，你们送的那件有些像。"

敖听心掩着嘴淡淡笑了笑，道：“大圣爷说笑了，那一件，可是西海珍藏的锁子黄金甲，岂是这件可比？”

猴子也跟着笑了笑，揉了把脸叹道：“我当新郎的时候穿的就是你们送我的那几件，只可惜后来都毁了。”

听他这么一说，敖听心连忙收了收脸上的神情，不敢再笑。她稍稍犹豫了一番，又低声道：“若是大圣爷着实喜欢，听心也可命人重铸一副，只是，那锁子黄金甲工艺极其复杂，即便倾四海之力，恐怕也得月余才能铸成。”

“不用了，我也就随口说说。这边的铠甲都挺好，不一定要那一副。况且，就算真铸成了，也不是原来那副啦。”说着，猴子转身继续往前走。敖听心也连忙快步跟了上去。

此时，龟丞相已经急匆匆地奔入大殿中。

一见龟丞相，老龙王便快步迎了上去，当头就问：“怎么样了？”

“启禀陛下，”龟丞相紧蹙着眉头，咽了口唾沫，道，“也……也没怎么样啊。”

“没怎么样？”

“对，没怎么样。”

老龙王的眉头也不由得蹙起，低声问道：“你确定是他吗？”

“应该是没错，就算老臣看走了眼，四公主怎么可能也跟着看走眼呢？”

“真的是他……”老龙王两手放在身前反复揉搓着，犹豫了好一会儿，又低声问道，“你把本王跟你说的话，都转达了？”

“都转达了，一字不漏。”

“那他也没说什么？”

“没说。”

“也没提他花果山兵败之后我四海龙宫依旧臣服天庭一事？”

“压根儿就没提。他看上去有些怪怪的，好像来咱这儿，就纯粹为了借件衣服穿。”

“借件衣服？”

“对，这说来也不奇怪，陛下您是没看到，这几百年，也不知道他是怎么过的，那身上就剩几片叶子遮掩了。”说到这儿，龟丞相一个激灵，连忙道，“坏了，不能再耽搁了，老臣得赶紧给他找几件里衣送过去。”说着，他一个转身就往殿外跑。

“里衣？”老龙王连忙嚷嚷道，“记得挑好的！把最好的拿给他，多拿几件！”

“老臣明白！”

直到此时，老龙王才缓缓松了口气，轻声道，“这猴子没发难就好，没发难就好。当初四丫头被她掳去花果山，现在看来反倒是因祸得福啊。好歹……不管怎么样，总有个能跟他说得上话的人啊。”

渐渐地，雨停了。

玄奘从亭中伸出手去，望了望天，长长地舒了口气，牵着马走下那仅有三阶的阶梯，将行囊重新捆上马鞍。他正要翻身上马，却又不由得愣了一下，扶着白马的鬃毛道：“这一天多的时间，都忘记喂你了。唉，难得你毫无怨言啊。”他摇了摇头，笑了笑，又将行囊重新解了下来，牵着白马拴到一旁小溪边的树上，马就近啃起了草。他自己则从行囊中翻出一本佛经，细细地研读了起来。

远处的僧人悠悠叹道：“避雨、喂马，还得吃喝拉撒睡，就这样一副凡躯，他也敢发宏愿普度众生？说是金蝉子师叔转世，我还以为如何了得呢。好好的佛沦落至此，何必呢？”

一旁的文殊淡淡看了他一眼道：“可千万别小看了他，正因为弱小，敢发如此宏愿，才是大勇。”

“这么说也是，就看他如何化解吧。此事，便交给弟子吧。他要度众生，我就送几个人给他度度看。”说着，那僧人转身朝着远处走去。

文殊稍稍犹豫一下，朝着玄奘望了一眼，转身也跟了上去。

…… ……

不多时，远处一处洞窟中，一个大胡子猛地惊醒了。

东海龙宫宝库中，龟丞相总算送来了里衣，而猴子也已经挑定了一副铠甲。

只是，那副铠甲着实出乎敖听心的意料。

黑色的胸甲上一道中分线，两边简单地刻了几朵云，护腕则完全只有嵌边的条纹，再加上一双看上去简单无比的黑色长靴……就这样一副铠甲，莫说先前龙宫给他送的那副，便是比起他在花果山时日常穿的那副，都要差上许多。而在这龙宫宝库中，它也算不得好货色。

就这样一副铠甲，若真要挑出个好处来，那便是少有的低调，即便放到凡间，估计也不会有人认为这是什么稀罕物。

不过，既然猴子认定了，敖听心与龟丞相也不便多说什么。

敖听心略微想了想，上前将里衣提在手中，抖直，缓缓朝着猴子走了过去。

“你干吗？”猴子忽然问道。

敖听心支支吾吾地说道：“服……服侍您换衣服……”

闻言，猴子无奈地笑了笑，一把将敖听心手中的衣服夺了过去。

“得了吧，你真把自己当丫鬟了？以前在花果山的时候咋没见你这么怕我呢？”

“今时不同往日。”敖听心轻声道，“大圣爷现在可是天道修为。以听心的身份，恐怕都未必够格当您的丫鬟。”

“嘿，天道修为？道心都破了还什么天道修为？”

“道心破了？”

在场的两人都不由得一怔。

猴子却只是笑了笑，仰着头道：“要修回来随时可以，不过，其实也没差别。反正就算修回来了，我也没办法拿如来怎么样。即使不修回来，这三界之中应该也没人能拿我怎么样。有时间再说呗。”

说着，猴子看向敖听心道：“你可以转过身去吗？虽说我浑身都是毛，但到底是在换衣服啊。”

敖听心一惊，连忙转过身去。

猴子很快将衣服换好了，又将选定的铠甲穿上了。这一副铠甲套在身上，与昔日威风凛凛的齐天大圣孙悟空却是全然不同的风格。

如果说穿着黄金锁子甲的是志在吞吐天地的万妖之王，那么眼前的这个，就只是一只普普通通的猴妖。

甚至看衣着，说他是炼神境的妖将也没人会怀疑。

猴子注视着一旁摆放的等身铜镜里的自己，一脸的落寞。

他呆呆地看了好一会儿，微微噘起嘴笑了笑。

一旁的龟丞相总算松了口气，躬身拱手道："大圣爷，既然您觉得还满意，就请移驾大殿。我家龙王已经备下了宴席，龙宫上下也都在那里候着呢。"

"不了。"猴子轻声道，"替我跟老龙王道声谢，我还有事，就不逗留了。"

龟丞相似乎还想劝，一只手却被敖听心按住，他连忙将到嘴边的话又咽了回去。

"你刚刚说，你平时没事会去花果山？"

"回大圣爷的话，是的。"

"能别那么拘谨吗？"猴子无奈地蹙起眉道，"要麻烦你带我走一趟了。也不知道他们还认不认得我，这一趟过去，可千万别被他们扫地出门才好。"

"大圣爷说笑了。虽说六百五十年过去了，当年的妖怪如今还活着的不多，但肯定还是有不少认得您的。大圣爷无须担心。"说着，敖听心侧过身去对龟丞相道，"听心要陪大圣爷走一趟花果山，就劳烦龟丞相跟父王说一声了。"

"这……"那龟丞相急得眼珠子直转，却又不敢说半个"不"字。

见状，敖听心只得对他反复使眼色，微笑着点头。

龟丞相这才稍微安心了些。

猴子带着敖听心，很快出了东海龙宫，朝着花果山而去。

小溪边，那白马还在悠闲地啃着草，雨后的世界一片湿漉漉的，却有一种难得的干净。

玄奘一只手拄着法杖，另一只手握着经书在亭中来回地踱着步，时而仰起头来，时而双目紧闭，似乎不断地在思索着什么。

忽然间，四周传来一阵脚步声。

一伙身穿布衣、袒胸露腹的恶徒手持兵刃从一旁的树后蹿了出来，转眼之间已经将玄奘所在的亭子包围起来。

“嘿，还真有个和尚！我就说我爷爷没骗我嘛！”那为首的大胡子一只手挥舞着砍刀哈哈大笑了起来。

玄奘不由得一怔，淡淡朝着来者扫了一眼，自言自语道：“总共六个。”说着，那手一松，手中经书“啪嗒”一声，合上了。

这情形，任谁都能看出来者不善。

远处偷偷看着的僧人笑了，叹道：“他不是要普度众生吗？那就先普度普度这几个吧。”

一旁的文殊依旧不言不语。

那为首的大胡子勒了勒腰带，挺胸道：“你可是东土来的玄奘？”

“正是贫僧。”玄奘随手将经书放到一旁的行囊上，往前跨了一步，拄着法杖对着他们行了个礼道，“不知施主找贫僧何事？”

听他这么一说，那一伙恶徒顿时都笑了起来。

“也没什么事。”为首的大胡子指着玄奘高声道，“这么着，你爷爷我，先自我介绍一下。本人姓王，名五，江湖人称大刀王五，这一带的人呢，都叫我大王。平时没事，我也就是在这里收收过路费，遇着不长眼的就顺手送他归西。这么说，你听明白了吗？”

玄奘面无表情地注视着这大胡子，轻声道：“那就是……山贼的意思？”

那一伙恶徒又哈哈大笑。

“算是吧，反正我暂时也没找到更贴切的词。”大胡子盯着玄奘，笑眯眯地说道，“今天本来是打算休息的，不过呢，刚刚我爷爷给我托了个梦，说有个叫玄奘的和尚，今天要经过这里。他还说，你手中有个金钵，能聚天下财物，可有此事啊？识趣的就把金钵留下，我饶你不死。”

玄奘面无表情地答道：“贫僧正是玄奘，不过，没有金钵。”

“没有金钵？”一时间，众山贼面面相觑。

“你们这帮蠢货，他说没有，你们还真就当没有了？”那大胡子拉长了声音道，“连名字都撞对了，这金钵肯定也是有的，搜！”

话音未落，两个山贼已经挽起衣袖朝着玄奘的行囊走了过去。

正当他们双手即将触及那行囊之时，只听“咚”的一声，玄奘手中法杖的一端落到了行囊上。

那一众山贼都愣住了。

玄奘握着法杖的另一端，面无表情地注视着那大胡子道：“不问自取，非君子所为。施主，请自重。”

第四百八十五章

是不是背叛了

大胡子注视着那落到行囊上的法杖，仰起头来，瞪眼咧嘴笑道：“你是想找死？”

远处的僧人顿时失笑，一旁的文殊却微微眯起双眼。

玄奘面无惧色，缓缓抬起握着法杖的手，侧过脸看靠近自己行囊的两个山贼。

两个山贼都若无其事地看向自己的头领。

“呵呵呵呵，不错，有胆色，老子就成全你。”那大胡子一摆手，恶狠狠地说道，“宰了他！”

一声令下，那两个山贼当即狞笑着，提着刀朝玄奘摇摇晃晃地走了过去。

佛门和道家一样，严格来说都是挑战自我极限的修者，修行的方式却是大不相同。

道家修的道法，能驻颜，能强身，年纪轻轻便实力强大并不稀奇。但佛门却不是这样。

佛门的修行，靠的主要是顿悟，强调的是心性，要历经磨难而放下一切。除却极少数天资极高的和尚，一般都要年纪极大、拥有丰富的阅历才能有所成。

所谓高僧，大多都是白胡子一大把，甚至经过几次轮回，也毫不奇怪。

而眼前这个孤身一人的和尚，显然不属于那小小年纪便成佛身的极少数，在他们眼中，不过是个弱不经过风的游僧罢了。

这种人，他们一年都不知道砍死几个呢。

玄奘见二人缓缓而来，将法杖收了回来，不紧不慢地摆起了架势。

“嘿，还真像那么回事啊。”一个山贼指着玄奘笑了起来。

话音未落，只见玄奘双眼一瞪，一个突进，法杖重重顶在一个山贼的腹部。

一声惨叫惊呆了所有人。瞬间，那山贼痛得张大了嘴巴。

还没等众山贼反应过来，玄奘已经一个旋转跃起，火红色的袈裟飞扬。

疾旋之中，法杖重重砸在另一个山贼的脸上。鲜血夹杂着牙齿飞溅而出。

几乎同时，两个山贼栽倒在地。一个捂着肚子满地打滚，杀猪一般地哀号，一个直接就晕了过去。

落地之际，玄奘拄杖而立，单手作揖，朝着山贼面无表情地行了个礼，淡淡道：“善哉善哉，贫僧今日略施小惩，还望施主日后改过自新，勿再从此孽务。”

其余四个山贼早已惊得张大了嘴巴，眼珠子都要掉下来了。

那远处的僧人也不由得睁大了眼睛：“这是……这是单纯的体术？”

文殊将视线缓缓收了回来，淡淡地笑着：“果然是有备而来。”

好不容易，那四个山贼才缓过神来。“你这和尚，还真有两下子……”为首的大胡子嘴角直抽，瞪大了眼睛注视着玄奘，恶狠狠地说道，“不过，双拳难敌四手，老子劝你还是赶紧将金钵交出来，不然，就让你身首异处！”

“施主莫不是还准备跟贫僧切磋一番？”玄奘淡淡地说着，往前跨了一步，一众山贼当即吓得纷纷后退。

大胡子咽了口唾沫，怔怔地看着玄奘，却又不甘心就此退去，一时间，双方僵持住了。

远处的僧人侧过脸去看向一旁的文殊，低声问道：“他是否隐藏了真实修为？”

文殊仰起头略微思索了一下，摇头道：“正法明如来倒是提过，这第十世的金蝉子从小便不爱经文，反倒时常跟着寺里的武僧习武，也就会些拳脚功夫，能强身健体罢了。不过，虽说是拳脚功夫，但不同的人用起来，威力也大不相同吧。”说罢，他轻声笑了笑，那一旁的僧人却已经笑不出来了。

文殊淡淡瞥了他一眼，轻声叹道：“此行，既是对他的考验，也是对你的考验。那玄奘身处包围之中尚且分毫不乱，你站在这里，却一惊一乍。”

那僧人一惊，顿时意会了文殊话中的用意，连忙双手合十，躬身道：“弟子失态了，谢尊者提点。”

文殊默默地点头，不再言语。

远处，一个喽啰贴到大胡子身边低声问道：“大王，现在怎么办？”

“怎么办……怎么办？”那大胡子重重地喘息着，握紧了大刀咬牙道，“既然我爷爷已经托梦给我了，这金钵便是我王五之物，无论如何，绝没有让它就这么溜走的道理。”

“那……”

“你，立即回去多带点人……不，能动的都给老子叫来！”

“欸……欸。”

那喽啰迅速转身连滚带爬地奔上山去，其余三个山贼则依旧忐忑地握着兵刃站在原地，紧盯着玄奘。

见状，玄奘淡淡地扫了一眼他们抖得厉害的膝盖，无奈叹了口气，往侧边挪了一步。

他这一挪步，其中一个山贼已经快步跑到白马跟前。

玄奘当即停下脚步，淡淡道：“贫僧不跑，但，你们也不能动贫僧的马。”

那大胡子当即摆了摆手，让站在马边的山贼退下。

“老大，你真相信他不跑？”

“就他那身手，想跑你拦得住？”

闻言，那山贼只得咽了口唾沫退回大胡子身旁。

见那山贼已经退下，玄奘拄着法杖一步步地往回走，到那行囊边上，放下法杖，伸手取下自己的万佛冠。

“你……你要干什么？”大胡子指着玄奘叫道。

玄奘侧过脸来看了他一眼。

就在一众山贼的注视下，玄奘将万佛冠放到行囊上，又不紧不慢地将自己身上的袈裟脱下，叠好，一并放到行囊上。

紧接着，他俯身勒紧自己脚上的捆带，托着法杖盘腿坐下，双目紧闭，轻声道：“贫僧只有这一件体面的袈裟，若是一会儿被血溅脏，往后住寺，恐怕就不太好说了，还请诸位见谅。”

他这一席话说得轻描淡写，山贼们却听得眼角直抽。

这是蔑视，彻彻底底的蔑视。

大胡子恼羞成怒地对着玄奘吼道：“你……你休要狂妄，你可知我那洞窟中有多少人？”

“多少人……有区别吗？”玄奘注视着大胡子，淡淡一笑，笑得和蔼，却让一众山贼不由得寒到了心底。

那大胡子嘴角抽搐得越发厉害了。

和尚不是整日吃斋念经吗？这真的是他们所知道的和尚吗？

什么叫“笑面虎”？他们今天总算是见识到了。

东海海面上，两朵水花溅起，猴子与敖听心凌空悬浮着。

映入眼帘的，是灰蒙蒙的一片，是呼啸的风以及漫天的沙尘，就连远处的花果山主峰都只剩下一个影子。

看到这一切的瞬间，猴子整个呆住了，那神情变了数变。

“这里……怎么回事？”

身后的敖听心低声道：“有交代说，不准给花果山降雨，所以这里已经六百五十年没降过雨了。”

“谁的命令？玉帝，还是太上老君？”

“准确地说，都不是。”

“那还有谁？”

“这是天庭和佛门共同的意思。”说罢，敖听心小心翼翼地看了猴子一眼。

隐隐地，她感觉到猴子的呼吸顿时急促了不少。

猴子紧紧地闭着眼，静静地悬浮着。

许久，当他再次睁开眼睛时，已经转身朝着地面飞去。

见状，敖听心也连忙低着头跟了下去。

落到地面上，猴子抓起一把黄土，攥在手心静静地注视着，良久，才松开手任其飘散，轻声道：“树欲静而风不止啊。”

敖听心的手暗暗紧了紧，有些忐忑地看着猴子。

猴子仰起头，茫然地望着四周的一切。

六百五十年前那场战争中遗留的建筑残骸如今大多已经掩埋在土中，即便是露出地表的部分，经历了那么多年的风蚀，也早已不成样子。

或许后来者还能猜出这曾经是一座庞大的城市，只是，恐怕再也没人能想象当日战舰遮天的盛况了吧。

“他们不准你们下雨，万圣龙王也没给这里降雨吗？还是说，他们也出事了？”

“他们没出事。”

“那就是……背叛了？”

敖听心微微低着头，不答话。

“没背叛，又不给花果山降雨，这是怎么回事？”猴子深吸了口气，哼的一声笑了出来，轻声道，“还没上天任弼马温的时候，我总觉得整个花果山最聪明的就是你，也曾想过让你当我的军师。今天就降雨这件事，你给我分析分析，究竟是怎么回事。”

敖听心犹豫了许久，低声道：“佛门，其实并没有太积极对待花果山的事情。对他们来说，没有了大圣爷的花果山就只是个细枝末节。如果能顺手处理，便处理；如果不能，放着也无关紧要。大战之后，佛门就撤离了花果山，从此再未踏足。”

猴子回过头来，静静地听着。

“但天庭却不同，天庭与妖族，虽说如今已经有了些变化，但到底还是对头……即使是分裂之后，妖族各支也一直对外宣称他们在积极地寻找大圣爷您的下落，宣称只效忠于您。即便是现在，六百五十年过去了，听心也相信，只要大圣爷您登高一呼，天下妖众便会再度齐聚花果山。因为您做成了他们万年都做不成的事，您是妖族的旗帜。同样的，花果山也是一面旗帜。如果不是花果山变成这般模样，想必，妖族也不会彻底分裂吧。”

猴子望着漫天的沙尘，轻声道：“我现在想知道的是，万圣龙王一家，还有九头虫，是不是背叛了？”

第四百八十六章

送 信

风带着沙尘从猴子身边呼呼地刮过，他缓缓地侧过脸，注视着敖听心。

“他……”敖听心欲言又止，许久，才轻声道，“他们有不得已的苦衷。”

“投靠天庭了吗？”猴子轻声问道。

“没有。”敖听心摇头道，“这些年，天庭对妖族的态度已经发生了很大的改变，事实上他们也不得不改变。妖族早已经不是以前的妖族，而六百五十年前的那一战之后，天军至今没有完全恢复元气。天庭早已经没有能力同时应对三界之中所有的妖怪，再加上佛门插手阴间事务……”

“所以呢？”

“所以，他们将原本的剿灭改为制约，只对小妖出手，至于大妖，只要不过分，他们甚至可以予以承认，只是会定期地利用各种机会加以削弱。在许多问题上，天庭都让步了，唯一不让步的，就是花果山的降雨。”

敖听心注视着猴子，缓缓说道：“大妖之间互不信任，互有摩擦，难以拧成一股绳。他们都需要一个证明自己名分的东西来获得天下妖众的心。大圣爷下落不明，原本作为继承者的灵犀已经身陨，您亲自授命的大元帅短嘴也已经战死，除了三圣母之外，他们唯一可以争取的名分，就是花果山了。

“可惜谁也无法在这里站住脚。没有降雨意味着这个地方无法提供大量的食物给前来投奔的小妖，也无法支撑起一个庞大的妖族帝国。我想，这也就是天庭禁止花果山降雨的真正原因吧。”

猴子呆呆地眨巴着眼睛，脑海中的思绪如同一团乱麻。

刚刚短短的谈话当中究竟透露出多少讯息？

整个世界发生了翻天覆地的变化，一切似乎都失控了。

亲眼看到昔日强大的花果山势力分崩离析，猴子心中五味杂陈。

敖听心稍稍沉默了一下，接着说道：“九头虫并没有投降天庭，他拥有属于自己的部队，割据一方，有时会与天军起摩擦，甚至兵戎相见。万圣公主和万圣龙王却出乎意料地受到了玉帝的册封，我想……这当中有些什么交易吧。”

“九头虫还是一点没变啊。”猴子嘴角微微上扬，深吸了口气，轻声笑道，“你是在替他们说情吗？”

“听心不敢。”敖听心连忙福身。

“算了，不问你了，有一天，等我遇见他，自己问吧。”说着，猴子迈开脚步朝着远去走去。

敖听心紧紧地跟着猴子，犹豫着低声道：“大圣爷方归来，当务之急应该是凝聚人心，而非清理叛徒……”

猴子忽然停下了脚步。

敖听心也当即站住，有些忐忑地看着猴子的背影。

“看来，你和万圣龙王一家确实交情不浅啊。”

敖听心一惊，低下头：“大圣爷……说笑了。”

“从刚刚开始，你就很怕我，所有的话也都是点到即止。为了万圣龙王一家，却敢开口说情。”

敖听心交叉身前的手顿时微微紧了紧。

世界已经变了，对猴子来说如此，对敖听心来说又何尝不是呢？

这猴子早已经不是当初花果山刚刚站稳脚跟时的猴子了。他是名副其实的万妖之王，纵使天道修为已失，如果他想灭四海龙宫，也不过是一念之间的事情，谁也救不了。

他早已不是当初那只自己在他面前可以开玩笑，甚至耍赖皮的猴子。自己说错一句话，就有可能给四海带来灭顶之灾。

警惕地看着猴子，短短的时间里，敖听心脑海中闪过种种念头。

“放心吧！”猴子的声音忽然抬高，长叹了口气，道，“我没打算追究什么，他们做错了，我又何尝做对了呢？”

“大圣爷……”

“走吧，去看看他们。不过，我改变主意了，还是别让他们知道我回来了。”说着，猴子迈开脚步。

就在不远处，一片黄沙的世界中，他能清楚地感觉到十来只小妖的存在。

远远地，一大批山贼飞奔下山。

端坐着闭目养神的玄奘眼睛缓缓地睁开一条缝：“大概有二十个。”他依旧面不改色。

那神情看得一旁的大胡子一惊，他不禁有些不淡定了。

“大哥！我们来了！”

“围起来！”

一大群山贼迅速将玄奘围了起来。

玄奘缓缓地起身，拄着法杖往前一步，作揖道：“开始吧。”

文殊拍了拍那僧人的肩，淡淡叹了口气，转身便走。

那僧人看了文殊一眼，又回头望望玄奘，最终扭头跟着文殊离去。

笼罩在一片沙尘中的花果山。

隔着一道残墙，猴子怔怔地望着前方的小山坡。

在那小山坡下有个洞窟，洞窟外一只小猴妖搂着一杆长枪歪歪斜斜地靠着，打着盹。一身的布袍缝缝补补，看上去像个难民。

一切，仿佛又回到了花果山建立之前的模样，或许还不如。

“他们就住里面？”

“除了这里，还有好几个地方。整个花果山，应该还有四五百只妖怪吧。”

“都是什么样的修为？”

“战后，花果山的灵气日渐稀少，这里的妖怪修为自然也很难提升。小七是炼神境，草小花也是。其余的，还有几个纳神境。”

猴子呆呆地眨巴着眼睛，道：“在这里，他们能找到足够的食物吗？”

敖听心缓缓摇了摇头：“找不到，这里的食物特别少。所以，小七经常过来找我接济。”

“那你给了吗？”

“只要他开口，我都会给。不过不到万不得已的时候，他不会过来找我。”说着，敖听心淡淡叹了口气。

“倒是很有骨气啊。”猴子淡淡笑了笑，“谢谢你了。”

敖听心连忙福身道：“这是听心应该做的。”

“真心谢谢了。”猴子又一次说道。

敖听心沉默不语。

猴子稍稍沉默了一会儿，开口道：“对了，小七是什么来历？”

“土生土长的猴妖，也是这里的头头儿。六百多年前那一战的时候，他修为尚浅，也没任什么要职。花果山当年妖众那么多，光说名字，大圣爷兴许记不起来，也许见着了，就认得了……大圣爷，要去见一见他们吗？”

猴子静静地站了许久许久，呆呆地望着洞窟口那一只抱着长枪、满面尘土的小妖，沉默着。

“或者……听心去将他们带过来见大圣爷？”

猴子依旧站着，沉默着，许久，问道：“这里灵气不足，不适合修炼，他们为什么还待在这里呢？”

“原因很多，草小花是为了等人，其余的，大多是避难。”

“避难？”

“嗯。”敖听心点了点头道，“这里到底是妖族的圣地，虽说不降雨，但天军也不敢随便踏足花果山。所以，相对于外面流离失所的小妖来说，这里的小妖虽然吃不饱，但还是比较安全的。当然，偶尔也会有一些‘朝圣者’。”

“朝圣者？”猴子不由得蹙起眉头。

“虽说花果山已经被佛门一把火烧了，但终究还是有很多东西留了下来。在战争刚结束那会儿，许多妖怪都喜欢跑到这里来到处挖，偶尔能挖到一些有价值的东西，例如丹药，或者上好的武器。这种妖怪被称为‘朝圣者’。不过，一来这些妖怪已经越来越少，毕竟几百年了，能挖的东西早被挖走了；二来，这种妖怪也不会在这里逗留很长时间，毕竟他们并不是真的打算在这里定居。”

听到这儿，猴子不由得哼笑了出来，无奈地摇头，转身就走。

敖听心又连忙追了上去。

“大圣爷真不准备见一见他们吗？”

“不见了，没什么好见的。”猴子随口问道，“杨婵现在怎么样了？还在灌江口吗？”

“杨婵姐在华山。”

“在华山？她过得怎么样？”

“应该……不是太好。”

“具体怎么样？”

“杨婵姐至今被二郎神囚在华山下，因为各方妖怪都希望她出面主持大局，还组织过多次营救。为此，二郎神在华山布下重兵。当然，他也有防范天庭的意思，天军一直希望找到杨婵姐，毕竟她还是妖族一致认可的圣母大人。至于她具体过得怎么样，听心也不清楚。”

“我被压了六百五十年，没想到她也跟着被压了六百五十年……”猴子无奈笑了笑，轻声叹口气，“行吧，我知道了。”

“那，接下来，大圣爷准备去华山吗？”敖听心小心翼翼地问道。

猴子摇了摇头。“暂时不去，这模样也不好见她。现在，我们先回东海龙宫吧。有件事需要麻烦你。”说着，猴子已经腾空而起。

“回东海龙宫？”敖听心迅速追了上去。

“南天门修好了吗？”

“修……修好了。”

“麻烦你帮我办件事。”猴子轻声道，“我写封信，你替我交给现在的玉帝。你就说我回来了，看到现在的花果山很不开心，所以威胁你，让你转交给他的。告诉他，花果山即刻恢复正常降雨，如若不同意，我就亲自去灵霄宝殿找他谈。不过，到那时，南天门恐怕又得重建了。”

第四百八十七章

应　对

此时此刻，在天庭，所有的天军都被动员了起来，就连原本在外执行任务的部队也被紧急召回。

南天门内巨大的校场中布满了军阵，凌空飞行的战舰遮天蔽日。

大殿中聚集了所有天军序列部队的头头儿，居于主位上的李靖正襟危坐，四周的大将们低声议论着。

“究竟发生什么事了？为什么忽然把我们全部召集起来？”

“陛下现在正亲自坐镇巡天府呢。”

“亲自坐镇……”

“听说，巡天府把所有的巡天将都派了出去，同时南天门也派人前往各妖王那边试探，还向灵山也派了人。好像是因为……那只猴子回来了。”

“猴子？”

只一瞬，所有的天将似乎都已经明白过来这“猴子”究竟指谁，一个个震惊得张大了嘴。

在场的天将，许多在六百五十年前那场大战之时还没入伍，可他们又如何会不知道天庭为何忽然多出这么多空缺？

以一人之力摧毁整个天庭的恶魔。他的存在，简直就是天庭挥之不去的梦魇，即便再过千万年也是如此。

气氛一下凝重了无数倍。

“这……这怎么可能，不是说他被佛门囚禁了吗？佛门怎么可能放他出来？”

“对对对，就算是不慎让他逃了出来，那佛门岂能任他逍遥？如来佛祖应该亲自出手再将他拿下才对啊。”

“佛门有动静吗？”

一位天将轻声叹道：“没有。确实，按理说如果那猴子跑了出来，佛门应该出手再将他拿下才对。可佛门虽然没动静，却也没回复天庭那猴头儿是否还被囚……所以，十有八九那猴子已经跑出来了，并且，佛门又有什么难言之隐。”

“佛门的难言之隐……”所有的天将都朝着主位上的李靖望了过去。

李靖只是扫了他们一眼，并未搭话。自始至终，那双眉都紧紧地蹙着，一旁的哪吒也神色凝重。

这更加深了众将心中的忧虑。

巡天府的主楼中，无数天兵天将来回奔走，不断地筛选着从凡间送来的各种消息。

一位天将怀抱一大沓案卷沿着狭长的走廊飞奔，到了深处一个房间外，朝着守在两旁的天兵点了点头，两位天兵当即将门推开了。

门内，小小的房间里除了端坐在桌前的玉帝，还挤了将近二十名隶属巡天府的天将，银闪闪一片，却有一种说不出的压抑。

那天将刚跨过门槛，两位天将当即上来将他手中的案卷接了过去，分发给在场的天将。

那天将一拳重重捶在胸甲上，单膝跪地道：“启禀陛下，各方的消息都汇报了过来，已经按照陛下的意思将所有可疑之处详加调查。只是消息数量甚巨，也颇为杂乱，一时间难分真假。如今已经确认的都在这里了。”

端坐在书桌前的玉帝伸手示意他起身，道：“接着查，都查仔细了，不可漏过蛛丝马迹。”

“诺！”

那天将朝着玉帝又行了个礼，躬身退出门外。

大门关上了。

那天将刚一离开，玉帝就扭头对着在场的天将问道：“怎么样，有什么发现吗？”

“这……”一位天将朝着案卷瞥了几眼，躬身拱手道，“启禀陛下，各方妖怪都还没有什么动静，一切如常，看上去倒不像和那妖猴接触过的样子。”

“那妖猴没去见这些旧部？这不太可能吧？”一位天将开口问道，“会不会是他们佯装不知，想麻痹我们？”

“会不会是我们弄错了，那妖猴压根儿就没逃脱？”

在场的天将一个个都愣住了，互相看着。

如果是虚惊一场，对巡天府来说面子上虽然有点挂不住，却是最好的结局。一旦那猴子真回来了，可就不是面子的问题那么简单了。

一位天将摆了摆手道：“现在下定论还为时尚早。不过，妖怪之中倒是多了一桩奇怪的传闻。”

“奇怪的传闻？”

顿时，所有的天将目光都聚了过来，玉帝也朝着他伸出了手。

那天将连忙将手中的案卷递给了玉帝，躬身拱手道：“陛下，只是不相干的奇怪传闻罢了。说是有一个和尚受佛祖之命从东土大唐出发，往西牛贺洲灵山大雷音寺取经，还说……这和尚是金蝉子转世，吃他一口肉就可以长生不老。另外还有更离奇的，说他身上有可以聚天下财物的金钵，有穿上就可以白日飞升的袈裟……”

听到这儿，在场的许多天将都松了口气，笑了起来。

“陛下，这明显是谣传。这种奇怪的传闻，也只有那些土包子妖怪才会信。”

“对对对，吃肉能长生不老就不提了，聚天下财富的金钵和白日飞升的袈裟？这传谣的人，连最基本的常识都没有啊。”

原本稀稀落落的笑声顿时变成了哄堂大笑，房间里凝重的气氛一下轻松了不少。

玉帝眯着眼睛摊开案卷细细查看了一番，仰起头注视着在场的一众天将道：“一夜之间，整个凡间的妖怪都在谈论此事，你们还觉得这只是谣传吗？”

笑声戛然而止。

那天将赶忙行了个礼，走到桌前拿起案卷细细地看，脸上的神情渐渐变得凝重。

其余的天将也一个个围了上去，互相传阅着案卷。

“这么说……有人在故意散播谣言？”

“会是谁呢？”

“能一夜之间扩散到三界，这幕后的推手实力必然不差。末将在巡天府任职至今，还从未见过传播如此迅猛的谣言。”

“时间刚刚好，这会不会跟那猴子的行踪有关？”

玉帝捋着长须寻思了一番，厉声道：“查！若这个取经的僧人真的存在，立即将他找出来！”

“诺！”

正当此时，门缓缓地推开了。

一位卿家手握一份奏折从门外走入，朝着玉帝叩首道：“陛下，东海龙宫送来一份急奏。”

顿时，在场的天将皆一惊，就连玉帝也一怔。

此时此刻，整个天庭都已经到了草木皆兵的地步。

“急奏？”

那卿家连忙将手中奏折奉上。

刚一翻开，玉帝的脸刷的一下白了。

在场的天将一个个瞪大了眼睛注视着。

玉帝惊慌失措地撕开夹在奏折之中的信函，拿在手中细细地看。随着目光在纸张上移动，那额头上豆大的汗珠一滴滴滑落。

许久，待到放下信函之时，玉帝已经如同虚脱般瘫坐在椅子上。

一位天将低声问道：“陛下，是……有什么消息吗？”

“真的是他……真的是他。”玉帝拼命眨巴着眼，如同失了魂般左右张望，却半天都找不着说辞。

四周的天将纷纷呆住了。

“真的是他……他……他在东海龙宫？”

玉帝微微点头，怔怔地说道：“他让龙宫送来这封信，要求……即刻恢复花果山降雨，否则，就亲自到灵霄宝殿来谈。”

玉帝咽了口唾沫，用蚊子般的声音问道：“诸位觉得，该如何答复？”

在场的众将皆微微低下了头。

不多时，一位卿家匆匆出了这房间，快步赶到南天门镇守军的大殿中。他对诸位大将行了礼后，迈开小步走到李靖身旁，低声问道：“陛下问，如今的南天门，比之六百五十年前如何？”

闻言，李靖一惊，大致明白了情况后，他拱了拱手道：“劳烦卿家回复陛下，如今的南天门法阵，比之六百五十年前，不如。”

“卑职明白了……”

此时，南赡部洲，坐落在山间的一个小镇上，一个身穿布袍、看上去跟地痞流氓似的年轻人叼着一根狗尾巴草，歪歪斜斜地靠着衙门口的石狮打哈欠。

守门的两个衙役时不时朝他望两眼，四周往来的居民也都时不时看他两眼。

在这样一个只有一百多户人家的边镇上，偶尔来一个陌生人肯定是异常显眼的。

好在是和平时期，若是遇着边境战争，恐怕他刚踏入小镇，立马就会被拿下，严加盘问。

不过对四周人的目光，这年轻人似乎没当回事，无论他们怎么看，他都只自顾自地享受温暖的阳光，打着哈欠，似乎在等什么。

不多时，衙门的大门敞开了。

本地的县官亲自将玄奘送了出来，眉开眼笑地拱手道：“总之，感谢大师了。这伙山贼，本官曾多次派人擒拿，怎奈他们熟识山路，每每都让他们逃脱了。真没想到大师孤身一人，却将他们一网打尽，实在感谢，感谢！”

“大人多礼了。”玄奘双手合十，恭敬地回礼道，“贫僧也不过举手之劳罢了。”

此时，一位衙役已经将玄奘的白马牵到了门前。

那县官捋着胡须道：“对了，大师这是要往何处去啊？”

“贫僧往西。”

“哦？往西？这往西，可就出国境了……大师可有通关文牒？”

闻言，玄奘淡淡笑了笑，双手合十道：“贫僧还有要事在身，不便久留，大人请回吧。”

那县官也不疑有他，只点了点头：“那就祝大师一路顺风。”

玄奘又行了个礼，转身上马。

正当此时，一直守在衙门口的年轻人走了过来，从衙役手中取过缰绳。

那县官一下愣住了，轻声问道：“这位是……？”

“这是……”玄奘盯着年轻人，深吸了口气，“这是贫僧路上收的徒弟，还未剃度。”

闻言，年轻人抬头看了玄奘一眼，意味深长地笑了笑。

拜别了县官，两人缓缓地出了小镇。夕阳下，远远看去他们倒真像是一对师徒。

一阵微风吹过，压低了山道两旁的草。

那年轻人身形一晃，原本的布袍变成了戎装，那脸，也变成了一张毛茸茸的猴脸。

猴子牵着马一步步地走着，问道：“你怎么知道是我？”

“猜的，贫僧有预感，施主会来。”

“哦？那你的预感还挺准的。”猴子回头望了小镇一眼，悠悠道，“看上去你还真有两下子呢，镇上的居民都在谈论，说你一个人解决了二十几个山贼，将他们捆成一串拉到衙门去了。”

“略懂些拳脚，与大圣爷，自然不能相提并论。”

猴子淡淡笑了笑，悠悠叹道：“能帮我解决如来才是真功夫。我决定了，陪你走一趟，反正……六百五十年都过去了，我也不在乎多等个十年。把事情都解决干净了，才好去华山接人，不然又带去一堆麻烦，我现在去，二舅哥应该不会同意我见她。不过，先声明，我可没打算拜入佛门。”

玄奘双手合十道：“贫僧懂，绝不勉强。”

猴子当即白了玄奘一眼：“你勉强也没用。对了，你这没通关文牒的和尚，怎么也敢到衙门去？就不怕他们把你拿了押回长安吗？”

“自然是怕，不过，这事情总要解决不是？”

“能解决吗？”猴子一下笑了出来，“刚刚我站在门口，可是听到那些山贼和监牢里的狱卒打得火热啊。几十个山贼剿来剿去剿不掉，说没猫腻，鬼才信呢。”

“这样啊。”玄奘坐在马上摇摇晃晃的，长叹了口气，“方才倒是看出些端倪，只是没想到啊……看来，还是要你出手啊，不然，他们被放出来又会为祸一方。”

“怎么，普度不成改超度了？”

玄奘摇头道：“吓唬吓唬他们就行了，莫取其性命。”

“嘿，你这面子可够大的，齐天大圣亲自出手帮你吓唬几个毛贼。”猴子懒懒地伸出一只手指道，“只此一次。”

玄奘笑了笑，躬身道：“有劳了。”

此时此刻，灵霄宝殿御书房中，一众天庭大员加上玉帝正围着一封信函沉默着，一个个脸色铁青。

许久，玉帝紧蹙着眉，环视着四周的一众大员低声道：“先让龙宫恢复花果山降雨，算是我们的善意，然后……派个特使，想办法见见那妖猴，刺探一下，如果能达成个什么协议自然最好；同时，将此事通报给三清、须菩提祖师、镇元大仙，看看他们怎么说；还有，再看看灵山那边有什么意见没。”

新局

第四百八十八章

你被征用了

三天后，正当那西行的二人还在南赡部洲的山沟沟里缓缓前行之时，东海龙宫已经奉命在花果山降雨。

倾盆大雨瞬间冲散了盘踞长达六百年之久的燥热之气，将整个花果山变成一片沼泽。

面对这番景象，所有的妖怪都走出了洞穴，在雨中欢腾地奔跑着。

对他们来说，这意味着这片土地长达六百多年的灾难宣告终结；而对另一些人来说，却不仅仅是如此。

花果山降雨的消息很快传遍了三界，无论天仙还是妖怪，都无比诧异。这当中，有心人嗅出了不一样的意味。

隐蔽的山林中，一处洞府里，火光将一切映得通红。

留着齐腰长的胡须，看上去老弱不堪的吕六拐颤颤巍巍地来回踱着步，嘴里不断念叨着，如同一位老人在喋喋不休，显得激动异常。

两边排成一排的椅子上端坐着十几只妖怪。

“为什么天庭会在花果山降雨？为什么天庭会忽然在花果山降雨……我们和他们闹了六百五十年，整整六百五十年啊，都没见他们服软，现在却忽然主动降雨。

“不仅如此，前几日，他们还将散落凡间的所有天军召了回去。有消息说天军都进入了战斗准备。紧接着，天庭就降雨了。

“要说他们想与我们和解也不对，他们没有派人直接接触任何妖王，释放出了善意却不来领功，这可不是天庭的作风。

“所以，老夫派了人前往东海龙宫刺探，想知道究竟是怎么一回事，结果，却意外得到了一个令人振奋的消息！”说到这儿，吕六拐脸上的皱纹缓缓挤到了一起，笑了出来。

端坐两旁的一众妖怪不由得全都竖起了耳朵。

盘着手、身穿白色文士袍的蛇精眉头缓缓蹙了起来，注视着吕六拐。

吕六拐环视众妖，压低了声音，缓缓地说道：“大圣爷……回来了！”

瞬间，所有的妖怪都呆住了，有些错愕地看着如同孩童般笑着的吕六拐。

好一会儿，那蛇精低声道：“父亲，这消息，确凿吗？”

“确凿，绝对属实！”吕六拐兴奋地说道，“本来我派人去东海龙宫，是想知道这次降雨的真相，结果什么也没查探出来，只知道是玉帝的旨意，不过，却从一些喽啰身上查探到，就在花果山降雨的前几天，有一只猴精造访了东海龙宫。”

在场的妖怪皆面面相觑。好一会儿，那蛇精面带疑惑地问道：“会不会是小七，据我所知，小七经常会去东海龙宫讨要食物。”

“是小七敖听心用得着亲自出来迎接吗？是小七敖听心用得着对他毕恭毕敬吗？”吕六拐瞪大了眼睛，激动地说道，“况且，那东海龙宫的人都认识小七。再说了，你想想，谁能让玉帝下令调集所有天军，谁能逼玉帝在花果山降雨？我们闹了六百五十年啊！整整六百五十年都没结果，那只猴精仅仅造访东海龙宫一次，天庭就在花果山降雨了！这说明了什么？啊？一定是大圣爷回来了！一定是！”

在场的妖怪依旧默不作声，满面疑惑。

蛇精略带迟疑地问道：“那，大圣爷现在在哪里？”

“这个……这个还不清楚。”吕六拐舔着干瘪的嘴唇，道，“龙宫的人说他已经离开东海龙宫，不知去向。老夫也派了人去花果山，可没人见过他，另外，华山那边近期也没任何动静。不过，肯定是大圣爷，从那喽啰的描述，老夫可以断定，是大圣爷没错！”

在场的妖怪仍旧默不作声。

许久，蛇精紧蹙着眉头，轻声道：“父亲，仅凭这样，就断定是大圣爷回来了，是不是太儿戏了？况且，大圣爷回来了为什么不找我们？敖听心肯定知道我们在哪里。我觉得，这件事还有待斟酌。”

“确实还没办法完全断定，所以，我们现在就向东海龙宫派出特使，直接接触敖听心，当面问问她。”

“她肯说真话吗？”蛇精摸着下巴道，“一直以来，为了避嫌，她可是拒绝与我们接触的。”

“如果大圣爷真回来了，她肯定不敢再拒绝跟我们接触！”吕六拐斩钉截铁地答道。

约莫半个时辰之后，几只妖怪结伴走出了洞府，蛇精也在其中。

一只狐妖低声问道：“你觉得，父亲的话可信吗？”

“有几分可信，不过也得小心为妙。”蛇精抬头仰望着天空中的日头道，“父亲一心光复花果山，遇到有关大圣爷的事难免会有些激动，万一天庭利用这点在花果山设伏就糟了。”

说着，他淡淡一笑，道：“不过，父亲说得也对。那龙宫也就是个骑墙派，如果大圣爷真去找过敖听心，那么她对我们的态度肯定也变了。见一见她，就什么都清楚了。当然，还是要留一手。你去准备礼物吧，回头我亲自去东海龙宫走一趟。”

“明白。”狐妖点了点头道。

……………

正当吕六拐这边筹划着接触东海龙宫以查明花果山降雨一事的真相之时，却已经有人比他们提前一步行动了。

东海龙宫大殿中，九头虫揉搓着手显得坐立不安，一旁的敖听心静静地端坐着。

茶几上精致的点心一块没少。

与六百多年前相比，敖听心几乎没有半点儿变化，九头虫却显得苍老了许多。沉默了许久，九头虫眨巴着眼睛低声问道：“他……已经走了？”

敖听心点了点头，道：“大圣爷已经先一步离开了，方才，天庭也派了特使过来，拐弯抹角地想知道大圣爷去了哪里。牛魔王也派人来询问过。不过，听心真的不知道。兴许，大圣爷也暂时不想让人知道他的行踪吧。”

“他，问过我的事没？”

“问过一点。”

“你怎么说？”

“如实说了。”

九头虫的眉头顿时深深地蹙了起来，犹豫了好一会儿，才低声问道：“那他有没有说什么？”

敖听心缓缓摇了摇头。

九头虫伸手抓了抓有些蓬乱的头发，想了好久，只得道：“下次你要是再见到他，通知我，我……我立即过来。”

敖听心默默点了点头。

与此同时，在西牛贺洲，早早得到消息的鹏魔王已经急得好似热锅上的蚂蚁。

“妈的，他怎么就又回来了？”鹏魔王在自己的洞府中来回踱着步，气冲冲地吼道，“灵山那帮人都是干什么吃的，怎么就让他跑了呢？就算跑了也该赶紧捉回去啊！没动静这算是怎么回事？他们干什么吃的！”

说罢，他一掌掀翻了石桌。桌上的酒杯、水果顿时滚了一地。

“我们现在怎么办？”一旁的狮狔王道，“花果山大败，虽说不是我们的错，但如果真要算起账来……”

“按照那猴子的秉性……”猸狨王抿了抿唇，有些忐忑地说道，“你们还记得二哥吗？”

闻言，在场的其余两位妖王顿时噤若寒蝉。

猴子杀蛟魔王的事在妖怪之中传播甚广，而这三个当日更是亲眼目睹。

为了报恶龙潭之仇，一向讲信用的猴子甚至不惜当场撕毁了他与妖王们之间的协定。

妖族的这位大圣爷，从来就不是什么善男信女……

鹏魔王走到一旁，端起酒坛子猛地灌了两口，抹了把嘴，将坛子重重砸碎，气喘吁吁地说道："不行，我们得想办法，趁那猴子还没找上门……"

其余两位妖王都朝着他望了过来。

好半天，鹏魔王眨巴着眼睛道："天庭是斗不过他的，三清……三清也拿他没办法。现在我们只能从灵山入手了，只有释迦牟尼佛才能对付那猴子。"

鹏魔王指着狮狔王，缓缓道："你派人到灵山去，见机行事。实在不行，我们一起剃度出家！"

其余两位妖王犹豫了好一会儿，最终点了点头。

就在各方妖怪闻风而动时，天庭的天军则全数窝在南天门，保持着最高戒备。

此时，各方都还不知道，让他们紧张到了极点的那个人，正跟一个和尚蹲在鹰愁涧的一个角落里"钓鱼"呢。

齐腰的草丛里，玄奘与猴子并肩半蹲着，拨开绿草细细地朝外观望。

远处的水边堆放着玄奘的行囊，至于白马，则被拴在了近水的树干上。

就这么足足待了两个时辰，玄奘终于忍不住回头对一直目不转睛盯着白马看的猴子低声问："大圣爷这是要干吗？"

"钓鱼。"

"钓鱼？"

"对，一条大鱼。"

玄奘转过头去，沉默着，不多时，又转过头来低声问："这钓的究竟是什么鱼，大圣爷可否明示？"

猴子淡淡瞥了玄奘一眼，嘿嘿地笑了起来，低声道："还记得敖烈吗？"

"西海三太子？"

"对，就是那货。我钓的就是那家伙。"猴子窃笑道，"论打架，老子谁也不怕，不过就我一个总归不好，我也不可能一天到晚都跟在你身边，连吃饭睡觉上厕所都跟着，是不是？所以啊，我得找个帮手才行。"

"这……"玄奘道，"贫僧没懂。"

"你不用懂。反正按道理，一会儿那蠢货就会出来吃马，吃完你就有新马了。”猴子头也不回地说道。

“吃马？”玄奘顿时吃了一惊。

猴子轻声道：“放心，我不会让他真吃的。只要他一露面，我就立即把他拿下，别说吃了，他舔都没机会舔。不过这家伙好歹也是化神境修为，还需要吃马吗？”猴子抬手挠了挠脸，笑了笑，道：“算了，反正这家伙也没干过几件聪明的事，就算真被一匹马给钓上钩了，也不奇怪。”

玄奘不吭声了，只是看猴子的眼中依旧充满了疑惑。

为什么猴子觉得在水边放一匹马就一定能钓到一条龙呢？他始终想不明白。

两人就这么一直蹲在草丛里等着，左等右等，一直等到日落西山，别说龙了，除了水边来了又回的两三只雀鸟，他们什么也没见着。

那马依旧悠闲地啃着草，眼前一片安静祥和。

玄奘时不时挑着眉侧过脸来瞧他。

隐隐地，猴子也觉得自己的这个主意有点馊。

明明知道那本《西游记》净坑人，为啥还会觉得敖烈就在鹰愁涧呢？这一点他也说不明白。也许是经验使然吧。

这些年，无论他如何挣扎，世界也已经发生了翻天覆地的变化，到头来，他却还是将所有节点都踩了个尽。也许正是因为这样，他才会下意识地觉得敖烈就在鹰愁涧吧。

他们就这么一直等着，等到天完全黑了，等到下半夜，还是没有半点儿动静。唯一的变化，可能就是草丛里的蚊子明显多了。

玄奘倒是不急不躁，猴子却有些按捺不住了。他越想越觉得这是个馊主意。

如果说敖烈蠢的话，那拿马钓龙的自己呢？

终于，猴子忍不住了，扭扭捏捏地说道：“要不……算了吧。”

“不找帮手了？”

“帮手而已，只要我想要，随时排队让你挑。你说我花果山那些妖将，谁不比这敖烈强？我想了一下，这敖烈修为太低，加入我们会拖后腿，所以我决定还是算了。”

玄奘略微寻思了一番，点了点头道："大圣爷的意思是要去花果山找几个帮手回来咯？"

"那也未必。"猴子伸了伸懒腰，从草丛里站了起来，长叹一口气，"反正这一路妖怪多，见什么收什么就是了。多收几个打下手的，安全点。"

玄奘也缓缓地从草丛里站了起来。

猴子摊了摊手，有些无奈地道："妈的，这敖烈，这么好的投靠老子的机会他居然错过了。你收拾一下行李，我们还是起程吧，回头我再给你找匹好马。"

玄奘也没多说什么，只是若有所思地瞧了猴子一眼，那眼神之中尽是玩味。

猴子若无其事地挠头，回头望着月亮。

如果不是脸上有猴毛遮着，此时此刻，玄奘应该就能看见猴子已经满脸通红了。

玄奘卷起袈裟，提起前摆，也不揭穿他，默默地朝着白马走了过去。

正当他准备解开缰绳之时，只听"砰"的一声巨响，水花高高溅起，有什么东西从水里一下冲了出来。还没等玄奘反应过来，那巨大的白色身影已经将他叼了起来，转身就要钻入水中。

"站住——！"

一声叱喝之下，那从水里伸出一截的巨大白龙整个顿住了。

他缓缓地扭转脖子，惊恐地瞪大了眼睛。

猴子拄着金箍棒站在岸边的草地上，仰着头叱道："是敖烈吧？把那和尚放下，不然谁来了也保不住你。"

白龙一松口，玄奘重重摔了下来，他连忙挣扎着闪到一旁的大树后，重重地喘息着，目光在猴子与白龙的身上不住来回。

白龙怔怔地望着猴子，微微颤抖着问道："你是……大……大圣爷？你……你不是被佛门给……"

"现出人形说话，别想跑，你跑不掉。"猴子歪着脖子，用金箍棒朝着身前的草地点了点。

那白龙稍稍犹豫了一下，望着猴子金灿灿的金箍棒，最终只得乖乖地匍匐在岸边，现出了人形。

猴子一步步走到敖烈面前，半蹲了下来，面无表情地瞧着瑟瑟发抖的他道："从现在开始，你被征用了。"

第四百八十九章

被征用的好处

一阵微风吹过，压低了绿草。

水边的三人静静地待着，敖烈面带惊恐之色。

“我……我被征用了？”

“对，你被征用了。”

敖烈眨巴着眼睛望了望一旁树后的玄奘，又看了看蹲在身前的猴子，一脸错愕。

“怎么，”猴子笑眯眯地拍着敖烈的脸，“不同意？”

那神情看得敖烈一阵恶寒，他连忙谄笑道：“不不不，大圣爷说什么敖烈都同意。只是……大圣爷具体要征用我干啥？”

“也没啥。”猴子站起来伸了个懒腰，“你变成马给他骑，我们一起走一趟西牛贺洲，快则两三年，慢则十几年，反正啊，就是这么回事。”

“去西牛贺洲？还走着去？”敖烈越发晕了，他怔怔地眨巴着眼睛道，“大圣爷，你要保护这和尚去取经？”

猴子一愣，笑着反问道：“嘿，你怎么知道是取经？”

敖烈一下从地上蹦了起来，神秘兮兮地拉着猴子的手走到一旁，回头看了一眼站在远处的玄奘才低声道：“大圣爷，这和尚可是叫玄奘？”

“对。怎么了？”

“对就有问题啦。”敖烈转悠着眼珠子，微微贴近猴子，低声道，“大圣爷，你肯定是上当啦！”

“上当？”猴子狐疑地瞧着敖烈，问道，“上什么当了？”

被猴子这么一问，敖烈当即咽了口唾沫，说道：“你还不知道吧？这和尚啊，是那如来派去取经的取经人，为的是将佛经传入中土，说白了，就是要壮大佛门。”

“哦，”猴子意味深长地瞧着他道，“还有这事？”

“都传开啦，依我看哪，肯定是这和尚蒙骗了大圣爷，让大圣爷当凯子护他一路。想想当年是谁攻破了花果山，哎呀，那场面真的是……惨不忍睹啊。秃驴都该死，况且是叫玄奘的秃驴呢？听说这和尚，吃了还能长生不老，不过大圣爷你天道修为不死不灭，要不这样，就送给敖烈我吧，我保证，让他死得……不痛快。”

说罢，敖烈揉搓着手掌嘿嘿笑了起来。直到发现猴子看自己眼神有些异样，他才扭扭捏捏地低头道：“大圣爷……我的意思是，送一块肉，只要一块就好，敖烈不贪多……”

“哼！唐僧肉……”猴子悠悠地叹了口气，“谁告诉你吃了他的肉能长生不老的？”

“这还用别人告诉我？三界都传开啦。”

猴子若有所思地回头看了玄奘一眼，注视着敖烈道：“你们西海龙宫不是有蟠桃吗？我可记得我当年没烧蟠桃园啊，怎么你也盯上他的肉了？”

敖烈低声道：“大圣爷有所不知，当年啊，我气愤天庭的所作所为，所以大圣爷你反天的时候，身为大圣爷亲戚的我，也反了，跟天兵大战了三天三夜，最后不敌，无奈逃到凡间，这一逃就是六百多年，隐姓埋名啊。”

“那我还该谢谢你咯？”

“不敢。”敖烈连忙摇头摆手，谄笑道，“只要大圣爷你分他的肉的时候，记起敖烈，给那么一点点，就一点点，敖烈就死而无憾啦。”

猴子笑着点了点头道：“不错，孺子可教。”

“哪里的话，都是当初在花果山的时候大圣爷教导有方啊。”敖烈笑得欢畅。

忽然间，那棍子重重一顿。

只听“咣”的一声，敖烈吓得匍匐在地，哆嗦着，汗如雨下。

猴子冷冷地盯着敖烈，悠悠地叹道：“刚刚你说的那些，我都记下了，放心，如果你说的都是真的，分肉少不了你一份，但如果让我知道有半句假话……”

说到这儿，猴子伸手抚着敖烈的头，轻轻拔下一根头发，在敖烈眼前晃了晃，咬牙道：“你知道这个世界上有种东西叫命牌吧？就算你能断去联系，但只要一瞬，无论你在天涯海角哪里，我都能找，到，你！”

敖烈已经吓得表情扭曲，张大了嘴巴说不出话来。

说完，猴子转身就要走，敖烈却忽然扑了上去抱住他的大腿，哭喊道：“大圣爷饶命啊！我说实话！说实话！”

“说。”

“我……”敖烈扭扭捏捏地说道，“我是要娶白素，我父王不同意，天庭也要拿她，所以才反下界来的。大圣爷饶命啊！饶命啊！”

此情此景，连一旁的玄奘都有些看不下去了，他不由得淡淡笑了笑。

猴子瞧着眼泪鼻涕一大把的敖烈，轻叹口气：“这话倒是有几分可信。”

“那……”敖烈松开猴子的大腿，睁大了眼睛可怜巴巴地说道，“那大圣爷可以分我一块肉吗？”

猴子挠了挠头，半蹲下去问道：“你只是反了天庭而已，要是你寿元尽了，找家里要还怕要不到一个蟠桃？”

“大圣爷……”敖烈哆嗦着说道，“不是我要，我替白素要的。那丫头这么些年，修为都没怎么增进，这样下去，再过个百八十年，她的寿元就尽了。我父王本来就反对这婚事，哪里肯给我蟠桃啊。所以……实在没办法，听说他的肉能长生不老，我才打他主意的，实在没想到大圣爷竟然跟他在一起，冒犯，冒犯。呵呵呵呵……”

敖烈干笑着，一边抹泪，一边擦汗。

一旁的玄奘听着默默点了点头。

猴子深深地吸了口气，一拍大腿站了起来，冲着远处的玄奘道：“听到了没？现在三界都在垂涎你的肉啊。”

玄奘只是淡淡笑了笑。

猴子一把将敖烈揪起来，掏了掏耳朵道：“这样，你跟我走一趟，我包你家媳妇有吃不完的蟠桃。”

“吃……吃不完的蟠桃？”

“蟠桃要是不合口味，就吃人参果，要喜欢，一起吃也行。”

敖烈都听傻了。

猴子伸手整了整敖烈身上的衣物：“怎么，不相信啊？”

“信……大圣爷说的，敖烈自然是信。”

猴子轻轻拍了拍他的肩，呵呵笑道：“信就行，从今天开始给他当马，蟠桃我回头就给你。要多少，有多少。”

天庭，御书房中，玉帝眉头紧锁地瞧着手中的信函。

一旁的李靖轻声问道：“陛下，可是那妖猴送来的？”

玉帝默默点了点头，抬手将信函递给了李靖。

他翻开一看，里面只写了简简单单的十几个字：“给我准备两个蟠桃，我会派人来取。”

落款：孙悟空。

李靖将那信函重新折好，躬身拱手道：“那，陛下准备如何处置？”

闻言，玉帝哼一声笑了出来，紧闭双目叹道：“上次要朕下旨降雨，这次要蟠桃……这猴子，果然是狂妄至极啊。万妖之王……其他的妖怪要点什么，还知道拿东西来交换，他这完全就是在恐吓，一点商量的余地都不给。”

李靖稍稍犹豫了一下，低声道：“陛下，若是他真要强取……南天门肯定是防不住他的，到时候，以那妖猴的秉性，他大有可能亲自杀到蟠桃园去摘……那样的话，对天庭来说恐怕会更加难堪啊。”

“朕知道。”玉帝长长地叹了口气，撑着龙案缓缓地站了起来，在御书房中来回地踱着步，许久，轻声叹道：“三清、镇元子、须菩提祖师，全通报过了，却都只给朕回了封函表示知道了，再没半点儿其他反应。那灵山也是完全没动静。你觉得他们这都是什么意思？难不成真的要看那妖猴再乱一次三界不成？”

“这……臣有话，不知当讲不当讲。”

“说。”

“依臣的经验，大能们深谋远虑，他们之所以不出手，应该是因为时机还不成熟。”

“时机？”玉帝一下笑了出来，无奈地摇头道，“六百五十年前那一次，你觉得他们出手的时机把握得如何？”

“这……”

若他们真的把握得那么好，又怎么会养出一只天庭倾巢而出都拿他没办法的妖猴呢？若他们真的把握得那么好，灵霄宝殿的龙椅又怎么会弄到换人坐呢？

玉帝摆了摆手，一步步走回龙案前，轻声道：“替朕磨墨吧。”

“诺。”李靖躬身拱手，走到龙案前拿起墨细细地磨。

好一会儿，直到那墨都磨细了，磨匀了，他才拱手退到一旁。

玉帝摊开一份空白的圣旨，捋开衣袖，提笔，蘸墨，在上面仔细地书写了起来：“反正啊，不能指望这些大能，还是要靠我们自己。这妖猴已经托东海龙宫送了两封信过来，这至少说明他没打算直接撕破脸皮。不然，以他的修为直接打上来就是了。蟠桃给他，不过，趁着这次机会，你替朕去见见他，摸摸底，如何？”

李靖稍稍犹豫了一下，拱手道：“陛下，臣有一请。”

玉帝盖上玉玺，亲手将圣旨卷好朝着李靖递了过去：“说。”

李靖注视着玉帝，轻声道：“要臣去见他没问题，不过，最好再带上一个人。”

“谁？”

“二郎神杨戬。”

第四百九十章

清　心

三十三重天上，一块巨大的陆地悬浮着，穿行在云雾之间。

其上有高山，有流水，有茂密的树林，栽种着各种珍稀植物，放养着难得一见的灵兽，却唯独不见天庭随处可见的宫殿群。有的，仅仅是与这块陆地极不相称的几栋房舍，看上去就如同凡间的某处荒郊，丝毫没有天庭应该有的华贵。

小小的房舍中，两个老人聚精会神地对弈，一旁的童子时不时给他们奉上杯热茶。

许久，太上老君抓起一枚黑子置于棋盘之上。

对面的须菩提眉头当即紧紧地蹙了起来。

见状，太上老君长长地舒了口气，道："真险哪，一子错满盘皆落索，此话不假。好在老夫技高一筹，终究是力挽狂澜。不然，这万年未败的名声可就不保咯。"

说着，他乐呵呵地伸手就要收棋盘，却听须菩提高喊一声："慢！"

还没等太上老君缓过神来，须菩提抓起一枚白子往那棋盘上一放，捋着长须悠悠笑道："谁胜谁负，言之尚早。"

闻言，太上老君微微一愣，捋着长须注视了棋盘好一会儿，越看眉头蹙得越紧。

对面的须菩提却是满面喜色。

许久，太上老君叹了口气："看来，老夫退步啦。八十五手，都还不能分出胜负。"

须菩提当即笑了出来，盘起手来道："不是退步，是进步了。"

太上老君缓缓抬起眼来，随口问道：“怎讲？”

须菩提用手指轻轻点了点棋盘，意味深长地说道：“以前你有天道石，未下便已知结局，谁下得过你啊？现在才是货真价实的对弈。”

“还提天道石？”太上老君无奈摇头道，“老夫这都归隐了多少年了，你还提天道石？”

“欸，我就说说嘛，又没别的意思。”

“不下了，不下了。”太上老君一拍大腿，缓缓地站了起来，伸了伸懒腰就要走。

“你怎么又要走啦？”须菩提也站了起来，愤愤道，“这盘棋都下了两百多年了，还没下完，这要下到什么时候啊？”

太上老君回头淡淡看了须菩提一眼道：“你是没别的意思，但那是老夫的天道，现在都碎成粉了，你是随口一提，可老夫心里能好受吗？现在什么心情都没了，还下什么棋啊？”

“得了吧，我看你呀，压根儿就是怕输，所以才每次都找借口推脱。”

“嘿！你还真当老夫怕了你了？”

须菩提面无表情地指了指棋盘道：“不是就接着下。”

太上老君盯着那棋盘看了好一会儿，咽了口唾沫，咬了咬牙：“行，今天就是有天大的事都要把这盘棋下完，到时候你可别中途跑了。”

说着，他又跪坐了下来。

“我中途跑了？”须菩提也摇摇晃晃地坐了下去，悠悠叹道，“我哪次跑了？跟你下，我都是输惯的人了，有什么好跑的？只是三界都知道太上老君棋艺高超，却不知道你这棋品实在有待提高啊。”

太上老君眯着眼睛看了须菩提好一会儿，缓缓道：“妄人休要胡言乱语，老夫今天定要让你求仁得仁，杀你个片甲不留！”

“好，我等着。”须菩提乐呵呵地说道。

“好，你等着，老夫这就使出十成功力来！”

话是那么说，可抓起黑子，太上老君就是拿捏不准往哪放，眼睛一面瞧着棋盘，一面又时不时悄悄地观察须菩提的神色，只可惜须菩提一副死猪不怕开水烫的架势，一个劲儿地笑，到头来他什么都没看出来。

于是，太上老君的眉头越蹙越深了，俨然骑虎难下。隐隐地，他的头皮都有些发麻了。

正当此时，一位童子从门外走了进来，默默地跪地行礼，低声道：“师父，陛下又派人来了。”

“知道了。”太上老君头也不回地说，“跟他们说为师在闭关就是了。”

“可是……他们说如果见不着师父，就不走了。”

“不走那就不走呗。”太上老君微微抬起头来，又补充道，“先跟他们说明，这兜率宫不是以前的兜率宫了，没那么多房间给他们住，也没准备那么多的吃食。想赖着不走老夫不管，但是一应所需，自备。”

那童子稍稍沉默了一下，只得俯身叩首道：“弟子遵命。”说罢，他起身退出门外。

须菩提捋着长须悠悠道：“你说你一个太上老君，怎么就小气成这副德行了？好歹是奉旨的钦差，你连用度都要人家自备？”

“嘿，你这是站着说话不腰疼。”太上老君白了须菩提一眼道，“你以为这里还是以前的兜率宫，深深浅浅三重宫墙啊？说难听点，这里就是个稍大点的农庄罢了，他们在这里赖着，老夫想去打理下那些花花草草都麻烦。当初就不该听你的，玩儿什么归隐，现在真隐了，连门都没法儿出了。哼！”

“那也不至于。”须菩提呵呵笑道，“你看，他们怎么就不赖在我那边呢？”

“老夫告诉他们，老夫在闭关，你告诉他们你出门远游，能一样吗？”

“你也可以远游。”须菩提摊了摊手，“你要出南天门，难不成李靖还能发现？”

他这么一说，当即招来太上老君的白眼。

太上老君稍稍沉默了一下，紧握着那黑子道：“对了，那猴子的事，你真不管？说到底，他也还是你徒弟啊。”

“怎么管？”须菩提反问道。

“怎么管？”太上老君抬起眼来瞧了须菩提一眼道，“你也好意思说这话？说到底，当初不也是你有意引他入歧途吗？现在闹成这样，你就打算撒手了？”

“师父引进门，修行靠个人。怎么修，修成个什么果，这都是他自己的缘分。”说着，须菩提朝院落的方向使了个眼色道，“再说了，他最在乎的，我这当师父的不是已经帮他讨回来了吗？就为了这个，我可是给天庭当牛做马几百年啊。”

太上老君当即哼笑了一声，注视着须菩提似笑非笑地说道：“就那个，三界闹成那样你没份啊？你那是赎罪，是活该。”

须菩提抽了抽鼻子：“反正我这当师父的该做的都做了，剩下的，就顺其自然吧。”

太上老君揉搓着手中的黑子，悠悠叹道：“你也算绝了，做那么多，破老夫的‘无为’，削弱天庭的干预，就为了给金蝉子硬生生破开一个缺口。只希望他不要辜负你的一番美意才好。”

闻言，须菩提呵呵地笑了起来。他轻声道：“辜负与否，都不打紧，重要的是我尽心做了该做的。就好似下棋，局局都赢，未卜先知，那还有什么意思？

太上老君微微一呆，直起身子默默地望着窗外，许久，悠悠叹道：“这倒是。”

此时，兜率宫的院落里，两个女子正静静地坐着，享受着三十三重天上柔和的风。

已经长成十七八岁女子模样的雀儿身穿杏黄色长裙，黑色长发在头上盘成简单的花式，披肩而下，眉目如画，美得不可方物。只是那望着天边云雾的双眸之中依旧尽是迷茫的神色。

在她身边的另一位女子则穿一袭米色长裙，有着一张精致的脸庞，齐腰的长发简单地扎在脑后，那双本该媚得动人心魄的眼睛，此时此刻看上去却多了一种说不出的无奈。

身穿米色长裙的女子缓缓回头朝着太上老君与须菩提所在的屋子望了一眼，托着腮无奈叹了口气：“他们又在下棋了，这一下又不知道要多久。”

“怎么啦？”雀儿轻声问道。

“我跟须菩提师父说要出去云游，他死活不答应。就为了这个我才跑上三十三重天来的，想着太上老君师父比较好说话，结果他又跟了过来……

说是要躲开玉帝的特使。这里不也有嘛，要躲干吗躲这儿来呢？这个老狐狸。”身穿米色长裙的女子气鼓鼓地说道。

“这……”雀儿掩着嘴笑了笑，道，“清心妹妹想去哪里云游？”

清心抬头望了望天，一脸迷茫地说道：“既然是云游，肯定哪里都去走走咯。雀儿姐姐没想过出去走走吗？这兜率宫多闷啊！”

“出去走走？”雀儿歪着脑袋想了一会儿，轻声道，“去哪儿呢？没想过。”

“要不到时候一起去，也好有个伴儿？”

雀儿略微想了一下，摇头道：“还是算了，我觉得这里挺好的。”

闻言，清心的眉头皱得都能拧出水来了。

她趴在石桌上好一会儿，轻声问道：“对了，雀儿姐见过我的那些师兄吗？”

“你的师兄？没有。”

“你也没见过我那十师兄？”清心狐疑地瞧了雀儿一眼道，“我听人家说，他当时可是杀上三十三重天来着，那时候雀儿姐姐应该已经在三十三重天了吧？最近不就是因为他又出现了，天庭的人才那么紧张吗？”

“是吗？”雀儿稍稍眨巴了几下眼睛，笑道，“我不太过问这些事，也没人告诉我，不知道也不奇怪。”

“是吗？”清心越发好奇了，目光死死地锁定雀儿，看得雀儿的脸都隐隐有些红了。

雀儿又坐了一小会儿，起身道：“忽然想起点事，清心妹妹在这里稍坐，我一会儿就回来。”

清心望着雀儿的背影，越发疑惑了。她托着腮喃喃自语道：“他们是不是有什么事瞒着我？”

想着，她又回头朝着须菩提和太上老君所在的屋子望了一眼：“算了，还是想想怎么云游吧。”

屋子里，太上老君问道：“那些事情，你都和清心说了没？”

须菩提拈起一子，“啪嗒”一声落到棋盘上，答道：“没。”

“不准备说了？”

须菩提摇了摇头道：“不准备说了。因为……这种事不需要说。”

太上老君点了点头，叹道：“也罢，若是有缘，即便不说也会有个好结局；若是无缘，便是说了也无用。还是顺其自然吧。我们这两个老头子，就做好为人师该做的事情就行了。”

凡间。

一轮明月穿行云间，北风在山间呼呼地刮着，那声响异常的凄厉。

荒无人烟的山林中，各种鸟兽似乎都已经感觉到这里来了一个极度危险的人物，全都销声匿迹了，以至于这山林中除了呼呼的风声，只剩下篝火燃烧的噼啪声响。

篝火边上，玄奘盘腿坐着，借着火光阅读随身带的经文，时不时闭上双目思索。猴子抱着金箍棒坐在篝火的另一边，时不时用木棍挑动火堆。小白龙则来来回回地拾掇着柴火，看上去极为殷勤。直到备齐了足够烧到天亮的柴火，他才朝着猴子走了过去。

“那个，大圣爷，还有什么吩咐吗？”

猴子抬头看了他一眼，伸手拍了拍一旁的岩石：“坐下说话吧，不用那么拘谨。”

“谢大圣爷。”小白龙点头哈腰地傻笑着，小心翼翼地坐了下去，腰板儿却还是不敢挺直。

好一会儿，小白龙低声问道：“大圣爷，这些年好多人都在四处找你，都没找到。你究竟在哪里来着？”

猴子用手中的木棍挑了挑火堆里的柴，一阵火星溅起。他悠悠地叹道：“这些年啊，我一直在一个鸟不拉屎的地方待着，或者说，困着。”

“那……大圣爷你是刚出来咯？”

“对，怎么啦？”

“可是大圣爷你怎么……”小白龙朝着对面的玄奘瞟了下，咽了口唾沫低声道，“怎么就跟他走到一块儿了？”

猴子注视着篝火堆，深吸了口气，道：“需要跟你解释吗？”

小白龙一惊，连忙摇头摆手：“不敢！大圣爷的事敖烈哪敢管……只是，这佛门不是跟大圣爷你……不太和睦吗？”

“既然说不敢管了，干脆就别问。”说着，猴子淡淡瞥了敖烈一眼。

小白龙连忙低下头去，干笑道：“对对对，既然不管了，就不要问，大圣爷说得对。”

这一下，敖烈再不敢问什么了，就一直静静地坐在猴子身旁。许久，眼皮都开始打架了，他还强撑着。

玄奘倒是简单，看佛经看到深夜，也就铺开被褥睡下。猴子则依旧一动不动地坐着。

转眼间已是三更，猴子忽然开口问道：“你三姐跟你姐夫复合了没？”

小白龙猛地一惊，一下醒了，眨巴着眼睛犹豫了好一会儿才缩着身子支支吾吾地说：“还、还没复合。”

“那，你姐夫现在怎么样了？”

“姐夫挺好，那一战他虽然没参加，但战后，他的灌江口军团是天军序列中唯一保存完好的部队，那时候花果山虽然……虽然那啥了，但各妖王都还颇具实力，天庭自然得倚重姐夫了。加上玉帝已经换了人，旧怨一笔勾销，现在日子反倒比以前好了不少。也就因为姐夫，天庭才没派人来拿我。虽说旧天庭彻底毁了，但该拿的人新天庭还是一个不落。”小白龙长长地打了个哈欠，接着说道，“不过，姐夫他现在也不想战功什么的了，除非玉帝下旨，否则灌江口军团基本上只守灌江口和华山两界，哪儿都不去。其实玉帝下旨了他也不一定去，老样子。呵呵呵呵。”

说到这儿，小白龙似乎也意识到什么，微微侧过脸去瞧了猴子一眼。

“那……华山那边……”

“杨婵姐还好，三姐倒是去看过她几次，被压在华山下六百多年了，她也没出来过。除此之外，一切安好。”

“安好就好。”猴子注视着火堆，默默点了点头。

小白龙揉了揉眼睛，抿了抿嘴唇轻声道：“到底是亲哥哥，不可能委屈她的。再说了，天庭想找她，妖王们也想找她……她可不是我们这种小喽啰，堂堂齐天大圣夫人，花果山名正言顺的国母，还是待在华山安全。”

“如果现在去华山，你能见到她吗？”猴子忽然问道。

“我？”小白龙一愣，连忙摇了摇头道，“应该不行。你要想见她，自己过去就是了。”

“我现在还不能去见她。”猴子长叹了口气，道，“现在还有些首尾没了结，等事情都办完了，我再去找她。希望她到时候还肯见我。”

“首尾？”小白龙悄悄看了睡在远处的玄奘一眼，似乎意会到了什么，点了点头。

两人就这么静静地待着，直到天蒙蒙亮的时候，两道金光忽然从北边飞越了篝火上方，落到不远处的树林里。

猴子撑着膝盖缓缓地站了起来。玄奘也被惊醒了。

不多时，李靖从树林中走了出来，拱手道：“南天门李靖，参见大圣爷。大圣爷别来无恙啊。”

猴子的目光落到李靖身后不远处。

在那里，二郎神正拄着三尖两刃刀缓缓走来。

猴子顾不上李靖，连忙躬身拱手道：“悟空参见二哥。”

玄奘也双手合十道：“贫僧玄奘，见过两位天将。”

杨戬冷冷地注视着猴子，三尖两刃刀重重一顿，悠悠道：“别叫得那么亲昵，谁是你二哥？”

第四百九十一章

面 谈

猴子静静地站着，呆呆地点头，却一句话也说不出来。

从杨戬的眼神中，他读出的是一种面对陌生人，甚至是对手的淡漠。

这也许才是自己真正害怕的吧，如果杨婵也是这样的眼神，他应该怎么办？

长达六百五十年的光阴，该来的终究还是逃不过。

尴尬的气氛一下弥漫开来，一时间，就连李靖也不知如何是好。

一旁的玄奘双手合十，静静地站着，目光在杨戬与猴子的身上来回，一声不吭。

好一会儿，杨戬深吸了口气，侧过脸去对李靖说："天王有什么话想跟这猴子说的，还请尽快，杨戬在一旁候着吧。"说罢，也不等李靖回答，杨戬拄着三尖两刃刀头也不回地朝着一旁走去，直走到三十丈开外，他才停下脚步，背对着众人一动不动地仰望着天边的流云。

面对这只猴子他该说什么呢？

猴子不知道该说什么，他又何尝不是呢？

他甚至不知道该以一种什么样的心情去跟对方交谈。

毫无疑问，当初斜月三星洞那只落魄的小猴妖，即便不再雄踞花果山，即便失去了天道修为，却也还是天地间接近无敌的存在。

论战力，杨戬与他早已拉开了不是一星半点儿的距离。

可也就是如此而已。至少在六百多年前的那场大战中，杨戬没有从他身上看到任何力量拥有者应有的担当。

大概是力量实在增长得太快的关系吧，仅仅一百多年的时间，他便从一个无名小卒走到世界的巅峰，却还远远没有到达那个位置本该有的境界。

想着，杨戬无奈地笑了。

他跟自己全然不同，可也许正是因为这样，自己那个傻妹妹才会喜欢上他吧。种种复杂的心情，最终只能化作一声叹息，化作一道云烟飘散在冰冷的空气中。

猴子依旧一动不动地站在原地，眼睛不断眨着，呆呆地注视着杨戬的背影。

许久，李靖咽了口唾沫转过脸来，对着猴子拱了拱手道：“大圣爷，李靖此次乃是奉了陛下旨意前来求见大圣爷，有些话，想要和大圣爷说一说。”

玄奘看了看他们，双手合十，微微躬身道：“贫僧还是回避吧。”说着，他转身朝杨戬走了过去，一直躲在篝火后的小白龙也连忙跟了上去。

篝火边一下就只剩下了猴子和李靖两人。

猴子长叹了口气：“李天王别来无恙啊。”

“托大圣爷的福，一切安好。”李靖连忙拱手道。

“现在还任原职吗？”

“还……还任原职。”

“我记得我和你说过，让你不要再插手天庭事务。”

李靖微微一惊，额头开始冒冷汗，干笑道：“大圣爷，这……李靖之所以复任南天门镇守天王，乃是应令师的嘱托。”

“老头子要求的？”猴子很随意地瞥了他一眼，“老头子现在也在天庭任职了？”

“须菩提祖师不曾在天庭任职，但当日天地崩坏，也是多亏了须菩提祖师出手，才得以修复，免了三界苍生之苦。”

“行了，你的事就暂且跳过吧。”猴子转身朝着篝火走去，随口道，“玉帝让你来说什么，赶紧说。”

李靖快步跟了上去，谄笑道：“陛下希望能与大圣爷和睦相处。”

“哦？”猴子拍了拍大腿坐回原地，合上双目悠悠道，“他想怎么个相处法？”

“这……”

“他是想跟我一个人和睦相处呢，还是和所有的妖怪和睦相处？”

李靖微微弓着身子，站在猴子身后小心翼翼地说道：“陛下的意思，是先了解了解大圣爷您的想法。”

“我的想法？”

猴子嘿嘿笑了起来。李靖有些心慌了，却也只能硬着头皮往下说。

“对……对，陛下希望先了解一下大圣爷的想法。接下来，大圣爷是准备重建花果山吗？”

“我接下来什么想法都没有。”猴子睁开眼，略带茫然地说道，“暂时，也没打算跟你们起冲突，否则我老早就杀上天庭了，不会给他写什么信。”

远处，杨戬冷冷地盯着小白龙，轻声问：“你怎么跟他在一起？”

小白龙回头望了一眼猴子，扭扭捏捏地说道：“为了蟠桃。”

杨戬朝着李靖的方向望了过去，紧蹙着眉头道：“这次的蟠桃是替你讨的？”

小白龙连忙点头。

“你要蟠桃做什么？为了两个蟠桃就和这猴子掺和在一起，若是让你父王知道了，又要生气了。”

“他爱气不气。”小白龙翻了个白眼道，“我都回西海六七趟了，他死活不肯给，不仅如此，还将所有的蟠桃都严密管控起来。若不是实在没办法，我怎么可能会铤而走险想要弄取经人的肉。”

杨戬的目光朝着一旁的玄奘看了过去，轻声问道：“这位大师是……”

玄奘双手合十，躬身行礼道：“贫僧玄奘，见过二郎神。”

“你就是玄奘？”杨戬微微仰着头，若有所思地打量着对方。

“贫僧正是玄奘。”玄奘又行了个礼。

玄奘的身材在人类当中算是高的了，可比起杨戬，还是矮了半头。不过明知道对方是二郎神还能挺起腰板儿对视的人类，当真不多。

杨戬瞧着玄奘，眉头不由得微微蹙起：“有传闻说佛祖命你西行取经，意欲传教东土，可有此事？”

玄奘淡淡笑道：“贫僧是要西行取经，却不是奉佛祖之命。”

“哦？不是佛祖？那是谁的命令？”

“乃是奉本心之命。”

“本心？”杨戬微微一愣，有些疑惑地说道，“杨戬虽不问世事，却也知道佛门已经入主地府，许多得道高僧圆寂之后，都得以免除孟婆汤一环，能带着修为转世。大师您前世是……”

“金蝉子。”玄奘双手合十道。

闻言，杨戬恍然大悟，缓缓地笑了。他也不再多问，只是转过身去对小白龙道：“你是答应了帮他做什么，他才替你向天庭讨蟠桃的？”

“答应了他一起保护玄奘法师去取经。”

杨戬轻声叹道：“西行取经……这一路可有十万八千里啊。”

小白龙小声道：“要不，姐夫你替我跟他说说，别让我去了。凭这几天的摸底，我觉得，若你开口，他肯定愿意听。”

杨戬却只是笑了笑，叹道：“你还是没长大啊。”

“我？”小白龙有些蒙了。

杨戬点了点头。“人无信而不立，既然不想去，一开始就不应该答应，答应了，就应该履行到底。十万八千里，这一路，怕是有些凶险……权当一次历练吧。”说着，他伸手从腰间掏出一块玉简递给小白龙，“收好，若着实没办法了，喊一声。”

小白龙眨巴着眼睛，无奈地将玉简收了起来。

言罢，杨戬又转身对着玄奘恭敬地说道：“内弟敖烈性格鲁莽，这一路，就有劳玄奘法师多加教导了。”

“二郎神多礼了。”玄奘回礼道。

远处的李靖依旧在小心翼翼地试探，每说出一句话，都被猴子顶得哑口无言。

到末了，猴子懒懒地掏了掏耳朵：“总之，你告诉玉帝，我暂时没打算对他怎么着，让他安心地坐他的龙椅，但也别干出太出格的事情来。当初的玉帝怎么死的，想必他也知道。”

李靖尴尬地笑了笑。

“我要的东西带来了吗？”猴子抬眼道。

“带……带来了。”李靖点了点头，连忙从衣袖中取出两颗硕大的蟠桃正准备递过去，看猴子那态度，又转而撕下自己的衣袖铺在一旁的石头上，将两颗蟠桃放下。

猴子瞥了那两颗散发着淡淡灵气的蟠桃一眼，轻声道：“行了，放下你就可以走了。”

“末将告退。”说完，他正要转身，却又被猴子叫住了。

猴子一只手撑着膝盖，另一只手用木棍撩动着已经快熄灭的篝火。“我现在只想好好护送玄奘到灵山大雷音寺，这一路上，你让玉帝管好手下的人，如果有谁阻拦……”猴子微微抬起眼，龇牙道，“就算是他玉帝本人，也得死。你懂我的意思吗？”

李靖连忙躬身道：“末将明白了，末将一定一字不漏地转达。”

“去吧。”

李靖又向猴子行了个礼，缓缓地朝杨戬走了过去。

“都谈好了？”杨戬问。

“算是吧。”李靖侧过脸，特意双手合十对着玄奘行了个礼，道，“玄奘法师辛苦了。”

“不敢当。”玄奘也双手合十回礼。

李靖轻轻地叹了口气，道：“我等，就先行告退了，改日若是玄奘法师开了讲坛，我等再来造访。”

“若真有那一日，必定知会两位。”

两人告别了玄奘，化作两道金光瞬间消失在天际。

两人一离开，小白龙当即朝着蟠桃飞奔了过去，抱着蟠桃，喜上眉梢。

玄奘一步步走到猴子身边，振了振衣袖坐了下去。

“天都完全亮了，起程吧。”猴子道。

玄奘默默点了点头，起身去收拾自己的行囊。

疾风中，李靖与杨戬凌空并行。

李靖低声道：“那个玄奘，是金蝉子转世，你知道吗？”

杨戬随口答：“刚知道。”

李靖抿着唇，无奈笑道：“果不其然，取经人的传闻不是空穴来风。而且他还是那灵山辩法的金蝉子转世，看来，要出大事了。”

“出大事？”杨戬顿时一惊。

李靖深吸了口气，道：“妖猴的事情是暂时解决了，可这西行取经恐怕才是真正令人头痛的事啊！此事，还得立即禀报陛下才行。”

第四百九十二章
观音禅院

太阳缓缓地升起，阳光透过云的间隙洒落大地，如同一道道圣光从天而降，滋润万物。

远远望去，有种如梦似幻的感觉。

蜿蜒的山道上，猴子拄着金箍棒走在最前头，始终与玄奘保持着两到三丈的距离。小白龙牵着马走在了最后。

一路西行，一路风霜，却原来也有一路的美景，让人忍不住驻足欣赏。

这一路，猴子早在八百年前已经走过一次。

依稀记得那只半蹲在树上的猴子，双手紧紧地抱着好不容易找来的未熟的野橘子，惊恐地瞪大通红的双眼朝四周观望，每一根绒毛都竖起来，最终连橘子皮一起吞了下去。

那一刻的眼神，究竟是怎样的，就连猴子自己也说不清楚。也许跟荒野中那些饿急了的狼并无差别吧。

那时候的他，心中只有执念，只有活下去的愿望，只有对这个世界满满的恐惧，以至于多年之后回想起来，他只记得无穷无尽的饥饿，无穷无尽的恐慌，无边无际的冰冷。

一只瘦小的猴子，却执着地要赤着脚走过十万八千里，孤身穿越地狱，去追寻一个遥不可及的梦想……那时，活着，便是恐惧，便是寒冷，便是饥饿，便是煎熬。

在那一刻，生命对他来说，早已只剩下往前走的欲望，只剩下烙入灵魂的执念。那种感觉，即使度过几百年的光阴他仍然无法释怀。

所以，他宁死不屈，有着无与伦比的勇气，因为在他的心中，身后除了一片荒芜，什么都没有。既然什么都没有，又何必恐惧失去呢？他咬着牙，可以直面任何苦难。

过早开启的求仙之路，带来了无穷无尽的磨难，而这些磨难，又给予了他无比坚忍的心，让他在那条路上击败一个又一个对手，挺过一道又一道难关。

当他望见灵台方寸山上朱红大门的那一刻，个中辛酸早已无以言表。

连这样的路都走过了，这个世界上还有什么可以难倒他呢？

曾经，他是这样想的，直到他面对如来的那一刻为止。

原来，这个世界最可怕的，并不是一无所有，而是得到了之后再失去，是面对失去那一刻的束手无策。

那是他第一次低头，朝着自己最痛恨的敌人低头，第一次，他是真心为了守住仅有的愿意去当一条狗。

然而，对手甚至连这样一个机会都没给他，而是转手将他扔进悔恨的深渊。

六百五十年前那一战，他是真的败了，败得彻底，败给了自己，败给了一直以来被他忽略的那颗脆弱的心。

苦苦地挣扎，到头来，换来的不过是延长了一百五十年的囚禁。那是一种怎样的绝望，甚至连怒火都因为失去仅存的燃料而熄灭。

六百五十年的光阴，直到踏出五行山的那一刻，他都还不知道应该怎么重新面对这个世界。他只能跑去东海找敖听心，因为他知道这个睿智的女子不敢触怒他。

站在山腰上，猴子拄着金箍棒有些茫然地俯视着下方绵延的山，望着天边变幻的流云。

玄奘与他擦肩而过，驻足而立，轻声问道："在想什么？"

猴子低头笑了笑："想起一些旧事罢了，没什么。"

"可是心中有苦难言？"

猴子微微张了张口，许久，却吐出一声叹息，道："若无法击败如来，这苦，怕是永世无法解脱了。走吧，无论如何，我都会将你送到灵山大雷音寺的。佛挡杀佛。"

他拄着金箍棒，一步步往前，留下玄奘孤身站在原地默默地看着。

落在最后的小白龙牵着白马跟了上来。

玄奘淡淡看了一眼小白龙，轻声问道："听闻蟠桃只有一年期限，敖施主不先抽空将蟠桃送回去吗？"

"这……"小白龙回头看了一眼马背上的行囊，干笑着说，"要大圣爷肯，我走开才行啊。不怕，这里往西会路过我家，过不了多久就会到的。"

玄奘点了点头："如此便好。这一路，委屈敖施主了。"

"别。"小白龙连忙摆手道，"玄奘法师可千万别这么说，若让大圣爷听到了，指不定要训我一顿呢。"

玄奘淡淡一笑，两人并肩而行，与猴子渐渐拉开了些距离。

山下的岩石后，一位僧人悄悄缩了缩脑袋，小心翼翼地观察着三人。

猴子当即放慢了脚步，直到与玄奘并行，才低声道："有人一直在跟踪我们。"

"哦？"玄奘微微一愣，低声问，"知道是谁吗？"

"不太清楚，修为很弱，也就比凡人稍强。那感觉，应该不是道门中人，也不是妖怪。"

"这么说，是佛门咯？"玄奘伸手从马背上的架子里抽出了一幅绢制的地图，一面走，一面摊开来看。

半晌，他指着前方的高山对猴子说道："前面有一座名寺。"

"名寺？不会是观音禅院吧？"

闻言，玄奘微微蹙眉道："大圣爷知道？"

猴子摇了摇头道："不用说，旁边还有座黑风山。"

玄奘将手中的地图重新卷好放回行囊中，问道："大圣爷是来过此处吗？"

"没来过，不过啊，我们最好绕路走。"猴子深吸了口气，叹道，"那观音禅院中可能有个活了几百岁的老和尚，很贪心。黑风山里可能还有一只修为不算差的黑熊精，我是说可能。"

玄奘缓缓地走着，随口问："大圣爷，是不想与昔日旧部见面吗？"

"不是什么旧部。"猴子摇摇头道，"那黑熊精我压根儿就不认识，只是怕生事罢了。现在都在传吃了你的肉能长生不老，拿了你的袈裟能白日飞升，难保他们不会有想法。”

“如果贫僧要明知山有虎偏向虎山行呢？”

猴子挑了挑眉，看了玄奘一眼：“你要去也行，但不要离开我超过五步的距离。”

“贫僧明白了。”

远处高山上，一座恢宏的佛寺中香火弥漫，诵经声不绝于耳。

一位年轻和尚提着前摆，飞奔过空旷的院落直奔禅室。

推开门，只见那禅室中一位年龄看上去不过四五十岁的中年和尚，正端坐着敲打木鱼诵经。此人正是当日文殊身边的僧人。

“师父，师父。”那年轻和尚急切地说道，“有一只妖猴、一位游僧和一个俗人一起上了山。那游僧的样貌颇似师父当日提及的玄奘。”

中年僧人敲打木鱼的手微微一顿，缓缓睁开双目，笑道：“开门迎接。”

“弟子遵命。”

一声声钟鸣传遍山野。

远远地，三人望见了坐落在山峰上如同宫阙般恢宏的观音禅院。

高耸的院墙，一座座高达十余丈的浮屠塔，缥缈云烟从建筑的间隙中升腾而起，飘向高空。

“不要离开我超过五步的距离。”猴子又一次低声嘱咐道。

玄奘默默点头，一旁的敖烈却是一脸错愕。

“不要离开超过五步？我们只是挂个单而已啊，难不成还能发生什么事？”

还没等敖烈反应过来，那朱红色的大门轰然打开了，十余位身穿蓝色僧袍的和尚鱼贯而出，分列两旁。正中走出三位身穿红色袈裟、高僧模样的人。

居中的那位正是当日与文殊一同前往观察玄奘的僧人。他双手合十，远远地朝玄奘行礼：“贫僧金池，恭候玄奘法师多时了。”

说罢，他面带微笑，带着另外两位高僧模样的人一步步朝着三人走了过来。

玄奘双手合十回礼，恭敬地说道："贫僧玄奘，见过金池上人。贫僧不过一介游僧，竟劳烦金池上人亲自出迎，实在荣幸之至。"

"欸，玄奘法师切勿多礼。"那金池上人双袖一振，缓缓地走到玄奘跟前，面带笑意地伸手去牵玄奘，却被猴子一棍子挡了回去。

金池一惊，面带惧色地看向猴子，双目瞪得滚圆："这位是……"

玄奘道："此乃贫僧的一位友人，名唤孙悟空，非佛门中人。这一路上结伴而行，贫僧多亏了他的照拂才得保畅顺。得罪之处，还请勿怪。"

那一旁的众僧都警惕地注视着猴子。

"哦？孙悟空？"金池收了收神，淡淡瞥了猴子一眼，伸手道，"请玄奘法师入寺安坐吧。其余两位，既然来了，此处风凉，也就一并请吧。"

这话说的语气当即就变了，眼中的轻蔑之色更是隐约可见。

一时间，猴子的眉头不由得微微蹙起，一旁的小白龙也惊恐地看着猴子，连玄奘也不自觉瞥了猴子一眼。

有多少年没人敢这样跟猴子他说话了？

猴子微微愣了愣，却只是收了收神，并未发作。

直到此时，玄奘与敖烈才稍稍放下心来。

一行缓缓走入寺内，玄奘与金池并肩而行。玄奘随口道："玄奘西行之事并未大张旗鼓，不知金池上人是从何处得知贫僧要来的？"

"玄奘法师西行求法，乃是为了普度众生。如此大业，即便不大张旗鼓，又如何遮掩得住？贫僧自然是知道了。"

敖烈靠在猴子身旁道："这答了和没答一样嘛，老家伙肯定有问题。"

"嘘，小点声。"猴子道。

往四周看去，紧随二人之后的一众僧人注意力似乎全都在猴子身上，全然没有在意前方的玄奘，有几个甚至已经吓得脸色煞白，连行走的姿势看上去也如同穿了高脚木屐般机械。

"嘿嘿，他们知道我是谁，装得还挺像的。"

小白龙努了努嘴低声道："我得佩服他们才行啊，要是我，就算给我天大的好处也没胆子在大圣爷面前装。这可是个一不小心就要魂飞魄散的活儿。”

一路绕行，金池热情地介绍着四周的景致，从门前的罗汉松到院中的菩提树，再到高耸的浮屠塔、宏伟的庙堂、塑金身的佛像，一桩桩一件件，他细细地介绍着，言语之中透着得意之色。自始至终，玄奘只是默默点头，看得随意，也不多加评论。

这观音禅院说大不大，容得下数百僧人，若真要逛一遍，也得半日上下。可刚走了三分之一，兴许是因为玄奘反应淡漠的关系，金池看上去也有些词穷，只得摆了摆手，将三人引到大殿，又让手下僧人给三人看座，自己则振了振衣袖坐到主位上。

待到上了茶水，金池问道：“贫僧的观音禅院，玄奘法师也大致看了一下，不知，比您那金山寺，如何？”

玄奘双手合十，淡淡道：“庙宇恢宏，景色宜人，非金山寺可比。”

“哦？”听到这一句，笑意又重新浮现在金池脸上，他拍了拍大腿，笑道，“那可有何不足之处，还请玄奘法师指点指点，我等也好改正。”

“这不足之处嘛……”玄奘稍稍犹豫了一下，双目低垂，轻声道，“便是所有皆齐，唯独少了一个‘佛’字。”

在场众僧皆微微一愣，望向玄奘。

猴子也挑了挑眉，朝着玄奘看了过去。

闻言，金池双眉紧蹙，抿着嘴唇略微思索了一番，半眯着双目道：“贫僧不太懂，还请玄奘法师明示。”

“阿弥陀佛。”玄奘双手合十，那目光朝着两边的僧人瞥了瞥，“在此处讲，恐有不便。”

“有何不便？”金池低头抿了一口茶，淡淡笑道，“贫僧已有二百七十岁高龄，虽说法力虚长，却始终不得踏入佛境。经，自然是越辩越明，若有话，不如拿出来大家一同参详，也好让贫僧知道，当日金蝉子是因何失了佛陀金身。”

顿时，整个大殿之中的气氛冷了几分，这似乎是早已准备好的说辞，所有人的目光都朝着玄奘聚了过去。

玄奘面色依旧，轻声道：“既然金池上人如是说，玄奘，也便斗胆了。”

第四百九十三章

没人赢

九重天之上，云雾缭绕之中，巨大的广场中排列着身穿银色铠甲的天军，一面面旗帜迎风招展。

灵霄宝殿的后院中，溪水涓涓。

御书房内，李靖轻声述说着：

“那妖猴既没联系旧部，也没急着返回花果山，甚至完全没有公告三界他已重返的意思……虽说依旧狂妄，看上去倒真如他所说的，并没打算与天庭再起争端，也没重归妖王之位的意思。可此行得知的另一件事却让臣颇感忧心。

“先前三界传说的取经人，实乃西方金蝉子转世，今生名唤玄奘，乃东土一游僧。三界传闻，玄奘奉佛祖之命身怀巨宝往大雷音寺求取真经，为的是将佛教传入东土，说得玄之又玄，臣观之却并非如此。

“这金蝉子本是如来座下二弟子，八百年前因生惑，于灵山辩法之时直战如来，虽败，惑却未解，故而失了佛陀金身，转而投入轮回，历经十世苦难。

“人所共知，如今阴间轮回之事已是佛门执掌。佛门修行不同于道家，全赖那一念顿悟，一世未悟，无蟠桃、人参果之物相助，则延寿之事无从谈起，到寿元尽时，来世又得从无到有重修之，成佛，可谓极难。可若高僧转世得以保留前世记忆，则另当别论。当日佛门正是因此，才在妖猴大闹地府之时趁机将六道轮回握入手中，至今依然。

“若按常理推断，这金蝉子乃佛门二弟子，如今已轮回十世，佛祖若欲将其召回再登佛位，授意其徒步西行以证佛果，可谓无可厚非。可这玄奘……十世以来世世为僧，却从未享过保留记忆之待遇。由此可见，西方对这金蝉子，必非外界所言那般看重。

“况且，三界一夜之间风传食其肉可长生不老，又传其身怀佛祖所赐之宝，更声言若其毙命于西行途中，佛门必不追究。此，必有人欲害之。

“想那金蝉子除却辩法之事，向来低调，与人为善，也不曾得罪于人，更与道家大能交好，本该无人害他才对。再者，若真是佛祖授意西行，为何不遣佛门弟子护送，而要寻了与如来有深仇大恨的孙悟空沿途护送，岂不蹊跷？

“故而，臣以为，西行之事，怕是内有乾坤，不似明面上那么简单。”

李靖低头拱手，抬眼细细地注视着端坐龙案前的玉帝。

玉帝微微仰起头，双目缓缓眯成了一条缝，捋着长须细细思索着。

许久，他问道：“当日金蝉子生惑，究竟为何，你可知晓？”

“这……”李靖微微一愣，拱手道，“臣也是一知半解罢了，陛下且听臣细细道来……”

观音禅院大殿中，在众人的注目下，玄奘缓缓起身。

“要不别辩了，我一棍子打死他们算了。这伙人明显是来找碴儿的。这种杂碎，没必要跟他们废话，一棍子打死最简单。”一个声音在玄奘的脑海中响起。

“逃避，解决不了任何问题。西行一路，贫僧所需要踏出的最重要的一步，就是直面所有的苦难、所有的艰难。如此，方能知行合一。这也正是贫僧选择明知山有虎偏向虎山行的原因。若不这般做，贫僧与那佛陀何异，还谈何证道？”

“我是怕你输。这货活了两百七十年，你的岁数，还不及他十分之一吧？”

“莫急。有人出手，不正说明有人怕了吗？”

猴子不再吭声，淡淡叹了口气，弓着身子歪歪斜斜地坐着。

四周的僧侣都目不转睛地注视着玄奘。金池上人微微一笑，道：“为何我这观音禅院中唯独缺个‘佛’字，玄奘法师有何高论，尽管讲来，贫僧与我这一众弟子洗耳恭听。”

玄奘双手合十，朝着金池行了一礼，又朝着四周的僧侣行礼，轻声道：“修佛者，其根，在于一个‘空’字。所以，四大五蕴皆空，悟不得空，又如何写得出一个‘佛’字。恕贫僧斗胆直言，这观音禅院纵有房屋千所，有巍巍庙堂，有入云浮屠，其实，又与‘佛’字何干？”

玄奘这一番话说完，金池当场就笑了。他一笑，众弟子皆笑。

猴子微微抬头看向玄奘，却见他依旧面色淡然。

金池又低头抿了一口清茶，双目低垂，悠悠叹道：“佛祖教人为比丘，上从如来乞法以练神，下就俗人乞食以资身。僧者，乞者也。我这观音禅院中有镀金佛像十余座，众弟子日日拂尘，此，敬佛也，乃我乞法之心；十余镀金佛像，数座浮屠宝塔，此处一草一木，皆为信众所捐，此，供养也，乃我乞食之心。一物映二心，万般皆按佛性行，如何就是缺一‘佛’字？莫不是那佛祖也撒谎不成？”言罢，众弟子的笑声此起彼伏。

“少见多怪。”猴子也笑了出来，悄悄对一旁的小白龙道，“这佛祖撒谎，他们没见过，我可是见过的。”

闻言，小白龙抿着嘴唇，脸色稍稍变了变。

待到那笑声渐渐稀疏，玄奘才注视着金池轻声道：“非也。”

“非也？”金池微微一愣，不以为然地蹙眉道，“那，玄奘法师有何高见，可否道来。”

玄奘清了清嗓子，低声道：“贫僧以为，这十座镀金佛像，恰恰说明了贵寺之中缺一‘佛’字。”

一时间，四周的僧人都蹙起了眉，窃窃私语。

隐约中，玄奘甚至听到有人嘀咕：“话都到这份儿上了，还强加辩解，嘿，这玄奘怕也与前些日子来参学的行僧一般，空口白牙，失了理还不认。”

“对对对，都修了金佛了，还不是敬佛？这玄奘定是妒忌了。”

听了这话，玄奘也不说话，只静静地站着。

那端坐主位的金池也不开口制止，淡淡地注视着玄奘，只等着他陷入窘境之中。

只可惜，自始至终，玄奘都是一副淡然面色，无论那些弟子如何窃窃私语，都不见他动容分毫。

不多时，四周的僧人总算稍稍安静了些。

玄奘开口道："金池上人方才说，这镀金佛像，乃是信众所捐。"

"正是。"

"金池上人方才又说，佛祖教人为比丘，上从如来乞法以练神，下就俗人乞食以资身。两相照喻，乃佛性也？"

金池面无表情地点了点头："正是，莫非玄奘法师不认同？"

玄奘深吸了口气，轻声问道："那玄奘敢问金池上人一句，这金佛可是资身之物？"

"这……"一时间，金池迟疑了，那四周的弟子也皆一愣。

玄奘接着说道："此乃往下说，若往上说，从如来以乞法……众佛皆已四大五蕴皆空，既是空，你敬与不敬，又有何差别？"

金池的脸色微微变了变，张了张口，却答不上来。

玄奘又道："一无所谓资身，二无所谓敬佛，这佛性一说，自然无从谈起。若修了金佛，造了浮屠，便能写出'佛'字，普天之下的比丘行走市井便是了，何必苦修？"

金池的脸色已经变了数变，一众弟子都小心翼翼地注视着他，一个个忐忑不已。

一旁的猴子已经忍不住想笑了。

看来，他先前的担忧纯属多余，这金池上人虽名为高僧，却不过虚活了两百七十年罢了，对玄奘竟全无招架之力。

玄奘双手合十，又轻声道："金佛也罢，浮屠也罢，庙宇也罢，所有这些，皆是浮华之物，金池上人身为方丈，况且追求此等俗物，赞为美谈，这观音禅院之中又怎会有'佛'字呢？相比之下，金山寺虽处处不如观音禅院，却唯独多了一个'佛'字。"

玄奘微微躬身行礼，淡淡笑道："玄奘年少胡言，还请金池上人指正。"

话到此处，整个大殿中早已寂静无声。

所有人都悄悄地注视着金池，而金池的脸早已成了猪肝色。

金池沉默了许久，呆呆地眨巴着眼睛，深吸了口气，略带惊慌地说道：

“玄奘法师远道而来着实辛苦，不如请玄奘法师在禅院中先行安顿，休养一番，往后……往后辩法的机会有的是，不急于一时。”

那一众弟子的眉头都蹙成了八字。

玄奘微微点头，淡淡笑了笑。

“对对对，玄奘法师旅途劳顿，还是先行安顿为好。”其中一位高僧模样的人连忙站了出来，转身扬手道，“来人啊，赶紧为玄奘法师安排住宿，准备斋菜。”

两位僧人连忙弓着身子跑到玄奘面前，双手合十道：“玄奘法师请随我来。”

“有劳了。”玄奘默默点了点头，转身之际，朝着金池又行了个礼道，“玄奘叨扰了。”

说罢，他淡淡一笑。

这一笑，和蔼亲切至极，可落到金池眼中，却是另一番味道。

若说先前玄奘已经用言语将他逼到了崖角，那么这一笑，便是将他踢下悬崖的那一脚。

他端着茶盏，那手在猛颤。

慌乱之中，他只得忙将茶盏放下。

猴子出了殿门，低声道：“干得不错，三言两语就将他打发了，也省了我一顿棍棒。”

玄奘却只是轻声叹气：“可惜了。”

“怎么可惜？”

“这金池上人通学佛典，也算是一方高僧，只可惜沉迷于俗物，通而未悟，此之为一；其二，金池上人方才说想知道金蝉子当日因何失了佛陀金身，只可惜他辩不到引出的一刻。”

“这……你是嫌他太弱了？”猴子失笑。

玄奘缓缓摇了摇头，低声道：“若玄奘方才一番当头棒喝能震醒他，又怎会无法提及呢？只可惜，他依旧未悟。”

“喂，你好像也没成佛啊。”猴子似笑非笑地注视着玄奘，低声道，“这么说，是不是有点过了？”

“贫僧并非无法成佛，而是不愿成佛。”玄奘瞥了猴子一眼，轻声道，“以贫僧如今的修为，度他，足以。只可惜他未必肯受贫僧的度；贫僧，也无法常驻此地。说到底，他以为自己输了，其实谁也没赢。欲度之人已被送到贫僧面前……”说到这儿，玄奘不由得淡淡叹了口气。

这一通话顿时把猴子说蒙了。

佛门的事情猴子不懂，可那金池明显就是来找碴儿的，还度他？有必要对敌人这么好吗？

门窗紧闭的禅室中，金池双膝跪地，双手合十，文殊则盘腿坐在蒲团上，静静地注视着他。

“那玄奘简直冥顽不灵，他竟说这观音禅院中缺一个‘佛’字，说观音禅院还不如他那金山寺！还说……还说佛无须贫僧敬，说金佛非资身之物……简直岂有此理，岂有此理！

“若这观音禅院中真缺一个‘佛’字，文殊尊者又如何会降临禅院？若这观音禅院中真缺一个‘佛’字，贫僧又如何能有两百七十年的寿元？

“这玄奘，当真是入了魔障了，也无怪乎前世会被剥去佛陀金身！今生又揪结了妖猴西行谤佛，实在可恶，实在可恶！”

一通口若悬河下来，金池已是气喘吁吁，那文殊却依旧一动不动地坐着，面无表情地看着他。

许久，金池都有些错愕了。他咽了唾沫，略带惊慌地说道：“莫不是文殊尊者也赞同那玄奘所说？”

文殊长叹了口气，微微低头道：“可还记得贫僧让你做些什么？”

“尊者……尊者让贫僧……”金池眨巴着通红的眼睛道，“尊者让贫僧考验玄奘，让他知难而退。”

文殊默默点了点头，轻声道：“那你接着做便是了。”

“接着做？该……该如何做？”

“想如何做，便如何做。无所谓该如何做。”

金池连忙叩首道：“贫僧明白了，贫僧明白了，谢尊者指点迷津，谢尊者指点迷津。贫僧还有个撒手锏能让玄奘知难而退，贫僧这就去准备！”

说罢，金池颤颤巍巍地起身，躬身退出门外，关上木门。

文殊注视着那木门，眯着双眼一笑，叹道："其实啊，你从未懂过。"

三十三重天上，玉帝紧蹙着眉头道："普度？"

"对。"李靖躬身道，"据臣所知，当日所辩，正是普度。其实，严格来讲，也不能说是金蝉子败了。凡人脱八苦，去执念而成佛，金蝉子所惑，乃是该不该度众生。一旦有了普度众生的念想，便是有了执念，无法做到四大五蕴皆空，再不是佛。只能说，当日辩法，谁也没赢，若如来佛祖真说服了金蝉子，金蝉子又如何会将所惑付诸实践呢？一旦真正动了普度的念头，佛陀金身，必失。"

"普度……普度。"玉帝低着头，不断默念着，那双眉越蹙越紧，"度人成佛，自己却不能是佛……教义之争啊，那玄奘证道与否，对我天庭倒无甚影响，只是若此事传播开，必将引起道门恐慌。若他真行普度之法，必是要从道家手里划走一块啊。"

说到这儿，玉帝不由得长叹了口气，道："此事暂且由朕通报太上老君，李天王切勿对外透露，免得道门有所行动，引得妖猴震怒，迁怒于我天庭。"

"陛下，纸是包不住火的。"

"瞒得一时是一时，我等，佯装不知便是了。"

"诺。"

此时，观音禅院中的僧人已经收拾出了一间院落，将玄奘一行安置其中。

待所有准备停当，一位僧人来到玄奘面前道："玄奘法师，斋菜已经准备好了，还请用餐。"

玄奘双手合十，向着对方默默点了点头。

待到那禅院中的僧人都走后，猴子才握着一个梨走到玄奘身旁道："怎么？还在想怎么度他啊？"

"随缘吧。"玄奘轻声道。

"嘿，你要连这种人都想度，这一路上有你忙的，别说他了，旁边山头就还有一个。”

玄奘缓缓望向猴子道：“怎讲？”

“你还不知道吧？这禅院里来了一位了不得的人物。”

“哦？”

“应该是佛门排得上号的人物，具体是谁我不清楚，这些人的气息我也懒得记，反正不是正法明如来。”猴子一面啃着梨，一面道，“还有，那个什么金池，已经出了禅院，往黑风山去了。”

“他去黑风山作甚？”

“搬救兵呗。大概觉得文的斗不过你，想来武的试一试吧。看来，他们也不是特别清楚我是谁啊。”猴子将梨核往桌上一放，指着玄奘道，“敖烈，照看好他。我去走一趟。”

说罢，猴子化作一道金光从房间里消失了。

此时，黑风山一处山洞外，一只身躯足有一丈五、身穿破旧铠甲的黑熊精正与金池站在一起。

金池左顾右盼了一番，低声道：“此事乃文殊尊者亲自嘱托，若成了，便是大功一件。你欲投身佛门，这便是千载难逢的机会。”

“大师请放心，此事包在我身上，不过区区一只猴精，如何敌得过我的黑缨枪！”那黑熊精将手中的黑缨枪重重一顿，“等夜深了，我就过去将那玄奘撕了！”

“好！”金池拍了拍黑熊精的肩道，“就看你的了，事成之后，贫僧必定在文殊尊者面前替你美言！”

告别了金池，黑熊精美滋滋地往洞里走，一抬头，却怔住了。他那双眼睛瞪得犹如铜铃那么大，豆大的汗珠顺着鼻梁缓缓滑落。

洞内那张常年不用、长满藤蔓的石椅上不知何时蹲了一只猴子，正瞧着自己，懒懒地打着哈欠。

“你说，我现在要动手杀你的话，文殊来不来得及救？”

第四百九十四章

黑熊精

黑熊精吓得一阵哆嗦，惊恐地望着猴子，一时间，脑海中一片空白。

寒意袭遍了全身。

猴子注视着黑熊精，目露凶光，缓缓地咧开嘴笑。

“算了，不用你猜了，还是直接送你去见你的佛祖吧！”

猴子一个翻转跳下了石椅，金箍棒不知何时已在手中，朝着黑熊精的脸呼啸而去。

“大圣爷——！”一声嘶吼响起。

瞬间，猴子的金箍棒凌空顿住了，夹带的疾风从黑熊精的脸上掠过。

此时此刻，金箍棒末端距离黑熊精的脸不过三寸距离，微微颤动着。

黑熊精张大了嘴，瞪圆了眼，浑身上下战栗不已。

猴子缓缓地眯起眼睛，歪着脑袋轻声问道：“你认识我？”

只听“扑通”一声，黑熊精跪倒在地，急促地喘息着，好一会儿都没缓过劲来，那捂着胸口的手却依旧止不住地颤抖。

刚刚那句话，若是再喊迟一分一毫，他已经性命不保。

“问你话呢，说话！”猴子叉着腰，歪着脑袋用金箍棒点了点黑熊精的肩。

那黑熊精猛地眨巴着眼睛，一双眼睛瞪得犹如铜铃那么大，已是大汗淋漓。

好一会儿，他才咽了口唾沫，缓缓抬起头来断断续续地说道：“大圣爷，小的……小的，曾任花果山羽猿部下属黑毛分队队长，多次在战场上目睹大圣爷的英姿。”

“羽猿部？”那金箍棒当即转了回来，顿地，猴子眯着眼睛略微寻思了一番，道，“那你是猕猴王的部属咯？”

“对，对。”黑熊精满是惊恐的脸上好不容易挤出一丝笑容，小心翼翼地说道，“小的出身南赡部洲，参加过霜雨山之战，后随猕猴王转战到花果山，投入大圣爷麾下，围剿天河水军时是先锋，也参加了南天门之战，还有六百年前的花果山之战，因为有战功，三圣母授小的裨将衔，那授衔的文书上还有大圣爷您的印鉴呢。黑毛分队，就是以小的的名字命名……小的对花果山，对大圣爷一直都是忠心耿耿……大圣爷饶命！饶命啊！”

话到此处，黑熊精不住地磕头，撞得坚硬的地面微微震动，一声声闷响，那黑漆漆的额头上也磕出了血。

“这……搞了半天还是个故人？”猴子的眉头微微蹙起。

当初花果山的妖怪实在多，多到连有名有姓的妖将，猴子都记不大清了。不过，隐约之中好像还真有这么一只叫黑毛的黑熊精，只是那时候裨将这种职位的妖将，即使在庆典中也只能在万妖殿的门口有个座位，更别提直接跟猴子打交道了。

猴子深吸了口气，注视着黑熊精问道：“那你怎么又说要投入佛门呢？我花果山跟佛门什么关系，你不会不知道吧？”

“这……这……”趴在地上的黑熊精道，“大圣爷有所不知，当日花果山一战，猕猴王带我等先行撤离，之后又经历了妖王之战，猕猴王自己懒得打，就跑没影了，我等一众部将无处可去，我们实在没办法了，只好散伙，有的投靠了九头虫，有的投靠了牛魔王，有的投靠了鹏魔王，有的甚至还投靠了天庭……”

“所以，你就想投靠灵山？妈的，这猕猴王也真够不负责任的。”

“小的在这里修了两百年的佛，就连那金池法师当初的蟠桃，都是小的费尽心机帮他找来的……可……可……可惜一无所成。”

话已经有点说不下去了。黑熊精整个扑倒在地，一把眼泪一把鼻涕地哭道：“小的糊涂，小的该死，大圣爷，但凡妖族有一点希望，小的也不会想要投靠佛门啊！现在大圣爷回来了，就让小的鞍前马后伺候您吧！只要您一句话，就是让小的去死，小的也心甘情愿啊！大圣爷饶命啊！大圣爷饶命啊！”

看着哭得有些缓不过气来的黑熊精，猴子有些于心不忍了：“那你怎么就想到去杀我保护的取经人向佛门邀功呢？”

“小的真不知道保护取经人的是大圣爷您啊，金池长老只说是一只修为了得的猴妖。三界之中，猴妖何其多，大圣爷又已经没了音讯数百年，小的怎能想到他口中的猴妖竟是大圣爷您啊！”说到这儿，黑熊精扑过来抱住猴子的大腿，哀求道，“大圣爷……大圣爷就看在小的在花果山之时尽心尽责的分上，给小的一次机会，饶了小的吧！”

“放开！”

一声冷叱，黑熊精吓得又缩了回去，趴在地上不敢动弹。

“站起来，别趴着。”

“小……小的不敢。”

“行啦，不知者无罪，原谅你啦，起来！”

黑熊精这才哆嗦着站了起来。

猴子注视着依旧微微颤抖的黑熊精，不由得一阵叹息。

染血的额头，通红的双眼，眼泪、鼻涕一把，再配上小山一样的身躯、残破的铠甲……着实不搭啊。

猕猴王丢下自己的部属不管，自己又何尝不是丢下他们不管呢？

禅室中，金池小心翼翼地说道：“请尊者放心，贫僧已经与那黑风山的黑熊精说好了。那黑熊精一心投入佛门，必会拼尽全力。一入夜，黑熊精便会夜袭本寺，到时候贫僧再命人放一把火，就算他实力不如妖猴，贫僧也可令刀斧手埋伏，趁着妖猴与那黑熊精激战之时，将玄奘大卸八块！”

闻言，文殊无奈地笑了。

金池一阵错愕，连忙低声问道：“尊者以为此事不妥？”

“那黑熊精什么来历你可知道？”

“这……”金池微微一愣，想了好一会儿，只得双手合十，低头道，“贫僧不知。”

“两百多年了，他连蟠桃都想办法给你弄了来，也算是你半个弟子，你竟然不知道他的来历？若无他的蟠桃，便没你这两百七十年的高寿，更不会有那么多的信众，想来，也不会有观音禅院如今这般景象吧？”

金池眨巴着眼睛，呆了半天道：“尊者教训的是，等这事过了，贫僧必细细询问那黑熊精的来历。”

此时，文殊脸上的神情已经无法形容了，像是笑，又更像讽。他无奈地摇头，甩手道：“去吧，你觉得该怎么做，就怎么做。”

金池犹豫了许久，最终还是双手合十，退出了门外。

山林中，猴子一步步地走着，忽然停下脚步回头望去。

就在他身后不到两丈的地方，黑熊精扭扭捏捏地站着。

“你跟着我干什么？”

“小的……小的是花果山的裨将，自然应该跟着大圣爷啊。”

“你不是打怕了吗？我这一路去，可少不了大战。”

“不一样。”黑熊精连忙说道，“跟着猕猴王，打来打去，不是打妖王就是打天庭，永远没个头儿，跟着大圣爷还有一线希望。”

“跟着我有个屁希望！”猴子忍不住叱道，“你没看花果山几百万妖怪跟着我最终都是什么下场吗？”

黑熊精当即跪了下去，也不管三七二十一，硬着头皮叩首道：“小的已无处可去，求大圣爷收留。小的愿鞍前马后伺候大圣爷。”

说罢，那眼泪已是哗哗地流。

“你不是还有黑风山吗，怎么就没地方可去了？”

“黑风山……大圣爷希望小的继续在这黑风山窝着吗？”黑熊精仰起头，静静地看着猴子，那眼中满满的都是泪。

猴子瞧他这模样，有些心软了。

“起来。”

“大圣爷答应让小的伺候您了？”

“妈的，你怎么成天就知道‘伺候伺候’的？老子当初尽教你们干这事了？好歹也是太乙金仙了，就不能仰起头说话吗？”

“这……”黑熊精紧蹙着眉头道，“小的是妖，大圣爷是万妖之王，小的伺候大圣爷，不是理所应当的吗？”

顿时，猴子哑然失笑。

这都是什么逻辑？

只能说杨婵当初的思想工作做得太好了，以至于这些野蛮的妖怪竟都被训成了这样……

猴子长叹了口气，一步步走到黑熊精身边，一把将他从地上拽了起来，道：“我这一路，虽说就保护一个和尚，其实很凶险，有很多人会来找碴儿，免不了要起冲突。六百年前，败了，你们也都尽责了，其实真要说起来，还是我亏欠了你们，你们不欠我什么。这一次我不想把你们卷进来，好好待在黑风山，可以吗？”

“大圣爷，还是让小的跟着您吧。”

“这一路有些凶险，你跟着不合适，我有不死之身，你有吗？”

黑熊精拍拍胸膛道：“大圣爷，小的不怕死。”

“这不是怕不怕死的问题，就算要死，也要选个值得的地方不是？”

“跟着大圣爷就值得！”

猴子无奈叹了口气，双手捏住黑熊精的脸，和他四目相对，咬着牙，说道：“不用你死，懂吗？这件事有人能解决，不需要你，你给我老实待着！听懂了吗？”

黑熊精呆呆地眨巴着眼睛，点了点头道：“懂。”

猴子这才缓缓舒了口气，松开了双手。

还没等猴子迈开脚步，黑熊精又小心翼翼地问道：“那……小的可以跟着大圣爷吗？”

猴子顿时气不打一处来，伸手一抓，金箍棒凭空出现在手中，他指着黑熊精的鼻梁吼道：“你他妈的有完没完，跟你说了不要你跟，还一直问一直问！想死，老子今天就成全你！”

话音未落，黑熊精已经吓得跑出十丈开外，却依旧瞪着眼睛可怜巴巴地望着猴子。

他那空空的手放在胸前不断揉搓着，眼中是满满的哀求。

猴子指着黑熊精恶狠狠地说道：“最后跟你说一次，不许跟，跟了有你吃苦头的！”

说罢，他转身就走。

回去的路，猴子没有飞，而是慢慢地走，时不时转过头望向黑风山。

去的时候，他是打定主意直接宰了黑熊精了事，可万万没想到这黑熊精居然是自己的旧部，结果变成了这般光景。

当初花果山那么多妖怪，这西行路上会遇到多少呢？

九头虫、牛魔王、白骨精、多目怪、蜘蛛精……知道的都已经有这么多了，他不知道的呢？

西行，对玄奘来说是证道之旅，对自己来说难道就变成了访友之旅不成？

“真不是一次愉快的旅途啊……”

隐隐地，他觉得头皮有些发麻。

那本半真不假的《西游记》，到现在几乎每一个节点他都踩到了。最不愿意经历的五行山已经经历过，就连小白龙也是在鹰愁涧收的，猴子甚至有些认命了。只要能安安稳稳地将玄奘送到灵山，让他证道，一切就能结束。

他也知道不会完全按照剧本来，可这差别也太大了吧。原本应该痛痛快快地打杀一场的，结果竟变成了一次伤感的谈话。

猴子一路浑浑噩噩地走着，绕过山道，走过石阶，等他再一次来到观音禅院大门前时，已经是黄昏时分。

他猛地一怔，化作一道金光直接跃过高耸的寺墙朝着玄奘所在的院落呼啸而去。

远远地，他看到在那院门外聚集了十几个僧人，正小心翼翼地透过虚掩的大门朝里面望。

“你们干什么——！”

一声叱喝之下，那些僧侣全部惊慌失措地逃散。

一把推开大门，猴子怔住了。

院落中，玄奘正与小白龙、黑熊精围着石桌聊天儿。

一见猴子，黑熊精几乎是条件反射般地站了起来，有些惊慌失措。

“你怎么在这儿？”猴子瞪眼喝道。

“我……我……”黑熊精扭扭捏捏地说道，“大圣爷，小的、小的来拜师……”

“拜师？”

话音未落，黑熊精已经转身趴倒在地，朝着玄奘“咣咣咣”就是三个响头。

“请玄奘法师收黑毛为徒吧！”

“你——！”猴子指着黑熊精，一时间竟说不出话来。

“施主倒是颇具佛性，只是，贫僧不能收你为徒。”

“为什么？”

玄奘深吸了口气，叹道：“贫僧自身尚且未证大道，怎能胡乱收徒？此乃误人误己之举啊。”

黑熊精有些惊慌地看了猴子一眼，连忙说道：“大师，无论如何，请大师收下黑毛吧。不收黑毛为徒，就让黑毛当个仆人，打个下手，做什么都成，请务必收下黑毛。”

说罢，他又磕了三个响头。

玄奘缓缓地朝着猴子看了过去。

猴子犹豫了许久，最终还是默默点了点头。

玄奘振了振衣袖缓缓站了起来，伸手去搀黑熊精：“既然如此，那施主就暂时跟着我们吧。不过，不是徒弟，也不是仆人，就当个同行的友人，如何？”

“怎么都成，只要大师答应就好。谢谢大师，谢谢大师！”

黑熊精挣脱了玄奘，又朝着猴子的方向又拜又叩：“谢谢大圣爷，谢谢大圣爷，末将定当尽心尽力，万死不辞！”

猴子连忙快步走到他身边，一把将他从地上扯了起来，回头朝着虚掩的门看了一眼。门外的众僧连忙闪避。

“你老这么又跪又拜的，是想让我难堪是吧？”

“大圣爷，小的绝没这个意思啊！”

“知道你没有！”猴子指着玄奘道，“都说让你当个‘友人’了，‘友人’需要老这么跪拜吗？”

“这……”

“行啦行啦，该干吗干吗去！”猴子白了黑熊精一眼，匆匆走入屋内，头也不回。

此时，观音禅院的另一个角落里。

“你说什么，禅院里来了一只黑熊精？”金池有些目瞪口呆地说道，“这天不是还没黑吗，怎么就……”

“师父莫怕。”一位僧人忙道，“虽说来了一只黑熊精，却并未闹事，只是径直寻了玄奘说话。看情形，他们应该是认识的。想那玄奘身边本就有一只猴精，多来一只黑熊精，也无甚奇怪。”

“这不是怕不怕的问题！等等……”金池微微一怔，转而问道，“你刚刚说什么？他径直找了玄奘……说话？”

“对。”僧人点了点头道，“弟子方才也去看了一下，那玄奘一行与黑熊精在院子里闲聊呢，黑熊精还说要拜玄奘为师。嘿，还好是拜玄奘为师，这玄奘明日一早就要走了，他一走，那黑熊精也就跟着走了，有惊无险，有惊无险。”

“这……这……”金池咬牙想了半天，只得站了起来，“走，带为师去看看。”

“欸。”

入了夜，用过斋饭，玄奘便点起烛火，如同往常一般在房中细细阅读经文。黑熊精则挑水洗马，整理行囊，处理各种杂务，一阵忙活。

看着忙得不亦乐乎的黑熊精，猴子那眉头不由得蹙成了八字。

“你有完没完啊？西行而已，用得着这么积极吗？”一旁的小白龙低声道。

猴子白了小白龙一眼，摇了摇头：“我开始有点后悔让你加入了。你看他，修为比你高，还懂点佛法，做事又踏实勤快，怎么看怎么比你强啊。”

“那……”小白龙一愣，小心翼翼地问道，“要不，把我放了？”

猴子扭头注视着小白龙，笑嘻嘻地说道：“你要是敢开溜，老子就把你活撕了。”

“为什么啊？”小白龙哭丧着脸问。

猴子挑了挑眉头，恶狠狠地在小白龙耳边低声道：“因为，老子乐意。”

说罢，他一个翻转跃上了屋顶，只留下小白龙一个人站在原地，一脸无奈地发呆。

猴子站在屋顶上，整个观音禅院尽收眼底，他又时不时低头看两眼院子里忙碌的黑熊精和小白龙。

为什么一定要小白龙留下？其实猴子也说不清。

也许是风水轮流转吧。六百多年前，猴子是彻彻底底的秩序破坏者，太上老君是秩序守护者。

六百多年的光阴过去了，没想到，今时今日，猴子却反过来成了秩序的守护者。因为他所知道的最终结果，是玄奘顺利抵达大雷音寺。

可惜的是，他不像太上老君那么能拿捏，能掐算，他只能是尽可能地按照蓝本来，生怕有一点点改变，虽然事实早已经变得面目全非了。

猴子躺在屋顶上，怀抱着金箍棒缓缓闭上了双目。

禅院的另一处，金池睁着发直的眼，微微颤抖着推开了禅室的门。

月光洒入。

只听“扑通”一声，金池跪倒在地，叩首道：“贫僧无能，有负尊者嘱托，请尊者责罚！”

文殊睁开眼睛，却一言不发，只是静静地注视着金池。

“那……那黑熊精，不知怎地，不但没有如约袭击，还投靠了玄奘……贫僧无能，请尊者责罚。”

文殊抿着唇，缓缓仰起头道：“无碍。”

第四百九十五章

泄 露

次日一早，天还没亮，玄奘便起床梳洗。

猴子怀抱金箍棒靠在门边，注视着刚洗完脸正擦拭双手的玄奘悠悠问道：“这就要起程了吗？不多住两天度化度化那个老和尚吗？”

“大圣爷认为，贫僧应该度化了金池上人再走？”

“不是吗？”猴子歪着脑袋说道，“之所以要一步步走到大雷音寺，不就是为了证道吗？你的道是‘普度’，既然如此，需要度的人就在眼前，为何不度？若就这么走了，这一趟还有什么意义？”

玄奘注视着微微荡漾的清水，淡淡笑了笑：“西方诸佛，应该也是这么想的吧，所以贫僧才会在这里遇到金池上人。”

“什么意思？”

“行普度之道，贫僧所遇到的第一个问题，大圣爷知道是什么吗？”

“是什么？”

“那第一个问题，便是如若尽了力还度不了，该如何？”

“这……”猴子顿时笑了出来，蹙着眉头道，“这倒是，尽力了还度不了怎么办？那你打算怎么办？”

玄奘微微低下头，轻声叹道：“该说的贫僧都已经说了，度不了，便是缘分未到，既然如此，也无须自责，起程上路便是了。有缘，自会再见。若真在这里陷住了，还如何行普度之法？”

玄奘端着脸盆，与猴子擦肩而过，往院里走去。

一见玄奘从房中出来，黑熊精便急匆匆地奔了过去，一把将他手中的脸盆夺了过去，嘴里还念叨着：“这种事还是让小的来吧，让小的来就好了。”

玄奘抬着空空的手，默默地注视着黑熊精的背影。

猴子转过脸来笑道："你倒是看得挺透呀。"

"要度众生，长路漫漫，若连贫僧自己都看不透，还如何度？"玄奘长叹了口气，道，"没有什么是完美的，世间的每一个生灵皆有自己的缘，一切都不可能任我们为所欲为。完美的，只能是我们自己的心。成佛，是将自己的心修得完美，将世间所有的尘埃隔绝在外，以此而达到极乐。普度，同样是要将自己的心修得完美，不同的是，要用完美的心去融入这个不完美的世界，又不至于因为沾染了因果而残缺。这，才是最难的。"

玄奘缓缓地侧过脸来，注视着猴子问道："贫僧这么说，大圣爷能听懂吗？"

好一会儿，猴子才缓过神来，挠挠头道："大概……能理解，但又理解得不是特别透。"

"简单地说，就是坚持本心，改变这个世界上所能改变的，然后接受那些不能改变的，入世而不避世，尽力去改变，而不是一味地破坏、否定。不过，前提还是坚持本心。这当中最难的就是'坚持本心'四个字，若是无法做到，那么一切皆是枉然。"玄奘仰起头，淡淡叹了口气，注视着远处的黑熊精，转而说道，"黑毛施主心中有苦，若有机会，大圣爷该好好开导开导他。"

"我去开导？"猴子摆了摆手道，"算了吧，你不是要度众生吗？连他一块儿度了呗。这个不急，反正他跟着，什么时候缘分来了什么时候度。"

此时，黑熊精已经将盆里的水倒掉，端着空盆子乐呵呵地走了回来。

玄奘一步向前，双手合十道："有劳施主了。"

见状，黑熊精吓得连忙跑了过来，伸手去搀扶："大师，这可万万使不得啊，这是小的该做的。"

说着，那眼睛还一个劲儿地往猴子身上瞥。

玄奘看向猴子。猴子微微一愣，只得对着黑熊精说道："都说了你是'友人'，别搞得自己像个仆人，懂吗？"

黑熊精连忙点头哈腰道："大圣爷教训的是，大圣爷教训的是。"

"知道就得改。"

“一定改，一定改。”

嘴上说是要改，可黑熊精看猴子与玄奘的眼神却还是一样的敬畏，哪里有什么“友人”的样子？

如此情形，玄奘也只得无奈叹了口气，又朝着黑熊精行了一礼，转身走入屋内，只留下猴子与黑熊精站在院子里。

黑熊精小心翼翼地瞧着猴子。

“别杵着，”猴子背过脸去，冷冷道，“该干吗干吗去。”

“是，大圣爷，小的遵命。”

说罢，黑熊精连忙转身离开。

待到黑熊精走后，猴子才喃喃自语道：“坚持本心，改变能改变的，接受不能改变的……这话怎么听着……后两句是特意说给我听的吗？嘿……这个玄奘啊……”

他转过身，晃晃悠悠地朝着一旁走去。

金池匆匆推开禅室的大门直冲而入，指着门外，气喘吁吁地对文殊道：“尊者，不好了，那玄奘要走。”

“要走？”正在闭目打坐的文殊缓缓睁开双目道，“他怎么……忽然要走？”

“贫僧也不知道，贫僧的弟子以请玄奘讲经的名义百般挽留，可他就是不答应。尊者，现在该如何？”

文殊略微思索了一番，轻声道：“你去留他试试看，尽可能想办法让他留下，就说你有惑，要他解。”

“贫僧……贫僧这就去。”金池卷起袈裟，稍稍犹豫了一下，转身冲出了禅室。

禅院门口，黑熊精用担子将行囊都挑到了肩上，小白龙牵着马，猴子在一旁静静地看着。

玄奘，则正在与众僧拜别。

“玄奘法师留步！玄奘法师留步！”远远地传来了金池的声音。

众人回头，只见金池卷着袈裟跑得上气不接下气。

好不容易跑到玄奘面前，金池撑着膝盖气喘吁吁地说道："玄奘法师……请留步，贫僧还有惑未解，想请法师多住些时日，替……替贫僧解惑。"

一时间，众僧面面相觑。

"这……"

玄奘扭头看向了猴子，猴子则侧过脸望向另一边。

这一望，那目光却透过院墙直达文殊所在。

"让这老和尚来留人，什么意思？"一个声音在文殊的脑海中响起。

"大圣爷知道贫僧在啊？"

"早知道你在了，只是懒得和你打交道，免得一个不小心把你杀了。"

"大圣爷说笑了。"

一旁的玄奘稍稍犹豫了一下，轻声道："既然金池上人如此说，那……玄奘就再留两天吧。"

"你还真打算留下来啊？"猴子顿时一阵错愕。

那金池有些惊慌地看了猴子一眼，连忙拉着玄奘的手道："玄奘法师这边请，贫僧今日要与你细论一番佛法。来人啊！快帮玄奘法师将行李收好，将马拴好！"

说罢，他扯着玄奘就往禅院里走，那一众僧侣也略带惊慌地迎了上去，招呼其他人往里走，只是始终没人敢接近黑熊精。

相比之下，猴子虽然也是妖，但到底还是人形，也只有常人般大小。黑熊精却不是，小山一般的身躯，便是走过大门都得弓着身子，再加上那张脸，确实骇人。

一行人折腾了大半天，最终却没走成。

玄奘直接就被金池给拉到偏殿去了，金池非要他给自己讲经不可。猴子不放心，也跟了过去。

至于小白龙和黑熊精，则径直返回原来住的院落。

走到一半，小白龙忽然微微一愣，目光闪烁地朝着一旁躲开了。

找了个没人的地方，小白龙从腰间摸出了玉简。刚一贴到唇边，玉简的另一端便传来了一个女子的声音。

“让你走你还真就一去不回了？什么意思啊你？”

“我……我这儿有点事。”

“那你现在是回来还是不回来？”

“这……”小白龙咽了口唾沫，小声说道，“我这儿暂时走不开啊。”

“走不开？”

“对，真走不开。”

闻言，玉简的另一端当即传来了一声尖啸：“不回来，那你以后就都别回来了——！”

小白龙吓得玉简一下掉落在地，连忙捡起来嚷道：“我跟大圣爷在一起，跟大圣爷在一起啊！”

顿时，玉简的另一端没了声响，好一会儿才重新传来断断续续的声音：“大……大圣爷？你说你跟大圣爷在一起？”

小白龙这才稍稍松了口气，悠悠道：“对，你没听错，大圣爷，齐天大圣孙悟空。大圣爷之前被佛门压在山下，现在出来了。我跟他在一起，随便走开他要撕了我，到时候你就准备守寡吧。”

“你现在具体在哪里？”

“观音禅院，跟你说了你也不知道，反正就是一个寺庙，旁边有座山，叫黑风山。”

“黑风山？那里还有只黑熊精对吗？”

“嘿，这你都知道？呃……等等。”小白龙微微一愣，略带疑惑地问道，“你的声音怎么变了？”

相隔千里之外的一座孤零零的小木屋里，一只狐妖缓缓地将玉简放到白素手中，轻声笑道：“真的谢谢素姐姐了，没想到，竟然这么快就得知了大圣爷的下落。”

“你真的相信他跟大圣爷在一起？”

“不久前，父亲就说过，大圣爷可能已经回来了，如今看来，是真的了。莺儿还有要事，就此告辞了。”

说罢，那狐妖拱手行了一礼，转身快步走出门外，腾空而起，只留下白素依旧静静地坐着，注视着手中的玉简发呆。

“大圣爷……他怎么会跟大圣爷扯到一块儿？”

名为莺儿的狐妖以自己最快的速度朝着西边飞去。

第四百九十六章

迎　接

偏殿内，金池拉着玄奘，热情地一通请教，搬抬出来的佛经堆了足足三尺高，可他只是问，而且都没问到点子上。

玄奘不由得有些犹豫了，蹙起眉头朝着猴子望了一眼。

猴子大大咧咧地坐在门槛上，扭过头去看都不看，由着金池折腾。

"这家伙从来就没真心跟你请教，何必为他浪费时间呢？他呀，让你回来，是奉命拖延你罢了。"

玄奘收了收神，淡淡叹了口气。

虽说事实已经明摆着了，但玄奘还是有问必答。只是这老师讲解得细，那学生却丝毫没有在听，思绪都不知道飞到哪里去了，一份心思全在如何问问题上了，至于答案，他压根儿就没想过。

"怎么，还准备陪他这么折腾啊？"猴子的声音又在玄奘的脑海中响起。

"只要有一线希望，贫僧也愿意试试。既然已经答应了两天为限，那就两天吧。两天之后，无论结果如何，都起程。"

"得，那你加油吧。"猴子翻了个白眼，不再说话。

玄奘对着金池淡淡笑了笑，低下头，又继续细细解答。

金池心不在焉，旁边坐着的两位僧人却伸长了脖子，听得入了神。

猴子回头瞧了一眼偏殿的其他四人，懒懒地打了个哈欠。

绵延的山脉几乎被掏空了，那地表却还如平常荒野一般布满了植物，只是妖怪时刻提醒着来者，这里隐藏着一个妖的国度。

莺儿缓缓降低高度，落到了一处洞府前，两只小妖当即迎了上来。

"父亲在吗?"莺儿急切地问道。

"吕大人……吕大人在洞府里。"

"好。"

与那两只小妖擦肩而过,莺儿快步走入洞府之中,一路掩着嘴,都忍不住要笑出来了。

身穿一袭白衣的蛇精正好迎面走来:"你跑到哪里去了,我正找你呢。"

"大圣爷找到了!"

这话出口的瞬间,莺儿再难掩饰雀跃之情。

蛇精顿时蒙了。

蛇精注视着笑成一朵花似的妹妹,面带疑惑地压低声音问道:"你说什么?"

"大圣爷……找到了,找到了!"莺儿拼命眨巴着双眼,缓了缓激动的情绪,压低声音道,"在黑风山附近的观音禅院。"

"佛门的地盘?他在那里干什么?"

"我……我也不知道,但消息应该没错。他跟西海三太子敖烈在一起。"

"西海三太子敖烈?"蛇精沉默了。

"怎么啦?"

"你等等,让我想一想。"蛇精低头犹豫了一下,说道,"这事得立即禀报父亲。但切记不可操之过急,毕竟,那里是禅院,佛门的地方。"

"你放心,那观音禅院我听过,也就名声大而已,那方丈灵山当没当他是佛门中人都难说呢。"

"无论如何,还是小心为妙。"

说着,两人转身快步朝着洞府的深处走去。

小木屋内,白素握着玉简,有些恍惚地问道:"你怎么会和大圣爷在一起的?他真的回来了吗?"

"刚刚那人是谁?有其他人在?"

"是莺儿。"

"莺儿?吕六拐的那个养女?她现在还在你身边吗?"

“没有。”白素摇了摇头道，“她回去了，应该是急着告诉她养父去了。毕竟，大圣爷回来了，他们等了那么多年，可不就等这一天吗？”

…… ……

蹲在禅院角落里的小白龙顿时感到了一阵寒意。

他低声道：“那……你……有和她联系的玉简吧？赶紧跟她说，到时候别让大圣爷知道是我泄露的，不然那猴子会宰了我的……”

偏殿中，讲经还在继续。

金池乱问一通，无论是怎样刁钻古怪的问题，玄奘都不厌其烦地细细讲解，听得一旁端坐的两位僧人惊叹不已，忍不住赞叹玄奘领悟之深。

猴子依旧靠坐在门口，无聊地朝着门外的院落望去。

一位僧人正在院中扫落叶，抬头看见猴子在看他，当即一惊，低下了头，那扫帚挥动的频率却快了许多。

洞府中，吕六拐睁大了眼睛，嘴角的胡须微微颤动着。

“你……你说什么？找到大圣爷了？”

蛇精淡淡看了莺儿一眼，轻声道：“按理说，消息应该没错，他就在观音禅院。”

只一刹那，吕六拐整个呆了。

“大圣爷……大圣爷回来了，妖族有救了，妖族有救了……”他不断地眨巴着眼睛，颤抖着从石椅上站了起来，在洞府中来回地踱着步，满是沧桑的脸上难得地堆满了笑，他如同一个孩童般雀跃，“等了这么多年，终于等到了，老臣终于等到了……六百多年啦，短嘴、大角……我吕六拐赖活着，终于等到大圣爷了，等到了，等到了……”

话到此处，吕六拐已是老泪纵横。

蛇精连忙上前搀扶，却被吕六拐一把推开了。

吕六拐用衣袖抹了一把眼泪，紧闭双目静静站了许久，直到情绪稍稍平复，才睁开眼睛指着蛇精道：“立即……立即召集人马，老臣要去迎接大圣爷。”

“可是……”蛇精犹豫着说道，“父亲，那里是佛门的地方。”

“区区一个禅院怕它作甚？就是真有佛陀在那里，也要将它攻下来！”吕六拐顿了顿，又叮嘱道，“召集人马！所有人马！让他们在这边准备迎接的庆典，所有化神境以上的，随我前往观音禅院迎回大圣爷，要快！”

“孩儿遵命！”

两只孤雁缓缓南飞，夕阳将大地映成了火红的颜色。

猴子依旧靠坐在偏殿门口，困得直打哈欠，他回头看了玄奘一眼，将一个声音直接传到他的脑海中。

“你还要继续跟他耗下去？”

玄奘没有回答，依旧聚精会神地解说着。

在场的另外两位僧人靠了过来认真地听，唯独作为主角的金池依旧两眼闪烁。

“那是什么？”禅院外忽然有人嚷嚷起来。

猴子微微一愣。

“那是……不好，是妖怪，好多妖怪啊——！”

一声尖叫之下，几个僧人连滚带爬地从禅院外跑了进来，转身将大门锁上。

那些禅院内的僧人也纷纷走到院落中查看究竟，然而，他们很快又吓得魂不附体，退了回去。因为，就在他们的头顶，一只只身穿铠甲的妖怪正缓缓降落，迅速将整个禅院包围了起来。

一时间，尖叫声四起，整个禅院都乱套了。许多僧人吓得冲入偏殿中。

此时此刻，偏殿中包括金池在内的几位长老也已脸色煞白，手足无措。金池颤颤巍巍地问道：“玄奘法师，这些妖怪，您可认识？”

玄奘倒不惊慌，却也一头雾水，只得朝着猴子望了过来。

“我去看一看吧。”

猴子拽着金箍棒，穿越露天的院子朝着大门走去。那些飞腾在空中的妖怪也都看到了他。

此时，门外聚集在一起的上百只妖怪缓缓让出了一条过道。

身材矮小的吕六拐一步步走到紧闭的院门前，振了振衣袖，双膝跪地，使出所有的力量喊道：“臣——吕清，携众将恭迎大圣爷——！”

说罢，他缓缓叩首。

其余的妖怪也连忙双膝跪地，高声呼喊道：“恭迎大圣爷——！”

院门缓缓地打开了……

百世情

第四百九十七章

吕六拐

夕阳斜照，将一切都染成了昏黄的颜色。

一片落叶缓缓飘落。

禅院的大门外，吕六拐额头紧紧贴地，一动不动地跪着，微微颤抖着。

那身后的一众妖将也都低着头，期待着。

高高的门槛上跨过一只黑色靴子，稳稳踏在吕六拐的身前。

吕六拐颤抖着抬起头，望见那双黑色的靴子。

瞬间，他的眼眶便湿润了。

“起来吧。”

一个声音落到了吕六拐耳中，平淡、熟悉，却又似乎遥远得难以触及。

那身后的妖将都还叩拜在地，不敢动弹，唯独吕六拐缓缓地仰起头来。

看上去平凡无奇的戎装，暗金色的绒毛，记忆中的五官。

“大圣爷，老臣……老臣……”

他微微张着口，眼泪如同决堤般顺着布满皱纹的脸庞滑落。他呆呆地看着猴子，脸上露出了难以言喻的喜悦。

“老臣……老臣等得好苦啊，六百五十年了，老臣就知道……就知道大圣爷一定会回来的，老臣时刻准备着……时刻准备着迎接大圣爷……”

他直起身子，颤抖着伸出手去，像一位老人临终前想要最后一次触碰自己孩儿的脸庞，却又惊觉身份不同连忙收了回来，只是那目光无论如何也无法从猴子的脸上移开。

猴子低着头静静注视着他。

一别六百五十年，兴许是修为难以提升的关系，吕六拐看上去已经老态龙钟，仿佛换了个人似的，只是那皮囊之下，对花果山、对猴子的一颗忠心依旧未变。

当初恶龙城外说着一口“之乎者也”、匆匆跑来投靠的酸腐书生，如今也已经年老体衰了。

六百五十年的光阴，整个世界发生了翻天覆地的变化，就连九头虫都有了二心，却还有这么一个人依旧坚守着自己的信念。

从前，短嘴、大角无数次嘲笑吕六拐刻板、顽固。

可，也许，只有这样刻板、顽固的人，才能历经六百五十年的光阴依旧保持不变的信念，坚守一个遥不可及、全无把握的梦想吧。

那一瞬，注视着老泪纵横的吕六拐，猴子的眼眶也红了。

“快起来吧，一把年纪了，别跪了。”

说着，猴子伸手要去搀扶。

吕六拐伏地高声喊道：“大圣爷，三界的妖众都在期盼着您的归来，都在等着您重新带领我们，竖起妖族的大旗。没想到……没想到老臣有生之年还能等到，若苍天怜悯，再给老臣些时间，老臣必定竭尽心力辅佐大圣爷君临三界。臣——吕清，恭请大圣爷回朝，主持大局！”

“臣等，恭请大圣爷回朝，主持大局！恭请大圣爷回朝，主持大局！”所有的妖将都呼喊了起来，声声嘶吼直通九霄。

禅院中，一众僧人听着那嘶吼战栗不已。

“这究竟是怎么回事？”

“他们会不会一会儿冲进来把我们全杀了？”

说着，他们不约而同地望向不远处孤孤单单端坐着的玄奘。

就在片刻之前，“齐天大圣”这四个字对这些僧人来说，不过是一个久远的传说，一只数百年前制造了天地浩劫，最终被佛祖降服的妖怪。直到此时，他们才真正意识到这四个字对妖族的真正意义。

金池畏畏缩缩地爬到玄奘身旁，低声道：“玄奘法师，您那友人……那个大圣爷，应该不会对我们出手吧？”

“不会。”玄奘淡淡答道。

得到准确的回答，金池这才稍稍松了口气，却还是有些忐忑地坐在玄奘身旁，恨不得整个抱上去。

禅院外，远处的山头上，一只隐匿着的妖怪松开拨开叶片的手，转身遁去。

…… ……

猴子要去搀扶吕六拐的手顿住，缓缓收了回来，轻声道：“让他们先回去吧，我们谈谈好吗？”

“我们，谈谈？”吕六拐仰起头，有些发愣地看着猴子。那四周的一众妖怪望着猴子的眼神也有些错愕。

料想之中感人的君臣相见，猴子兴高采烈被他们顺顺利利迎回去的剧情并没有发生。

“对。”猴子道，“让他们先回去，我们两个，好好谈谈。”

吕六拐收了收神，侧过脸去。

跪在身后不远处的蛇精连忙弓着身子来到吕六拐身边。

“大圣爷吩咐了，其他人先回去，为父留下。”

“诺。”

蛇精维持着拱手的姿势躬身退入众将之中：“大圣爷有令，所有人随我先行撤退。”

说着，蛇精又对猴子拱了拱手道：“大圣爷，长信先行告退。”

猴子默默点了点头。

蛇精化作一道白光腾空而起。其余的妖将稍稍犹豫了下，也都朝着猴子行了礼，腾空而起。

转瞬之间，禅院之外就只剩下猴子与吕六拐两人了。

夕阳的余晖消散，月明星稀，夜风徐徐地刮着。

猴子伸手去搀扶吕六拐。

“大圣爷……别，吕清自己来。”说着，吕六拐连忙起身，躬身低头站在猴子面前。

猴子拍了拍他的肩道：“陪我走走吧。”

“臣遵旨。”

闻言，猴子不禁笑了，却并未辩驳。

两人缓缓地朝山道走去，猴子随口问道：“成家了？”

吕六拐连忙恭敬地答道：“大业未成，臣不敢成家。这些年，老臣无时无刻不谨记当初我花果山妖族之败，只可惜，势单力薄，未能有所作为……如今大圣爷回来了，妖族有救了。”

“刚刚我听那谁，你对他自称‘为父’？”

“那是老臣的养子……这些年，老臣自觉日渐衰老，怕未能在有生之年迎回大圣爷，怕大圣爷归来之时没有人迎接……所以，收养了一子一女，想让他们接老臣的衣钵，尽老臣未尽之忠。”

“原来是养子……如果有合适的，还是赶紧成家吧。”猴子淡淡叹了口气，问道，“没有延寿之物吗？”

“天庭对蟠桃管控甚严，数百年前老臣倒是得到过一个，若非如此，老臣怕也等不到大圣爷了。如今，不敢想。”

“管控甚严？那黑熊精怎么还能拿到？”

“黑熊精……大圣爷您说的是？”

“黑毛，原来猕猴王的手下。”

“这老臣就不得而知了。”

猴子不由得愣了一下。

想来，也是每个人有每个人的际遇吧。若蟠桃真的那么好弄，小白龙也不至于找玄奘下手了。

现在的世界，确实与当初的不同了。

猴子抿了抿唇，轻声道：“没事，我这里有两个，还多一个，一会儿给你。”

说着，猴子又拍了拍吕六拐的肩膀，呵呵笑了。

吕六拐却没有笑。

他迟疑了一番，低声道：“大圣爷……是不是不准备跟老臣回去？”

猴子犹豫着说道：“也不是不跟你回去，只是，暂时……恐怕不行。”

吕六拐一声不吭地走着。

“没事，有什么想问的你就问吧，以前有什么意见你可都是直接提出来的。”

“老臣不敢。”吕六拐连忙说道。

猴子叹了口气，只得自己开口：“我要保护玄奘西去大雷音寺取经，西行证道。要步行去。不然的话，如来的问题永远无法解决。佛门有佛门的规矩，我现在跟你回去，要么不采取任何动作，一旦有所行动，性质就变了，如来可以找到借口，堂而皇之地对你们出手，到时候，不过是六百五十年前的一幕重演罢了。”

“老臣明白了。”

“真的明白了？”

“真的……真的明白了。”吕六拐支支吾吾地答道。

“我还什么都没说，你就明白了？那玄奘当初跟我讲了一日一夜，我才答应帮他的。”

吕六拐低声道：“老臣相信大圣爷，相信大圣爷一定不会丢下我们这些臣子不管的。所以，大圣爷认为应该怎么做，老臣自当遵旨。”

闻言，猴子又无奈地笑了出来。他拍拍吕六拐的肩膀，微微张口想说什么，最终却把话都咽了回去。

此时，相隔千里之处，一只妖怪弓着身子站在树上，摸出玉简贴到唇边道：“赶紧报告驸马爷，吕清已经见到大圣爷了，他们正在南瞻部洲的观音禅院。”

…… ……

月色下，猴子与吕六拐在山道上缓缓地走着。

“大概就是这么回事，我记得你修的也不是悟者道，听上去应该有些复杂。总之，我现在还不能牵扯太多，一切，还是要等玄奘西行证道之后再说。”

吕六拐沉默了许久，低声道：“大圣爷，老臣只有一事相求。”

“说。”

“请大圣爷准许老臣跟在大圣爷身边。”

“为什么？”

吕六拐轻声道:“如今，佛门到处散播玄奘法师西行之事。这一路，敌在暗我在明，必定万般艰险。大圣爷……大圣爷方才归来，这三界之中的许多事，您还不甚明了，如若有老臣在身边，必定可以将一切安排妥当，知会各方。如此一来，西行一路得保畅顺，也无须劳烦大圣爷亲自动手了。”

猴子不由得笑了出来:“就是不畅顺才好。”

“不畅顺才好?”

“虽说敌在明我在暗，但有我在，如果那玄奘还让人谋了去，即便抵达大雷音寺又如何?”

“这……”

“说了是证道，那就要去证。一路平安无事，只是走十万八千里路就能证道的话，我当初不也走过吗?不是那么简单的，其实我也不太懂，但我想，玄奘应该不希望身边带太多人的。”

说着，猴子又拍了拍吕六拐的肩道:“你的忠心，我看到了，也很感激。但别想太多，一会儿拿了蟠桃，我让黑熊精送你回去，好好过日子，等我西行归来。”

“这……”吕六拐不由得停下了脚步，一下落到了后方。

“怎么?”猴子停下脚步回头看他。

吕六拐“扑通”一声双膝跪地，叩首道:“请大圣爷无论如何带上老臣，那黑熊精您都带上了，何妨再带上一个呢?”

“这……”

吕六拐深吸了口气，咬了咬牙，朗声道:“这些年，老臣每每想起当日与大角告别，都恨留在花果山尽忠的不是自己。今日得再见大圣爷，已是苍天对老臣最大的眷顾。这一次，请无论如何让老臣留在大圣爷身边。求大圣爷答应老臣!”

猴子注视着匍匐在地的吕六拐，不由得怔住了。

一个时辰之后，禅院中。

安顿好吕六拐，猴子推开房门。月色下，玄奘正静静地坐在院子的石椅上品茗。

猴子干咳了两声。

玄奘缓缓抬起头来看了他一眼，伸手提起茶壶斟上一杯茶，推到桌角。

“我没法儿不答应，开不了口。”猴子一步步走到石桌边，躬身坐了下去，伸手端起茶杯也不管烫不烫，一饮而尽。

“贫僧知道。”

“这样下去不行，早知道不硬拉敖烈入伙了。照这么走下去，到大雷音寺非变成一支军队不可。”

“贫僧知道。”

“你没什么想说的吗？”

玄奘淡淡笑了笑，轻声道：“道家讲究‘无为’，顺其自然。佛教讲求一个‘缘’字，诸事莫强求。”

猴子顿时哼笑了出来，意味深长地瞧着玄奘道：“你倒是看得很开啊，那怎么办，我们到时候就一堆妖怪陪着你招摇过市？人类见了都得跑没影吧，就算妖怪见了也怕啊，你还怎么普度？”

玄奘仰起头，注视着猴子道：“还是那句话，顺其自然，诸事莫强求。”

说着，玄奘又给猴子倒了一杯。

“那个金池呢？”

玄奘双手合十，道：“尽力而为，但求无愧于心。”

猴子有些无语，却也只是干笑，没再说什么。

此时，金池与禅院内的另外两位长老正聚在小小的禅室内。

其中一位长老低声道：“那只妖猴，可谓危险至极，实在招惹不得，还是早早放他们西行吧，莫再挽留了。再等下去，怕是这观音禅院都要让妖怪住满了！”

“有何招惹不得？”金池随口道，“有文殊尊者在，自会为我等做主，怕他作甚？”

“此言差矣。”另一位长老开口道，“弟子观那玄奘，也不像我等开始想的那般是个狂人，今日所解经文可见一斑。他虽年轻，可依佛法而论，我等三人，见解便是加起来，也不及他分毫。到底是金蝉子转世啊，我等莫再掺和这事了。”

“可文殊尊者……”

“与文殊尊者说，我等无能为力便是了。想来文殊尊者也不至于强求。”

“怎可如此？要说你们去说，老衲开不了这个口！”

三人一阵争执，最终也没争出个结果来，只得匆匆散去。

待其余两人走后，关上大门，金池又犹豫了。

“‘我等三人见解加起来，也不及他分毫？’”想着，他不由得微微蹙起眉头。

他想起了这几日文殊那淡如止水的神色，越想越觉得蹊跷。

“如若玄奘真如此了得，文殊尊者怎会让贫僧去……难道……”他回过头，连忙奔向一旁的书架，点起油灯，将玄奘讲过的经一本本翻出来，逐字逐句地读着，仔细地回忆他的一言一语。

此时，禅室外，文殊正透过窗棂远远地注视着金池，若有所思。

许久，他长长地叹了口气，笑了笑：“无心插柳柳成荫啊。”

说着，他腾空而起，转身朝着西方飞去。

第四百九十八章

讲　经

次日一早，天还没亮，玄奘一推开门，便见金池带着禅院内所有的长老守在门外，他不禁有些呆了。

小白龙、黑熊精、吕六拐都伸长了脖子观望。

金池双手合十，干笑着躬身道："玄奘法师，前两日多有得罪，还请见谅。"

"金池上人所指何事？"玄奘轻声问道。

"这……"

在场的一众长老不由得都干笑了起来。金池双手合十，又行了个礼，道："玄奘法师果真宽宏大量，我等拜服。今日前来，是希望玄奘法师能在这禅院开坛讲经。"

"开坛讲经？"

"对。"金池点了点头道，"贫僧资质愚钝，玄奘法师昨日所讲，竟无法当场领悟，直到昨夜才恍然大悟。故而与禅院内诸弟子商议了一下，决意请玄奘法师为禅院上下讲经，还请玄奘法师万万不要推辞。"

玄奘微微一愣，目光悄悄飘向了站在金池身后不远处的猴子。

"还真是大逆转啊。文殊已经不在禅院里了，看情形，他们这次请你讲经，是真心的。"猴子的声音在玄奘的脑海中响起。

玄奘稍稍犹豫了一下，双手合十，面带微笑，躬身道："金池上人所托，贫僧必定竭尽所能。"

听他这么一说，那一众长老顿时一个个眉开眼笑。

金池也松了口气，躬身道："贫僧替全院上下谢过玄奘法师了。昨日尽是贫僧发问，玄奘法师解答，今日，贫僧想请玄奘法师讲您欲讲之经，可好？”

玄奘仰起头寻思了一番，道：“不如，就讲一个‘论佛’，可好？”

闻言，那一众长老皆是一惊。

虽说来之前就已经商量妥当，今日讲经选题由玄奘定，但他们实在没想到玄奘竟选了这样一个题目。

金池稍稍犹豫了一下，轻声问道：“这……佛岂论得？”

玄奘反问道：“不论佛，佛之为何物都不知，如何成佛？”

金池咬了咬牙，拱手道：“既然如此，就有劳玄奘法师了。”

他一声令下，禅院上下不多时便被全部召集了起来。

大殿上，玄奘侃侃而谈，深入浅出，将一个个早已为信众所熟知的佛经典故又讲出了另一番见解。在玄奘的口中，一句佛偈便可以化作如同一个世界般恢宏的篇章，引得众弟子赞叹不已。

与一般的高僧讲经不同，玄奘不仅仅是给出自己的答案，更提出了自己的疑问，这当中还包含了许多玄奘自身的期望，引人深思。

欲成佛，却又不拘泥于成佛。

这一场讲经，从辰时一刻一直持续到戌时三刻，足足六个时辰有余。

期间，有长老怕玄奘无法连续讲经，提议休息，玄奘却道：“只要还有一个人真心愿意听玄奘讲，玄奘便会讲下去。”

那一个个弟子也都聚精会神，不愿离席。

这一幕看得金池有些痴了。

他生平讲经无数，却从未有过如此情形。一众弟子竟到了废寝忘食的地步，只因不想错过玄奘的一言一语，以免抱憾终身。

整整一日，众弟子在玄奘的引领下畅游那个他们一直以来都无限憧憬，却又难以触摸的佛的世界。

到黄昏时，金池宣布了讲经结束，还有许多弟子不愿离去，更有几位弟子当场请求与玄奘一同西行。

拖延之中，已是漫天星斗。

好不容遣散了院中弟子，见四下无人，金池缓缓来到玄奘面前，双膝跪地，叩首。

玄奘一惊，连忙伸手搀扶：“金池上人何故行此大礼？”

那金池轻声叹道：“贫僧修佛至今已有两百余年，虽远近驰名，却始终未能触及佛之本意，成佛，更是无从谈起。众人皆说贫僧得以延年益寿，乃是贫僧深通佛经，得佛祖恩典。只有贫僧心里知道，贫僧长寿，只因蟠桃之功。今日听法师一讲，贫僧方知‘人外有人，天外有天’，若无那蟠桃，贫僧怕是与这院中弟子无甚区别。”

说罢，他往后退了一步，又拜倒在地，朗声道：“恳请玄奘法师收下金池为徒，金池愿随法师西行，为法师牵马化缘。若法师不同意，金池便长跪不起。”

“这……”

玄奘犹豫了。那脑海中当即响起了猴子的笑声：“嘿，又多一个，这可怎么办。”

玄奘深吸了口气，又一次俯身搀扶金池，轻声道：“金池上人言重了，玄奘西行，并不为成佛，而为普度。与玄奘一同西行，也必无法成佛。欲成佛，何处皆可。”

“可……金池已经在这禅院中修了两百余年，却始终不通佛门真义啊。若能随行法师左右，得法师指点迷津，必可早日悟道。”

“金池上人之所以无法成佛，只因看不透，放不下。若能放下俗物，成佛，不过一步之遥。”

“可这一步却难如登天哪。还请法师怜悯，为金池指一条明路。”话到此处，金池已是老泪纵横。

玄奘稍稍沉默了一下，轻声道：“成佛，非同一般，须得自身顿悟方可。若无顿悟，旁人纵使力有千钧，也帮不得分毫。贫僧无力助金池上人成佛。”

“如此一来，岂不是贫僧今生无望？”

玄奘道：“贫僧无力助金池上人成佛，却可以给金池上人一个建议。”

闻言，金池顿时精神振奋，连忙道：“还请法师指点迷津！”

“成佛之道，可先悟而后行，亦可先行佛道，而后悟。既然如此，这院中的十座金佛，还请金池上人拆了吧。”

“拆……拆了？”金池上人一惊。

“拆了。”玄奘淡淡道，“拆了之后，化作银两，逢灾年，买些米粮赠予灾民吧。金佛如此，他物亦同。”

“这……”金池的脸不由得颤了三颤。

“敬佛不过妄谈，所谓‘下就俗人乞食以资身’，此乃苦行之道，历练心性之举。金银虽好，不过俗物罢了。若行之不苦，何来脱离苦海一说？仅凭院中苦思，又何以成佛？”

金池呆呆地看着玄奘，双目不住地眨巴着。

许久，他收了收神，叩首道：“贫僧明日便依法师所言，嘱咐弟子，将那十座金佛都拆了！”

深夜，金池亲自将玄奘送回住处，又恭敬地道了别才返回。

玄奘推开院门，便见到猴子歪歪斜斜地靠在院子里的石椅上喝着茶。

“这算度成了吗？”猴子轻声问道。

玄奘摇头道：“暂时，未可知也。”

猴子替玄奘倒上一杯茶，推了过去，悠悠道：“还真是守得云开见月明啊，不过那老家伙也不是什么好东西，看他被度，还真有点不爽。”

玄奘淡淡笑了笑，走到石桌边上坐下，双手捧起茶杯细细地品。

“你昨天给他讲经的时候，猜到今天会有这结果吗？”

“猜到如何，猜不到又如何？”

“猜到了，就说明你深谋远虑；猜不到，那就是运气使然。”

玄奘又笑了笑，叹道：“贫僧与大圣爷讲个故事可好？”

“说。”

“有一位农夫，有一日，一位神仙托梦与他，告诉他，因为他行善积德，故而将赐他黄金万两。于是，这农夫日日在家中等待，连田地也荒了，直到他饿死，都没见到神仙所赐的黄金万两。死后，他于阴间遇见了这位神仙。他质问神仙，为何不兑现诺言。那神仙却说，诺言早已兑现，黄金万两就埋藏在他那田中。可怜那农夫自神仙托梦之后，一日也不曾耕地，自然无从获得了。”

听到这儿，猴子笑了出来："这是多老的故事啊！"

"大圣爷听过这个故事？"

"听过。不过不是农夫，是渔夫，差不多的内容。"

"那大圣爷从中得出了什么结论？"

猴子愣住了，扭过头看向玄奘。

玄奘低声道："贫僧便是那农夫，普度众生便是黄金万两。若贫僧什么也不做，即便田中真埋藏了黄金万两，又与贫僧何干？故而，贫僧所要做的，便是每日辛劳耕种，尽力而为。"

"那如果田中就没那黄金万两呢？"

"还记得贫僧昨日与大圣爷说的吗？"

"顺其自然，诸事莫强求？"

玄奘默默点了点头。

"那……证道普度又是怎么回事呢？其实我一直没理解，趁着这机会，你给我说说呗。"

"证道普度，非一人之功，却必须有人踏出这第一步。就好比刚刚那个故事，许多人都听过，却不是每个听过的人都会相信，更不是每个人都会照着做，因为它仅仅是个故事。玄奘所需要做的，就是……"说到这儿，玄奘用手蘸了茶水在石桌上写出一个"行"字，"身体力行，让他们都亲眼看看那'黄金万两'。"

猴子静静地注视着那"行"字，许久许久，直到那水印在风中干透消失，他才轻声道："你怎么就知道这田中一定有'黄金万两'呢？"

"因为信念。"玄奘道。

次日一早，金池便真如其前一天与玄奘说的那般，下令将禅院内的金佛全部拆除，一座不留。

整个禅院中的弟子都忙碌了起来，而他自己，则带领着禅院中的长老早早守在门外。

见玄奘一行牵着马，带着行囊从居住的院落中走出，金池连忙迎上前去，双手合十，躬身道："昨日听经，受益匪浅，贫僧替禅院上下谢过玄奘法师了。”

玄奘也双手合十，默默回礼。

那金池又道：“本想请玄奘法师多住些时日，可虑及法师西行乃为证道，长路漫漫，我等也不好再耽误法师了。只希望法师证道归来之时，千万记得再到这观音禅院中多住几日。一来希望法师再为禅院弟子讲经解惑；二来，我等也期待法师此行所证道果。”

玄奘淡淡笑了笑，躬身道：“归来之时，还请金池上人多多照拂了。”

“法师切勿如此说，金池在法师面前，便是以弟子自称也不为过，何来照拂一说？”

在禅院众僧的簇拥下，众人从观音禅院出发，下了山，一路西行。直走出三里路，玄奘劝金池等人莫要再送，众人执意要送，又一起行了七里。

直到走出十里，金池一行再三叮嘱玄奘归来之时要再访观音禅院，才终于停下了脚步，目送玄奘远去。

猴子牵着马悠悠道：“真没想到啊，当初到的时候是举院迎接，走的时候也是举院相送，只是这个中的意味却差了许多。老和尚就这么给度了，想想当初那嘴脸，我还真有点不爽。”

玄奘在马上轻声道：“众生谁能无过？即便有过，只要能改，又有何不好？况且金池上人也未有大过，单论他拆除金佛，赠粮灾民之举，便是功德一件。如今他能大彻大悟，有何不好？”

“以前我对让我不爽的人，一般是一棍子打爆脑袋。”

“所以，你是大圣爷，而贫僧是玄奘，各有各的考量。”玄奘笑道，“西行一路，各取所需。”

两人对视了一眼，皆笑了起来，笑得黑熊精与小白龙一阵莫名其妙。倒是那吕六拐似乎听懂了，只是眉头却紧紧地蹙着，看玄奘的眼神中透着丝丝疑虑。

西牛贺洲，碧波潭龙宫中，一只鱼精小心翼翼地跪在九头虫身前。

九头虫端坐在珊瑚围成的石椅上，双眉紧蹙，道：“吕六拐已经见了大圣爷？”

那鱼精拱手道："回驸马爷的话，消息乃我方潜藏于吕六拐军中的细作所报，确凿无误。"

"他是怎么知道大圣爷的所在的？"

"这……小的就不得而知了，只知道是莺儿小姐带回来的消息。"

"莺儿？"九头虫微微仰起头淡淡叹了口气，道，"还有其他有关大圣爷的消息吗？"

"没有。大圣爷神识惊人，那细作也不敢靠近。"

端坐一旁的万圣公主暖暖轻声道："要不，你还是学着吕六拐那样，去见见大圣爷吧？若他想找你，便是天涯海角你也跑不掉的。"

"嘿。"九头虫摇了摇头道，"见了他，怎么跟他说？说为了岳父大人的蟠桃，我将吕六拐手下的悟者道妖怪带走了大部分，并且这些年暗地里制约他们发展，还曾经替天庭牵制几个妖王吗？"

万圣公主沉默了。

九头虫抬手揉了揉太阳穴，轻声道："几百年了，我是真没想到他还会回来，如果知道他还会回来……我也……"

九头虫没办法再往下说了。

万圣龙王的寿元问题是九头虫的死穴，这是三界皆知的事。即便运用当时花果山留下的家底再打造一个庞大的妖国又如何？他是可以将凡间纳入囊中，可他不是猴子，根本不可能攻破南天门。大能们也不会任他为所欲为。

进不了南天门，就拿不到蟠桃，拿不到蟠桃，就延不了寿……

也许，即便知道猴子六百多年后会归来，他也会作出和当初一样的决定吧。这对九头虫来说，自始至终都是一个死局。

万圣公主沉默了许久，轻声道："要不，我去见见大圣爷吧。父王的事他也是知道的，就算他要怪，也不会太严厉。"

"让你去，我的脸面还往哪搁？"九头虫拍了拍万圣公主的手，摇头叹气，"你让我再想想吧。过几天，想好了，我自己去请罪。"

看着一脸愁容的九头虫，万圣公主微微点头，没再说什么。

南赡部洲。

众人就这么一路走着，风餐露宿。五日之后，他们走到与观音禅院相距八十里处。山道边，杂草丛中有一石碑，碑上书：“高老庄。”

看到石碑的瞬间，猴子微微顿了一下。

第四百九十九章

纳 婿

怪石林立的戈壁上，一座陡峭的山峰孤零零地立着，那山下沟沟壑壑，就如同人的死皮一般覆盖着广阔的土地。

一阵风吹过，掀起漫天黄沙。

一道金光从天而降，落到了山尖上，化作一位僧人。

这僧人身穿米色麻袍，内衬白色僧袍，手持一柄金色法杖，身材高大，相貌堂堂，浑身上下更是散发着柔和的金光，应该是已修成佛陀金身之人。

不一会儿，那山石之间就冒出上百衣衫褴褛的小妖，远远地望着。僧人也不理睬，依旧静静地负手立在山尖上，背对着妖怪们，似乎在等着什么。

很快，一只身材矮小、身穿金色铠甲的黄毛貂鼠精拨开众妖走了出来。望见山尖上的僧人，他深吸了口气，弓着身子绕过林立的怪石跑上前去，到了僧人身后一丈开外的地方单膝跪地道："弟子参见灵吉尊者！"

这灵吉佛淡淡笑了笑，侧过脸瞥了黄毛貂鼠精一眼："这么久了，还以'弟子'自称啊？"

那黄毛貂鼠精尴尬地笑了笑："这，小的何时都是佛门弟子啊，就看尊者您认不认了。"

灵吉佛仰起头笑道："要认也不难，把你盗走的清油还回来，贫僧就认了你这个弟子。"

"这……"黄毛貂鼠精犹豫着谄笑道，"灵吉尊者，这您又不是不知道，那清油都吃了，还如何还？不过，小的吃了清油才有的今天的修为，您若不嫌弃，收下小的给大雷音寺当个把门的小厮，这丢失的清油，不就等于还回去了吗？如此一来，小的也可以继续修行佛法，岂不两全其美？"

“聒噪。”

被灵吉佛这么轻轻一喝，黄毛貂鼠精吓得连忙俯下身去，不敢再说话了。

那凹凸不平的额头上，汗珠一滴滴地往下掉。

迎着风，灵吉佛望着天边的浮云悠悠道：“堂堂大雷音寺，哪里用得着你这种小妖把门？当初贫僧放你一条生路，不过是不想沾了血，误了修行罢了。”

“是，灵吉尊者说的是。”黄毛貂鼠精连忙磕头道，“小的谢灵吉尊者不杀之恩。”

灵吉佛缓缓地转过身来，俯视着叩拜在地的黄毛貂鼠精，道：“听说，你现在有个新的名号，叫黄风大圣？”

“这……”黄毛貂鼠精伸手抹了把汗，战战兢兢地说道，“让灵吉尊者见笑了，‘黄风大圣’不过是与我那一众小厮说的，若是遇着道上平级的妖怪，也就叫声黄风怪罢了。如此浊名，怎能入灵吉尊者的耳？”

“也罢，那以后，贫僧就叫你黄风可好？”

“谢尊者赐名，谢尊者赐名！”黄风怪连忙又拜又叩，朗声道，“从今往后，小的的名字就叫黄风！”

灵吉佛瞧着黄风怪，深吸了口气，一步步走到他跟前。

黄风怪微微抬起头来，注视着灵吉佛的靴子，小心翼翼地问道：“尊者可是有事吩咐小的？”

“倒还真是有事。”灵吉佛道，“若你办成了，便是大功一件，那偷吃清油一事也将功抵过，一笔勾销。如何？”

黄风怪叩首道：“小的必定尽心竭力，绝不辜负尊者厚望！”

“如此甚好。”灵吉佛缓缓地仰起头，朝着东方望去。

黄昏时分，玄奘一行顺着绵延的山路终于抵达了高老庄。

这是偏远地方的一处村庄，虽说是村，却也有上百所土房，粗略估算，有居民百余户。

村外是广阔的丘陵田野，种的小麦刚刚收完，那田间堆放的麦秆扎成一堆堆的，看上去今年应该是丰年。

奇怪的是，他们踏入村中，却见不着半个人影，也不见村中居民点起灯火，一片死寂，就像一个人没有似的。

“这里不会已经荒了吧？”小白龙低声问道。

一旁的猴子道：“荒是不可能的，你看这房舍，还有刚才那农田，明显是有人打理的，怎么可能荒了呢？”

“那是怎么回事？一个人也没有，想借个宿都不行，看来今晚又要露宿荒郊咯。”

“住荒郊会死啊？”

“对对，大圣爷说得对，你瞧我这张嘴。”被猴子这么一说，小白龙忙收了收神，往自己脸上打了一巴掌。

远远地，他们看到一位头发花白的老人歪歪斜斜靠坐在自家门前。

猴子侧过脸去对玄奘道：“我去问问。”

玄奘默默点了点头。

一步步朝着那老人走去，猴子身形一晃，化作一位青年男子。

那身后的黑熊精与吕六拐对视了一眼，也身形一晃。黑熊精化作一位大胡子壮汉，吕六拐则化作驼背老头儿。

“老人家，请问，这村里的人都到哪里去了？”

那老人猛地一惊：“村里的人都到哪里去了？”

眯着眼睛盯着猴子看了好一会儿，直到看清了，老人家才用沙哑的声音说道：“小伙子，你是外乡人吧？以前没见过你呀。”

“我们是东土来的取经人，要往西去，路过此地，想借个宿，看着村里空荡荡的，所以问一问。”

“取经人？”老人家用皱巴巴的手摸着额头想了半天，似乎也没想明白取经人是什么，只轻声道，“明日高太公纳婿，村里的人都去帮忙了，若不是老头子腿脚不利索啊，估计也去啦。你们要借宿，不如就到高太公家去吧，他家房间多得是。再说了，明日纳婿，高太公也想人多点，热闹一点呀。”

说着，那老人家捋着长须笑了起来。

“现在才纳婿？这跟说好的有些不一样呀。”猴子有些疑惑。

想归想，他还是恭敬地对老人拱了拱手道：“谢过老人家了。”

说罢，猴子转身往回走，趁着老人家不注意，一下飞上了天。

从空中往下望，在距离这村庄不远的地方，倒真有一座不小的山庄，此时正张灯结彩，灯火通明，热闹不已。

落回到众人身边，猴子低声道：“人都到那边的山庄里去了，本地的土财主纳婿呢，正办喜事。走吧，我们去借宿。”

“去山庄借宿？”玄奘有些犹豫了。

“不好吗？”

玄奘深吸了口气，道：“贫僧倒是无所谓，反正荒郊野岭也睡惯了，未必要有瓦遮头。况且，人家办喜事本就忙碌，我们再去打搅，恐怕不合适吧。”

玄奘侧过脸，对着其余众人问道：“你们怎么看？”

“我……不太喜欢跟一堆人待一块儿。”小白龙低声道。

“一切都听大圣爷的。”吕六拐拱手道。

听吕六拐这么一说，一旁的黑熊精也表态道：“一切都听大圣爷的。”

猴子一把从小白龙手中夺过缰绳，牵着马就往山庄的方向走去，道：“今晚就到山庄借宿了。”

“这是为何？”玄奘轻声问道。

“还记得鹰愁涧钓龙吗？”猴子反问道。

玄奘紧蹙着眉头寻思了一番，问道：“莫非，这里也有个必遇的人？”

“对，还挺重要的。”猴子长叹了口气，道，“其实我也说不清他哪里重要，但万一没有他，又怕出岔子。反正我的想法是，带上他比较好。”

此时此刻，猴子心里的滋味真是说不出的复杂。想当年，他是千方百计地往外跳，万万没想到，有一天自己会千方百计地往里钻。

“真是三十年河东，三十年河西啊。”

玄奘不再问了，一旁的小白龙则压根儿就没往深处想，至于随行的黑熊精和吕六拐，则连“鹰愁涧钓龙”是指啥都还没搞清楚。

灯笼高悬，火红的“喜”字随处可见。此时，整个山庄一派喜庆的气氛。

虽说高太公明天才纳婿，但此时院中已经热闹不已，那些既是宾客又是帮佣的村民一个个眉开眼笑，争相庆贺。

后院阴暗的角落里，身为新郎官的天蓬却显得坐立不安，往来不断地踱着步。

他依旧英俊不凡，除了一身戎装换成了布衣，与当初身居元帅之位的天蓬，倒也没什么不同，甚至还显得更加年轻了。

远远地，一位身穿锦衣、头戴乌绫巾、留着一缕白胡子的老人瞅见了他，拄着拐杖一步步朝他走了过来，乐呵呵地说道："贤婿啊，大家都在忙呢，你怎么跑到这儿来了？让老头子好找啊。"

天蓬定了定神，忙上前搀扶："太公您腿脚不便，就别四处走动了。"

高太公拍了拍天蓬的手道："高兴嘛，此时不走，更待何时？对了，你怎么还叫我太公？是不是该改口啦？"

"这……"天蓬犹豫了一下，有些为难地拱手道，"女婿，参见岳父大人。"

"还岳父大人？"高太公有些不乐意了，蹙着眉头道，"都跟你说了，叫我爹爹就行了，翠兰怎么叫，你就怎么叫。你这人哪，什么都好，就是太拘谨。"

天蓬连连点头，欲言又止。

见状，高太公轻声道："都是一家人了，有什么话，就说。"

天蓬一咬牙，"扑通"一声跪倒在地就拜。

一时间，高太公也有些慌了，连忙颤颤巍巍地伸手去扶："贤婿啊，你这是怎么啦？"

天蓬紧蹙着眉头低声道："刚鬣想请老太公收回成命。"

"收回成命？"一时间，高太公越发慌了，连忙道，"都到这份儿上了，你要老朽收回成命？莫不是嫌我高家家产不够多？"

"刚鬣不敢。"

"那是不喜欢翠兰那丫头咯？"

"小姐温柔可人，又知书达理，刚鬣怎能不喜欢？"

老太公眨巴着有些昏花的眼睛道："莫不是，因为入赘的关系？若是这样，老朽答应你，往后若你们生下二子，其中一个随你姓，继承一半家产，可好？若你同意，老朽愿立下字据。”

天蓬连忙摇头。

“如此，又是为何？”

天蓬呆呆地眨巴着眼睛，想了许久，才低声道：“刚鬣不过是一个自小被老太公收留的下人，怎娶得小姐？传出去，岂不沦为笑柄？刚鬣恐误了小姐终身啊。”

闻言，老太公却呵呵笑了起来，道：“你啊，就是太……真不知道怎么说你，都说人要本分，可今天看来，太本分了也不好。”

长长地叹了口气，老太公缓缓说道：“老朽眼睛是花了，可还不傻。这些年，如果不是你内外操持，如何有我高家如今的家业？再说了，老朽膝下无子，招个上门女婿继承香火，那是迟早的事。

“既然一定要招，你说，上哪里找你这么好的上门女婿啊？既识字，又勤快。老朽打小在这高老庄长大，还没见过你这般好的人才。你说，不招你招谁？况且翠兰对你也早已芳心暗许，若不是你迟迟不肯答应，她怎会等到如今都未嫁？二十啦，都成老姑娘了。若你再拒绝，才真是误她终身呢！”

说着，高太公扬起手佯装要打，落到天蓬额上，却只是轻轻一拍。

他乐呵呵地说道：“别再多想了，乡里乡亲，一众佃户，也一致认为你合适，哪里来的笑柄？若你还认我这个太公，就给我起来，照太公的话去做，早日给高家生个孙子继承家业。”

说罢，高太公不由分说地拉着他，拄着拐就往那热闹处走去。

这一路，每个人都对着高太公与天蓬拱手道贺，天蓬也随着老太公一起对众人道谢，只是那眉依旧紧紧地蹙着，似乎心事重重。

忽然间，天蓬微微一怔，猛地仰起头来朝着大门的方向望了过去。那四周的宾客也是一愣，一个个有些疑惑地瞧着天蓬。

“贤婿啊，怎么啦？”

“有人来了。”天蓬呆呆地答道。

此时，那门外，玄奘一行正缓缓地朝着高家大门走来。

猴子身上的衣物无风自动，微微起伏着。

“大圣爷，您这是……”

猴子吧唧着嘴答道：“让里面的人知道我们来了，免得一会儿见面太过唐突。”

第五百章

仇人见面

人群之中，天蓬的眼睛缓缓眯成了一条缝，脸上原本的尴尬神色一扫而空，取而代之的是冷峻。

“有人来了？”高太公有些疑惑地问道，“谁来了呀？”

四周的人也一个个摸不着头脑。

“没什么！诸位，刚鬣失陪一会儿。”

嘴上这么说着，天蓬已经迈开脚步穿过道贺的人群朝着大门走去。

此时，大门外，猴子也停下了脚步，深吸了口气，咧嘴笑道：“他已经感觉到我们了。”

“他？”小白龙一脸的莫名其妙，“大圣爷，里面有谁？”

黑熊精、吕六拐，乃至于玄奘，一个个面面相觑。

“一个你们都认识的人。”猴子缓缓地笑道。

此时此刻，天蓬早已心急如焚。

他压制着自己的步伐，装成普通人的样子朝着大门走去，在脱离众人视线的瞬间，身形一晃，消失无踪。

下一刻，他已经站在了猴子面前，死死地盯着猴子。

“你来做什么？”

“天蓬元帅——！”小白龙、黑熊精、吕六拐一个个失声叫了出来，连连后退。

除了小白龙之外，黑熊精与吕六拐都多次参与过对天河水军的战役，如何能不认得这花果山的宿敌呢？

只一刹那，小白龙已经一只手按上腰间的剑柄，剑随时准备出鞘。黑熊精则攥紧了黑缨枪随时准备出手。就连战斗力最差的吕六拐也暗暗握住了藏在袖中的匕首。

战斗一触即发！

就在这剑拔弩张的气氛中，玄奘依旧骑在马上一动不动，那目光在猴子与天蓬之间来回。

猴子慢悠悠地往前跨出一步，岔开双腿站在天蓬正前方，仰起头笑嘻嘻地瞧着一身红衣的天蓬道："天蓬元帅，别来无恙啊。"

天蓬的眼角顿时猛地颤了颤。

侧过脸去，猴子对着身后的众人叱道："放松点，有老子在，难不成还怕他？掐死他，一只手就够了。"

听到这一句，在场的几人才安心了一些。

死死地盯着猴子，天蓬厉声道："你来干什么？我已经不再隶属于天庭了。"

"知道你不隶属于天庭。"猴子仰起头呵出一口薄雾。薄雾在夜风中飘散，他轻声叹道："我们只是来借个宿。"

"借宿？"天蓬的目光从众人的身上扫过。

吕六拐和黑熊精的身上都有明显的妖气，小白龙没妖气，但天蓬是认识他的。

那目光最终落到了玄奘身上，不过也仅仅是一瞬，天蓬很快就将目光拉了回来，依旧死死地盯着猴子，厉声道："如果你是来寻仇的，冲我来，山庄里的人和天庭没有任何关系。"

猴子挠了挠脸，随口问道："他们知道你的真身是啥吗？"

被他这么一问，天蓬当即瞪圆了双眼，怒视猴子的目光中顿时多了几分杀气。

正当此时，山庄中的人也跟了出来，拄着拐杖的高太公在亲属的搀扶下摇摇晃晃地朝着众人走了过来。

"几位是？"

还没等天蓬反应过来，猴子已经与他擦肩而过，热情地朝着高太公走了过去，吆喝道："我们是来喝喜酒的，我们跟……"

话还没说完，天蓬紧紧攥住了猴子的手腕，咬着牙低声叱道：“要打，我们换个地方打。以前的事都是你我之间的恩怨，不必牵连其他人！”

猴子意味深长地瞧着天蓬，一点一点地将对方握着自己手腕的手掰开，低声道：“放心，绝不伤他们。他们叫你啥？”

“猪……猪刚鬣。”

“很识趣嘛。放心，齐天大圣一言九鼎，说不伤，就绝不伤。今天这山庄我罩了，阎王也休想来拿人。这么说，你满意了吗？”

天蓬这才微微颤抖着松开手，只是那牙依旧咬得紧紧的，脸色发青。

与天蓬擦肩而过，猴子笑嘻嘻地朝着高太公走了过去，拱手道：“高太公，我们跟刚鬣兄是老朋友了，听说他成亲，特意赶来道贺，也讨杯喜酒喝。”

“老朋友？”

“对。”猴子指了指自己，又指了指其他几个人，悠悠道，“我们都是他来你们高老庄之前的朋友，许久未见，你看刚鬣兄都激动得不行了。哈哈哈哈。”

天蓬缓缓地回过头去朝着高太公拱了拱手，却半天没说出一句话来。

那脸色之难看，在场的任何一个人都看得出来。

高太公不由得愣了神，半眯着昏花的眼睛在猴子以及众人身上来回打量了好一会儿，又瞧了瞧一言不发的天蓬，到头来却越发迷糊。

此时，猴子、吕六拐、黑熊精都已经化作人形，倒是不会吓着高太公以及其他人，可这几个人站在一起着实不搭配。

一个一身戎装两手空空的小伙子，一个拿着黑缨枪的壮汉，再加上一个带着佩剑的白面公子……这组合，若是走在路上被官差当作流窜的土匪给捉到衙门审问也不奇怪。

可在这三人之外，又多了一个骑白马的相貌堂堂的和尚，还有一个驼着背、衣着颇为儒雅的老头儿。

毫无共同特征的几个人走在一起，还说是自己女婿的朋友，这算怎么回事？

好一会儿，高太公才缓过神来，紧蹙着眉对猴子轻声道：“刚鬣六岁就流落到我高老庄，你们是他来到高老庄之前的朋友？”

“六岁就来了？”猴子连忙改口道，“不好意思啊，高太公，刚刚说错了，应该说，我们是他儿时的玩伴，后来失散了，前几日听说他要成亲，特地赶来。老太公该不会不欢迎吧？”

高太公也不直接答复。深吸了口气，他挺起腰板儿，转而面向天蓬道：“贤婿啊，他们说的，可是真的？”

此时此刻，天蓬早已脸色铁青，一双眼睛依旧死死地盯着猴子。

“喂，你老丈人问你话呢，怎么不答呀？”猴子笑嘻嘻地拍了拍他的肩。

与此同时，一个声音已经传到了天蓬脑海中：“想说什么就说呗，拆穿了，大不了一起现原形。话说回来，你的原形我还没见过呢，他们见过了吗？正好一起看一看，哈哈哈哈。”

天蓬脸上的肌肉微微抽了抽，看猴子的目光越发狠辣了。

犹豫了好一会儿，他只得转过身去，对着高太公拱了拱手道：“爹，确如他所言。”

听到这一句，老太公才稍稍松了口气，点了点头道：“既然是远道而来的友人，那就请吧。”

说罢，他转身招了招手道：“阿才，替几位安排住处，都是来道贺的宾客，切勿失了礼数。”

说罢，他意味深长地看了早已满头大汗的天蓬一眼，又对着猴子拱了拱手，作了个“请”的手势。

一行人就这么被迎入了高老庄。

猴子倒是无所谓，不管天蓬看他的目光如何毒辣，不管高太公的表情如何疑惑，也不管四周投来的目光怎样异样，他全当没看见，只管大摇大摆地往里走。

其他人可就不同了，这当中数玄奘最为突出，自始至终，他都一言不发。

很快，他们被安排到了偏院中。由于正值山庄办喜事，许多路途比较远的亲朋也都赶来，几个人只得挤到一间屋子里。

待一切安排妥当之后，家奴高才便告了退。他前脚刚走，小白龙就利索地将所有的门窗关了起来，紧张兮兮地凑到猴子身边低声问道：“大圣爷，你找天蓬元帅……找他干吗？”

“我爱找谁找谁，这事轮得到你过问吗？”猴子若无其事地踱着步，随手抓起桌上果盘里的红枣丢进嘴里，嚼了两下，悠悠道，“嘿，我们好歹也是他的‘故人’，远道而来，他也不不过来招呼一下，安排个住处就没影了。真是不通礼数啊。”

玄奘盘腿坐在卧榻上，一言不发，只静静地瞧着猴子。

黑熊精趴在窗口透过窗棂往外张望，时刻提防着。

吕六拐藏在衣袖里的手则自始至终都握着匕首。

小白龙喃喃自语道：“还礼数呢？不拿刀对砍就不错啦。他杀了花果山多少妖怪，花果山又剿了整支天河水军，这深仇大恨，投十次胎也化解不了。”

猴子摊了摊手道：“我这不是放下身段不跟他计较了吗？”

“好像是大圣爷杀他的天河水军比较多啊，你当然不计较了。”

闻言，猴子脸色一变，恶狠狠地瞪着小白龙道：“你想死是不是？”

“不是！”小白龙连忙躬身低头，不敢再乱说话了。

整个房间顿时变得安静无比，只剩下猴子吧唧吧唧吃水果的声音。

时间一点一滴地流逝着。

到了深夜，兴许是因为需要准备的东西都已经准备得差不多了，山庄中渐渐没有了原本的热闹，许多房间里的灯火也熄灭了，只剩下三两盏还亮着。

“咚咚咚——”，房门被敲响了。

“进来吧。”猴子随口说道。

在木头摩擦的刺耳声响中，门被缓缓地推开了。

月光顺着敞开的大门，照到了猴子的脚边。

门外，一身红衣的天蓬握着一柄长剑静静地站着，冷冷地注视着懒懒靠坐在桌前的猴子。

那剑刃在月光下放射着森森寒光。

房间里的其他人一下绷紧了神经，唯独猴子，依旧若无其事，就好像天蓬压根儿就不存在。

“换个地方说话吧。”

“行。”

第五百〇一章

开打了

孤灯下，高太公静静地坐着，双眉紧蹙。

就在他眼前，厅堂中聚集着三五个人，气氛看上去略微有些沉闷。

奴仆高才躬身道：“老爷，依高才看，那几个自称是姑爷友人的来客确实有些不对头。你想啊，一个和尚，为啥会跟几个江洋大盗一样的人混在一块儿呢？还有姑爷那神色，明显不对。

“姑爷来到高老庄时，不过六岁。这些年姑爷几次离开高老庄办事，高才都紧紧跟着，从未见他访过什么友人，姑爷也说过他父母双亡，便是书信也从未见他寄过一封。怕是内有乾坤，不如……不如报官吧？”

“报官？”高太公端着茶盏的手微微顿了顿，瞪着有些昏花的老眼瞧着高才。

“是啊，太公。”一个看上去像佃户模样的人走上前道，“那几个人里面有两个还带着兵器，一看就不是好货，还是报官吧。”

“是啊，还是报官吧。”

“对，还是报官安全点，若真是误会，官府也自然会查明。”

四周的人当即附和道。

犹豫了许久，高太公却只是摆了摆手道：“算了，还是……还是等老夫与刚鬣商量之后再定吧。这大喜的日子，不要出什么岔子才好。”

此时，距离高老庄五十里的一处山峰上，天蓬正提着一柄泛着寒光的长剑，绕着一动不动站立着的猴子缓缓而行。

自始至终，那目光都死死地锁定在猴子身上。

“你们究竟到高老庄来干什么？”

猴子悄悄瞥了一眼他手上的剑，轻声笑道：“你不会打算用这把破剑跟我打吧？你的九齿钉耙呢？”

“我用什么兵器，与你何干？”

“哦……我明白了，九齿钉耙应该还在天庭，你下界的时候没有带下来，对吧？要不要我让人给你送来呢？”

天蓬停下脚步，用剑指着猴子厉声道：“别打马虎眼！说，究竟为何而来？”

那指向猴子的剑尖在风中微微颤动着。

淡淡瞧了天蓬一眼，猴子深吸了口气，昂起头吊儿郎当地说道：“跟你说了来借宿，你偏不信，非逼我撒谎不可？我说天蓬大元帅啊，当初咱兵戎相见的时候我都没必要对你撒谎，今天就更没必要了。掐死你，一只手就够了。”

说罢，他哈哈地笑了起来。

天蓬的脸色越发难看了。

他握着剑往前跨了一步，却又似乎忽然意识到什么，止住了脚步，只握着剑干站着。

夜风徐徐地从他们身旁刮过，树影摇曳。

猴子缓缓地盘腿坐下，弓着身子叹道：“话说回来，你那老丈人知道你是猪妖吗？”

“你想说什么？”

“没什么，就是随口问一句。多可怜的一个老头儿啊，要是知道自己的女婿是个猪妖，会不会活活气死呢？”

天蓬的眼角微微颤了颤，瞪大了眼睛，那握剑的手上青筋暴起。

猴子依旧若无其事地盘腿坐着，捡起地上的石头把玩，轻声道：“还有那高家小姐，要是知道自己的夫君是个猪妖，会不会吓死呢？如果我没猜错，她应该是霓裳仙子转世吧？”

“你——！”

天蓬又往前跨出了一步，却在猴子缓缓回头的瞬间将脚缩了回来。

两人相距不过三丈上下，一个箭在弦上，另一个却全然无视对方。

意味深长地瞧着天蓬，猴子悠悠道：“你这么搞，非长久之计啊。我给你指一条路，跟我西行一趟，完了，还你一个人身，如何？那样，你要娶那位高小姐，就再不会有什么问题了。”

天蓬握着剑柄的手抖个不停。

他十分清楚眼前这个对手有多强大，可他有不能后退一步的理由。

沉默了许久，他怒视着猴子道：“你以为我天蓬会和你这种妖怪同流合污吗？”

猴子脸上的笑顿时僵住了。

下一刻，那脸上渐渐多了几分狰狞。

他撑着膝盖缓缓地站了起来，轻声问道：“妖怪？你他妈的不是妖怪？你以为你还是当初的天蓬元帅吗？”

天蓬稍稍退了一步，却摆出了迎战的架势。

冷冷地注视着天蓬，猴子咬着牙恶狠狠地说道：“你打得过我吗？如果不是为了解决如来那王八羔子，老子早把你宰了。”

天蓬依旧一动不动地保持着迎战的姿势。

豆大的汗珠从他光洁的额头上滑落。

猴子深吸了口气，转身用力将握在手心的石头朝着远处黑漆漆的地方甩了出去。

只听“咣”的一声巨响传来，黑暗之中，似乎有什么东西被砸烂了。这刺耳的声响即使是五十里外的山庄也听得清清楚楚，睡梦中的人一个个惊慌地从房间里跑了出来。

“你没得选。要么，你待在这里继续等着，迟早有一天身份会暴露；要么，跟我走。这已经是对你最大的仁慈了。还有，既然已经是妖怪了，就别再给我摆出天蓬元帅的那副臭架子，很恶心，你知道吗？”

话音未落，只见一道寒光闪过，天蓬已经出现在了猴子的另一边，而猴子的位置也在不知不觉之中挪动了几分。

低头看去，猴子看到自己的肩甲上多了一道浅浅的刮痕。

猴子“扑哧”一声笑了。

“真想打？”缓缓地转过身来，那金箍棒不知何时已经握在猴子手中，他盯着天蓬咧开嘴笑道，“老子，成全你。”

还没等天蓬反应过来，猴子已经化作一道金光朝着他急袭而去。

只听“咣”的一声巨响，两件兵器交织在一起，溅起的火光如同闪电一般，将夜空照得通明。

仅仅是第一次交锋，天蓬手中的长剑便已经碎成了四截，朝着四周飞散出去。

还没等天蓬反应过来，猴子凌空一个翻转，金箍棒重重打在天蓬的腰部，将他整个扫飞了。

鲜血溅洒而出，在空中拉出了一道长长的轨迹。

剧痛之中，天蓬连忙运起灵力，在高空中稳住身形，目光朝着下方猴子所在的山头掠去。

可下一刻，他却惊得瞪大了眼。

“你在看哪里？”

就在他的身后，猴子缓缓地探出头来，笑嘻嘻地扬起金箍棒，又是重重一击，直接将他扫了回去。

一道红光如同陨石一般重重砸落山间，激起的热浪瞬间沿着地表横扫了一切。沙石翻滚之中，一棵棵大树都被吹弯了腰。

弥漫的烟尘之中，一声声咆哮掺杂着重击的声响传了出来。

“还他妈的敢动手，敬酒不吃吃罚酒是吧？

“不跟妖怪合作？你以为老子想跟你合作吗？

“告诉你，你杀我花果山妖众的事情我一件都没忘！如果不是要解决如来那王八羔子，老子早就宰了你了，连你那什么霓裳仙子也别想活！

“还给老子装，还给老子装！你他妈的以为自己是谁？还是天蓬元帅吗？你他妈的是只猪妖！是只猪妖，知道吗！”

待到烟尘散尽，就在那正中，猴子重重地喘息着，缓缓地松开了天蓬的衣领。

天蓬如同虚脱般倒地，浑身是血，目光却依旧死死地盯着猴子。

猴子冷冷地注视着他道：“如果可以，我真不想和你这个人讲话，一点都不想。死脑筋，被天庭都排挤成什么样了，还要护着它！满口的仁义道德能当饭吃吗？全世界就你最光荣，道德楷模，你他妈的都是什么下场了，还装！”

深吸了口气，猴子蹲坐到天蓬身旁，伸手摆正了天蓬的脸，道：“最后跟你说一次……算了，我连最后一次都不想说了，你好自为之吧，跟你这种人没法儿沟通。”

说罢，猴子重重拍了下大腿，站了起来，似乎又觉得不解恨，转头朝着天蓬恨恨地啐了一口，化作一道金光消失在天际。

空荡荡的山顶上，只剩下天蓬孤零零地躺在满地碎石之中。

一阵狂风掠过，扬起沙尘。

他无力地仰望着天，许久，缓缓地笑了出来，那笑在最后变成了嗷嗷痛哭。

山庄中，高太公提着灯笼拄着拐杖，摇摇晃晃地来到一处房门前，伸手敲了敲门。

“兰儿，是我，开一下门。”

不多时，房门打开了，一位长相精致、娇俏可人的姑娘从里面探出头来。

一见高太公，高翠兰便是一惊，忙问道：“爹，这么晚了，您怎么一个人来呀？万一摔倒了怎么办？”

“没事没事。”高太公摇了摇头道，“爹问你，可见着刚鬣了？”

高翠兰脸刷的一下红了，眨巴着眼睛，好一会儿才问道：“爹，您怎么……”

“爹没别的意思。”高太公长叹了口气，道，“他不知道跑到哪儿去了，我派人把山庄上上下下都翻遍了，也没找着，你见着他没有？”

“没……要不，我跟您一块儿找？”

“没有就算了。你早点歇息吧。我让阿才他们去找就是了。刚鬣向来稳重，应该不会有什么事的。”说罢，老太公提着灯笼缓缓转过身去。

此时，就在距离山庄不远处的山坡上，一处草丛中，黄风怪正伸手拨开遮挡的杂草，细细地审视着只剩下几盏灯火的山庄，对着一旁的小妖道：“玄奘和孙悟空就在这儿？”

第五百〇二章

秘　密

只听“咣”的一声，房门被踢开了。

那房间里的众人不由得一惊。

猴子面无表情地跨过高高的门槛，一步步朝着桌子走去，伸手想从果盘里拿个水果，才发现那果盘空空如也，他不由得冷哼了一声，坐到椅子上。

整个房间里的人都静静地看着他。

一旁的吕六拐小心翼翼地问道：“大圣爷，您……怎么啦？”

“没什么。”

“跟天蓬元帅的谈判还顺利吗？”

“谈崩了，我揍了他一顿。”

“揍了……他一顿？”

吕六拐收了收神，不敢再问了。

瞧着猴子那怒气冲冲的样子，其他几个人也都噤若寒蝉。

盘腿坐在卧榻上的玄奘深吸了口气，又沉默了一下，振了振衣袖缓缓起身道：“虽说贫僧一直都不太明白大圣爷为何一定要找天蓬元帅一起西行，可是……真要论起来，他肯帮忙是情理，不肯帮忙是正理，无论如何，大圣爷都不该对他出手。”

猴子猛地回过头来瞪着玄奘，张了张口半天没说出什么来。

许久，他背过身去叹道：“你是不知道我跟他有多少恩怨，找他本来就是不得已，看到他我就来气，妈的！”

说着，猴子一拳重重砸在桌面上，那实木制成的桌子被砸凹了一个坑。

“还有，是他先动的手。当元帅的时候没自知之明，当了猪妖还是一个德行！”

吕六拐小心翼翼地瞧着猴子。

玄奘朗声道：“每个人都有自己的坚持，天蓬元帅的事，贫僧倒也听过一些，按理，他是一个好人。”

“好人？”猴子哼的一声笑了出来，“好人管个屁用。我都答应他，西行成功就还他一副人身了，他还……”

“还他一副人身？”

猴子扭过头来注视着玄奘道：“佛门不是管辖着地府吗？到时候让他投个人胎，不就是你一句话的事？”

“这……恐怕不妥吧？”玄奘犹豫着说道，“六道轮回之事，事关因果，岂可轻易搅乱？我等不知那其中的规则，怎可胡乱许诺……常诺者，寡信也。”

瞧着玄奘那紧蹙的眉头，猴子无奈地摇头，哼笑道：“哪来那么多顾忌？随便吧，你不开口我开口，反正如来解决了，地府也没胆子不按我说的做。不过现在说这些也没意义了，那家伙还是和从前一样死脑筋。”

小白龙伸长了脖子问道：“他……伤得重吗？”

“没死。”

“那他明天还能成亲吗？”

“你问这干吗？不能难道你要去替他？”猴子一下朝小白龙瞪了过来。

小白龙连忙缩了缩脑袋，喃喃自语道：“我就问问，好奇，没别的意思。”

黑漆漆的走廊上，天蓬捂着肩上的伤缓缓前行，时不时回头望，望向猴子一行所居住的别院。

许久，他走到了自己的房门前，伸出手去轻轻一碰，虚掩的房门缓缓地开了。

月光顺着房门的缝隙照入房子里，将一切都映成了惨白的颜色。

深吸了口气，他抬脚跨过了门槛，那目光空洞得没有一丝神采。

接下来会怎么样，他心里一点底都没有。

十几年前，他费尽心力，通过地府查到了霓裳投胎的地点，于是化作逃荒的孩童躲到这高老庄，入了高家成为家奴。

本想着就这样守在霓裳身旁，谁知道高太公一天天老了，家中没有一个撑得起门面的男丁，里里外外却有一大堆麻烦事。

无奈之下，他只好以一介家奴的身份强出头，将一切一肩挑起，因为他的吃苦耐劳，高家不但没有家道中落，反倒日渐兴盛。

可他真能与霓裳成亲吗？

平心而论，他想，非常想，谁不想有情人终成眷属。他等了一千多年，不就是为了这个吗？

可他不能。

六百五十多年了，凭借前世的记忆，他仅仅用五年就修成了妖身，又用五年，修到了太乙金仙境。

原本的玉帝已经魂飞魄散，许给他的承诺也早就不作数了。霓裳，只能靠他自己守护。

所以，这六百多年来，他不断地前往地府查探霓裳的转世地点，守护在她身旁，直到她去世，再前往地府查探下一世转世的过程。

在最初的时候，他满心以为自己已经不再是天将，无须再守天条，可以按着自己的愿望去生活，与霓裳结婚，生子，给她一个美满的人生。

可是，他错了。

妖与人不相容，这不仅仅是天庭的规矩、天军恪守的原则，更是三界深入人心的不成文的规定。

六百多年的光阴里，他试过暴露猪妖的身份，结果被天军追杀；试过惹怒妖王，结果被群妖追杀；试过暴露身份，结果被各种和尚道士骚扰，甚至曾经因此害死过霓裳。

在这乱世之中，人的命运如同风中的烛火，一只不容于妖族的妖，又何尝不是如此呢？

若是他真与霓裳成婚，万一有朝一日暴露身份，便是千夫所指的结局。

天蓬不在乎，可霓裳呢？她能承受周围人的冷眼相看吗？她真能抛下所有和自己远走高飞吗？

高太公呢？他能接受与所有亲属断绝往来的结果吗？如果天军真的杀

到，天蓬是丢下他们逃跑，还是带着他们一起战斗呢？

一切，似乎已经是一个死局。

妖有妖的生存方式，而那是保留了前世记忆的他永远无法做到的。

这个世界留给他的空间似乎只剩下……苟延残喘了。

缓缓地坐到卧榻上，天蓬低头从枕头后面摸出了两个不起眼的白瓶子，脱下破损的外衣开始给自己包扎伤口。

药粉撒在伤口上，痛感传遍了全身，他的感知瞬间凌乱了。

冷汗一阵阵从额头冒了出来。

“你受伤了？”

天蓬猛地一惊。

回头看去，他看到投胎为高翠兰的霓裳惊恐地站在窗外。

“你怎么啦？”

“没、没……”

“让我看看！”

霓裳一个箭步推开房门，冲了进来。

借着月光，她看到天蓬浑身上下布满伤痕，整个人顿时慌乱了。

“这……”

“没事，不碍事。”天蓬强撑着笑道。

霓裳连忙转身用火折子点起油灯，走到天蓬身边坐了下来，仔细地查看着伤口。

“你这是……怎么啦？”

“没什么，一点小伤而已。”天蓬微微颤抖着答道。

“还说没事？”霓裳的眼睛红了，“我来帮你包扎吧。”

说着，她转身走出门外，很快取了家中的药箱过来，轻声道：“把手抬起来。”

天蓬只得缓缓地抬起手来。

借着油灯的光，霓裳仔细地为天蓬包扎起来。

“你……怎么会有药箱？”

“专门为你备的。”

“为我备的？”

“嗯。”霓裳点了点头道，“还记得你上一次受伤吗？你十六岁的时候，就是几年前。”

天蓬微微呆了一下。

几年前，猬狨王麾下的一支部队在附近的山头上占据了一个洞府……

“你怎么知道……我那时候受伤的？”

“如果你每天都盯着一个人，那么他有什么事，你自然也会第一时间发现。”

天蓬沉默了。

借着月光，他仔细地瞧着忙碌的霓裳，眼眶渐渐湿润了。

“你……不问我为什么受伤吗？”

霓裳缓缓地摇了摇头，轻声道：“不问了，你不想跟我说，一定有你的道理。”

“你就这么相信我？”

“在这个世界上，我最相信的就是你，因为我知道你所做的，一定都是为我好。”霓裳仰起头注视着天蓬，笑道，“你就是上天赐给我的礼物，是最好的夫君。这个世界上没有比你对我更好的人了。小时候，只要我说想吃什么，第二天，我的桌上就会有什么……我想要的一切，只要经我的口说出来，第二天就会有。就算我说想看下雪，第二天，也会飘起雪。可只要你离开山庄，一切咒语都会失灵，无论我说什么都不再管用。所以，我知道是你……”

牵着天蓬的手放到自己的脸上，霓裳缓缓闭上双目，轻声道：“你一定有很多秘密，因为那不是一个逃荒的孩童能做到的。我从来不问，连爹爹我也不跟他说，因为我知道你所做的一切都是因为爱我。所以，我只能嫁给你。”

“可……可……”天蓬颤抖着说道，“我真的不能娶你。嫁给我，你会后悔的。”

“如果不嫁给你，我才会后悔。”

“我的秘密……不是你所能承受的……”

“不能承受也要承受。凭什么所有好的都给了我，所有的责任却要扛在你肩上？”注视着天蓬，霓裳缓缓问道，“你一定是一位威风凛凛的天将，是我前世的恋人……对吗？”

天蓬泪眼蒙胧，他微微张口，却再说不出一句话来。

就在他的眼前，高翠兰仿佛又变回了昔日的霓裳，那个为了他吞服了异元九转丹的女子。

他想要给她最美好的一切，可这一切，很快就会如同风中的沙雕一般飘散，而他根本没有能力去守护。他前世给不了她的，今生依旧给不了。

可如果这女子能记起前世，如果她知道自己所爱的天蓬元帅，已经变成了一只猪妖……

天蓬低下头去，不敢再往下想了。

“听说，今天来了一些人，自称是你的故人。”昏红的光线中，霓裳将头靠在天蓬的肩上，轻声道，“无论是什么，我都会和你一起面对的。无论是什么……因为，我要成为你的妻子。”

紧紧握着霓裳的手，天蓬轻声道：“谢谢你，有你这些话……就是去死，我也心甘情愿。”

第五百〇三章

局

一片漆黑的山林中，十几只小妖聚集在黄风怪的身旁。

“大王，要不……还是算了吧？”其中一只小妖畏畏缩缩地说道，“小的听人说那孙悟空已经是天道修为，和当年的太上老君一个级别。天上地下，除了如来佛祖谁也制伏不了他，惹不得啊。”

“现在不就是如来佛祖让我们这么做的吗？”黄风怪怒视着那小妖，掏出五枚鸽子蛋大小的东西一个个塞到小妖们手中，哼笑道，“况且，他的什么天道修为早就没有了，还怕他作甚？”

“可……就算天道修为没有了，他也还是很厉害啊。”另一只小妖插嘴道。

“是他厉害，还是老子厉害？”说着，黄风怪抡起拳头来，恶狠狠地瞪着那一众小妖。

顿时，所有的小妖都低下了头，没一个敢再说话了。

黄风怪用舌尖舔了舔牙齿，瞪大了眼睛道：“都听好了，这些可都是灵吉尊者赐的宝贝，一个个地安放到山脚下的几个角去，待到明日午时，就往里面注入灵力。此事一成，老子重返灵山，少不了你们的好处。可，如若误了老子的大事……定叫你们魂飞魄散！可都听懂了？”

他一声咆哮之下，那些小妖吓得微微缩了一缩，点头连连。

“听懂了，那就快去。”

那十几只小妖连忙转身，撒腿往山下跑。

待到十几只小妖走后，黄风怪脸上恶狠狠的表情一扫而空，转而换上了一副有些忐忑的神色，他左顾右盼了一番，伸手抹了一把额头的汗，嘟囔道："能不能回灵山，就看这一次了。"

说着，他小心翼翼地匍匐到一旁的草丛里，远远地注视着黑漆漆一片的山庄。

在他的身后，漆黑一片的深山老林中，两只蝴蝶缓缓地落到了新生的绿叶上。

其中一只蝴蝶轻声问道："你给他们的是什么？"

"没什么，一些小玩意儿罢了。"另一只蝴蝶两根触角微微动了动，答道，"不过，玩意儿虽小，却很有用。明天有好戏看了。"

"哦？莫非，他们今夜在这山庄中，还不仅仅是借宿？"

"这高老庄中，有一人乃是数百年前天庭的一位仙子转世。"

"谁？"

"广寒宫霓裳仙子。"

那只蝴蝶顿时沉默了。

许久，他轻声道："霓裳仙子在这里，那天蓬元帅怕也在这里吧。"

"这天蓬元帅也是三界数一数二的大痴人，都快两千年了，还忘不掉一段情。对了，说起来，那观音禅院一事还不曾听你细说呢。"

闻言，那只蝴蝶无奈笑出声来，叹道："本想着让那修了两百多年，却依旧不知道佛为何物的金池去为难金蝉子的，结果却……"

"被度了？"

"也不算，不过确实破了这许多年的魔障。可以说是……无心插柳柳成荫吧。虽说事出偶然，但到底是输了。如此一来，也再没脸出手了。"

"金池虽说走偏了，但到底是一心向佛之人，作不得数。"

"输了便是输了，无须多言。"

另一只蝴蝶不由得沉默了，许久，轻声道："你不出手也罢，这次，便换师弟我来了。我倒要看看，金蝉子如何化解师弟我布下的这局。"

很快，一群小妖便分散成五拨，分别到了早已定好的五个点，眼巴巴地等天亮。这五个点距离山庄最少数里，却又恰好将山庄围在正中。

次日天刚亮，山庄中的人们早早地便忙碌了起来，杀鸡宰羊。

远道而来的宾客一拨接一拨地沿着山道赶来，送上厚礼。那高太公站在大门口迎接，笑得合不拢嘴。

高才带着两位婢女端着盘子缓缓来到天蓬门外，伸手敲了敲房门，弓着身子笑呵呵地说道：“姑爷，该起来了。老爷让您过去。那些远道而来的亲朋都到了，您这新郎官却不在场，不合适啊。”

“好……我这就、这就过去。”房间里传来了天蓬微弱的声音。

“姑爷，您怎么啦？”

高才刚想伸手推门，天蓬自己将门打开了。

两人相对一看，怔住了。

高才细细打量着面色惨白的天蓬，轻声问道：“姑爷，您身体不适啊？”

天蓬连忙抹去额头的冷汗，扭过脸去道：“没，昨晚没睡好。”

高才一下笑了出来，身后的两位婢女也都掩着嘴笑。

天蓬那脸刷的一下红了。

其中一位婢女轻声笑道：“姑爷和小姐每天见面，怎么还这般害羞啊？紧张得连觉都睡不着？”

“你懂什么？”高才连忙转头叱道，“今天是姑爷大喜的日子，洞房花烛夜，懂吗？这能和平时比吗？紧张，也是人之常情。姑爷人好，但到底是姑爷，哪容你这般取笑！”

这叱归叱，高才自己也忍不住笑了。

天蓬一下变得尴尬异常，只得低着头快步走出房门，朝着前厅走去。

见状，其余三人也连忙跟了上去。

深谷中，几只小妖围着放置在正中岩石上鸽子蛋大小的小白球干站着。

其中一只小妖伸出手去，另一只小妖连忙将他的手打开。

“你干什么？”

“大王……大王不是说要注入灵力吗？”

“这才早上，大王说的是午时！”

又一只小妖悠悠开口道：“就算到了午时，咱最好也别立即注入灵力。”

“咋说？”

“咱现在距离山庄远，那孙悟空到现在没反应，应该是真没感知到我们。可如果注入灵力……说不准就被发现了……”

一听这话，顿时，在场的小妖心都凉了半截。

虽说都是小妖，才化形不过百年，也不是花果山出身，但常识还是有的。大妖王孙悟空的名号，他们如何能没听过？

此时猴子正在房中来回地踱着步，仔细听着外面的动静。

门窗依旧被关得紧紧的，阳光透过窗棂的缝隙照入，在地面上形成了斜斜的图案。

玄奘盘腿坐在卧榻上，黑熊精拄着黑缨枪站在窗边，吕六拐则与小白龙一起围着桌子坐着。

这一屋子的人，那眼睛都随着猴子的脚步来回转。

许久，小白龙轻声问道：“咱不出去吗？”

“出去作甚？”

“待在这儿又能干吗呢？”小白龙又问道。

猴子当即瞪了小白龙一眼道：“就你话多。”

小白龙缩了缩脑袋。

一旁的吕六拐在桌底下用脚悄悄碰了碰小白龙，示意他不要再说了，可惜小白龙丝毫没意识到。

他委屈地嚷嚷道：“要么出去，要么直接走人，待在这儿大眼瞪小眼真没意思。你不会……还想着看看能不能找机会拉天蓬元帅入伙吧？你才刚打了他呀，这可能吗？”

猴子又一眼瞪了过去，咬着牙扬起拳头。

小白龙吓得连忙一个转身闪到玄奘身后去了，缩着脑袋不敢出来。

指着玄奘身后的小白龙，猴子恶狠狠地说道：“你再多话，老子就撕烂你的嘴！”

这下小白龙彻底不敢作声了。

他悄悄朝着吕六拐的脑海传递了一句话：“你家大圣爷脾气以前好像没这么火暴啊……”

“大圣爷对真正强的不会，对无关紧要的也不会，但对冥顽不灵的一贯如此。你还是老实点吧。”

无奈，小白龙只得点了点头，老老实实地待在玄奘身后。

自始至终，玄奘都只是静静地看着，一声不吭。

天蓬一出现，院子里原本热闹的气氛一下被推上了顶点。

高太公连忙过来拉着天蓬的手，挨个儿向他介绍那些他还没见过的亲朋好友。

所有人都向天蓬围了过来，一个个对他夸赞不已。

…… ……

草丛中，黄风怪抬头望了望天上的太阳，注视着山庄，静静地等待着。

…… ……

闺房中，霓裳早早地梳妆打扮好，盖上了红盖头。

三两个老婆子在房中来回不断地忙碌着，个个眉开眼笑。

黄风怪紧张地盯着天空中的太阳，又时不时地望向山庄。

许久，他的神情从一开始的忐忑变成了疑惑，紧接着变成了愤怒！

“妈的，这帮家伙，肯定是跑了！”

他一拳重重砸在身前的草堆中，愤愤地站了起来，腾空而起，朝着远处疾行而去。

阴暗的房间里，玄奘缓缓地起身，一步步走到门前。

“你干什么？”猴子冷声问道。

“去道贺。”

“道贺？”

“对。”玄奘点头道，“今天是天蓬元帅大喜的日子，无论如何，人家好心收留我们，按理，我们都该道贺。”

“收留？”猴子冷哼一声道，“是他自己愿意的吗？那是我逼他的！”

扭过头来，玄奘注视着猴子说道：“冰冻三尺，非一日之寒。要化解，亦非一日之暑可为之。此事急不得。道一声贺，虽无法改变什么，却可以缓解彼此的敌意，拉近距离。既然大圣爷您执意邀天蓬元帅入伙，天蓬元帅又不愿意走近一步，不如，就让贫僧往他的方向跨一步。要引人向善，首先，度人者须得与人为善。大圣爷觉得，是不是这个理？”

第五百〇四章

婚　礼

黄风怪飞速降低高度落到一处山林中，有些惊慌地左顾右盼了一番。紧接着，他压低身子撒腿一路狂奔，很快到了预定的地点。

然而，在那里半只小妖都没有。

“妈的，真的全跑了，别让老子捉到，否则你们一个都别想活！”

他恨恨地啐了一口，呼呼地喘着粗气来回张望，最终在角落里找到了那个鸽子蛋大小的珠子。

捡起珠子，他稍稍犹豫了一下，抹了把汗，忐忑地将灵力注入其中。

瞬间，身处山庄中的猴子猛地一怔，仰起头来。

“大圣爷，怎么啦？”吕六拐连忙问。

猴子的眼睛缓缓地眯成了一条缝：“有奇怪的灵力波动，但不是很明显。距离这里有两里路。”

“两里？”吕六拐与黑熊精对视了一眼道，“会不会是佛门又派人来了。”

“和佛门的术法有些区别，也不像天庭的。”猴子摇了摇头道，“这么远，有可能是调虎离山之计，还是不要轻举妄动的好。”

说着，猴子悄悄将注意力死死地锁定在早已经走出房间、前去道贺的玄奘身上。

黄风怪紧张地朝着山庄的方向张望，轻轻将泛着微弱白光的珠子放到地上，用几根杂草遮掩住。

咽了口唾沫，他撒腿朝着下一个目的地飞奔而去。

在他的身后，两只蝴蝶依旧紧紧地跟着。

此时，玄奘已经身穿袈裟，头戴万佛冠，以一副庄重姿态走入厅堂。

众人一见，皆微微一怔，原本喧闹的厅堂一下安静了下来。

天蓬更是有些忐忑地攥紧了拳头。

“怎么会有个和尚在这里？这附近没佛寺啊。”

“听说是昨晚来的，说是和刚鬣很早就认识了。”

就在众人的注目下，玄奘一步步穿越人群来到天蓬面前，双手合十，默默对着高太公躬身行礼，又转头对着天蓬行了个礼，道：“贫僧祝施主与尊夫人永结同心，美满幸福。”

说着，他从衣袖中掏出了一个小巧的檀木盒子，打开，朝着天蓬递了过去：“贫僧身无长物，这是偶然所得的一串念珠，权当贺礼，还请施主不要嫌弃。”

所有人都伸长了脖子去看盒中的那串念珠，唯独天蓬的目光依旧死死地锁定玄奘的脸。

那盒中装的，是一串晶莹剔透的翡翠念珠。虽说不过凡物，却也是贵重之物，放到这穷乡僻壤，更是百年难得一见的宝物。

“这位大师出手真是阔绰啊。”

“是啊。听说，这位是刚鬣的故人。想必，是一位高僧吧。”

“其他几位呢？怎么没都出来？”

一时间，整个大厅中的人们议论纷纷。

高太公睁着昏花的眼睛看了好一会儿才缓过神来，连忙道：“让大师破费了，如此贵重的礼物收不得啊。”

玄奘双目低垂，微微躬身行礼，轻声道：“出家人，无所谓贵重与否，说到底，不过是一个‘缘’字。既然贫僧来到这高老庄，刚巧又遇着刚鬣施主大婚，这不正说明这念珠与施主有缘吗？贫僧，不过是做个顺水人情，借花献佛罢了。若是不赠，才真是显得贫僧小气，怕是要坏了修行。”

“坏了……修行？”犹豫了一番，高太公才接过念珠，道，“既然大师这么说，那也不好再推辞了。”

转过头，高太公示意身旁的高才将念珠收起来。

天蓬这才定了定神，不由得多看了玄奘两眼，双手合十，躬身道：“刚鬣谢过大师了。”

“应该的。”玄奘也双手合十回礼。

“来，大师请上座！”回过头，高太公摆了摆手，那原本坐在主位侧边的亲属当即会意，让出了座位。

一时间，所有人看玄奘的眼神都不同了，一个个感叹不已。

房间中一直在感知外界动静的四人不由得面面相觑。

猴子冷哼道：“凡人就是凡人，一串破珠子就把他们收买了。”

“您别说，这招儿还真有效。”小白龙小声说道，“我就试过用两个夜明珠收买一个县官。”

吕六拐犹豫着，轻声道：“大圣爷，玄奘法师都出去了，我们真不出去吗？”

猴子当即瞪了他一眼。

吕六拐硬着头皮小心翼翼地劝道：“其实，大圣爷，就算有什么恩怨，今天是天蓬元帅大婚，我们是不是该……先搁一边呢？老臣觉得，玄奘法师说的有一定的道理。若是大圣爷还想拉天蓬元帅入伙，恐怕，真的应该让一步。”

“要去你们去，我不去。”说罢，猴子别过脸去不说话了。

其余三人当即对视了一眼。

吕六拐从自己腰间摸出了一块三指宽的红色玉佩，小白龙摸出了一支嵌了珍珠的钗子，那黑熊精却是折腾了半天什么也没找出来，只得跟小白龙讨了几粒金精。

小白龙伸长了脖子轻声道：“那……大圣爷，我们就真去咯？”

猴子翻了个白眼，依旧不说话。

三个人又互相对视了一眼，蹑手蹑脚地退出了门外。

此时，黄风怪已经点亮了第四颗珠子，正朝第五颗狂奔而去。

身后的两只蝴蝶依旧悄悄地跟着，完全没有被发现。

其中一只蝴蝶轻声问道：“五个珠子一起点亮，会是什么结果？”

“师兄莫急，一会儿便知。”

厅堂中，吕六拐一行也都送上了厚礼，连带把猴子的那份也送上了。

这一件件礼物，虽说对修仙者来说毫无用处，可在凡人眼中却足以让人瞠目结舌。

老太公乐开了花，一众宾客也都议论纷纷。

“莫非这高家姑爷原本还是哪家的少爷？出手这般阔绰的朋友，可不是谁都能有的啊。”

“听说，高太爷当初不过许诺一口饱饭，便将他收下当了家奴，如今想来，真是匪夷所思啊。不单平白得了一个好女婿，说不准，还攀上了一户大亲家。”

“他不是逃荒来到高老庄的吗？”

“这可不好说，弄不好是哪家走失的少爷呢。”

“也是，如此厚礼，便说是夫家专门遣人送来的，也不奇怪啊。”

“可，既然如此，为何还要入赘呢？”

“这你就不懂了吧？新郎与新娘，可是青梅竹马。皇帝况且能爱美人不爱江山，凭啥高家姑爷就不行呢？”

“哎哟，没想到高太公还有这般晚福啊。”

听着这一声声议论，高太公笑得越发欢畅了，天蓬却面红耳赤。

自始至终，他都小心翼翼地瞧着被安排到正位上的玄奘一行。

牵着天蓬的手，高太公嘱咐道：“贤婿啊，回头，你可得挽留你这帮朋友多住些时日，也与我说说你们那些过往。人家赠予如此厚礼，我等怎可怠慢？”

说着，他又扭头对高才交代道：“赶紧去收拾几间厢房，怎可让几位贵客挤在一间房里？回头，还得跟他们赔个不是。”

“高才这就去办。”

看着高才远去的背影，天蓬的眉头紧紧地蹙着。

“这些家伙，究竟想作甚？”

远远地，他看到玄奘在对着自己笑，顿时心都有些发慌了，额头不由得冒起了冷汗。

正当此时，门外雇来的乐师奏响了喜乐。两位婢女将身穿嫁衣、盖着红盖头的霓裳从闺房中领了出来，厅堂中又掀起了高潮。

高太公被迎上了主位。

扭过头，他看到天蓬依旧呆呆地站在原地，脸色发白。

“贤婿，你怎么啦？”

“没……没事。”天蓬忙挤出一丝笑容，迈开步子往前走去。

山庄外的一处山谷中，黄风怪气喘吁吁地找到了最后一颗珠子，握在手中，缓缓地朝其注入灵力。

散落五处的五颗珠子忽然互相呼应一般，同时闪了一下。

黄风怪身后的其中一只蝴蝶缓缓地拍打着翅膀升上了高空，另一只蝴蝶也跟了上去。

缓缓地，这两只蝴蝶化作了两位僧人。

一个是灵吉，而另一个，则是文殊。

灵吉扬起衣袖，身前顿时出现了远在三里之外的山庄中的景象。

指着那画面，灵吉轻声道：“师兄且看。”

厅堂中，喜乐还在继续。

“一拜天地——！”

一声吆喝，新郎新娘双双朝着大门的方向叩拜。

所有的宾客都欢呼了起来。

小白龙也跟着拍起了手。

“二拜高堂——！”

转过身，两人齐齐朝着端坐主位的高太公叩拜。

高太公已经高兴得说不出话来了，只一个劲儿地笑。

注视着这一对新人，玄奘也由衷地露出了微笑。

“夫妻交拜——！”

缓缓地，新郎新娘抬起头来。

正当此时，在场所有人一个个地僵住了。

紧接着，连那喜乐也停了下来。

高太公微微一愣，眯着眼睛朝天蓬瞧去，看到天蓬脸上长出了一个猪鼻子。

“贤婿，你怎么……”

仰起头，他惊得瞪大了眼。

黑熊精的身材正缓缓地拔高，变成身高一丈有余的庞大身躯。

吕六拐的两只松鼠耳朵一下从头顶上冒了出来。

房间里，猴子面带疑惑地瞧着自己缓缓长出根根绒毛的手。

下一刻，山庄中爆发出惊天动地的尖叫声。

第五百〇五章

现　形

“妖怪啊——！快跑！”

无数的宾客都尖叫了起来，惊慌之中，他们丢弃随身的物品，转身朝着大门狂奔而去，连滚带爬，互相挤压。

只一霎，厅堂中原本拥挤的客人便走空了。帘布在慌乱中被扯烂，掉落在地，桌椅被掀翻，各种物品散落了一地，一片狼藉。

红烛上的火在风中微微摇曳，一个苹果被奔走的人群踏得粉碎。

此时此刻，整个厅堂中只剩下天蓬、霓裳、高太公、玄奘，还有现出了原形的吕六拐、黑熊精，以及本来就具备人形，没有化作白龙的敖烈。

高太公惊恐地看着天蓬，缓缓后退，脚一软，跌坐在地。

依旧站在原地的霓裳伸手揭开自己的红盖头，看向天蓬，睁大了眼睛，整个人呆住了。

天蓬扭头去看正在现出原形、同样惊恐不已的吕六拐与黑熊精，又颤抖着伸出手摸了摸自己的脸。

他摸到了猪鼻子、猪耳朵。

只一瞬，他的心已经凉了半截。

“我……这是……”惊恐地看着霓裳，他缓缓地跪坐在地，捂着自己的脸痛苦地哀号着。

就在霓裳的面前，天蓬的身形如同一个皮球般缓缓胀大，撑破了身上的红衣。那口中长出獠牙，脑后生出一缕鬃毛，变成了一只足有一丈高的庞大猪精。

霓裳手中的红盖头掉落在地，脑海里一片空白，她不断地眨巴着眼睛，微微张了张口，却说不出一句话来。

“这……这是怎么回事啊，为什么……为什么好好的一个人会变成妖怪……”

高太公挣扎着想要绕过他们朝门外爬去，可双脚早已经吓得使不上力气，只能像一条毛虫般不断蠕动。

天蓬缓缓地仰起头看向霓裳，又惊恐地低下头去，掩住自己的脸。

“这就是……无法承受的秘密吗？”霓裳神情呆滞地问道。

瞬间，厅堂中的气氛似乎凝固了。

高空中，灵吉与文殊静静地注视着眼前的幻象。

在那景象中，霓裳呆呆地站着，一动不动，已经失了神。

天蓬披着破碎的红布跪坐在地，紧紧地抱着自己的头，瑟瑟发抖。

高太公依旧挣扎着想要离开。

玄奘一行则互相对视着，一时间手足无措。

几个胆大的村民远远地趴在大门外看着，悄悄议论了起来。

“那几个人是妖？难怪他们出手那么阔绰了。”

“可……刚鬣为什么也是妖？不应该啊。我们从小一起长大……”

其中一位村民小声道：“你们还记得吗？他们说……和刚鬣是故人。六岁的孩童哪里来的故人？如果他当时根本不是六岁的话，那就说得通了……”

瞬间，几个村民脸色都不禁有些发青了。

谁能想到，自己这么些年来，竟然和一只猪妖生活在一起？

注视着眼前的幻象，许久，文殊长叹了口气，轻声道：“那五颗珠子，是用来解除他们的变形术法的？”

“对。”灵吉轻声答道。

“如此一来，这天蓬元帅怕是百口莫辩了。当然，也没冤枉他。只是，如此这般……是何用意呢？”

灵吉微微仰起头哼笑道：“那天蓬元帅不过是遭殃之池鱼罢了。金蝉子扬言普度……呵呵呵呵，众生愚昧，如何度得？师弟我，不过是让他看看人心的真相罢了。他既然选择了和一堆妖怪走在一起，就应该对此有心理准备。所到之处，人去楼空。如此一来，还怎度得众生？”

侧过脸去望着有些得意的灵吉，文殊深吸了口气，转而继续凝视着幻象，轻声道：“那你答应黄风怪的事……”

“等他过了这一关再说吧。”灵吉随口答道，“我们还是赶紧撤吧，惊动了妖猴，可没那么简单就结束的。”

房间中，猴子同样控制不住自己现出妖身，他也已经清楚地感知到外面发生了什么事。

望着自己毛茸茸的手，他缓缓地笑了出来，那笑容略微有些狰狞。

很快，他的神识锁定了黄风怪。

“你胆子不小啊。”一个声音在黄风怪的脑海中响起。

黄风怪一惊，连忙丢掉手中的珠子，掉转身形，却猛然发现猴子已经站在自己的身后，他顿时呆住了。

慌乱之中，他朝着四周望去，却发现自己的左边、右边、身后，甚至是四周的山头上，每一个方向都有猴子的身影，一双双眼睛都在盯着他看，完全分不清真假。

“谁让你来的？”站在他身前的猴子咧嘴笑着，意味深长地瞧着他，往前跨了一步。

黄风怪惊慌失措地后退了几步。

“为什么这么做？”猴子又往前跨了一步。

黄风怪的脸猛地抽动，那心已经跳到了嗓子眼儿，他又连退了几步，跌坐在地。

猴子一脚跨到石头上，俯视着他悠悠道：“说出来，死得痛快点，不说出来，生不如死，明白吗？”

惊恐地看着猴子，黄风怪张大了嘴吼道：“灵吉尊者——！灵吉尊者——！灵吉尊者救我——！”

“明白了，真的是佛门搞的鬼。”猴子冷哼了一声，毫不犹豫地扬起金箍棒。

“不要杀我！不要杀我——！”

只听“砰”的一声，鲜血溅起，黄风怪被扫上了天。

依旧站在地上的猴子凌空一抓，顿时，这个所谓的妖王，那身躯散成了一阵血雨，甚至都来不及哭喊。

低下头，猴子迅速用自己的神识将周围三里的范围都扫了一遍。

“哼！兔子跑了！”

厅堂中，天蓬瑟瑟发抖地撑着地面站起身来。

松开双手，他一步步地朝着门外退去。

自始至终，他都没敢抬起头来看霓裳的眼睛。

她呆呆地问道：“这就是……无法承受的秘密吗？”

天蓬依旧一点一点地后退。

“站住——！你给我站住——！什么都不说清楚，你就想丢下我一走了之吗？”

天蓬停下了脚步，却依旧低着头。许久，他瑟瑟发抖地说道：“我不想你……看到真正的我……”

“这才是真正的你？”

天蓬微微点了点头。

瞬间，希望彻底破灭了，眼泪一滴滴地从霓裳的眼中滑落。她呆呆地看着天蓬。

那脚微微往后挪。

下一刻，就在所有人的注视下，霓裳飞身扑入天蓬怀中，紧紧地抱着那庞大的身躯，泣不成声。

“为什么不告诉我……为什么什么都不跟我说？我已经说过要和你一起承担了，为什么？”

那依旧趴在地上的高太公震惊得张大了嘴。

西行证道

第五百〇六章

懦　夫

天蓬低下头，呆呆地看着在自己怀中抽泣不已的霓裳。

她就在自己的怀中，呼吸如此真实，淡淡的香味萦绕，顺着鼻腔，渗入了他的五脏六腑……可他悬空的手却只是颤抖着，始终没有勇气去拥抱这份稍纵即逝的幸福。

玄奘静静地站着，缓缓地闭上双目，双手合十，轻声念道：“阿弥陀佛。”

敖烈与吕六拐对视了一眼，也略微有些动容。

高太公无助地趴倒在地，嗷嗷大哭，嘴里反复念叨着：“孽障啊……孽障啊……”

风透过窗棂的缝隙潜入，摇曳了火光，撩动了长裙，拨动掉落在地的婚书……

那画面，似乎在这一刻凝固了。

许久，霓裳双手紧紧地抱着天蓬，将脸贴在他的胸前，哽咽着说道：“别走，好吗？我不想让你走……”

“可是……可是我是妖怪，你不是都看到了吗？”

天蓬同样语带哽咽。

“无论你是什么，都别走，好吗？”

“你不明白……我是妖怪……我是一只妖怪……”

“是妖怪又如何？是妖怪就可以丢下我吗？”

“我……我能不走吗？如果我不走的话，你会被所有人唾弃……”

“所以，你就要抛下我？既然如此，那你当初为什么还要来？为什么要来？你告诉我！”

他没有办法回答。

既然不能暴露，为什么还要来？

既然来了，为什么不以真身相见？

为什么见了，一世又一世，却从不教她修仙，不将她永远留在身边……

这一切，他都没办法回答。

一个个问题萦绕在天蓬的脑海中，如同一把把尖刀刺入他的胸膛。

他拿不起，也放不下。

霓裳抱着天蓬的手越发紧了，泪水在他的胸前晕开。

那一瞬，天蓬仿佛能清楚地感觉到自己冰封千年的心在融化，化作泪水，漫过了眼眶，顺着那张丑陋的脸，一滴滴地落下，滴在那个他心中最最完美的女子的肩上。

多少年了，多少次了，他曾经以为自己对这种生离死别早已经麻木了，可他错了。

他终究还是在她面前哭了出来，因为这一路，实在太苦……漫长到望不见尽头，只能咬紧牙关不停地往前走，独自在黑暗中坚守，却不知道坚守有何意义。

恍惚中，他似乎又想起了在广寒宫中霓裳最后不断重复的那句话……

“告诉我一切好吗？”紧紧地贴着天蓬的胸膛，霓裳轻声道，“告诉我你真正的名字，告诉我……你的秘密，告诉我，你为什么要对我这么好，好吗？”

许久，那时间久到在场的众人已经找不到言语去描述。

天蓬缓缓地用他那双粗糙的手推开霓裳，轻声道：“对不起……”

霓裳呆呆地仰起头。

避开霓裳的目光，天蓬低声道：“都是我的错。如果我没有出现在这里，就不会发生这样的事……所以，对不起……请你忘了我吧。今生今世，我都不会再出现在你面前，不会……干扰你的生活。老爷，一定会替你找一个更加合适的夫君的。对不起……”

说着，他一步步地后退。

“你要去哪里？”

“去一个，再也不会让你见到我的地方。谢谢你，不过，一只妖怪，跟你，一点都不般配。”

他缓缓地笑了，泪流满面地笑。

一步步地退到门外，他转过身去，腾空而起。

所有人都呆呆地抬头仰望着，看着他一点一点地远去。

直到天蓬消失在天际，霓裳才掩着胸口虚脱般瘫坐在地。她睁大了眼睛，眼泪止不住地滑落，有一种窒息般的感觉。

她就这么呆坐着，许久，没有半点儿动静。

十几年了，她幻想过无数种场面，却从未想过会是今天这样的结局。

“这就是……我的爱情吗？”

玄奘深吸了口气，往前跨了一步，正要开口，一直趴在地上的高太公却当即尖叫了起来，嗷嗷大哭道：“不要过来——不要过来！你们要这家产，都给你们！只求你们放过我们父女俩！放过我们父女俩！”

玄奘无奈，只得收了收神，静静地站着一言不发。

正当此时，浑身是血的猴子落到了山庄大门前。

那一众围观的村民见他出现，当即一哄而散。

拽着金箍棒快步奔入厅堂中，猴子朝着一片狼藉的四周扫了一眼，对着玄奘问道：“他呢？”

“走了。”

“走了？去哪儿了？”

“不知道。”玄奘咽了口唾沫，道，“究竟是怎么回事，为什么你们会突然现出原形？”

“是个叫灵吉的家伙干的好事。”

“灵吉佛？”

“嗯，他已经跑远了，没捉着，所以我就先回来看看。”瞧着散落一地的物件，猴子叹道，“看来，这笔账天蓬那家伙要记到我的头上了。”

霓裳低着头缓缓起身，朝着猴子一行望了一眼，目光最终落到玄奘的身上。

她刚朝着玄奘的方向跨出一步，一旁的高太公就尖叫了起来：“丫头！

你要干什么？他们是妖怪啊！”

霓裳回头看了自己的父亲一眼道：“爹，是福不是祸，是祸躲不过。如果他们真是刚鬣的朋友，肯定不会害我们的。”

说着，她一步步走到玄奘面前，双手合十，朝着玄奘行了个礼：“小女高翠兰，见过大师。”

玄奘也双手合十回礼：“施主有礼了。”

“翠兰有一事想请教大师，还望大师能如实相告。”

“施主请讲。”

“翠兰想知道，刚刚这位……猴先生所说的天蓬，是否就是刚鬣。”

还没等玄奘开口，猴子便歪着脑袋插嘴道：“是也不是，不是也是。”

霓裳看了猴子一眼，发现他正盯着自己，吓得连忙避开他的目光，低声道：“怎……还请猴先生据实相告？”

“别叫猴先生，什么烂叫法？他们叫我大圣爷，你也这么叫吧。”猴子蹙着眉头道，“天蓬是他前世的称呼，猪刚鬣是他今生的称呼，你说呢？”

“前世……今生……”霓裳低着头喃喃自语。

“他的前世是天蓬元帅，你的前世是霓裳仙子，两个都是天神。你现在明白了吧？”

说罢，猴子扭过头去朝着其他几个人招了招手道：“走吧，反正他也走了，实在不行就算了，我们自己上路便是了。”

见众人转身要离开，霓裳连忙伸手拦道：“几位请留步！”

一旁的高太公眼珠子都要掉下来了，咬着牙低声喊道：“你留他们作甚？他们是妖怪啊！”

“闭嘴！”

猴子两眼一瞪，高太公连忙双手捂住自己的嘴巴，再不敢吭声了。

低着头，霓裳朝着猴子行了个礼，忐忑地说道：“请……请不要伤害我爹。”

“没人要伤害他，是他自己嘴贱。”

霓裳支支吾吾地说道：“你们……你们能帮我把他找回来吗？”

“他？”

“我是说……刚鬣。”

“你找他回来干啥？”

“找他回来问……问清楚。”

霓裳的头越埋越低，那手紧紧地拽着裙摆，似乎已经紧张到了极点。

淡淡瞥了玄奘一眼，猴子轻声道：“想找他，办法多得是。”

猴子轻轻拍了拍套在自己手腕上的金刚琢道：“用这个可以随时找到他的位置。还有更容易的办法，既然我们还在这里，他肯定不敢走远，只要弄个杆子，把你捆好往上面一挂，保准他就从某个角落里冒出来了。”

霓裳吓得大气不敢出，低着头，眨巴着眼睛小心翼翼地瞧着猴子。

一旁的玄奘开口道：“大圣爷，要不……就帮帮这位施主吧。”

懒懒地瞧了一眼缩在角落里瑟瑟发抖的高太公，猴子翻了个白眼道：“行，我这就把他找出来。”

说着，他拄着金箍棒一步步朝门外走去，待走到院子里，一跃而起，落到屋顶上。

鼓足了劲，猴子扯开嗓门儿吼道：“天蓬，你个王八羔子，给老子滚出来——！”

那声音如同雷鸣一般迅速沿着地表扩散，即使在数十里之外也可以清楚地听到。

高老庄的村民们顿时都吓傻了。

猴子接着吼道：“你他妈的是不是个男人？！还是真的已经变成一只公猪了？”

相距二十里外的一座高山上，岩石后，天蓬躲着，静静地听着，却没有露面。

“妈的，老子当年喊你一起杀上天庭，复活你的爱人，你个死脑筋就是不肯！现在连自己女人都不敢见了，你他妈的还能不能再懦弱点？当元帅当傻了吗？”

天蓬咬着牙，攥紧了拳头，憋着一口气，依旧不为所动。

“你还不滚出来是吧？行，那我就把你的女人先奸后杀，连魂魄都不给你留！”

“你——！”天蓬一跃跳上了岩石。

然而，他整个怔住了。

就在他的眼前，猴子懒懒地掏着耳朵。在他的身后，霓裳静静地站着，睁大了眼睛注视着自己，满面泪痕。

将抠到指甲上的耳屎弹掉，猴子回头朝着霓裳使了个眼色道：“自个儿谈吧，我先回去，走开太久怕和尚有危险。”

霓裳默默点了点头。

临走，猴子还指着天蓬恨恨地骂了一声：“懦夫！”

说罢，他转身化作一道金光消失了。

高山上，只剩下霓裳与天蓬静静地对视着。

许久，霓裳轻声道：“是我求那位大圣爷带我来见你的……别走好吗？至少……把事情都告诉我，好吗？”

第五百〇七章

取经人？

猴子回到山庄的时候，正好看到玄奘等人收拾好了行囊，牵着马站在门外，被一众村民团团围住。

这些村民拿着农具摆出一副要动手的架势，却又一个个瑟瑟发抖，目光中透着恐惧。

高太公一把年纪了，连拐杖都拄不稳，还拿着一把镰刀，一把鼻涕一把泪地指着玄奘吆喝道："你们不准走。不把翠兰还回来，你们谁也不准走！"

玄奘双手合十道："老太公，翠兰施主只是去见天蓬元帅罢了，一会儿就回来，您无须忧心。"

"你胡说！"高才指着玄奘道，"明明是那只猴妖把小姐捉走送去给猪妖了！"

说罢，他连忙缩到高太公身后去。

人群中当即有人起哄，高声喊道："把小姐交出来！不交出来谁也……"

那人喊到了最后，连尾音都在颤，更别指望有人响应了。

一众村民就这么将他们团团围住，一个个睁大了眼睛，咽着唾沫，恐惧地张望着。

"怎么办？要动手吗？"黑熊精凑到玄奘的耳边问道。

"不可伤及无辜，还是等大圣爷回来再说吧。翠兰施主一回来，想必误会就解除了。"

说罢，玄奘便缓缓地闭上双目不再言语了。

那一众村民面面相觑，一时间不知如何是好，只得一个个朝着高太公望了过去。

只听“扑通”一声，高太公双膝跪地，不住地磕头，哭喊着哀求道：“求求你们，求求你们，把翠兰还给我吧。你们要什么我都给，就算要我这条老命也行啊！”

那额头竟磕出了血。

一旁的村民连忙出手将高太公拉住，不让他再磕头。

“老太公快快请起。”玄奘往前一步想要去搀扶高太公。

正当此时，一个胆子稍大一点的村民畏畏缩缩地拿着锄头挡到玄奘面前。

黑熊精一急，当即对着那村民露出獠牙吼了一声。

顿时，那村民吓得丢下锄头，拔腿就跑。

他这一跑，所有的村民都跟着跑，众人一哄而散。

可怜那高太公左顾右盼，伸手去扯他们的衣角，却被拉得趴倒在地，摔得满脸是沙子，只能徒劳地拍打着地面哭喊道：“你们不能走啊，不能丢下翠兰不管啊，不能啊……”

看着高太公那模样，玄奘一时之间也不知如何是好。

远远地看了好一会儿，猴子无奈地叹了口气，朝着众人飞了过来，稳稳地落到玄奘身前。

他刚一落地，老太公当即朝他爬了过来，一下抱住了他的大腿，一把鼻涕一把泪地哭喊道：“求求你，把我女儿还给我……你要老头子这条命，尽管拿去好了。”

猴子手一抬，准确地打在高太公的后脑勺上。

高太公身子一歪，躺倒在地，没了动静。

“霓裳和天蓬单独谈，我先回来了。”瞧着眉头微微蹙起的玄奘，又瞧了一眼倒地的高太公，猴子道，“放心吧，晕过去而已，我还不至于对他下杀手。”

一旁的小白龙嘀咕道：“不怕你下杀手，就怕你没控制好力度，这老头儿哪经得起你折腾啊！”

“你又欠揍了是不是？”

猴子两眼一瞪，小白龙连忙闪到玄奘身后去了。

他们就这么一直等着，直到日落西山的时候，天蓬才带着霓裳一起出现在山庄大门前。

一时间，已经恢复了神志，却依旧瘫坐在地的高太公一下蒙了。

霓裳远远地朝着猴子福身行了个礼，又转而对玄奘行了个礼，迈开小步匆匆走到自己的父亲身前，伸手去扶。

“翠兰……真是你？你没事？”高太公激动得又是一把鼻涕一把泪，伸手将霓裳的脸捧住细细地看。

“爹，我们进去吧。这里交给刚鬣吧。”

“刚鬣？”高太公悄悄朝着天蓬瞥了一眼，小声道，“他……他还回来做什么？”

霓裳抿着嘴唇，一言不发地将高太公从地上扶了起来，搀着他朝着山庄走去。

待到两人离开后，天蓬才迈开脚步缓缓朝着猴子走了过来，有意无意地瞧了玄奘一眼，长叹了口气，道：“你们什么时候走？”

“很讨厌我们吗？”猴子白了他一眼道。

“我知道这次的事情跟你们无关，但也是你们惹来的。跟凡人混在一起，终究只会害了他们。”远远地看了一眼依旧躲在不远处杂草中的几个村民，天蓬轻声道，“而且，他们也不喜欢你们。”

猴子一下笑了出来，拄着金箍棒摇摇晃晃地说道：“那……他们喜欢你吗？”

天蓬脸色微微变了变，低声道：“你们走了之后，我就会走。”

话音未落，只听山庄中传出高太公与霓裳的争吵声。

“不行，不行！这件事我死也不能答应！”

“爹，他是刚鬣啊！”

“他是一只猪妖！今天所有的乡亲都看见了，翠兰哪，你长长心眼儿行吗？”

“这些年，都是他在撑着这个家，难道你还不相信他？”

“就算是这样也不行！你想想，他是一只猪妖，你要真嫁给他，往后还有谁敢给咱家当佃户？”

“那我们就不要佃户，自己耕种。”

“这……这不只是佃户的问题！我们家出了一个猪妖女婿，那些亲戚，还有谁敢和我们走动？这是要断绝所有亲属往来呀！”

“断就断吧。他们也没少受咱家、受刚鬣的恩惠，如果因为这样就要断绝，那还不如一早断绝来得干净。”

“不如一早断绝……不如一早断绝？哼！你这是要气死你爹我啊？”

只听“咣当”一声，似乎有什么东西砸落在地，紧接着又传出高太公的叱喝声：“我看你是被他用妖法迷了心了！跟所有的亲属都断绝往来？那不如你也跟你爹我断绝往来好了！

“你若真要嫁他，我就当没你这个女儿，那也好过日后九泉之下去对列祖列宗解释！”

紧接着，是一声重重的摔门声，以及一连串的脚步声。

整个山庄一下安静了下来。

远远躲着的村民们还在伸长耳朵听，不过，那山庄中再没传出一点声响。

天蓬低下了头，一动不动地站着，凝视着空无一物的地面。

猴子歪着脑袋问道：“你和她约好了回来说服高太公？”

天蓬缓缓闭上双目道：“我知道说服不了。”

“知道你还回来？”

天蓬只是静静地站着，没有回答。

不多时，山庄的大门缓缓开了。

霓裳从山庄中走了出来，脸上满是泪痕。

一步步走到天蓬面前，霓裳出人意料地福身行礼，轻声道：“对不起……”

话音未落，一滴滴眼泪顺着霓裳的脸颊啪嗒啪嗒地掉下来。

她低着头，呆呆地站着，除了“对不起”，她已经再说不出一句话来。

猴子一行在一旁静静地看着。

一时间，气氛僵冷。

许久，天蓬强撑着笑道：“应该的。老爷是你爹，无论如何都不应该丢下他，这是孝道。为人子女，自当尽孝。”

稍稍犹豫了一下，他又接着说道："请你转告老爷一声，我会离开这里，再也不会出现在高老庄，不会再出现在他的面前……也许，我是说也许……也许，下一世，我会再去找你……希望，下一次……"

话到这里他就顿住了，没有再往下说。

天蓬抿着嘴唇呆呆地站着，睁大了眼睛，不断地深呼吸。

月色中，可以清楚地看见他的眼中如同微风中荡开涟漪的湖面般波光粼粼。

"其实……"一旁的猴子忽然开口说道，"其实有个办法可以解决这个问题，而且是永久解决。"

闻言，天蓬眨巴着眼睛朝猴子望了过来。

霓裳连忙朝着猴子福身行礼，满怀期待地说道："大圣爷有什么办法，还请……还请帮帮我们，翠兰感激不尽。"

"你感激不尽没有用啊，"猴子指了指天蓬道，"得他愿意才行。"

天蓬当即叱道："你又想说什么？"

"态度，态度！"猴子的头一下仰了起来，冷冷地瞪着天蓬道，"你这是求人办事的态度吗？"

"滚！谁要求你？"

"你！行，你不求是吧？不求就算了，让你后悔一辈子！"

一甩手，猴子转身朝着一旁走去。

霓裳一下急了，连忙伸手拉了拉天蓬，又快步朝着猴子走了过去，轻声道："大圣爷，能否……能否将办法告知翠兰？"

猴子背对着霓裳，拄着金箍棒悠悠道："办法是有的，只要他跟着我西行，等事情解决了，就还他一副人身。到时候不就什么问题都没了吗？其实昨晚我已经跟他说过一次了，不过这个死脑筋不肯答应，居然还跟我动起手来了。"

霓裳小心翼翼地问道："昨天，是你打伤刚鬣的？"

"就是我。他不自量力先动的手，如果不是我手下留情，他早死了。"

霓裳眨巴着眼睛瞧着猴子，又转而看了看天蓬，许久，她缓缓走到天蓬身边，低声问道："他说的，可信吗？"

“这猴子本身就是不可信的，说的话还能可信？”

“你说什么？我怎么就是不可信的？”猴子一下转过脸来，抡起金箍棒指着天蓬叱道，“你这话是什么意思，说清楚！”

“需要说清楚吗？”天蓬冷哼道，“当初是谁用瘟毒祸害无辜生灵，又嫁祸给我的？”

“你——那是打仗！兵不厌诈！”猴子怒吼道，“你呢？你杀的那些妖怪，他们招谁惹谁啦？他们不无辜吗？你他妈的跟我谈无辜？老子死在你天河水军手中的人还少吗？”

天蓬盘起手，冷冷答道：“妖怪作乱，人人得而诛之。”

他这一句话说出来，猴子顿时瞪圆了眼睛。

“说得好，人人得而诛之，我他妈的今天就诛了你这个猪妖！”抡起金箍棒，猴子就要朝天蓬冲过去。天蓬也迅速摆好了迎战的架势。

眼看着形势不妙，玄奘一个箭步挡到正中。霓裳也连忙伸手将天蓬拽住。

这一拦，双方才同时顿住，那场面一时间又陷入了僵局。

许久，猴子缓缓平复了呼吸，对着玄奘说道：“交给你了，你跟他说吧，我没办法跟他说话。一说话我就想揍他。”

说罢，他转身一跃，跳到山庄的屋顶上去了。

缓缓走到天蓬身前，玄奘双手合十，朝着天蓬与霓裳微微躬身，道：“一直都没有自我介绍，贫僧法号玄奘，从东土金山寺而来，往西天大雷音寺去。”

闻言，天蓬不由得一愣：“你是取经人？”

第五百〇八章

争　执

注视着天蓬，玄奘双手合十，默默点了点头。

天蓬的眉头都蹙了起来，他抬头看了一眼站在屋顶上眺望的猴子，注视着玄奘面带疑惑地说道："我听说，是佛祖令你西行取经，意图弘扬佛法的。"

"天蓬元帅信吗？"玄奘轻声问。

天蓬摇了摇头道："不信。"

"天蓬元帅为何不信？"玄奘又问。

"佛门追求脱八苦，去执念，哪里来的弘扬佛法一说？若真要弘扬，当日花果山一战灵山大败妖族，道家天庭衰败，佛教如日中天，如来佛只需一声令下，这普天之下，还不布满佛寺庙宇？又何必等到今天让你这个和尚孤身西行取经呢？西行取经弘扬佛法，根本就是无稽之谈。"

说罢，天蓬冷冷哼了一声，那看玄奘的目光中多了几分敌意。

闻言，玄奘却只是笑了笑，道："看来，天蓬元帅对我佛门倒是有些了解啊。"

"当日六妖王盘踞西牛贺洲，西牛贺洲又是佛门的传统势力范围，我统军与六妖王在那里交战过两次，历时数年，如何能不有所了解？这种谣言，哪能骗得了我？"天蓬微微仰头道，"不过，我倒是有些奇怪，你究竟为何西行？这妖猴，又为何跟你扯到一起？传闻吃了你的肉可以长生不老，可我怎么看，他都不像是想吃你。再说了，突破天道，他也早已是长生不老。西行，他应该是另有目的。"

"此事说来话长。"玄奘抿着嘴略微想了一下，双手合十道，"贫僧与天蓬元帅说一件事，想必，依天蓬元帅所知，就能理出个头绪来了。”

“你说。”

“贫僧十世之前，名唤金蝉子。”

闻言，天蓬微微睁大了眼睛，有些不可思议地看着玄奘。那双目之中一道白光闪过，直透玄奘魂灵。

只一瞬，他怔住了，那冷峻的双目缓缓眯成了一条缝，意味深长地瞧着玄奘，像是在细细思量着什么。

夜风从身旁徐徐刮过，整个世界寂静无声。

霓裳一脸懵懂，玄奘却只是眉目带笑地注视着天蓬。

站在屋顶上的猴子不由得悄悄往他们的方向瞥了两眼，又赶忙将目光收了回去，只是伸长了耳朵细细地听着。

许久，天蓬才回过神来，轻声道：“这么说，西行，实为佛门教义之争？”

屋顶上的猴子当即瞪圆了眼，怒道：“我说的你就不信，他三言两语你就信了？你这是什么意思？”

“佛门高僧转世，十世之内必有佛灵护体。”天蓬也不看猴子，冷讽道，“如此常识，莫非你这号称万妖之王的齐天大圣却不知？还真是见面不如闻名啊。”

猴子的脸微微抽了两抽，那握着金箍棒的手又抬了起来。

玄奘赶忙快步挡到他与天蓬之间。

“你以为成了天道，就真的无敌了吗？”天蓬仰起头也不看猴子，悠悠道，“修道也好，修佛也罢，哪怕你修的是行者道，到头来也是考验心性，考验见识。说白了，两百年光景不到，你能修到天道修为，不过是运气使然罢了。不该是你的，终究不是你的，要不，你怎么会败？”

说罢，天蓬瞧了猴子一眼。

顿时，猴子的脸涨得通红。他瞪大了眼睛咧嘴道：“看来，不把你揍趴下你是不会服气了。”

一时间，两个人又剑拔弩张起来。

见这场面，就连玄奘都有些不淡定了。他只得远远地一再暗示猴子：冷静，冷静。

好不容易缓了口气，猴子干脆愤愤地在屋顶盘腿坐了下来，咬着牙喃喃自语道："今天就先不跟你计较，往后有的是你求我的地方！"

说着，那脸转向一旁，不看天蓬了。

一旁的小白龙、吕六拐、黑熊精看得也都有些无奈了。

真要论起来，天蓬麾下的天河水军杀了不下千万的妖，死在天河水军刀下的花果山妖众不下数十万，猴子统领下的花果山更是剿了整支天河水军。这血海深仇，彼此之间恐怕无论多少年都无法忘记。但说到底，不过是各为其主罢了。在其位，谋其事，本质上，其实提不起多少恨意，猴子对天蓬的恨，远远无法与对如来甚至对死去许多年的蛟魔王的恨相提并论。

不过，有时候恨意并不能代表一切，有些人，也许是五行相克的关系，只要摆到一起，就会出事……

瞧着眼前这形势，小白龙叹了口气，在吕六拐耳边嘀咕道："大圣爷极力拉天蓬元帅入伙，不成功还好，一旦成功，你瞧这架势……我怕路上不用佛门捣乱，我们自己就打起来了。"

吕六拐连忙摇了摇头，摆手道："大圣爷的决定，不要妄加评论。"

说着，吕六拐就将脸扭了过去。

小白龙又朝着黑熊精望了过去，哪知黑熊精直接仰起头四处张望，全当没听见。

"嘿……我怎么觉得这组合是要往坑里跳呢？"小白龙摊手道。

见猴子放下了开战的架势，玄奘这才松了口气，转身对着天蓬又躬身行了个礼，道："大圣爷脾气比较暴躁，还请元帅见谅。"

"他暴躁？"天蓬呵呵笑道，"兴许吧。"

屋顶上，猴子的耳朵微微抖了抖，那牙磨得咯咯响，却没吭声。

玄奘连忙朝着猴子望了一眼，又回头道："元帅，还是说说那西行之事吧。"

"你说。"

"元帅所说，西行实乃教义之争，玄奘不敢苟同。"

"哦？"

"成佛，乃是一个人的事，与他人无关，更不用在乎他人如何看。贫僧所求普度之道，乃是心中所念，同样不在乎其他人如何看。如此一来，哪里有‘争’这么一说？”

“不争？”天蓬盘起手蹙眉道，“那我就不懂了，不争，这妖猴为何要护你西行？若是争的话，还说得过去。”

玄奘轻声道：“不争。西行，只为证自己的道，却也难免会有些意外的收获。”

天蓬微微一愣，很快明白了过来，点头道：“玄奘法师这么说，天蓬就懂了。法师力证普度之道，乃是三界幸事。只是……”

说到这儿，天蓬朝着一旁静静站着的小白龙、吕六拐、黑熊精瞥了一眼，道：“如此大道，却要一群妖怪来护送，岂不怪哉？”

“妖怎么啦？你还不是妖？”屋顶上的猴子忽然拉长了声音插嘴道，“一口一个妖地叫，那么讨厌妖，你怎么就不去自杀呢？”

天蓬低眉往猴子的方向瞥了一眼，只当没听见。

玄奘淡淡笑了笑，道：“妖，也是众生，众生平等。”

天蓬双手合十朝着玄奘行了个礼，道：“大师慈悲。只是，大师要行普度之道，这沿途的人类国度，恐怕都不会接受吧？到时候，还怎么证道？难不成大师的普度之道，只度妖怪？”

玄奘反问道：“若不寻了大圣爷护送，元帅以为，玄奘该如何？”

“该……”天蓬微微张口，许久，却又不由得苦笑了出来，点头道，“大师妙计，是天蓬愚钝了。”

玄奘又朝着猴子的方向瞥了一眼，深吸了口气，轻声道：“玄奘有一事相求，还请天蓬元帅应允。”

“让我和你们一同西行？”

“正是。”玄奘轻声道，“如若天蓬元帅应允……待事成之后，大圣爷承诺还您一副人身。如此一来，元帅与仙子的姻缘，便再无阻碍了。”

听到这一句，猴子又不由得伸长了耳朵。

一直站在天蓬身旁的霓裳连忙伸手拽了拽天蓬。

天蓬看了神色紧张的霓裳一眼，又抬头瞧了猴子一眼，稍稍犹豫了一下，开口道：“玄奘法师的承诺天蓬相信，但他的承诺……恕天蓬无法相信。”

“你丫的，老子骗过你吗？一口一个不值得相信，你到底是什么意思！”屋顶上的猴子当即咆哮了起来，指着天蓬喝道，“你可以不答应，既然这样，那就把我们的旧账全部算清，也没必要再谈了！”

“你以为我会怕你吗？”天蓬横眉立目。

听他这么一说，猴子的脸猛地抽搐。

抡起棍子，他一跃从屋顶上跳了下来，一步步朝着天蓬走去。

霓裳吓得连忙护在天蓬身前。

玄奘连忙一个侧身挡在猴子身前，撑开双手。

“大圣爷息怒，天蓬元帅这么说，自然有他自己的道理，强求不得。”

猴子咬牙喝道：“让开，我要宰了这家伙。”

天蓬伸手拨开挡在身前的霓裳，轻声应道：“玄奘法师，您就让开吧。”

“怎么样，连他都要你让开，你就别再当烂好人了。”

对着这两个一言不合就要开打的家伙，玄奘不由得蹙起了眉头，头都大了。

就这么僵持了一会儿，玄奘忽然开口道：“我们走吧。”

“走？”猴子顿时一愣。

“对，现在就离开这里。元帅既然已经拒绝，再加上……”玄奘伸手指了指躲在远处的村民，叹口气道，“我们也不便再叨扰了。待贫僧与高太公道过谢，我们就走，可好？”

第五百〇九章

和尚说谎

嘴仗就这么停了。

猴子一行与天蓬在山庄大门口分立两边，那目光中的敌意依旧浓到无法稀释。

在霓裳的陪同下，玄奘进入山庄之中向高太公道别。

见了玄奘，高太公第一句话便是："你究竟是人是妖？"

说这话的时候，高太公瞪大了眼睛，那握着椅子扶手的手还在不住地抖。

一旁的霓裳连忙解释道："爹，这位玄奘法师前世乃是佛祖座下二弟子金蝉子，不可无礼。"

"佛祖座下二弟子？"高太公惊恐地瞥了玄奘一眼，咽了口唾沫，低声道，"你怎么知道他是佛祖座下二弟子转世？"

"这……这是他自己说的，刚鬣也确认过了。"

"刚鬣自己都是妖，他的话能信？"高太公咬牙叱道，"再说了，就算他真是佛祖座下二弟子又如何？佛门教人出家，隔断父母恩情，实为不孝，咱家又不信佛。他便是金蝉子，与我何干？"

说罢，高太公小心翼翼地瞧了玄奘一眼，那目光中依旧透着深深的恐惧。

见此情形，霓裳只得转身，双手合十，对着玄奘行了个礼，道："家父老迈……还请玄奘法师不要见怪。"

"常言道，百善孝为先，佛教人斩断红尘，令尊有如此说法，无可厚非。"玄奘缓缓上前，到距离高太公八尺处停下了脚步，躬身行礼道，"贫僧乃是东土大唐人士，祖籍海州，俗姓陈，名唤江流，于江州金山寺剃度出家，法号玄奘。若高太公还不信……玄奘母亲姓殷，名温娇，乃是东土大唐当朝殷丞相之女，若遇着东土来的客商，高太公一问便知真假。”

“你真是人？”

“是人。”

高太公睁大了眼睛上下打量着玄奘，那眼中的恐惧总算少了些，可他的眉头却蹙得更紧了，低声问道：“既然是人，你为什么要跟那些妖怪在一起呢？”

玄奘略微寻思了一番，露出一副不解的神情，反问道：“为何不能在一起？”

“这……”他这一问，反倒把高太公给问蒙了。犹豫了好一会儿，高太公低声道，“人妖有别，这妖和人……还能在一起？你别是被他们用术法迷惑了吧？”

玄奘不由得笑了出来，反问道：“这些年，高太公不就与刚鬣在一起吗？”

“这不一样！”高太公当即嚷嚷了起来，摆手道，“他那是骗了老夫，若早知道他是妖，老夫如何可能容他在此？”

玄奘眉头一蹙，当即问道：“这些年，刚鬣可是做了不少坏事？”

“这……坏事倒是没有。不只没做坏事，这家里上上下下交给他，也都打理得井井有条。若不是这次……”

话到此处，高太公沉默了。

霓裳紧蹙的双眉缓缓舒展开来。

玄奘深吸了口气，上前一步，道：“高太公可曾听过六道轮回一说？天地间，每一个生灵，无论是人还是妖，乃至于家禽、猛兽，到阳寿尽时，都须魂归地府，重新投胎……”

约莫一个时辰后，高太公带着霓裳，亲自将玄奘送出了门外。

三人出了大门，却不是直接拜别，而是一步步朝着天蓬走去。

在场的，无论猴子还是天蓬，乃至于小白龙、吕六拐、黑熊精，都不由得疑惑了起来。

走到天蓬面前，三人停下了脚步，玄奘双手合十朝着天蓬行了一礼，道："贫僧方才已将所有的前因后果，都与高太公说了。"

"都说了？"天蓬略带惊讶地看着玄奘，又转而看向高太公。

被天蓬这么一看，高太公当即吓得往后退了一步。一旁的霓裳连忙上前搀扶，高太公这才没摔倒。

朝着玄奘看了一眼，高太公深吸了口气，目光闪烁地说道："方才，玄奘法师都与我说了，你前世真是天庭大元帅？"

天蓬默默点头。

见天蓬点头，高太公却无奈地叹了口气，不住摇头道："造化弄人哪。也难怪了，我说怎么一只妖……会对我高家如此之好，原来是与翠兰有前世姻缘。说起来，当初要将翠兰许配与你，你也是百般推脱……投胎之事，各安天命，怪不得你，当妖怪也不是你的错。不过，老朽实在不能将唯一的女儿许配给一只猪妖。往后，还请不要往来了。"

说罢，高太公小心翼翼地望了天蓬一眼，又连忙低下头去，那脚步稍稍往玄奘的方向挪了挪。

犹豫了许久，天蓬又点了点头，双膝跪地，叩首道："给老爷添麻烦了，刚鬣必定遵从老爷所说，往后……往后绝不在高老庄出现。"

见此情形，高太公颇为吃惊，连忙朝着玄奘看过去。

好一会儿，高太公才稍稍松了口气。

或许直到此时，他才真正相信，即使变成了猪妖，刚鬣，也还是原来那个勤勤恳恳、踏踏实实的刚鬣，并没有仗着武力欺人的意思。

咽了口唾沫，高太公摆了摆手低声道："就别跪了，也别叫老爷了。方才，玄奘法师说你有六百多岁高龄，你这一跪，老朽实在受不起啊。还是……去吧。"

天蓬再次叩拜，默默起身。

霓裳悄悄看了玄奘一眼。

正当天蓬要转身离去之际，玄奘忽然开口道："高太公，玄奘有句话，不知当讲不当讲？"

天蓬当即停下了脚步。

高太公朝着玄奘点了点头道："玄奘法师请讲。"

一旁的猴子等人都静静地注视着玄奘。

玄奘清了清嗓子，轻声道："玄奘以为，若抛开这猪妖的身份，刚鬣实乃难得佳婿。不知高太公是否也如此认为？"

"这……"高太公无奈摇头道，"这，老朽自然是知道，可我高家无论如何也不能招一门妖怪女婿啊。便是老朽认了，那一众亲属如何说，这父老乡亲又如何说？玄奘法师此话……说与不说，又有何差别呢？"

"如若刚鬣能变成人呢？"

此话一出，一旁的猴子与天蓬都不由得一怔。

高太公微微一愣，苦笑道："法师可莫要消遣老夫，妖便是妖，人便是人，妖如何可能变成人呢？"

"还记得玄奘方才所说的六道轮回吗？只要刚鬣重新投胎，不就可以变成人了吗？"

"这……就算他能重新投胎，可当他长大，翠兰也早已老去了呀。还如何……"

"告诉他，我送蟠桃，要多少给多少！有蟠桃在，哪有什么老去一说？"猴子的声音在玄奘的脑海中响起。

"高太公请稍候片刻。"说着，玄奘转身朝着行囊走去，就在众人的注视下，他从行囊中翻出了一个蟠桃，转身一步步朝着高太公走去。

小白龙顿时傻眼了，一个箭步就要冲上去夺回蟠桃，却被猴子一把拽了回来。猴子顺手施了一个术法，直接将他的声音给封住了，让他想喊也喊不出来。

双手捧着蟠桃走到高太公面前，玄奘轻声道："高太公可曾听过天庭蟠桃园里的蟠桃？"

"蟠……蟠桃……"望着那硕大的桃子，高太公早已震惊得张大了嘴。

虽是凡人，但蟠桃这东西有多珍贵，还能有人不知道吗？

同样吃惊的，还有天蓬与霓裳。

"蟠桃，只需一颗，便可延寿三百年。"玄奘将蟠桃递到高太公面前，缓缓道，"高太公年迈，这蟠桃本是刚鬣托了我等历经千辛万苦寻来的，预备成亲时孝敬您老人家。"

天蓬略带惊讶地看向玄奘，一时间竟无从辩驳。霓裳也是一脸的惊异。

高太公那双眼睛都快跳出来了，看天蓬的目光之中再找不到恐惧，反倒多了一份感动和惋惜。

注视着蟠桃，他颤抖着伸出了手，却在触及蟠桃的瞬间猛地缩了回来，摇头摆手道："这蟠桃不能收，不能收！亲未结，蟠桃自然也不能收！"

"亲还是可以结的。"玄奘将手中的蟠桃转而交给了霓裳，微笑着说道，"刚鬣对翠兰情意之深，无须贫僧多言了。贫僧有一策，这蟠桃，请高太公暂且收下。随后，我等再找人送来另外一颗，给翠兰施主。如此一来，您父女俩便无阳寿之虑。而刚鬣与我等一同西行办一件事，待办成，还他一副人身。届时，有情人终成眷属，贫僧还得恭喜高太公，招了一个仙人女婿啊。"

说着，玄奘双手合十，躬身朝着高太公拜了一拜。

"这……这……"

玄奘这一拜，高太公犹豫了。

霓裳面带笑意地注视着自己的父亲，期待着。

此时此刻，天蓬已是一副震惊之色。

若只是一个寻常和尚也就罢了，这明显是已经触及佛门教义的高僧，竟能说起谎来面不改色？

还没等天蓬想清楚玄奘为何能面不改色地说谎，只听高太公紧蹙着眉头低声道："若真能如此，倒也不错。"

闻言，玄奘当即转而面向天蓬，轻声问道："高太公认为此法可行，元帅，您以为如何？"

第五百一十章

包容与忍让

玄奘这一问，顿时把天蓬逼入了死角。他呆立着，半天都不知道说什么好，那目光一阵闪烁。

说到底，高太公是霓裳的父亲，就算仅仅是这一世，那也是霓裳的父亲，在这位被贬下凡的天将心中，“天地君亲师”，那是亘古不变的顺序。

经玄奘一顿劝说，他总算获得了高太公的谅解，难道自己要在这时候说“不”吗？

他说不出来，甚至连解释也解释不出口。

况且，一旁的霓裳还在用期待的目光注视着自己，以至于天蓬忽然有种感觉，眼前的这个心气平和的和尚，实际上远比那只凶神恶煞的猴子来得难缠。

犹豫了许久，他最终也只好点了点头。

见状，对先前的情况一无所知的高太公只是默默点了点头，那其余的众人却都松了口气，连霓裳也是如此。

霓裳小心翼翼地看着自己的父亲，轻声道：“既然说好了，现在也已经入夜，不如住几日再出发吧？”

“住几日？”高太公伸手指了指远处躲躲闪闪的乡亲们道，“他们在这里待着，你觉得合适吗？”

“这……”霓裳有些无奈地看着自己的父亲，本要脱口而出的话又咽了回去。

玄奘双手合十道：“就不叨扰高太公和诸位乡亲了，我们这就出发。”

“行吧。”高太公点了点头，看了天蓬一眼，道，“早去早回。”

说罢，高太公转身朝山庄走去。

待到高太公走后，霓裳说道：“我这就去帮你收拾些东西。”

“收拾什么？”天蓬问。

“这一去，也不知道要多少时日，虽说你懂变化，但……”霓裳没有再说下去，她抿着嘴唇望着天蓬，许久，微微福了福身子，低着头，转身走入山庄中。

望着霓裳远去的背影，天蓬不由得有些失落。

今天本是个大好的日子，结果他却现出了原形，将一切都搞砸了。更没想到的是，接下来，他竟要跟一直以来的死敌一起护送一个和尚西行。

直到霓裳的背影从眼前消失，天蓬才双手合十，对着玄奘深深一鞠躬，道：“谢玄奘法师出手化解。”

玄奘回礼道：“元帅切勿多礼，贫僧只是略尽绵力罢了。况且，未征得元帅同意便自作主张……还请元帅见谅。”

“玄奘法师言重了。”

说罢，天蓬转身走到一旁，盘腿坐了下来，那眼睛时不时地往山庄望，又时不时朝着猴子所在的位置瞥上一眼。

夜风轻轻地吹着，山庄外寂静无声。

猴子凑到玄奘身边，笑道：“我不知道原来你说谎也说得这么溜啊，干得不错，一下就把问题解决了。”

玄奘淡淡笑了笑，道：“贫僧只是用大圣爷的方式解决问题罢了。”

“用我的方式？”

“不觉得似曾相识吗？”玄奘扶了扶顶上的万佛冠，望着天边的明月道，“当初，您收服九头虫用的不就是这一招儿吗？几百年过去，到头来，反倒是贫僧这旁观者记得更清楚。”

说罢，玄奘瞥了猴子一眼，无奈地摇了摇头，迈开步子朝着行囊走去。

“你想说什么？”猴子那眉头不由得蹙了起来。

一步步走到行囊边上，玄奘盘腿坐下。

“喂，有话说清楚，别遮遮掩掩的。”猴子想了想，快步跟了过去，躬身蹲到玄奘身旁道，“我感觉你有话想说，说吧。”

“大圣爷真想听？”

“说。”

玄奘微微仰起头，蹙着眉头想了一下，开玩笑似的说道：“那咱就事论事，大圣爷可不准生气啊。”

“你是什么意思？说得好像我很小气似的。”猴子摆了摆手道，“有什么话，说吧。”

稍稍犹豫了一下，玄奘轻声道：“贫僧以为，天蓬元帅之事，大圣爷处理得甚为不妥。当初在花果山，大圣爷用两颗蟠桃收服了九头虫，其实说到底，与这件事如出一辙。为何大圣爷对九头虫就能平心静气，对天蓬元帅却怒气冲冲呢？”

“他跟九头虫一样吗？”

“不一样吗？”

“不一样。”猴子看着远处的天蓬叹道，“他跟九头虫，一点都不一样。人家九头虫知道万圣龙王需要蟠桃，自己跑过来赖在我花果山的城门口不走，比他有自知之明。只要答应了给他蟠桃，人家就服服帖帖的。这天蓬呢？嘿……给他指一条明路走，他还蹬鼻子上脸。说实在的，以前还多少觉得他有些可怜，现在我总算知道他天庭的那些同僚是什么感受了。”

“说起来，还真是不一样。”玄奘淡淡叹道。

猴子挑了挑眉，朝着玄奘看了过去：“你也这么觉得？”

玄奘点了点头，又摇了摇头。

“喂，能别装吗？是不是修佛修久了都喜欢打哑谜啊？”

闻言，玄奘一下笑了出来：“大圣爷莫气，贫僧问一句，若当初九头虫不来找你要蟠桃，你可会气愤？”

猴子不禁哑然失笑：“这是什么话？他不来找我要蟠桃，我干吗要气？说起来，当初他来找我要蟠桃，我可是好烦恼啊。别忘了，当时我的修为比他九头虫也强不了多少，他不来，想必我会更舒心吧。”

“那就对了。”玄奘悠悠叹道，“大圣爷以为问题在天蓬元帅身上，其实恰好相反，问题在大圣爷身上。”

“怎么说？”猴子不由得疑惑起来。

玄奘双手合十道："其实大圣爷在这两个人身上遇到的问题相差无几，也可以用一样的方式解决，区别，只是大圣爷对两者的态度不同。九头虫愿降，大圣爷不过顺水推舟，便水到渠成。天蓬元帅却咬紧了牙，说什么都不愿意听大圣爷的……有句俗话叫什么来着？'好心被狗咬。'"

猴子一愣，略微想了想，笑了出来，点了点头道："没错，就是这心情，明明是互利互惠的合作，他却给我徒然生出这么些事端。若真有几分实力还好，明明连我一招儿都接不了，还要打肿脸充胖子。说难听点啊，他就是贱。如果不是你在，说不准我刚刚真就宰了他了，眼不见心不烦。"

玄奘笑了笑，深吸了口气，接着说道："想当初，贫僧请旨西行，本欲普度众生，却被太宗皇帝下狱，在大牢候斩。在长安大牢的时候，正法明如来与贫僧说，'众生愚昧，不愿听教化，故而，普度之举不可行。'可贫僧却执意往西。要知道，西行，证的是普度之道，怎么可以事事拿棍棒说事？难不成，众生不愿听教，便将众生都杀了不成？如若此法可行，还要贫僧作甚？若真这般做，莫说十万八千里，就是十个十万八千里，也证不了道。大圣爷，您说是吗？"

猴子抬眼瞧着玄奘道："你想说什么？随缘？像你对金池那样？"

玄奘摇了摇头，伸出一指道："此，只一处。"

"还有什么？"

玄奘抿着嘴唇，细想了一番，轻声问道："大圣爷可曾听过'包容'与'忍让'的区别？"

听他这么一说，猴子的眼中顿时多了几分调侃的味道。

他侧过身来，盘腿坐好，嬉笑着说道："请玄奘法师与我讲讲吧。看在今天你替我摆平了一桩事的分上，今天你想怎么讲都成。说吧。"

远处的天蓬见猴子忽然眉开眼笑，不由得悄悄伸长了耳朵去听。

玄奘也跟着笑了起来，却丝毫没有推辞的意思，干咳了两声，缓缓说道："大圣爷也知道，贫僧乃金蝉子转世。可金蝉子为何要选择转世，为何不当世证道，这你可知道？"

"这……"猴子摇头道，"没想过。"

"早先贫僧也难以理解，如今，却已经顿悟了。为何转世，只在于体会

‘包容与忍让’。”玄奘伸手捡起一根树枝，在那地上写下“包容”“忍让”四字，轻声道，“包容，重在于一个‘包’字；忍让，则重在于一个‘忍’字。包容，首先在于理解，在于感同身受，在于己所不欲勿施于人，兼容并包；忍让，则强调一个忍字，与对错无关，不过权宜之计罢了。真要论起来，包容，无所谓极限；忍让，却有忍无可忍之时。

“佛说，众生愚昧，此话不假。只是，要如何，方可普度众生呢？若因众生愚昧，便不度，那贫僧的普度之道与那西方诸佛之道又有何区别？可若众生当真愚昧，不愿受度，贫僧又该如何面对呢？”用手中的树枝敲了敲地上的‘忍让’二字，玄奘问道，“莫非，只是一味地忍让？想必，当初的金蝉子，也是受此‘惑’久矣。”

猴子蹙起了眉头。

远处的天蓬也远远地看着那写在地上的四个字入了神。

玄奘抿了抿嘴唇，将手中的树枝指向了另外一个词“包容”：“要解此‘惑’，无非是将‘忍让’变成‘包容’。可包容谈何容易？做不到位的包容，无非是另一种形式的忍让罢了。要普度众生，首先要‘包容’众生，如此一来，不单不能脱离苦海，反倒要逆行，遁入苦海之中。”

“你是说，金蝉子转世是为了……”

玄奘点了点头道：“只有亲身感受众生的苦，才能真正包容众生，如此一来，也才有可能普度众生。贫僧以为，这便是金蝉子选择十世修行、遁入苦海的原因。因为这十世的凡尘之中，有高坐佛位之上，无法感受到的东西。呵呵……说来奇妙，如若没有当初的苦，贫僧恐怕也下不了决心走这十万八千里的路。”

闻言，猴子的眼睛缓缓眯成了一条缝，寻思了起来。那远处的天蓬则睁大了眼睛注视着玄奘。

轻轻放下手中的树枝，玄奘接着道：“诚如大圣爷所说，西行之策，实乃互惠之举，甚至对天蓬元帅而言，乃是上上之选，对于我等，反倒并非必须。可大圣爷这般认为，元帅却未必如此想。如此一来，双方所想便有了偏差。若是大圣爷一而再再而三地被拒绝，甚至对方先行动了手……这忍让的极限也就到了。大圣爷觉得，贫僧说的对，还是不对？”

猴子紧蹙着眉头想了好半天，轻声叹道：“有些道理。”

玄奘淡淡笑了笑，又接着说道：“大圣爷是否还有些难以接受？”

猴子也不搭话，只淡淡瞥了他一眼。

玄奘深吸了口气，道：“如此，玄奘就要与大圣爷再提另外一人了。”

“谁？”

玄奘伸出一指，指着天空道：“太上老君。”

“怎么忽然提起他了？”

“您今日的处境，与当日一心维持天道正轨的太上老君何其相似，大圣爷不觉得吗？”

猴子当即怔住了，盘腿凝视着前方空无一物的地面，那眉越蹙越紧。

见状，玄奘抚了抚衣袖，接着说道：“真要论起来，昨日的大圣爷与今日的天蓬元帅相比，恐怕是有过之而无不及吧。想想当日，您那般折腾，太上老君却只是使着巧劲周旋，从未与您置气，这是何等胸怀啊。虽说最终结果不甚了了，可若换了大圣爷您来，是否也能做到如他那般呢？”

猴子沉默不语。

“万事，总要设身处地，放到一样的场景中，才能真正体会。没有体会，便没有包容。”叹了口气，玄奘接着说道，“玄奘并非迂腐之人，当日俘获了一众山贼交给官府处置，那官府与山贼互有勾结，转眼之间，便将他们放了出来。此事，若是遇着寻常人，恐怕恨不得食其肉，啖其血，玄奘却只是嘱咐大圣爷吓他们一吓。”

说到这儿，玄奘又笑了笑，叹道：“其实，那匪首早年也是生在一户善良人家，日出而作，日落而息，甚是勤快。只因家乡遭了灾，饿极了，偷了官粮，最终才干了这刀口舐血的营生。虽说手上人命无数，但真要论起来，那人命究竟是因为他，还是因为这世道，恐怕，还有待斟酌吧。善无善报，恶无恶报。来到这世间之时，任何人都是一片空白。如何是对，如何是错，全赖他人教导。天蓬元帅如此，大圣爷亦如此。

“如若安分守己却没有一顿饱饭吃，大奸大恶却可以享受荣华富贵，那这世间，还有何人愿行善？说到底，即便是没有那匪首，也会换个其他什么人在那里占山为王。需要度的是这整个世界，而非某一人。同样的，若将那匪首换作妖怪，也是如此。大圣爷觉得，可是这个理？”

说着，玄奘悄悄朝着远处的天蓬瞥了一眼。

他这一眼望过去，天蓬当即错开了目光，转而低头注视着眼前随风摇曳的青草。

猴子长叹了口气，弓着身子幽幽道：“行吧，算你有理。如果这世间的生灵都能像你这样想，那还真就没什么灾祸了。度这世界？嘿……我还真的有点相信你能普度众生了。”

“大圣爷原来不信？”

“原来……原来不太相信，或者说，觉得你普不普度跟我没啥关系，只要你把如来的佛心给我破了，你具体怎么做，与我无关。”

“那如今呢？”

“如今觉得……好像还真是那么回事。”

正当此时，猴子的声音在玄奘的脑海中响起：“你知道有人在偷听吗？”

“天蓬元帅？”玄奘问。

“那猪头偷听不算秘密啦，他没听那才叫稀罕。是另外两个人。他们这次似乎错估了我的感知范围。”

猴子嘿嘿地笑了起来，扭过头去看向黑漆漆的夜空。

闻言，玄奘也顺着他的目光望了过去。

就在玄奘目光触及不到的远处，与猴子目光触及的瞬间，灵吉微微一惊，正要转身后退，却恍然看见一旁的文殊一脸的淡然。

“他们已经发现我们了。”

文殊缓缓摇头道：“无碍。”

“无碍？”灵吉连忙问道，“你不怕那猴子动手？”

山庄外，猴子咧开嘴悠悠地问道：“这两个家伙怪烦人的，我可以宰了他们吗？”

“阿弥陀佛。”玄奘双手合十道，“最好不要。”

“为什么？”猴子问。

玄奘轻声答道：“这西行，本是证道之事，对方也并未直接出手。若你此时与佛门直接起争端，那佛祖便可堂而皇之地干预，再也不用冒破佛心的风险了。”

“这样啊。”猴子扭了扭脖子坐回原地，悠悠叹道，“行吧，那就留他们条狗命吧。”

远处，文殊半眯着眼睛轻声道：“你已经输了，或者说，从一开始就从未有过胜算。灵山诸佛还以为设下障碍，玄奘便会知难而退，却不知道，这西行一事早在金蝉子之时便已谋划。包容，忍让……”

说到这儿，文殊不由得笑了起来，那笑是发自内心的。

“放弃佛位，遁入红尘，受尽万般苦难，只求体会众生的苦，仅仅为了这‘包容’二字。这眼界……即便众生不解，即便村民敌视，又算得了什么？如此一来，正法明如来为何要助他一臂之力也便明了了。说到底，我们都输了。”

灵吉微微低着头，沉默着，许久，叹了口气，道：“此事，是否禀报？”

“禀报与否，有何差异？”

“这……”

“还是学学正法明如来吧，我们就在一旁看着，看看如此大智慧能证出什么佛果。兴许，到时会有一番新天地也不一定啊。”

夜空中，二人望着那山庄的方向沉默着，缓缓转身，朝着西方遁去。

山庄外，猴子瞧着玄奘轻声道：“他们走了。”

玄奘默默点头。

“也许还会回来。”

玄奘依旧默默点头。

“你真的一点都不在乎吗？”猴子忍不住问道。

“在乎如何，不在乎又如何？”玄奘双手合十，缓缓闭上双目，道，“三界，很小，证得佛果，便可以直通天地。三界又很大，里面有佛门，有道家，有天庭，有地府，有妖怪，有万般生灵。这一路，我们什么都会遇到。对这一切，须得包容，却又只能做好自己，不可太过在意，否则，便是自乱阵脚。”

猴子瞧着玄奘道：“你想得也未免太多了吧？”

“这些事，总要有人去想，不是吗？”

猴子捡起玄奘放下的树枝，将地上的四个字通通打上叉，叹道：“这些我想不来，太烦琐了，比悟者道还烦琐。这样活着，很累。”

玄奘轻声道：“大圣爷想不来，那就让贫僧来想。往后再有这般事情，就都交给贫僧来处理。如何？”

猴子仰起头望着星空道：“行吧，往后，我只管打的，其他的你自己解决。”

此时，南赡部洲昆仑山。

夜空中，一身红色铠甲的哪吒手持火尖枪，脚踩风火轮，浑身冒着火光，如同一颗流星般呼啸而来，稳稳地落到金光洞大门前。

火光散尽，他单膝跪地，朗声道：“弟子哪吒，参见师父！”

早已站在门前的太乙真人抖了抖拂尘，轻声道：“起来吧，观里说话。”

说罢，他转身便走。

哪吒拄着火尖枪起身，快步跟上。

两人一同走入金光洞中，进了大殿。

待到坐定，一个住观的童子奉上茶水，便退出了门外，关上殿门。

偌大的殿堂中，只剩下几盏灯微微地放射着光。

哪吒弓着身子轻声问道：“师父急招弟子过来，有何要事？”

低头抿了口茶，太乙真人低声道：“为师问你，那妖猴孙悟空，可是已被佛门放出来了？”

哪吒一惊，连忙缩了缩脖子，一双眼睛眨巴眨巴地看着太乙真人，不说话了。

太乙真人脸色一冷，厉声道：“怎么？连为师都不能知道？”

哪吒低着头支支吾吾地答道：“爹说了，这件事不能让人知道。”

“这么说，确有此事了？”

“有是有……可是……”

“为师问你，那妖猴现在何处？”

“这……”哪吒犹豫着答道，“他正护送一个和尚西行呢。”

“护送一个和尚西行？”太乙真人深吸了口气，接着问道，“那和尚可是金蝉子转世？”

闻言，哪吒顿时松了口气，乐呵呵地说道：“原来师父都知道啊，这样的话，可就不是弟子泄露的了。”

话音未落，太乙真人重重一掌打在地板上。

“咣”的一声巨响，整个大殿似乎都震动了起来。

哪吒吓得连忙收起笑意，坐正，低头。

太乙真人瞪着哪吒气冲冲地叱道：“如此重要之事，为何你早知道，却不来报？”

“重要？”哪吒一下蒙了，轻声问道，“师父，这事有何重要？”

“既然不重要，为何玉帝要下令隐瞒？”太乙真人反问道。

哪吒紧蹙着眉，挠挠头道：“这弟子就不太清楚了，大概是怕妖猴重归的消息影响太大才隐瞒的吧……”

“哼！影响太大？影响谁？”太乙真人撑着膝盖缓缓起身，在大殿中来回踱着步，“如若那妖猴还想重新召集众妖，天庭就是想瞒也瞒不住；如若他不想，即便让妖怪知道了也无所谓。至于佛门，那妖猴就是从他们手上跑出来的，他们能不知道？”

停下脚步，太乙真人狠狠地瞪了哪吒一眼，道：“你说，玉帝这是要瞒谁？”

一时间，哪吒更糊涂了，蹙着眉头低声问道：“陛下是要……瞒师父您？”

“是道门！他瞒的是我道门！是我昆仑山！”太乙真人抿着唇，握着拳头恨恨地说道，“这玉帝真是……我道门将他推上玉帝之位，如今看来，他是翅膀硬了，如此重要之事，竟然隐瞒！”

瞧着太乙真人那怒气冲冲的样子，哪吒小心翼翼地问道：“师父，弟子还是没明白这件事有什么好瞒的。”

“你不明白？那你知道金蝉子西行是为何？那妖猴又为何甘心给他当保镖？”

哪吒更晕了。

这事他也没亲自经手，所知道的那一星半点儿，也都是从他爹那里听来的。一来，他本身知道的就不多；二来，他还被特地叮嘱了不准外传。如此一来，他想找个人帮忙分析分析都不可能了。

可这真的是在瞒道门吗？

如果说瞒道门的话，这件事玉帝可是以最快的速度通报了三清，以及须菩提祖师、镇元子的。

以哪吒的敏感度，一时间，他实在想不明白这里面的逻辑。

犹豫了好一会儿，哪吒悠悠道：“师父，听您话里的意思，您关注的不是那妖猴，而是金蝉子转世的那个和尚啊。那和尚现在也就一副凡躯而已，有啥好关注的？”

闻言，太乙真人只能扶着额头无奈地叹了口气，呆立着不动。

哪吒依旧睁大了眼睛巴望着。

“你知道那和尚现在的具体位置吗？”

“不知道。”

“有谁见过他？”

“我爹，还有二哥也去见过他。妖猴托东海捎信说要两个蟠桃，所以爹和二哥就给送过去了，刚好见到了那和尚。之前他们是在南赡部洲，现在在哪里，就不知道了。”

好一会儿，太乙真人才转过身来盘腿坐到哪吒面前，叮嘱道：“为师这边会派人查探他的下落，你也要密切留意，下一次，若有他的消息，无论大小，即刻告知为师。”

“可是师父，我爹说不能让任何人知道……”哪吒低声道。

听他这么一说，太乙真人当即一愣，厉声道：“你是天庭的战将，但你首先是我阐教弟子。就连你爹也是一样。明白吗？”

哪吒稍稍犹豫了一下，只得无奈地点了点头：“弟子明白了。”

深吸了口气，太乙真人道：“好了，你回去吧。此事，切不可让你爹知道，生出无谓的事端。”

“弟子遵命。”

第五百一十一章

流沙河

九重天上，云雾弥漫。

巡逻的兵卫手持长戟排成长队，在一位天将的带领下踏着碎步缓缓走过。

假山上的泉水叮咚流淌，几条花锦鲤在漂着花瓣的池中来回游弋。

一墙之隔的御书房中，玉帝将一封夹带着信函的奏折递给了李靖。

李靖默默看完奏折与信函，将它们重新折好，弓着身子双手捧着将之放回龙案上。

“有什么意见吗？”玉帝轻声问道。

“这……臣谨遵陛下旨意。”

“朕是问你有什么意见。”玉帝靠到椅背上，一只手按着那奏折，手指轻轻地敲打着，仰头道，“要花果山降雨，朕满足他了；要两个蟠桃，朕也满足他了。这次，他要四个蟠桃，外带九齿钉耙。你觉得，朕还应该满足他吗？”

李靖微微弓着身子小心翼翼地看着玉帝，一声不吭。

时间就这么静静地流逝着。

许久，玉帝哼的一声笑了出来，叹道：“看来，不满足他也没有其他办法了。这妖猴……朕况且没有权力随意赠送蟠桃，反倒他一只妖猴，要几个，天庭就得给几个……呵呵呵呵。这么下去，天庭的府库怕也都成了他的府库，任他予取予求了。”

李靖低下头，依旧一声不吭。

玉帝紧蹙着眉，抿着嘴唇寻思了一番，道：“你说，有没有可能将这祸水引向别处？”

李靖拱手道：“启禀陛下，这祸水本就是向西去的。”

“那在他抵达西方之前呢？难不成，朕还要尽力配合他？”

“这……实在不行，陛下也可考虑下须菩提祖师。三清不出手，其他道门中人出手，又怕牵扯天庭。依臣之见，只有须菩提祖师最合适了。说到底，他也是那妖猴的师父，即便解决不了，那妖猴该也不会迁怒。”

玉帝淡淡看了李靖一眼，轻声问道：“上次不是已经给他去了函了吗？”

“可以再去。”

闻言，玉帝却只是无奈地摇头，无奈地笑。

堂堂玉帝，说是执掌三界，其实在这些大能眼中，却连屁都不是。莫说下旨召见了，就是他亲自去，说不准还要吃闭门羹，而且还得强颜欢笑，不能有怨言。

这重建之后的天庭，其地位比之六百五十年前，只弱不强。

六百五十年前的天庭，虽说玉帝也臣服三清，却不需要对镇元子与须菩提卑躬屈膝，更不需要看大雷音寺的脸色。那凡间的地仙、阴间的阎罗、四海的龙王也都唯玉帝之命是从。

如今呢？

天庭重建，镇元子与须菩提都参与了，这就意味着原本的三个“上司”一下变成了五个。不仅如此，西方大雷音寺势大，天庭有稍大一点的动作，就须多番试探。虽说佛门极少干预，但万一真的干预了，天庭可就寸步难行了。

至于凡间的妖怪，虽说群雄割据，但也不是花果山崛起之前那样，天庭说剿就能剿的，弄不好群起而攻之，直接就让天庭对整个凡间的失去控制。

四海龙王虽说还是臣服天庭，但也早就不是原本那样唯命是从。

阴间的阎罗更是直接挂靠了大雷音寺，天庭的命令有一半到了阴间直接失去效用。

灌江口的二郎神对天庭的圣旨则是高兴听就听，不高兴听就装作没看见。就这样的情况，玉帝还不敢对二郎神问责，并且逢年过节，各种赏赐一样都不敢少。说到底，南赡部洲的整个态势还得靠他二郎神来维持。

如今的天庭比之先前，真要说有什么好，恐怕就是外患多了。这外患一多，内患自然就少，玉帝的权威也无形中得到了加强。只可惜这种好，并没有办法弥补天庭总体上的实力下降。

“再去函……行吧，也算是没有办法的办法了。”缓缓闭上双目，玉帝轻声叹道，“这件事，就交给你办了。如果有需要，朕也可亲自登门拜会须菩提祖师。”

“诺。”李靖拱了拱手，稍稍犹豫了一下，又低声问道，“那蟠桃和九齿钉耙……”

“给他送去吧。”微微顿了顿，玉帝又嘱咐道，“不过，最好拖上一拖，莫显得天庭真的对他唯命是从。”

“诺！”

带着玉帝的圣旨，李靖退出了御书房，带着两个兵卫走过长长的回廊，来到了灵霄宝殿专属的小型空港。

早已守候在那里的一众南天门兵将纷纷行礼，持国天王也在其中。

还没等持国天王开口，李靖便朝着他使了个眼色，道：“上舰再说。”

战舰扬帆起航了。

待到在舱室中坐定，李靖便屏退左右，只留下持国天王一人。

透过舷窗朝着灵霄宝殿的方向望了一眼，李靖低声问道：“那妖猴到哪儿了？”

持国天王低声道：“已经离开高老庄，过了黄风岭，不久就会抵达流沙河。”

“马上要进入西牛贺洲地界了，还挺快。有佛门的人跟着吗？”

“在高老庄的时候还有，现在就不清楚了。那妖猴的感知范围太过宽广，佛门出手的又都是大佛，我们也不好大张旗鼓地查探，所以……”

李靖点了点头，深吸了口气，转身坐到了一旁的木椅上。

持国天王紧紧地跟着，低声道：“对了，天王，三太子急匆匆去了一趟昆仑山，刚回来。想来，那妖猴与玄奘西行的事情太乙真人已经知道了。”

李靖微微一愣，朝着持国天王看了一眼，笑了笑：“知道了。此事，莫声张。他们知道了，我们便装不知道好了。找个机会，把那妖猴的位置也给哪吒透露透露吧。”

“诺。”持国天王应了一声，稍稍犹豫了一下，又低声说道，“天王，此事泄露，到时候恐怕要生事端啊。”

“生事端也没办法。”李靖缓缓闭上双目，悠悠道，“佛门、道家、玉帝，我们夹在这当中，只能装傻。往后生的事端会更多，到那时，就不仅仅是公事了。”

“卑职谨遵天王教诲。”

云雾之中，这艘战舰朝着南天门缓缓地前行。

南赡部洲西北部边界地带。

北风夹带着残雪呼啸而过，树枝上的积雪掉落，在路边形成了一个个小小的雪堆。

绵延的山脉早已变成了白茫茫一片，随便一个地方，一脚踩下去都能踩出一个几寸深的坑。

牵着马的小白龙不由得打了个冷战。

一旁的吕六拐笑着调侃:“你这是比马还不如啊。”

“它有大圣爷的术法加持，我有吗?”

“那你不能给自己加持吗?”

小白龙仰头看了下走在前方的猴子，侧过脸去看了一眼拄着法杖走在一旁的玄奘，又回头看了看远远落到后方的天蓬，愤愤道:“你不知道乱用术法，天劫会提前到来吗?大圣爷是过了天劫的人，我们能比?”

吕六拐白了他一眼，加快脚步朝猴子跟了过去。

此时，距离一行人拜别高太公一家离开高老庄已过去了五个月，不过那要天庭送来的蟠桃却还没送到，以至于小白龙一有空就念念叨叨。

在这五个月里，虽说他们也遭遇过几拨妖怪与地仙，但大多数情况下只要吕六拐出面，对方也就识趣地让路了。

历经六百五十年的光阴，如今新生的妖怪与地仙大多不认得猴子，对猴子的了解也仅限于那些亦真亦假的传说，即便猴子站到他们面前，一来他们认不出来，二来，他们也未必相信失踪数百年的齐天大圣会忽然出现在自己面前。更大的可能是，将猴子误认为同为猴妖并且使用棍棒武器的猕猴王了。

相比之下，作为妖族几大势力之一的吕六拐的名号显得更加实用，除非与包括牛魔王与九头虫在内的几大妖王有直接关系的，否则见了吕六拐，妖怪还是要给几分薄面的。

追上猴子的脚步，吕六拐拱了拱手，低声道："大圣爷，老臣可能得离开一段时间了。"

"离开？"猴子拄着金箍棒一步步走着，轻声问道，"去哪里？"

"得回去一趟。老臣那义子传信，说是与牛魔王的人起了点冲突，需要老臣前去处理。"

"牛魔王知道你跟我在一起吗？"

"老臣没让人说出去……不过，他有可能知道。"

"知道还跟你的人起冲突？"猴子哼了一声，悠悠叹道，"行吧，你回去也好。见了牛魔王，就说我让你替我问声好。"

"这……"

侧过脸来，猴子笑嘻嘻地补充道："然后，回来告诉我他的脸色是怎么样的。"

吕六拐连忙拱手道："老臣明白了。"

话音未落，猴子突然加快脚步朝着前方冲去。身后的众人都不由得怔住了，一个个面面相觑，也都加快了脚步。

跑出五十丈距离，猴子便停了下来，远远地眺望着。其他人很快跟了上来。

站在悬崖上，他们可以清楚地看到十里之外是一片汪洋。或者说，是一条像汪洋一般的巨大河流，横穿整片大陆。

那河中的水呈沙一样的黄色，在这冰天雪地之中却依旧奔腾如故，丝毫没有结冰的意思。

"是流沙河。"站在最后方的天蓬轻声道。

猴子回头看了他一眼。

这一路，天蓬一直维持着人的模样，并没有现出猪身，看上去依旧对妖的身份有些抗拒。

虽说在玄奘的巧言之下，他被迫接受了西行，却永远走在最后，也不大与其他人说话，特别是不与猴子说话。

唯一的例外，恐怕就只有玄奘了。相比这里的其他人，他可能是唯一一个对玄奘的普度之道感兴趣的。

深吸了口气，天蓬轻声道："流沙河，号称八百里宽，分隔了西牛贺洲与南赡部洲，河面上没有船只，寻常人，即便有船，也无法往来。"

"嘿，我们不是寻常人。"小白龙笑了笑，扭过头望向一旁的猴子，低声问道，"大圣爷，你当初不是走过一趟吗？怎么过去的？"

猴子仰头道："抱着木桶漂过去的，漂了好几天。这河没八百里宽，都是夸大其词，这我清楚。"

说罢，猴子转身顺着山路一步步往下走。

"漂……漂过去的？"小白龙回头望了一眼那一望无际的河，眼角微微抽了抽，"这地方能抱着木桶漂过去？"

"走快点吧。"猴子回头对着众人吆喝道，"在流沙河边上应该还有些事等着办呢。"

"有些事等着办？"天蓬朝着玄奘望了过去。

玄奘轻声问道："先前天庭的卷帘大将，元帅可认得？"

"卷帘？他怎么啦？"

"他下凡了。大圣爷说在流沙河会遇到他，希望邀他一同西行。"

说着，两人缓缓地沿着山路往下走。

天蓬紧蹙着眉头道："之前是我，现在是卷帘，他这是要做什么？况且，他怎么就知道卷帘在流沙河？"

"有些事，贫僧也说不清，大圣爷既然这么做，肯定有他的用意。"

"卷帘我倒是认识，以前在天庭有过往来。当时在天牢他可就关在隔壁。"

"那，到时候就由元帅去劝说卷帘大将加入西行，可好？那卷帘大将如今也是天庭要犯，若此次西行顺利，大圣爷承诺让天庭洗去他的污名，还他正神身份。"

天蓬不由得笑了出来，道：“得先弄明白卷帘是否稀罕那正神身份。”

回头看了一眼走在后面的吕六拐和挑着行囊的黑熊精，天蓬轻声道：“再说了，西行要那么多人作甚。”

“嘿嘿，这你就不懂了吧。”跟在身后的小白龙插嘴道，“人多当然好。你别忘了，我们对付的可是佛门。佛门有多少弟子，我们有多少人？肯定是越多越好了，万一打起来要跑，也好有人殿后啊。”

闻言，天蓬当即鄙夷地瞧了他一眼，转过头来平视前方，默默加快了脚步。

“我说错了什么吗？”小白龙看着玄奘问。

玄奘嘴角微微抽了抽，笑道：“没有说错，敖太子说得有道理。”

“说得有道理那他是什么态度？”远远地看着天蓬的背影，小白龙悄悄嘀咕起来。

就这么一路走到流沙河，众人在岸边扎了营。

然而，他们足足等了两天，什么也没等到。

第五百一十二章

过 河

三十五重天，弥罗宫外，太乙真人来回地踱着步，时不时抬眼去瞧一旁面无表情立着的道童，看上去略微有些焦虑。

不多时，弥罗宫的大门轰然打开了。

一位白衣道童从里面走了出来，拱手道："太乙师兄，师父有请。"

太乙真人微微张口似乎想说什么，又稍稍犹豫了下，点了点头道："劳烦师弟带路。"

进入弥罗宫，两人沿着宽敞的长廊一路走着。一路上，太乙真人只遇见两三个往来的道童，偌大的宫殿显得空荡荡的。

到半途，那领路的道童却突然拐了个弯。

这一错身，顿时，两人皆是一愣。

那道童连忙道："师兄这边请。"

"怎么？"太乙真人轻声道，"不去正殿吗？"

那道童恭敬地答道："师父在后院接见您。"

"后院啊……"太乙真人不由得蹙起了眉头。

"对，在后院。师叔也在。"

太乙真人点了点头，不再多问。

一路绕过回廊，路过荷塘，两人来到草木茂盛的后院。

远远地，两人便看到元始天尊与通天教主在凉亭中品茗，有说有笑，一副惬意神色。

走到两人面前，那道童双膝跪地，朗声报道："师父，师叔，太乙师兄到了。"

太乙真人连忙往前一步，双膝跪地，叩拜道：“弟子太乙，参见师父，参见师叔。”

高坐凉亭下的元始天尊低头看了太乙真人一眼，对那道童道：“你先下去吧。”

“弟子遵命。”

待那道童转身离开，元始天尊才指了指太乙真人的身后，淡淡道：“坐吧。”

微微侧过脸去，太乙真人这才发现在自己的身后早已备了一张简易的椅子。

他用手撑着地面缓缓起身，拱手道了一声“谢师父”，便转身坐到了那椅子上。

他这一坐，三个人顿时都沉默了。

通天教主瞧了瞧太乙真人，又看了看元始天尊，微微一愣，笑道：“看来，你们师徒是要说些悄悄话啊。既然如此，老夫就先告辞了。”

说着，通天教主便要站起来走。

一旁的元始天尊伸出手去轻轻拍了拍桌子，示意通天教主坐下，又微微仰起头对太乙真人道：“说吧，没事。”

太乙真人点了点头，看了一眼通天教主，拱手道：“师父，那玄奘的位置已经找到了。”

顿时，三人又沉默了，神情却各不相同。

太乙真人维持着拱手的姿势，小心翼翼地抬眼看着自己的师父。

通天教主转过脸来饶有深意地注视着元始天尊，元始天尊却只是捋着长须微微抬头望着天。

许久，元帅天尊轻声问道：“你找他作甚？”

“师父，”太乙真人小心翼翼地反问道，“难不成您真想由着他？”

闻言，元始天尊笑了出来：“那你以为，该如何？你惹得起佛门，还是惹得起那妖猴啊？”

“这……”太乙真人一时语塞。

“玄奘？”通天教主侧过脸来问道，“这说的，是那金蝉子的转世吧？”

元始天尊点了点头，随口问道："师弟也知道？"

"当然知道了。"通天教主深吸了口气，叹道，"陛下都给我送了几份函了，说是那妖猴又出来了，但没有闹事，而是护送金蝉子的转世西行，去找如来辩法。"

元始天尊淡淡笑了笑，伸手提起茶壶，替通天教主倒上茶，又另外倒了一杯，往前推了推。

太乙真人当即会意地躬身向前，捧着茶杯，又退坐回原位。

元始天尊长叹了口气，道："对此事，师弟有何见解啊？"

"要说见解嘛……"通天教主捋了捋长须，闭上双目悠悠道，"金蝉子所证之道，我们都是知道的，只是没想到时隔数百年，历经十世，他居然还执着于此事。如若他证成了：一来，佛门必将一改往日固守之风，对我道家形成实质威胁；二来，没了如来牵制，那妖猴，怕是再没人管束得住。这，又是一个威胁。说到底，西行，对我道家实在有百害而无一利也。"

太乙真人连忙附和道："师叔说的是。"

通天教主抿了口茶，又接着说道："不过，须菩提向我保证，那妖猴定不会再起波澜，若有异，他必亲自上阵将他擒拿住。"

通天教主这么一说，太乙真人的脸色又阴沉了几分，元始天尊却呵呵地笑了起来，道："当日那妖猴未破天道之时，你我都拿他没办法，你那诛仙剑阵，还是折在他手上的。就他须菩提一人，擒得住？"

"不过一说辞罢了。"通天教主轻声叹道，"他到底是那妖猴的授业恩师，那妖猴虽说胆大妄为，但也还没到全然不顾礼法的地步，总不至于真跟自己的授业恩师动手吧？再说了，真起了战祸，这三界岂能无恙？金蝉子要证道普度，自己却亲手造就一个祸害三界的大魔头，这道，还如何证？"

"那就不知道他咯。"元始天尊叹了一句，端起自己的茶杯，细细地品，一副"事不关己，高高挂起"的样子。

太乙真人拱手道："师父可曾记得当日那妖猴如何得的势？说到底，就是因为天上地下无人想管，听之任之。而今又换了玄奘……如此放任，往后必成大祸啊。"

元始天尊抬眼道："是吗？你倒说说，会成什么祸？"

“那玄奘行普度之道，若成，佛门必成扩散之势，届时……”

元始天尊忽然“啪”的一声放下手中茶杯，打断了太乙真人的话：“他行普度之道，于三界众生有益，有何不可？再说了，他普度众生，我道家难道就不劝人行善？顶多，也就此消彼长，成百花齐放之势而已。我道家数万年基业，绝亡不了。你也不要杞人忧天啦。”

这番话一放出来，太乙真人嘴角顿时抽了两抽，紧紧地盯着元始天尊，那眉头越蹙越紧，却也只能低头不语。

一旁的通天教主看了元始天尊一眼，不由得疑惑了起来，却并未道破。

元始天尊又道：“这徒子徒孙多啊，也不见得就有什么好的。当初，普天之下数你通天师叔弟子最多，又如何？如今，普天之下弟子数我元始天尊最多，又如何？为师怎么就没看出半点儿好处来呢？人哪，你就是修成了天道，也是一张嘴一副身子，还不就是一日三餐、每晚一榻？真要追求那些浮华名号，你师父我早当玉帝去了，怎会待在这弥罗宫中乐得闲云野鹤呢？”

说罢，元始天尊哈哈大笑起来，意味深长地看了通天教主一眼。

通天教主有些不乐意了，酸溜溜地说道：“你要自嘲也就罢了，犯不着连我一块儿拉上吧？”

“你这是还念着旧仇啊？”元始天尊用力一拍通天教主的手臂，哼道，“开个玩笑罢了，封神之战都过去那么多年了，何必呢？真要这般计较，这些老熟人还不都得你死我活啊！”

说着，他提起茶壶将通天教主刚喝了一口的茶又给添上了。

通天教主也不搭话，低下头一个劲儿地抿茶，那神情看上去有些不快。

见此情形，太乙真人仰起头正要开口，却听元始天尊抢先一步指着他说道：“没什么事啊，就回去吧。要实在闲得慌，就帮为师留意一下，看有什么有趣的新鲜玩意儿。这不理事的日子啊，没点小玩意儿打发时间，还真是乏味呢。”

无奈，太乙真人只得将到嘴边的话又咽了回去，改口道：“弟子遵命。”

又静静地坐了一会儿，看实在没办法说什么了，太乙真人只得起身告退。

待太乙真人走后，通天教主狐疑地瞧着元始天尊，轻声问道：“真不管？”

元始天尊的目光朝着通天教主斜了过去，反问道："你想惹那妖猴？"

通天教主连忙摆了摆手道："不想，虽说他天道修为没了，但对付他也够呛。再说了，谁能保证他没修回来？我这把老骨头，距离天劫也不远了，经不起折腾。"

注视着杯中漂浮的茶叶，元始天尊正色道："所以啊，我们绝不能出手。那妖猴现在一心找如来寻仇，祸水已经西引，难不成还要将他引回来。我瞧着，太乙也绝不会就此作罢，既然如此，我们在后面看着便是了。真出了事，我们也好打圆场。若我们出手给捉个正着，到时候，可就谁也收不了场了。"

此时，冰天雪地的流沙河岸边，猴子一行已经在这里驻留了两天。

从一开始在岸边干等，到放玄奘一个人在岸边当诱饵，其他人在附近埋伏，各种办法都用了。然而，眼看着天气越来越冷，流沙河都隐隐有结冰的趋势了，却还连个鬼影都没见着。

无奈之下，猴子只得交代其他人保护玄奘，自己亲自下水搜寻，直到日落西山之时才返回。

刚一出水，他便看到玄奘站在岸边静静地眺望着。

见猴子回来，玄奘双手合十朝着他点了点头，道："大圣爷此行可有收获？"

"没有。"猴子稳稳地落到玄奘面前，一边用术法去除身上的水，一边说道，"整条流沙河都搜遍了，除了一些刚成精连话都不会说的小妖，啥都没发现。可惜这里也没龙王，想找个人问一下都不行。"

"大圣爷不是有个金刚琢吗？用它找一找卷帘大将所在不就行了？"

猴子看了一眼套在自己手腕上的金刚琢，摇了摇头道："试过了，不知道为什么，居然没反应。真是稀奇！"

"那大圣爷接下来准备怎么做呢？"

"我也不知道。"猴子清理干净身上的衣物，长叹了口气，与玄奘擦肩而过。

入了夜，天蓬在河岸边点起篝火，一行人围坐着，一整晚，都是你看我我看你，不曾说一句话。猴子更是自始至终低着头，似乎在思考什么。

到夜深时，吕六拐的养女莺儿带着几个妖将赶了过来，要将吕六拐护送回去。

早已说好的事情，猴子也没感到意外，只是再三叮嘱他一路小心。吕六拐则声泪俱下，不断保证着等事情解决了，会很快回到猴子身边“尽一个忠臣的本分”。

自始至终，那几个来接吕六拐的妖将连带莺儿都低着头，连看都不敢看猴子一眼。

兴许是跟着吕六拐潜移默化的关系吧，他们简直将猴子奉若神明，比当初花果山的妖众更甚。

送走了吕六拐，玄奘一行从原本六人一马变成了五人一马。

天蓬依旧端坐在篝火堆旁紧盯着火堆看，时不时用手中的树枝挑动两下，黑熊精则盘腿坐着闭目养神，那小白龙就绝了，不仅真睡着了，连呼噜声都出来了。看着眼前的场景，猴子越发感觉别扭了。他挠了挠脸颊，转身走到河岸边坐了下去，有些茫然地望着河水。

不多时，玄奘提着前摆缓缓来到猴子身旁，将手中的竹筒递给了他，轻声道：“流沙河里的水，不过贫僧已经用布滤过了。”

猴子伸手将竹筒接了过来，凑到嘴边饮了一口又递了回去，抹干净嘴道：“上了化神境的人，不喝水也不打紧的。”

玄奘接过竹筒，盖好，捧着那竹筒盘腿在猴子身旁坐了下去，指了指河面轻声道：“看样子，流沙河，很快就要结冰了。”

猴子抬头望了望天，叹道：“应该吧。这天实在有点冷。”

“贫僧倒是问过天蓬元帅，听说，寻常年月里，即便是最冷的时候，这流沙河也不会结冰。虽说也有例外的时候，可毕竟罕见。”

猴子静静地盯着黑漆漆一片的河面看，不搭话。

沉默了一会儿，玄奘又道：“如若河面结冰，那就是过河的最好时机了。大圣爷以为呢？”

“你觉得应该走了？”猴子反问道。

玄奘犹豫着轻声道：“大圣爷可否告知玄奘，那卷帘大将，将在队伍中担负起怎样的角色？”

“一个憨厚的老实人罢了。”猴子长叹了口气，扭过头去看了黑熊精一眼，“他能做的，黑毛也都能做。甚至他的修为也不一定比黑毛高。”

“那大圣爷为何甘心在这里苦等呢？只因为，大圣爷提过的那本《西游记》？”

摇了摇头，猴子轻声道：“我也不知道。那东西其实错漏非常多，以前我千辛万苦想要跳出来，最终却一头栽了进去。现在想维持原样，却又不知道从何入手。”

闭上双目，他缓缓地笑道：“其实有时候挺羡慕那些悟者道的，比如太上老君，当初他干跟我现在一样的事，总是四两拨千斤，不需要像我这样事无巨细，什么都亲自过手。其实我是怕，因为我根本就看不透究竟哪一个点会影响到最终的结局，所以只好每一个点都抓住不放。”

伸手抹了把脸，猴子无奈笑道：“其实，我有些乱了。”

“乱了，不如就以不变应万变吧。我们只管向西，其他的，就交由天定吧。就像贫僧当初想的那样。”

“交由天定？”

“对。”玄奘点了点头道，“如果明天一早，河面结冰，我们就不再等了，直接过河，接下来的一路，也无须多想，如何？”

闻言，猴子点了点头道：“行。”

次日，当天蒙蒙亮时，原本奔腾的河面上果然结了冰。

望着那白茫茫一片的河面，玄奘回头看了猴子一眼，轻声叹道：“天意。”

说罢，他拄着法杖，一步步朝河面走去。

“能走吗？”小白龙伸长了脖子，拉长声音道，“小心掉河里去啊。”

猴子懒懒地瞥了小白龙一眼，迈开步子跟了上去，随手施一个术法，将玄奘前方的河面都加固了。犹豫了一下，其他人也都快步跟了上去。

夹着残雪的寒风中，一行人就这么无遮无掩地行走在宽广无边的河面上，一步步朝着西牛贺洲而去，如同几只蚂蚁一般渺小。

与此同时，身穿一袭翠绿僧袍、手握玉如意的普贤带着两个门徒缓缓落到了与此地相隔数百里的一条小溪边上。

这里人迹罕至，却又依山傍水，即使在冬日里，也依旧一片鸟语花香，看上去，颇有一番世外桃源的意味。

普贤淡淡扫了一眼四周的景象，手一扬。

顿时，四周的草木凋零，那枝干却疯长了起来，竟在三人的眼前，硬生生长出了一座座房屋。

普贤又凌空一指，那原本活跃在林间的野兔、梅花鹿，乃至于天空中飞行的雀鸟纷纷伏倒在他面前，幻化成一个个村民站了起来，纷纷双手合十，对着普贤躬身行礼。

见状，普贤又一挥手，原本的草地被整片掀起，变成了一片片犁好的农田，田中长出了成片的庄稼。那地上更是立起了竹质的围栏，其上甚至还攀附着一株株牵牛花。

有屋舍，有农田，有耕牛，甚至有孩童在溪边嬉戏，转眼之间，一个不小村庄便悄然成形了。一切一应俱全，这村庄看上去就像原本就在这里似的。

直到此时，普贤才将双手一收，淡淡地瞧着自己的成果。

一旁的门徒躬身道：“师父，这恐怕骗不过那妖猴吧……”

“为师何时说要骗那妖猴了？”普贤笑了笑，轻声道，“为师要等的，另有其人。”

第五百一十三章

红孩儿

南赡部洲西南部山间。

阴霾的天空下，一群身穿统一铠甲的妖怪聚集在一处山坡上，列开军阵，个个看上去都是身经百战。

在他们的身后，“花”字大旗随风飘扬。

那正中的山顶上，吕六拐穿着当初花果山的黑色朝服，跪坐在一张大红色的红毯上，身前放着一张矮桌，桌上摆着一套简易的茶具。

他那一对养子养女则一动不动地站在一旁。

多少年了，花果山所有的分支，几乎每一位大妖王都宣称自己效忠于齐天大圣孙悟空，但真正坚持沿用花果山军旗、番号，以花果山时代的官职自居，甚至要求每一只新进的妖怪都必须对着猴子的雕像宣誓效忠的，却只有吕六拐这一支。尽管他们实际上是花果山诸多分支当中最弱的一支，但也是受天庭打压最为严重的一支。

许久，侧边炭炉上的水沸了又沸，吕六拐却丝毫没有泡茶的意思，只是默默地望着北方，默默地等。

约莫一个时辰之后，几个身影才缓缓出现在天边，那领头的正是牛魔王。

与几百年前相比，他的身躯显得更加庞大了，一袭黑色披风，头顶上一对硕大的牛角看上去就像专门打造的头盔般威武。

注意到牛魔王身上那件明显不合身、残旧，却又厚实的黑色铠甲，吕六拐不由得微微一愣，眉头顿时蹙了起来。

这件铠甲他认得，这是当初花果山发给高级将帅的统一制式铠甲。由于牛魔王身躯比一般妖怪要大许多，当初这件铠甲还是经他的手批示，让工匠特别打造的。

牛魔王一行总共十只妖怪，稳稳地落在山坡下。

将手中抬着木箱的其他人都留了下来，牛魔王只带着一个身穿红色战甲、手持红缨枪的男孩攀上了山坡，一步步来到吕六拐面前。

看了一眼一旁吕六拐的养子养女，牛魔王朝着吕六拐拱了拱手，缓缓笑道："末将，参见吕丞相。"

"哟！"吕六拐当即领会到些什么，不由得笑了出来，朝着莺儿摆了摆手道，"给魔王上茶。"

一旁的莺儿点了点头，当即跪坐到矮桌前慢条斯理地开始泡茶，吕六拐则笑盈盈地坐在一旁看着。

那养子蛇精在吕六拐身后缓缓地盘起手来，面色冷淡。

牛魔王看了看莺儿泡茶的手，看了看吕六拐身后的蛇精，又看了看笑盈盈的吕六拐，脸上依旧维持着原来的笑，额头却开始冒汗了。

站在他身后的男孩攥紧了手，迈开一步正要向前，却被牛魔王的大手给挡了下来。

仰起头，那男孩看见牛魔王正悄悄对他摇头，这才有些不忿地往后退了一步。

等到莺儿的茶泡好了，倒上两杯，双手推到矮桌的两旁时，吕六拐才故作醒悟状，忙道："都忘了请魔王坐了，抱歉，抱歉。老夫年纪大了，难免有些糊涂。哈哈哈哈，来，魔王请坐。"

牛魔王嘴角微微抽了抽，眨巴着眼睛笑道："不打紧，不打紧，论品级，末将远比吕丞相低得多，在吕丞相面前，就是一直站着，也是应该的。"

闻言，那身后的男孩当即冷哼了一声，将头扭向一边。

他这一哼，顿时将所有人的目光都吸引了过去。

吕六拐瞧着那男孩，捋着长须道："这位是……"

"这是末将的独子，乳名红孩儿，已有三百多岁，只是相由心生，至今不曾脱去孩童天性。"

"哦？"吕六拐点了点头道，"原来是传闻中的圣婴大王啊。老夫倒是第一次见。”

牛魔王拱手道：“一直不曾带他来见丞相，是末将的错。”

“无碍。”吕六拐摆了摆手道，“魔王请坐吧。”

闻言，牛魔王这才点了点头，往前一步，坐到矮桌的对面。

那庞大的身躯与矮小的吕六拐比起来，就像一头大象对着一只野猫似的。只是那野猫抬头挺胸，一副高高在上的样子，而那大象却弯着腰。

瞧着牛魔王身上那副旧铠甲，吕六拐深吸了口气，悠悠叹道：“那件事，魔王怎么看哪？”

“没事，没事。”牛魔王连忙摆手道，“老牛不过趁机找了个借口想见见丞相，给丞相请个安罢了，绝没别的意思。那几个给丞相使坏的家伙，昨日，老牛已经替丞相了结了，头颅都装在箱子里，丞相可即刻派人查验。”

说着，牛魔王指了指山坡下搬抬箱子的几只妖怪。

“哦？”吕六拐不禁哑然失笑，侧过脸去朝着身后的蛇精摆了摆手道，“查验一下。”

“诺。”蛇精立即小跑着到了山坡下，不多时便回来了，拱手道，“父亲，孩儿已经查验过，确凿无误。”

吕六拐叹了口气，道：“魔王，可是知道大圣爷已经回来了？”

闻言，牛魔王当即面露惊恐之色。他站了起来，瞪大了眼睛问道：“大圣爷已经回来了？”

吕六拐悄悄瞥了一眼牛魔王身后的红孩儿。

此时，相较于牛魔王听闻猴子归来之后的惊恐，红孩儿却面色淡然，就好像早已知道了似的。

见状，吕六拐不由得盯着牛魔王缓缓地笑了。

这一笑，顿时让牛魔王尴尬不已，却又不得不继续佯装惊恐，低声道：“大圣爷现在何处，还请丞相大人带末将见上一见。”

说这话的时候，牛魔王额头上早已遍布汗珠。

吕六拐不紧不慢地低头抿了一口茶，道：“大圣爷回来了，老夫，也刚从大圣爷身边过来。不过，大圣爷现在暂时不想被其他人打搅，到该见的时候，自然会让你见。”

“说的是，说的是，大圣爷岂是末将想见就能见的？是末将逾越了。”牛魔王连连点头，随口问道，“与丞相一起之时，大圣爷可曾提起末将？”

“提了。”

牛魔王当即瞪大了眼睛，伸长了脖子，有些紧张地压低声音道：“大圣爷……怎么说的？”

“大圣爷说……”

牛魔王咽了口唾沫。

“大圣爷说……”

一旁的红孩儿也悄悄斜过眼来。

仰着头面无表情地注视着牛魔王，吕六拐扶着矮桌，缓缓道：“大圣爷说……让你好自为之。”

“好……好自为之。”牛魔王顿时有些蒙了。

约莫一个时辰后，牛魔王带着一众妖怪慢慢地朝北方飞去。

那来时带着的箱子，以及箱子里装着的头颅全部被退了回来。

红孩儿靠到牛魔王身旁，有些不忿地说道：“这吕六拐真是小人得志，狐假虎威。居然敢给父王您摆脸色。当初，就该趁着那猴子还没回来，直接将他们全剿了。”

“住嘴。”牛魔王凝视着前方低声道，“这些话，往后都不要再讲了。要是让人听了去，便是为父也保不住你。往后提起，一定要称大圣爷，还有丞相大人。”

“父王！”红孩儿当即尖叫了起来，“那吕六拐那么嚣张，您难道就咽得下这口气？”

“你平日里对下属不嚣张？”牛魔王冷冷地反问道。

“这……这能一样吗？孩儿的修为高过那帮小妖百倍，即便是嚣张又怎么样？他吕六拐算个什么东西？才几百年，他就已经老得不成样子了。别说吕六拐了，听五叔说，就算是当初那个什么大元帅短嘴，也不是父王您的对手。本该有能者居之，凭什么让他们坐到父王您头上？”

牛魔王当即叱喝道：“就凭大圣爷的修为比你我都高千倍，这理由够充分吗？”

红孩儿顿时语塞。

深吸了口气，牛魔王抿着嘴唇低声道：“他说该谁上位，就谁上位，谁也阻止不了。而且……当初的许多事情不是你想得那么简单，往后这种话不要再提了，小心祸从口出。”

“他还敢杀了我们不成？他刚归来，要对抗天庭，对抗佛门，难道不需要我们的兵力吗？”

闻言，牛魔王当即哼笑了出来，低声道：“你知道你原本还有个二叔蛟魔王吗？”

红孩儿不由得一愣。

“你不了解大圣爷。”牛魔王缓缓说道，“当初的形势比如今更加恶劣，他也还没突破天道修为，没有成为真正的万妖之王，花果山更是因为战火被烧成一片废墟。可他就敢当着我们五个人的面，把和他有旧怨的二弟给杀了。”

微微顿了顿，牛魔王又接着道：“况且，你没见过真正的天道修者之间的战争，我们，根本就是可有可无。他一个人就可以摧毁整个天庭。如果是他也无法击败的，像西方如来这样的，即便再多一万个、十万个、万万个你，也无济于事。当年的天庭之战与花果山之战，说到底，不过是他一个人与天庭、佛门之间的战争罢了。”

看了一脸错愕的红孩儿一眼，牛魔王低声叮嘱道：“今时不同往日了，往后说话多考虑考虑。大圣爷真要杀起人来，才不会管你是谁呢。当初花果山之战，我们五人先行撤退，战后又不听吕六拐号令，现在就怕他算旧账啊。”

佛拦道阻

第五百一十四章

五庄观

一缕阳光透过云层照亮了底下绵延的山脉。

长长的石阶上，穿着一身翠绿衣裳的清心在一位道徒的引领下一步步地走着。身后紧紧跟随的诗雨萱手上端着一个盘子，盘中盛放着三卷经文。

一行三人走到五庄观的大殿前，只见殿门紧闭。

那道徒停下脚步略微想了一下，转过头来对着清心躬身道：“怕是师尊的客人还没走，还请两位稍候片刻。”

清心默默点了点头，百无聊赖地在殿门前踱起了步，四下张望。

这五庄观，乃是坐落于万寿山顶上的一座巨大道观，有着高耸的围墙、恢宏的殿堂、开阔的广场，无处不透着豪迈的气息。即便说它是宫殿也毫不过分。以如今凡间的宫殿来说，除非帝王的宫殿，否则都无法与之相提并论。

除此之外，在那万寿山山脚下，还有一座小型的城邦，直接归五庄观统辖。那城中所住，大多为镇元子的门徒。真要算起来，也有万人之多。

当初，万寿山五庄观、灵台方寸山斜月三星洞、昆仑山，并称凡间道门的三大派。

论造诣，昆仑山居首，斜月三星洞次之，五庄观居末。论门徒和影响，则是昆仑山居首，五庄观次之，斜月三星洞居末。

总体而言，昆仑山是稳居第一。其他两派虽说也位列三大派，但论及实力，却要比昆仑山弱上许多，在凡间，也鲜为人知。

然而，六百多年前的那一战，灵台九子俱殒，斜月三星洞一脉几乎销声匿迹。昆仑山门徒在天庭一战中死伤惨重，战后又大规模充实几乎被颠覆的天庭，其实力也大为削减。唯独万寿山五庄观，虽说镇元子受了些伤，耗尽灵力，当日道徒也因为前往天庭避难死伤无数，但总体而言，实力尚在。在战后，它已发展成与昆仑山齐名的一大派别。

过了好一会儿，那殿门轰然打开了，只见太乙真人手握拂尘，有些沮丧地从大殿中走了出来，看见清心，两人皆是一愣。

清心连忙拱手行礼，道："清心参见道兄。"

"清心？"太乙真人迟疑了一下，上下打量着清心，捋着长须道，"你看上去倒是有些面善，只是……我们何时见过？"

"太乙师兄贵人多忘事。"清心淡淡笑了笑，道，"家师乃是须菩提，你我在蟠桃宴上有过一面之缘。"

"须菩提？"闻言，太乙真人的脸色顿时冷了几分，叹了口气，道，"原来是斜月三星洞的人哪。"

说着，他回头朝大殿内望了一眼，一拂袖，也不与清心道别，迈开步子就往台阶下走，头也不回。

清心愣在当场。

"这太乙真人怎么这样啊？"一旁的诗雨萱望着太乙真人远去的背影，低声道，"虽说师叔名望不如他，可好歹是平辈，怎么都该见个礼吧！"

"嘘……他会听见的。"

诗雨萱悄悄掩了掩嘴，直到太乙真人腾空而起，消失在天际，她才撇着嘴悠悠道："就是故意说给他听的。"

"说得好。"

两个女孩子都掩着嘴咯咯地笑了起来，看得一旁的道徒眉头蹙了起来。

扭过头，清心对着一旁的道徒问道："这太乙真人来干吗呀？"

"不知道。"那道徒摇了摇头道，"师叔今天一早就来了，说是有急事找师尊……"

"哦？"清心翻了个白眼道，"看来，他是因为那个所谓的急事碰壁了。走，带我去见你家师尊吧。"

那道徒点了点头，作了个"请"的手势。

跨入大殿，两人远远地便看见镇元子靠坐在主位上握着一卷经书。

一路朝着镇元子走去，清心有意无意地打量着这殿堂。

这大殿足有三丈高，十丈宽，十五丈长。八根足足需四人合抱的雕龙石柱分列两旁，地面上铺设的是光洁的棕色地板，顶上则是象征着日月星辰的镂空木雕。

除了镇元子身后那一丈高的十二面屏风，还有两边分别摆放的两个黑色大香炉，再加上几个黄褐色蒲团，这大殿中几乎别无他物，却给人一种格外磅礴大气的感觉。

走到镇元子面前，两人拱手道："清心，诗雨萱，拜见万寿大仙。"

直到此时，镇元子才缓缓放下了手中的经文，抬头瞧了两人一眼，笑了笑，指着一旁的蒲团道："坐吧，刚刚还提起你们斜月三星洞呢，没想到你们就来了。"

"提起我们斜月三星洞？"清心微微一愣，轻声道，"万寿大仙所指的……不会是太乙师兄的事吧？"

镇元子抬眼道："你知道他找老夫作甚？"

清心摇了摇头："不知道。清心只是奉命给万寿大仙送经文过来。"

听到这儿，镇元子不由得哼笑了出来，瞧着诗雨萱手中的三卷经文，叹道："本想着让你们的师父送过来，也好顺便谈点事情。结果他却让你们给送过来了。看来，老家伙又想置身事外啊。"

听他这么一说，清心与诗雨萱都怔住了，一时间不明所以。

镇元子朝着两人身后的道徒招了招手道："将经文收起来吧。"

那道徒点了点头，接过诗雨萱手中盛着经文的盘子，转身退出了殿外。

"坐吧，别站着了。"镇元子又指了指蒲团道。

两人这才躬身谢了礼，坐到蒲团上。

镇元子缓缓坐直了身子，悠悠道："太乙真人找老夫呢，主要是想让老夫出面收拾你师兄。"

"啊？"闻言，两人皆睁大了眼睛，有些错愕地看着镇元子。

"老夫找菩提老头儿呢，也是为了你家师兄的事。不过他倒好，教出个徒弟满世界捣乱，自己却躲在一旁看戏，别又想等到一切成定局再出来收拾才好。"说着，镇元子摆了摆手，示意站在大门边上的另一位道徒上茶。

“我……我师兄？”清心有些迟疑地问道，“万寿大仙指的是我那十师兄？”

“不然还能有谁？你还剩几个师兄？”

两人一下沉默了。

别人或许并不知道猴子回来了，但她们……玉帝三天两头地往须菩提那里派人，她们能不知道吗？顶多，也就是知道得不太清楚罢了。

不多时，那道徒将茶水端了上来，分别给两人送上一杯，道了声“请用茶”，便又退出了门外。

犹豫了许久，清心低声问道：“那，万寿大仙准备怎么处置我那师兄的事？”

镇元子低眉悠悠反问道：“他在动我道门根基，你说，老夫该如何处置？”

“想必是误会吧。”清心尴尬地笑了笑，“我那师兄本身也是道门中人，怎么会动道门的根基呢？”

“你确定他自认为是道门中人？”镇元子反问道。

被他这么一问，清心连忙收了收脸上的笑，低下头去，那头皮一阵发麻。

大殿中的气氛顿时变得尴尬无比。

不多时，一位道徒匆匆走了进来，跪地叩首道：“启禀师尊，那妖猴一行已经从囚龙滩过了流沙河，徒步向前，估计再过一月，便会路过万寿山。”

“哦？”镇元子当即一愣，悄悄看了一旁的清心一眼，道，“若无他事，你们就暂且先回去吧。老夫这儿，还有些事忙，招待起来恐有不便。还请多担待。”

“万寿大仙言重了。”清心起身恭敬地行了个礼，“清心也正好有要事，不便久留。”

“那就替老夫向须菩提老头儿问声好吧。”

“清心知道了。”

又默默行了个礼，清心便带着诗雨萱退出了门外，朝着五庄观的大门走去。

路上，清心小声问道：“那囚龙滩，你知道在哪里吗？”

“不知道，不过可以问一问。”

“那行，我们去见见这位爱惹事的师兄吧。”

“啊？”诗雨萱一下呆住了。

与此同时，那大殿内的镇元子却微微蹙起眉头，自言自语道：“这须菩提，让他出手处理妖猴的事，他竟将这丫头给我送来了。”

“师父这是……”

“没什么。”镇元子捋着长须道，“让你进来透露一下妖猴的行踪，顺水推舟罢了。”

“顺水推舟？”那道徒犹豫了一下，低声道，“弟子没懂。”

瞧着那道徒，镇元子轻声叹道：“你暂时不用懂。”

五庄观外，诗雨萱将玉简收入袖中，指着身前地图上西牛贺洲与南赡部洲交界的地方道：“囚龙滩就是流沙河最窄处。”

微微顿了顿，她又接着说：“可是，那道徒说的是他们已经过了囚龙滩，正朝这里来，并不是说就在囚龙滩。这么大的范围，怎么找？师尊说过让你不要乱跑的……要不，我们还是问问师尊再决定吧？”

“这有什么难找的？他们是步行，总要有落脚的地方，我们在必经之路等他们就是了。”清心随手将地图收了起来，笑盈盈地说道，“要问师父的话，哪件事他肯让我干？”

“万一撞上妖怪的话……”

“撞上妖怪，他们敢动手的话就打呗，谁怕谁啊！”

“可这样好吗？”诗雨萱的眉头越蹙越紧。

“难得摆脱老头子，我就没打算送完经文直接回去。再说了，我见自己师兄还用谁批准吗？”

说着，清心腾空而起，朝着东南方向飞去。

诗雨萱只得跟了上去。

她这个师叔，论年龄，其实足足比她小了四百多岁，但修为却要比她高出许多。更奇特的是，她的修行进步神速，并不是因为这个师叔有多好的资质，而是因为她有好老师。

像须菩提这样天上地下一等一的师父，其他人能拜上一个成为其入室弟子就已经是前世修来的福了。

她却有两个。

一个是须菩提，另一个则是大名鼎鼎的太上老君。而且她这种“福”，是从娘胎里带出来的。

诗雨萱还记得，那一天，须菩提忽然从道观外抱回了一个刚满月的女婴，并当众向所有门徒宣布，这位就是他的第十一位入室弟子，也是众门人的新师叔。

他话还没说完，太上老君便到了，也要收她为徒。

两人一阵扯皮，最后的结果是这女婴同时被两位大能收为入室弟子，看得斜月三星洞的一众弟子都傻了眼。

紧接着，随着那女婴一点点长大，她开始两头跑，被接到三十三重天住几天，又被接回斜月三星洞，被接到斜月三星洞住几天，又被接回三十三重天……

她可以将须菩提的书房当成自己的书房来用，太上老君的丹药爱拿多少拿多少，她可以扯着太上老君的胡子还让太上老君赞她“力道甚佳”。这是以往两位大能座下任何弟子都不曾享受过的待遇。

集万千宠爱于一身，这句话用来形容这位师叔，真是一点都不为过。

真要把她的法宝库亮出来，只怕连哪吒这种浑身宝贝的天将都只有眼红的份儿。

她究竟前世积了什么样的德，今生能同时受到两位大能的青睐呢?

诗雨萱实在想不明白。

此时，与此地相距一千余里的山坡上，李靖正亲手将九齿钉耙交到猴子的手中，又转而让手下的天将将装着蟠桃的盒子交给黑熊精。

打开盖子看了一眼，猴子悠悠道:“这都小半年了，我还以为你们不打算送了，正瞅着哪天有空上灵霄宝殿和新任玉帝谈一谈，教教他怎么做人呢。”

“大圣爷说笑了。”李靖抹了一把额头上的汗，连忙躬身拱手，赔笑道，“只是公务繁忙，因为一些事耽误了，再加上这凡间与天庭，消息往返也需点时日，毕竟这蟠桃和九齿钉耙得玉帝下旨末将才能送啊……还请大圣爷多多担待。”

“算了，送来就好。”转过身，猴子随手将九齿钉耙朝站在不远处的天蓬抛了过去。

天蓬一把接住了九齿钉耙，随手舞了两下，便又默默地站着，不吭一声。

“这位是……”

“他是谁不用你管。”猴子深吸了口气，对李靖道，“对了，我还有件事要你们帮我。你们之前通缉的那个卷帘大将，帮我查查他现在究竟在哪里。”

第五百一十五章

村 庄

崖顶上，清心俯视着眼前的小村庄。

阳光下，星罗棋布着十几座小屋，长长的篱笆，一朵朵的牵牛花，三两个村民赶着耕牛在田间劳作，一位农妇正在自家的院子里织布，几个孩童在小溪边上玩水。看上去，它与寻常的凡间小村落并没什么区别。

“这里是必经之路？”

“是必经之路没错，但是……”诗雨萱低头反复查看自己手中的羊皮地图，好一会儿，蹙着眉头道，“这地图上没标这里有个村落啊。”

“你的地图是从哪里来的？”

“是我师父凌云子留下来的，师父他老人家最爱游山玩水，所以地图也特别多，而且很精确。”

“八师兄的地图啊？这都多少年了，莫说一个村落了，便是国界都早变了，哪里还能作数？”清心朝着村庄又望了一眼，拍了拍手道，“既然这里是必经之路，那我们就在这里等吧。那金蝉子的转世是和尚，这遇着人家了，总要化个缘，借个宿什么的。在这里等准错不了。”

说着，她大步朝山下走去。

诗雨萱一怔，犹豫了一下，无奈地叹了口气，道：“谁让她是师叔呢？”

说罢，她快步跟了上去。

隐隐地，她总觉得不太对，不过看上去似乎也没什么危险。

虽说如今的凡间妖怪众多，各方势力犬牙交错，但寻常没见识的小妖哪里是她这位师叔的对手呢？

至于那些有些眼界的妖王，总不会想同时得罪须菩提和太上老君两位大能吧？

天庭的话，天军妖王们未必怕，但大能，这可不是说笑的，一旦得罪了，说不准哪天晚上一闭眼，就再也睁不开了。

沿着绵延的山道一路走，两人很快到了悬崖下方，遇见一个正在劈柴的老人。

那老人见了二人，顿时微微一怔，看得入了神。下一刻，他似乎想起了什么，惊得睁大了眼睛，说不出话来了。

短暂的沉默之后，那老头儿丢掉手中的斧子整个匍匐在地，微微颤抖着。

清心连忙小跑着过去，伸手去搀扶老人："老人家，您这是怎么啦？"

那老人眨巴着眼睛道："你……你们是……是妖怪还是神仙？"

闻言，清心不由得咯咯笑了起来。

那笑容温暖得像冬日的阳光。

"老人家，我们只是路过的行人罢了。"

"你们休要欺瞒我，路过的行人哪有你们这样的？"

"我们怎么样了？"清心不解地问道。

那老人微微哆嗦着后退了两步，忍不住看了清心一眼，又有些惊慌地低下头道："此地方圆百里无村落，路过的行人哪里能不带行李？再说了，行人远道而来必定风尘仆仆，哪能如你们这般……这般……"

一时间，老人家竟也找不到词来形容眼前的两个女子。憋了好一会儿，他才眨巴着眼睛低声道："你们，要么是天上的仙女，要么……就是这山林里的狐妖所化，凡人哪能生得你们这般好看？"

听到这话，清心不由得笑开了花，那身后的诗雨萱也咯咯地笑了起来。

这么多年了，清心还是第一次离开两位师父，也是第一次跟真正的凡人接触。

她低着头抿了抿嘴，正色道："老人家，我不是仙女，也不是妖怪，我只是个人，不过呢……是个有些法力的人。"

说着，清心随手一指，那堆放在一旁的柴一根根飞了起来，震惊得那老农张大了嘴。

就在那老人的面前，一根根柴被凌空劈开，整齐地码好。

清心拍了拍手，有些得意地说道："看，我不害您，还帮您干活呢。能是妖怪吗？"

那老头儿不禁有些迟疑，却还是两脚发软，靠在一旁的岩石上捂着胸口久久说不出话来，只不断地眨巴着眼睛上下打量着两人。

诗雨萱还好，抛开面容不提，那一身的道袍，虽说也不是寻常能见着的，但也不会差太多。清心对他来说则完全是另一个世界的存在了。

不说别的，单那一身翠绿的长裙，就光颜色，看上去已非凡品。还有她发髻上简单的几件饰品，细看之下，也都不是普通富贵人家能拥有的。

再说那面容，更是老人平生未见之美貌。一双水灵灵的眼睛，那老农都有些不敢看，怕多看两眼，魂都被吸了去。

就这么过了好一会儿，清心小声问道："老人家，您没事吧？"

"师叔，我们还是回去吧，会吓坏他们的。"一旁的诗雨萱低声道。

清心嘟着嘴，蹙着眉头盯着老人，依旧站着不动。

又呆了好一会儿，那老人总算缓过神来了，问道："你们真不是妖怪？"

"是妖怪的话，会站在这里跟您说话，还帮您干活吗？"

"对……也对。"老头子捂着胸口缓缓舒了口气，又低声问道，"那……你们刚刚说你们要干吗？"

"我说我们要在这里等人。"

"等人？"

"对。"清心仰起头朝着村庄的方向望了望。

此时，村里的人似乎也发现了两人的到来，都放下了手中的活计远远地看着，那目光中夹带着恐惧与好奇。

回过头，清心对老人说道："老爷爷，我们要在这里借宿几天，能住您家吗？"

"借宿？"诗雨萱当场就惊叫了出来，"我们还是在村外等吧，别住到村里了。"

"为什么？"

"你看他们那样子……方便吗？"诗雨萱深吸了口气，道，"再说了，你是不知道这些山间村落里的房子都是怎么样的，依我看，跟露宿也没啥区别，大不了施点术法变一间宅子便是了。”

“我就想住在村里，不行吗？”清心白了诗雨萱一眼，又转而望向老农道：“老爷爷，可以吗？”

“这……”那老头儿支支吾吾地说道，“这恐怕不太方便吧？”

“您不答应吗？”

“不是，”老头儿连忙摆了摆手道，“只是……真的不太方便。看两位姑娘这身衣着，如何能住在我家呢？”

看着老头儿，清心的眉头缓缓地蹙了起来。

被她这么一看，老头儿顿时有些招架不住了，连忙道：“我这就带两位看看吧，看了，两位姑娘就明白了。”

说着，老头儿领着两人沿着田边的小路朝着村庄走去，那些村民依旧远远地围观，一个个睁大了眼睛，几个年轻的小伙子更是看得丢了魂。

此时，就在其中一座不起眼的茅草屋里，普贤正透过窗棂的缝隙远远地看着她们。

一旁的僧人低声问道：“师父，我们等的，莫非就是她们？”

普贤微微点了点头。

“那，接下来，我们应该怎么做？”

“什么都别做，尽力维持好整个村庄就行了。”深吸了口气，普贤叹道，“务必不能让她们看出一点端倪。”

“弟子明白了。”

就在这专门为她而造的假象中，清心紧跟着老农缓缓地走着，兴高采烈地四下张望。

扛着稻米呆呆地望着她的少年，赶着耕牛、背着斗笠的牧童，院子里套在石磨上的驴……在她的眼中，这平凡村落中的一切都是那么新奇，每一件事，都是她在斜月三星洞、兜率宫没见过的。

那笑容，看得身后的诗雨萱都有些无奈了。

她这真的是为了见悟空师叔吗？还是说单纯找了个借口来外面溜达一圈？

走了好一会儿，老头儿指着前方道："那便是老头子的家了。"

远远地，两人看到了一座小小的茅屋，破旧的篱笆围成的院子，那墙看上去根本就是用乱石堆积而成，屋顶上的稻草颜色更是有深有浅，估摸着修修补补了许多次。

在那院落中，一个看上去已经有八十多岁、老态龙钟的婆婆正坐在小凳子上倒腾着遍地的稻谷。

"这位是……"

"这是……我娘。"

"那老爷爷您的儿女呢？"

那老头儿微微一愣，好一会儿，才低声道："有一个儿子，二十几年前，不慎被老虎咬死了。我那婆娘也因此害了病……之后，这家里就只剩下我们母子二人。"

闻言，清心连忙尴尬地闭上嘴巴，不敢再问。

一路上，在他们的身后，一众村民都远远地跟着，好奇地张望。

待到走进了院落，清心缓缓走上前去，躬身拱手道："老奶奶好。"

那婆婆一惊，连忙抬起头来，看了半天却恍惚道："谁……谁？"

老头儿低声道："我娘眼睛不太好使。"

说着，他走到婆婆的耳边高声喊道："娘，家里来客人了！"

"你说什么？"

"我说，家里来客人了——！"

"哦哦，客人。"说罢，那婆婆又呆坐着不动了。

站在最后的诗雨萱无奈地瞧着那婆婆道："看来不只是眼睛，连耳朵也不太好使。这爷爷的日子还真是……"

清心嘟着嘴瞥了一眼诗雨萱，从衣袖中摸出了一个白瓶子，倒出一粒金丹，塞到老头儿手中："爷爷，把这个给老奶奶吃下去，吃下去眼睛和耳朵就都好了，应该还能延寿二十年。"

"啊？"听她这么一说，不仅仅是老头儿，就连诗雨萱也怔住了。

那老头儿瞧着掌心的金丹，瞧了瞧自己的母亲，又瞧了瞧清心，一时间慌了神。

诗雨萱凑到清心身边，低声问道：“这是……太上老君的金丹吧？”

“嗯。”

“你就这么给了一个素未谋面的老婆婆啊？”

“不可以吗？”清心反问道。

“这东西……这应该是太上老君给你提升修为用的吧？多少修士做梦都想得到呀。”

“你也想要吗？”

“这……我……这谁不想要啊？”

“这是我从兜率宫随手拿的。”清心拎着那瓶子在耳边摇了摇，道，“还剩下五颗，都送给你了，回头我再找师父要就是了。”

说着，清心将瓶子塞到了诗雨萱的手里。

一时间，诗雨萱与那老农的神情是一样一样的。

看着这情况，清心一步步走到老头儿身旁，将老头儿手心里的金丹拿了过来，轻轻放到老婆婆唇边。

“来，婆婆张嘴，啊——”

就在所有人疑惑的目光中，那老婆婆微微张了张嘴，将金丹含入口中。

紧接着，匪夷所思的一幕发生了。

就在所有人的面前，岁月留下的痕迹，仿佛正被某种力量从老婆婆的身上一点一点地抽离。

她脸上的皱纹一点一点地减少，原本已经掉到只剩下几根的头发飞速地长了出来，干瘪得只剩下骨头的双手也一点一点地厚实了起来，就连那空洞的目光中神采都在渐渐恢复。

不多时，那老婆婆缓缓地站了起来，一脸惊恐地看着四周，看着笑盈盈的清心。紧接着，她的眼眶中热泪一滴滴地落下。

四周的人一个个惊恐地看着她。

“神仙啊——！是神仙啊——！”不知什么人忽然叫了起来，紧接着，那围在篱笆墙外的村民一个个又跪又拜，大呼小叫。

院中的母子俩也匆忙跪倒在地，不住地磕头。

清心吓得连忙伸手去扶，一个劲儿地劝说他们不要再跪了。

远远地，普贤笑了出来。

一旁的僧人不由得疑惑了起来，道："这也太豪爽了吧，金丹就这样随便送人？当年玉帝求一颗，都还费了九牛二虎之力啊。"

"你知道她是谁吗？"

僧人缓缓摇了摇头。

普贤长叹了口气，道："明面上，她是须菩提排行最末的入室弟子，实际上，她还有另一重身份——太上老君如今亲授的唯一弟子。"

僧人不由得微微吃了一惊："这世间还有这等人物？"

"本来是不会有的，"普贤淡淡笑道，"可万事，总有例外。她就是那个例外，只是不常外出行走，不为人所知罢了。金丹对她来说算什么，不过是太上老君闲来无事打发时间的产物罢了，要多少，也就看心情。"

…… ……

此时，与此地相距百里不到处，猴子一行正缓缓地朝这里走来。

第五百一十六章

骗 局

坐落在山腰的小小庭院中，于义穿着一身蓝紫色的道袍正沿着回廊缓缓地走着。

与六百多年前相比，他虽说眉目依旧，却显得老成了许多。他蓄起了长须，面容看上去也已经如凡人四五十岁的样子，俨然一副上品地仙的风采。

不多时，他来到一座小阁楼前。

那敞开的房门内，须菩提正背对着于义，捋着长须对着棋盘冥思苦想，时不时捋开衣袖放上一子，转过身，又去拿另一色的棋。

“师尊，”于义躬身拱手道，“五庄观的人说清心师叔和雨萱师妹早就离开了，却还没回来。需不需要弟子出去找找？”

须菩提回头望了于义一眼，便又继续盯着棋盘，随口道：“没回来才正常，难得让她单独出去一趟，肯定是起了玩心，跑到什么地方溜达去了，不用管她。玩够了，她自然就会回来。”

“可，清心师叔几乎没单独出过门，真的没关系吗？”

“不是还有雨萱在吗？”

“这……”

须菩提回过头来瞧着于义道：“没什么好担心的，该干吗干吗去吧。”

于义犹豫了一下，只得点头拱手，退了下去。

数万里外，小小的村庄因为清心与雨萱的到来一下变得热闹不已，一个个村民都将她们当成活神仙一样拜。

许多村民听闻她们要借宿，当即回家杀鸡宰羊，准备好好招待两位神仙。一时间，主人家那小小的院落里堆满了各种礼物。

更有一些患病的村民排起队来请“神仙”诊治。

这一下，清心仿佛捅了马蜂窝一般，忙得晕头转向，狼狈不堪，一旁的雨萱看得直叹气。

“难道你做事情之前都不先想想吗？”

清心这一忙，就忙到了日落西山。

老头儿好不容易把村民们都撵回去，关起大门来却又对着两人又拜又叩，搞得清心尴尬万分。

又扶又劝地折腾了好一会儿，终于将那对母子“请”回了屋，清心关起房门便瘫倒在为她俩准备的卧榻上，感觉一阵虚脱。

雨萱盘着手站在一旁静静地瞧着，许久，轻声道：“你这是自讨没趣，跟你说了，别进这村庄来。既然选择了修仙，就不应该跟凡人有过多的往来。毕竟，我们是两个世界的。”

“修仙又不是我自己选的，再说了，有什么关系吗？”清心趴在枕头上咯咯地笑了起来，那声音如同银铃一般清脆悦耳。她长叹道：“累是累了点，可你不觉得他们都很开心吗？”

“他们当然开心了，有个‘活神仙’站在这里任他们予取予求的。”拿着那白瓶子晃了晃，雨萱拔开盖子凑过去使劲闻了闻，轻声叹道，“而且，还是一个随手就送金丹的‘活神仙’，别说他们了，我也开心呀。”

“开心不就好了，计较那么多干吗？”清心翻过身来，枕着手臂仰卧着。

一双水灵灵的眼睛转悠着四下打量。

这是一间破旧的茅草屋，虽说村民们几乎把家里最好的东西都搬出来堆在这里，可别说兜率宫了，就是与一向讲求素朴的斜月三星洞比也是天壤之别。

用雨萱的话说，这里简直就不是修士能住得下去的地方。

可无论对什么，清心都是那么兴致勃勃，转眼之间她已经伸手拿来一个小木雕把玩，喜滋滋地说道：“你猜这是什么？”

“也许是狼吧。”

“不对，狼的耳朵怎么会是圆的？”

“说不定就是胡乱雕刻的，哪个村民做梦梦见的也不一定。”雨萱坐到卧榻上，忍不住说道，“师叔啊，你真的不知道那些金丹有多珍贵吗？据我所知，天庭能获赐金丹的天将，可是屈指可数啊。以前我怎么不知道你这么败家呢？”

“金丹珍贵，我当然知道了。”清心一个翻身，趴在卧榻上，盯着那奇怪的木雕细细地瞧着，眉头不由得都蹙了起来，托着腮道，“可我身上只有这个。再说了，金丹这东西，吃多了还能长肉不成？我已经吃过许多了，再吃，也没什么意义。师父平时不随便送人，是因为他怕一堆人成天像苍蝇一样围着兜率宫找他要东西。”

“就算你用不上，也不应该这样随便给人啊！”

“如果由雨萱来决定，你看到收留我们的老爷爷的母亲老迈不堪一身是病，而你只不过举手之劳就能轻而易举帮他们解决难题，你会因为金丹珍贵就视而不见吗？”

被她这么一问，雨萱顿时怔住了。她涨红了脸道：“凡人生老病死，这都是规律，有什么可叹的？”

“这都是不作为的借口吧？”

“这普天之下受苦受难的人那么多，你能帮得了谁？”

“帮得了我见着的，没见着的那没办法。但见着的，举手之劳，为什么不呢？”

“可是……这样有什么意义吗？”

清心瞥了雨萱一眼，眉目带笑地说：“我给出去的是一件我压根儿就用不上的东西，他们得到的是对他们来说意想不到的礼物，还给我的是发自内心的笑容。你觉得，这样不好吗？”低着头，清心依旧细细打量着手中的木雕，雨萱却被她这一番话说得沉默了。

许久，诗雨萱只得轻声叹道：“真是败给你了，还好你有两个师父，再折腾也败不光他们的身家。”

“太上老君这徒弟……”阴暗的屋子里，两位僧人对视了一眼，道，“也未免太天真了吧。修仙之路漫漫，就她这样的性格，若不是有须菩提和太上老君护着，她恐怕早早地就被淘汰了。须菩提和太上老君究竟是看上她哪一点了？”

文殊笑了笑，凝视着窗外意味深长地说：“有些东西，讲求的是机缘。天真点也没什么不好，若非如此，我们也不会找她当突破口。这也是机缘。”

此时，房间内，清心干脆将村民送来的小物件都搬到了油灯下，借着灯光一件件细细地看，那目光，就像一个孩童在看自己的新玩具，还有一句没一句地跟雨萱搭着话。

“这个花瓶品相不错，我想把它带回去送给师父。”

“这破瓶子有什么好？太上老君会稀罕这种东西？”

“他肯定会喜欢的，上次我送给他一个稻草做的娃娃他也很开心。”

“他是哄你开心的吧？这种东西凡间到处都是。”

“稀罕的东西不一定珍贵，更不一定是好东西，最重要的是合心意。”回头瞥了雨萱一眼，清心嘟着嘴问道，“你不会还在为金丹纠结吧？”

“你让我怎么能不纠结呢？”雨萱反问道。

“好啦，别想那么多。人生路漫漫，老想这些东西多累啊。”清心掩着嘴笑了起来，“过来帮我挑礼物吧。这一趟回去，两个老头子肯定要说我，得找点东西堵住他们的嘴。”

雨萱的眉头这才缓缓地舒展开来，轻叹道：“真是皇帝不急太监急，又不是我的金丹，我纠结个啥呢？”

说着，她晃晃悠悠地走了过去，陪着清心挑起了礼物。

小屋里的两位僧人都朝着普贤看了过去，其中一位低声问道：“师父，就由着她们这么嬉闹吗？”

普贤缓缓仰起头，抚着下巴道：“接下来……得想办法获取她们的信任。这恐怕不能靠那些幻化的村民了，做得到吗？”

说着，普贤朝自己的一位弟子望了过去。

那弟子的眉头当即微微一蹙，透过窗棂朝清心所在的房子望了一眼，双手合十道：“弟子，定不负师父所托。”

说着，他幻化成一个穿浅蓝色破旧布衣的青年村民，打开木门，借着月光，沿着田间的小道朝远处还点着油灯的房屋走了过去。

望着那渐渐远去的弟子，站在窗前的普贤双目缓缓眯成了一条缝，悠悠道：“只是安插了几个探子就……须菩提啊须菩提，你怎么就露出这么大一条尾巴！”

一步步走向那点着油灯的房子，那幻化成村民的僧人不禁有些忐忑。他双手一翻，变出一个盘子托在手中，盘内盛着一个小巧的盒子。

来到房门口，他咽了口唾沫，挤出一副憨厚又带点谄媚的神情，抬手敲了敲门。

“两位神仙睡了吗？小的有件礼物想送给两位神仙。”

那门缓缓地开出了一条缝。

然而，下一刻，普贤、那幻化成村民的僧人，以及站在普贤身后的另一位弟子都不由得睁大了眼睛。

顺着那门缝，一把出了鞘的剑闪着寒光，以迅雷不及掩耳之势伸了出来，瞬间顶住了僧人的咽喉。

紧接着，房门被彻底推开了。

油灯的灯光中，清心握着剑冷冷地瞧着那僧人。在她的身后，雨萱同样亮出了圆盘状的法器，警惕地注视着门外的僧人。

“两位神仙……你们这是……”

“你应该还不是主谋吧？”注视着对方，清心缓缓地笑道，“欺骗我的感情，可是得付出些代价的。”

话音未落，只见一道金光从清心的身上闪过，瞬间，房屋化作大树，村民变回林间的动物挣扎着逃开。

幻术被强行解除了。

月光下，清心持剑的手微微用力，顶住僧人的咽喉，侧过脸去望向远处立着的普贤。

仰起头，清心轻声道：“原来是普贤尊者啊，怎么不在灵山参悟佛法，跑这儿来了？”

愣了好一会儿，普贤缓缓地拍了拍手，说道：“漂亮！你……怎么识破的？”

注视着普贤，清心淡淡道：“送我的东西里面，出现了几样不属于西牛贺洲的特产。”

第五百一十七章

绕开？

夜风徐徐地吹着。

寂静的山谷之中，月下，影子随着枝丫摇曳。

清心与普贤隔着数百丈的距离静静对视，站在清心身后的雨萱紧紧地握着法器，打起十二分精神。

那被清心用剑顶着咽喉的僧人吓得瑟瑟发抖，微微侧过脸朝普贤投去求助的目光。

许久，普贤忽地笑了出来："幻术没有破绽，破绽在施法的人身上。原来如此。只是，清心施主除了斜月三星洞和兜率宫，并未在其他地方待过，竟也知道这里面哪些是西牛贺洲的特产，哪些不是，实在难能可贵啊。"

"你忘了我有一个曾经无所不知无所不能的师父吗？"清心手中长剑一抬，顶着僧人咽喉的剑尖又略微用力了几分，笑盈盈地说道，"说吧，堂堂西方普贤尊者，对我这不入世的小女子布迷阵，究竟是何目的？"

"清心施主多虑了，其实，也没什么目的。"普贤淡淡道，"只是想与施主探讨一下佛门经典，又怕施主心存疑虑。"

"哦？既然对我没什么目的，那就是对我那师兄有目的咯！"清心当即问道。

普贤依旧是那淡定的神色，轻声道："看来，清心施主对贫僧成见颇深哪。"

清心深吸了口气，悠悠道："摆这种迷阵，就不要怪别人有成见。现在被识破了，说吧，是你自行离开，还是战个痛快？"

听清心这么一说，普贤当即怔住了。就连站在清心身后的雨萱也不由得睁大了眼睛，一脸错愕地望着面色冷峻的清心。

要知道，普贤可是西方排得上号的人物，论实力，比镇元子也不遑多让。

气氛一下僵住了。

好一会儿，普贤正了正神色道："清心施主与贫僧交手，能有几成胜算？"

"实不相瞒，三成。"

"三成便战，未免太儿戏了吧！"

只见清心缓缓伸出三指，那三指之间夹着一蓝一白两枚丹药大小的球，轻声道："不过，清心有十成把握可以撑到两位师父赶到。"

须菩提和太上老君一同赶到……

闻言，普贤嘴角顿时微微抽了两抽。

她这是要引发佛道两门大战的意思啊……

犹豫了一番，他抿着嘴，缓缓地退后，轻声道："既然如此，贫僧就此别过，后会有期了。"

说罢，他化作一缕青烟消散在风中。

见状，清心缓缓挪开了顶着僧人咽喉的剑尖。两位僧人皆双手合十，朝着清心弓了弓身子行了个礼，紧接着，化作两道金光消失在天际。

他们一走，雨萱顿时瘫坐在地，捂着胸口重重地喘息着。

那额头上，豆大的汗珠一滴滴滑落。

"如果……如果刚刚他真的应战，怎么办？"

"应战了就打呗。"清心"锵"的一声将长剑收入鞘中，转身伸出一只手抓住雨萱的胳膊，将她从地上拉了起来，轻声问道，"没事吧？"

雨萱缓缓地摇了摇头，有些忐忑地看着神色淡定自若的清心，低声问道，"你……难道一点都不怕吗？"

"有点吧。"

"有点？"雨萱不禁蹙起了眉头。

两人就这么沉默了好一会儿，雨萱低声问道："要不，我们还是回去吧，于义师兄也说过，悟空师叔这次出山，跟佛门怕是要再起纷争。万一、万一我们不小心卷入……"

“你怕了？”清心问道。

“你不是也有点怕吗？”雨萱当即反问道。

抿着嘴略微想了下，清心仰起头道：“师父教了我一个道理……”

“哪个师父？”

“太上老君。”清心清了清嗓子道，“师父说，怕是不能解决问题的，甚至可能让形势恶化，因为，对手最喜欢的就是对付心有顾忌的人。只要你怕了，就意味着他可以对你肆无忌惮了。现在悟空师兄敢对天庭予取予求，不就是知道天庭怕他吗？他现在不出手，也只是因为时机不成熟。如果你不怕，那么对方在动手之前就必须先考虑一下激怒你的后果了。”

雨萱的眼睛缓缓眯成了一条缝，嘟着嘴道：“但‘无畏’则可能让自己深陷险境而全然不知。”

清心“扑哧”一声笑了，乐呵呵地说：“放心吧，对方既然一开始选择了用幻术迷惑我们，就说明他们的目的没办法单靠用强达到。我们现在已经识破，有了警惕性，他们暂时不会自讨没趣地出招儿。”

说着，清心开始四下打量。

“接下来你打算怎么做？”

“继续等呗。”清心淡淡叹了口气，道，“既然来了，总要见过面再走。有些事，还是必须要知会一下悟空师兄的，毕竟是同门。”

五十里开外，猴子正悬空眺望着前方。

“怎么啦？”从他下方骑着白马路过的玄奘轻声问道。

猴子缓缓落到玄奘身旁，牵起缰绳道：“有人使用大型术法，不过已经解除了。似乎是佛门幻术一类的东西。”

“多远？”

“五十里开外吧。其实昨天我就感觉到了，只是不太确定。这一带一无道观，二无妖怪，连人类的城邦都没有，极有可能是针对我们设下的埋伏。”说着，猴子仰头吆喝了一声道，“都打起精神来，这附近可能有埋伏！”

走在前方扛着九齿钉耙的天蓬回过头来看了猴子一眼，落在后面的小白龙则吓得瞪大了眼睛。

“有埋伏？什么埋伏？”

“注意就是了，管他什么埋伏！兵来将挡，水来土掩！”

荒芜的山间，一行人依旧缓缓前行。

就这么五十里的距离，他们走到第三天的午后才走完，中间又在山林间露宿了一个晚上。

抵达那山谷的时候，正是阳光温和。

展现在众人眼前的是错落有致的十几座房屋，三三两两在田间劳作的农夫，以及在小溪边嬉戏的儿童。

望着这村落，猴子眉头不由得蹙了起来。

“大圣爷之前说的大型术法，可是这儿？”

“是这儿没错，可是……”猴子有些拿捏不定。

若说感知到的地点是荒郊野外也就罢了，可竟然是一个村落？

就这样一个寻常村落，怎么可能有人施展什么术法？如果说这村子本身就是所谓的佛门幻觉，他为什么看不出一点端倪？

难不成是如来亲自来了？

犹豫了许久，猴子看着骑在马上的玄奘道：“要不，绕开吧？”

第五百一十八章

被发现了

灵山，大雷音寺。

阳光下，一株株巨大的菩提树遮天蔽日，翠绿的草坪美得如同画卷一般。三三两两的僧人分散在各处，或诵经，或品茗论道。

远处，一座座高耸的浮屠塔若隐若现，几只飞鸟从天空中滑翔而过。

普贤带着两位门徒大步走在步道上，错身而过的僧人一个个停下脚步默默地向他躬身行礼。

远远地，普贤望见了大树下盘腿而坐的文殊、正法明如来，还有灵吉。

一步步朝他们走了过去，普贤躬身坐了下来，随意地摆了摆手，示意自己的两个门人可以离开了。

正低头闭目的正法明微微抬头看了普贤一眼，道："回来了？"

"回来了。"

"如何？"

普贤无奈笑了笑，道："连女娃那一关都没过，就被识破了。看来还是小瞧她了。"

"你小瞧的是太上老君和须菩提。"一旁的灵吉悠悠道，"即便是溺爱，这两个人教出来的徒弟，又岂是你随便糊弄得了的？"

普贤抖了抖衣袖，仰头道："一点小挫折而已，回头再战便是了。"

"真是不撞南墙不回头。"文殊调侃似的摇头道，"我是认栽了，今世的金蝉子虽说修为尚未大成，可论那普度之道，比十世之前，悟得更加深了。"

"深不深，未可知也。"普贤伸手夺过文殊手中的佛珠，意味深长地说道，"现在跟着他的，哪一个不是沉沦苦海之中，他度了谁？"

正法明如来双手合十，淡淡道：“且行，且看。”

阳光下，猴子站在山坡上静静地眺望着前方的村庄，那眉头紧紧地蹙着。

“绕道？”天蓬冷哼道，“原来大圣爷也有绕道的时候啊！”

猴子当即瞪了他一眼，转而看向骑在马上的玄奘：“这村庄有些蹊跷，像佛门的幻术，可又似乎不是。也许是什么人给我们布的局，实在没必要涉险。”

玄奘缓缓摇头，勒紧缰绳，白马原地打转。他远远地望着那村庄道：“这一路，我们就是要不惧艰险。”

“你这么说也在理。不过，你可想好了。如果不是那阵术法波动，我都会将它当成一个寻常村庄看待的。要真是假的，不是如来亲至，就是用了什么厉害的法宝。而且如果整个村庄都是幻术变的，那本身就已经没有度的必要了，何必呢？”

“那就会会那施法的人。”

说着，玄奘两腿一夹，策动白马缓缓向前。

“我们维持这样子进去吗？”黑熊精指着自己的脸小声问道。

猴子摆了摆手道：“就这个样子，懒得变了。”

说着，他变出金箍棒握在手中，快步跟了上去。

眼看着一个和尚带着猴子和身躯庞大的黑熊精从山上奔下来，一时间整个村庄乱成一团，村民纷纷丢下手中的活计逃跑。

玄奘连忙勒停了马，回头看了猴子一眼，高声喊道：“诸位施主，贫僧自东土而来，往西天取经，只是路过此处。诸位无须惊慌！”

正言语间，猴子已经跟了上来，他手中金箍棒一顿，瞧着惊慌失措的村民悠悠道：“装得还挺像的。”

玄奘轻声问道：“大圣爷有几成把握他们是幻术？”

“五成吧。”

听他这么一说，玄奘当即下马，转身交代道：“贫僧过去与他们说说，你们先不要过去，莫吓着他们。”

“你要出了事怎么办？”

“出了事，那就是天命。”深吸了口气，玄奘卷起衣袖，朝缩在一处的村民走了过去。

此时，猴子已经缓缓凝聚起了灵气，准备一有异动，随时出击。

随着玄奘与那村民的距离越来越近，其他人也都不自觉地作好了战斗准备，默默留意着四周的动静。

走到与村民相距不过一丈的距离，玄奘双手合十道：“请问，哪位是村长？”

聚在一起的十几个村民都惊恐地注视着玄奘。

许久，人堆中猛然伸出一只手来。

“我……我是。”

村民们迅速让开了一条过道，一个拄拐的驼背老头儿缓缓走了出来。

那老头儿瑟瑟发抖地咽了口唾沫，望着玄奘轻声道：“你是人是妖？”

“贫僧是人。”

“那他们呢？”老头儿指着玄奘身后的猴子与黑熊精问。

“是妖。”

村民们又惊慌了起来，通通往后缩了一步。

玄奘连忙说道：“不过，他们绝不会伤害诸位。”

“他们是妖，你跟他们在一起，你肯定也是妖怪！你说的谁信啊？”人群中有人尖叫了起来。

顿时，所有人都纷纷点头，那恐惧的神色越发浓郁了。

玄奘连忙堆起笑容道：“诸位施主，请不必顾虑，我们只是路过，借宿罢了。绝不会伤害诸位。”

然而，无论怎么解释，只要他往前一步，那些村民就后退一步。

小小的房间里，清心握着一个巴掌大、闪着微光的八卦，笑开了花：“这和尚，不会是有病吧？师兄就保护这么一个人哪！”

雨萱靠在窗边眯着眼睛细细地看着，轻声道：“他大概是想跟那些村民好好谈谈吧，可惜这些村民都是你变的，他没可能说服得了。”

说着，她将目光瞥向了另一边，远远地望着猴子，叹道：“悟空师叔，看上去比以前沧桑了好多。”

“你以前就认识我这师兄吗？”

“认识，我还差点儿拜了他为师呢。”雨萱深吸了口气，有些落寞地说道，“那时候我还在昆仑山，因为师妹的事情沾了些祸事。呵呵……刚认识的时候，我是纳神境，悟空师叔也是纳神境。他是师尊的弟子，只要我拜了他为师，就可以离开昆仑山保住性命，所以那时候我想拜他为师。可惜他不肯，刚好遇见师父……还是在悟空师叔的煽动下，师父才收我为徒的。”

“那他以前是什么样子？”

“以前？以前他眼中总是带着杀气，天不怕地不怕。”

“是啊，他确实是天不怕地不怕，三界给毁得差不多了，天庭也给端了，我太上老君师父被他弄得差点儿咽气。”

“清心师叔不喜欢悟空师叔吗？”

清心略微想了想，答道：“谈不上讨厌，但肯定也谈不上喜欢。他太能惹事了，简直就是天生的祸害。”

“那怎么能怪他？”雨萱掩着嘴咯咯笑，轻声道，“要真都是他一个人的错，当初斜月三星洞的师叔们怎么可能倾巢而出到花果山去帮他？”

“是啊。”清心嘀咕道，“而且还九个全部陨落，到现在都没复活，搞得整个斜月三星洞除了师父全叫我师叔。”

“当时有些事，是你不知道的。”雨萱远远地望着猴子，低声道，“悟空师叔当时真是被逼疯了，已经到了不管不顾的地步，一心想要跟太上老君同归于尽。所以，才会干出那些事。”

清心轻轻挑了挑眉道：“是吗？我怎么觉得都是他在逼别人呢？”

“接下来，你该现身了吧。”

“先不现身。”清心仰着头悠悠道，“师父的异域镜可比普贤佛的幻术高明多了，虽说伤不了人，但师兄一时半会儿还是识破不了的。我们就慢慢看戏呗，什么时候该出去了再出去。”

此时，玄奘凭着三寸不烂之舌好说歹说，总算是向村长表明了自己这一行人是没有危险的，可惜点头相信归点头相信，一说起借宿，那些村民却纷纷摇头。

又折腾了好久，村长最终指着村口一间已经破败的茅草屋道："你们既然说不介意条件好坏，要不，就住那里吧。反正也只是一宿。"

说罢，一众村民便忐忑地瞧着玄奘。

玄奘回头看了一眼，默默点了点头，双手合十道："那，贫僧就代一众友人谢过村长了。"

入了夜，玄奘在茅草屋里点起了借来的油灯，将它高高地悬到破旧的柱子上。

小小的茅草屋看上去也就两丈宽，一丈长，那些堆放的农具才被村民们拿走，满地的泥沙，抬起头，甚至能望见星空。

还好没下雨，不然这屋顶铁定漏水。

从玄奘身旁走过，小白龙嘟囔了一句："这和露宿有什么区别？"

"也算是。"玄奘轻声叹道，"贫僧要悟普度之道，自然要到人群中去，若是避世，这普度又有何用？"

"这里说不准还都是幻术呢。"

"如若是幻术，那便等施法的人出来，问个清楚。"玄奘随口答道。

此时，猴子还在村庄里悄悄地四处查探。

虽说没有确切的证据，但他总感觉这整个村庄都有些不对路，只是一时还说不清到底是怎么回事。

屋子里，雨萱小心翼翼地问道："悟空师叔感觉不到我们吗？"

"你信不过师父的法宝？"

"信得过。不过，先前你都能识破普贤佛的幻术，悟空师叔见多识广，说不定也……"

清心笑盈盈道："我的和他的，是两个不同的幻术。普贤是需要人去运作的幻术，若非无所不知，总有算漏的地方。我这可是不可能算漏的，只要他没有直接捉到我们，永远都发现不了。"

话音未落，房门"咣"的一声被踹开了。

两人一惊，连忙回过头去。

“总算找到了。”门外，猴子拄着金箍棒，长叹了口气，道，“你们是什么人，谁派你们来的？说实话，可以饶你们不死。”

第五百一十九章

镇元子的决定

“立即出来！否则我可就动手了！”猴子拄着金箍棒站在门口怒吼道。

那声音在山谷中缓缓回荡着。

远处，所有村民，乃至村中的所有牲口都停止了动作，整个村庄如同定格了一般，就连庭院中的叶片都停止了摇曳。

察觉到异样的众人匆匆从房中奔了出来，远远地眺望。

许久，那黑漆漆的茅草屋中终于有了动静。

率先跨出房门的，是穿着一袭道袍的雨萱，她微微低着头，目光有些闪烁。

见到她，猴子不由得微微一愣。

六百多年没见，加上雨萱本身外貌和修为也都有了比较大的变化，猴子一时之间没办法立即认出她来，可还是有一种似曾相识的感觉。

还没等猴子开口，她便躬身朝着猴子行礼，道：“诗雨萱参见悟空师叔。”

听她这么一说，猴子才醒悟过来，原本紧绷的神经放松了一些，轻声道：“你到这里来干什么？还给我布迷阵？”

话音未落，那房中的另一个人也走出来了。

月光下，清心穿着一袭翠绿的长裙，眉目如画，她抿着嘴，睁着一双明媚的眼睛，歪着脑袋懒懒地瞧着猴子。

那神情看上去就像一个捣乱被捉个正着，却又不肯认错的孩童。

“你是谁？”

一旁的雨萱连忙介绍道：“这位是清心师叔，是师尊两百年前新收的入室弟子。”

清心深吸了口气，有些不乐意地拱手。

“清心拜见悟空师兄。”

“老头子还新收了个女弟子？”猴子伸手抹了把鼻子，拄着金箍棒笑道，“我还以为他不会再收了呢。”

清心的眉头蹙了蹙，随口问道：“你怎么找到我们的？我刚刚明明已经封了所有的气息。”

“用眼睛找的呗，这村庄才多大？理论上找不到，不代表实战的时候真的找不到。”瞧着清心，猴子伸手指了指四周，道，“话说回来，这幻术是你使的？”

“是。”

说着，清心手一扬，定格了的村庄中的人和牲口，包括房屋农田，一切都随风飘散，消失无踪了。

盯着清心，猴子问道：“你这是什么意思？”

“没什么意思，玩玩而已。悟空师兄不喜欢这种玩笑，以后不开便是了。”

“玩玩而已？”闻言，猴子当即冷哼了一声，道，“是老头子授意的吗？”

“不是。”清心仰起头道，“是清心自己的决定，我从小就喜欢看耍猴。”

一旁的雨萱差点儿笑出来，她连忙捂住了嘴，略带惊恐地望着猴子。

清心脸上也闪现了一丝笑意，又连忙收了收。

猴子的眉头不由得蹙成了一团，有些疑惑地瞧着眼前这女子。

这是什么意思？来找碴儿的？

这世界，敢拿他是猴这点开玩笑的可实在不多，这师妹是怎么回事？她不知道自己是杀人不眨眼的妖王吗？

就算她原本不知道，雨萱也会告诉她自己过往的那些劣迹吧？

老头子收这么个徒弟是什么意思？

短暂的沉默之后，猴子稍稍收了收神，侧过脸去对着雨萱问道：“师父他老人家现在可还好？”

还没等雨萱开口，清心便抢答道：“好得很。”

这一答，猴子的目光又望向了她。

“师兄们都复活了吗？”

“没有。”

“为什么不复活？”

“师父说暂缓。”

“暂缓？”

伸手撩了撩鬓发，清心悠悠道：“你的问题还没解决，万一复活了又被你害死怎么办？”

此话一出，一旁的诗雨萱一惊，连忙往后缩了半步。

猴子的脸顿时微微抽了抽，冷哼道：“现在斜月三星洞还在原来的地方吗？”

“搬了。”

“搬到哪里去了？”

“暂时不想让你知道。”

“你跑过来究竟有什么事？”

一连串好似逼问犯人似的问答之后，猴子总算问到了点子上。

清心仰起头转悠着眼睛略微想了下，深吸了口气，噘起嘴道：“来告诉你，道家和佛门都准备要收拾你。你惹的事不小啊！”

“这些我都知道，让他们有种一起上。”

“还有，顺便告诉你别再惹事了，安分点。”

“这是师父让你说的？”

“是我想跟你说的。你毕竟还是斜月三星洞的门徒，惹了事，祸害了师门，牵连了我等就不好了。”

顿时，两人又沉默了。猴子冷冷地盯着清心，双目缓缓眯成了一条缝，清心若无其事地抬头望天。

一旁的诗雨萱，还有远处的玄奘等人都看得有些发愣。

许久，猴子哼笑了出来，悠悠道：“你知道自己在跟谁说话吗？”

“知道啊，和我一个爱惹事的师兄。”

“知道我爱惹事还敢这样跟我说话？”

“不行吗？”

被她这么一问，猴子顿时笑得更欢了，那笑声中渐渐多了一些别样的味道。

清心依旧高傲地昂着头，好似没看见一般。

这一幕，看得一旁的诗雨萱心惊胆战。

她见过的人，有谁敢这样挑衅？

细想之下，好像也只有那被压在华山的三圣母。可那是因为她跟猴子之间有情分在，不管她如何闹腾猴子都只能让步，打不还手，骂不还口。

其他还有什么人吗？

答案是：没有。

如果抛开清心是猴子师妹这一点，雨萱甚至丝毫不怀疑挑衅者会被当场一棍子打死。

许久，猴子的笑声总算停歇了。他深吸了口气，回过头去望着远处的玄奘等人道："行，当然行。小师妹嘛，咱让着点也应该。师父他老人家时常教导门人，应该尊老爱幼。身为师兄，自然要多迁就师弟师妹了。"

"知道就好。难得你还记得师父的训示，既然如此，那就安安分分地回花果山去，别再给师父捅娄子了。"

清心面无表情地瞧着猴子，从衣袖中掏出一块玉简丢了过去，被他稳稳接住。

"这个是留给你的，另一块，我会给师父。有空记得去给师父他老人家请安，别出来了还装傻。当人家的徒弟，总该要像个徒弟。"

一通仿佛长辈对晚辈的训示，完了，清心转身就要走。

正当此时，猴子金箍棒重重一顿。

只听"咣"的一声，地面龟裂了，尘土扬起，在他的脚下形成了一片淡淡的灰色的雾。

在场的所有人皆是一惊，正要离去的两人不约而同地停下了脚步。

诗雨萱的额头已经隐隐开始冒汗了。

清心眯着眼缓缓回头，若无其事地问道："还有什么事吗？"

"我说过你们可以走了吗？"猴子指了指诗雨萱道，"不关你的事，让开。"

诗雨萱默默点头，在清心鄙夷的目光中往后退了两步。

远处的玄奘见形势不对，当即朝他们小跑过来。

还没等他开口，猴子已经随手一指，喝道："放心，我不打女人。这是师门内部的事，轮不到你插嘴。"

玄奘一时手足无措。

见着眼前这般情形，清心怔住了。她脸色明显变了变，却还是强撑起冷漠的神情瞧着猴子道："你想干吗？"

"不干吗，师兄要教一下师妹什么叫尊重师长而已。"

看猴子两手握得噼啪作响，清心一惊，手在衣袖中暗暗攥紧了那报讯用的两枚圆球。

可惜的是，距离实在太近了。

先前她与普贤相距百丈，如今与猴子之间的距离不过一丈。更糟糕的是，猴子的速度比普贤更快。她根本不可能有时间捏破那两枚圆球。

只一瞬，无须清心开口威胁，猴子已经身形一晃出现在她身旁，一把握住了她的手腕。

剧痛之下，那两枚报讯的圆球悄然落地。

惊恐地看着猴子，清心尖叫道："你要干吗？住手！小心我告诉师父！"

近在咫尺的距离，猴子瞧着清心笑道："奉劝你还是别使用那些法宝了，你用一样，我没收一样。如果你觉得不满意，可以让师父来找我要回去。"

大约两刻钟之后，清心被猴子用她随身携带的捆仙索五花大绑挂到了树上，骂骂咧咧。猴子则盘着手在一旁饶有兴致地看。

"你个无赖！无耻之徒！我一定要向师父告状！一定会的！"

"去告吧，找师父告你师兄我状的还少吗？这方面玉帝有经验，有空你可以多跟他交流一下心得。"

"你——！迟早我会报复的！你给我小心点！"

"我等着你报复。"回过头，猴子指着诗雨萱道，"明天天亮之前不准放她下来，不然我就把你也一起挂上去。没情面讲，懂吗？"

雨萱连忙点了点头。

"雨萱，你！"

缓缓地抬头，猴子嬉笑着瞧着清心："好好在这里待着吧。你还嫩得很。有空呢，让师父教教你什么叫天高地厚。光牙尖嘴利是没用的，拳头才是硬道理。"

说着，猴子拍了拍手，领着玄奘等人扬长而去。

小白龙还时不时回过头来望清心一眼，那目光透着无限的同情。

若换作一般的师门，师妹招惹师兄，惹了也就惹了。坏就坏在清心的师兄是这位大圣爷。此时此刻，小白龙只想对她说："没死算走运了，知足吧。"

一路上，玄奘缓缓走到猴子身旁，小心翼翼地说道："大圣爷，她毕竟是你师妹，就这么……悬着，恐怕以后见了须菩提祖师不好交代吧？"

猴子摆了摆手。"我需要对他交代什么吗？他算计我也没向我交代过。见了面，叫声师父便是了，他也不会与我多说的。再说了，就她这性格，比我还破，受点挫折也好。法器我都留给诗雨萱了，解开也就一瞬的事。真有事她懂怎么做的。"猴子又喃喃自语道，"妈的，还以为是来找你碴儿的，没想到是来找我碴儿的。"

大树下，清心重重地喘息着，怒目瞪着诗雨萱。

"师叔，我真不能放你下来。"

"他都已经走远了！"

"可他还会回来的，悟空师叔的性格你不知道，他说捆你到天亮，就肯定捆你到天亮。说不准，他正在附近监视呢。"

"你那么怕他干什么？"

"因为他是大圣爷啊。"诗雨萱低下头，嘀咕道，"大圣爷不可怕，这世界还有谁可怕啊？"

闻言，清心顿时气不打一处来。

那悬空的脚用力一蹬，捆仙索勒得更紧了，痛得她直冒冷汗。

咬着牙憋了许久，她尖叫道："他早晚会后悔的！"

此时，万寿山五庄观的大殿中，烛火吱吱地燃烧着，偶尔爆开几粒烛花。

昏红的大殿中，镇元子与伏地的太乙真人默默相对，整个大殿寂静无声。

许久，镇元子捋了捋长须道：“你先起来吧。”

“万寿大仙不答应，弟子便不起来！”

镇元子不由得笑了，无奈叹道：“这样没意思的。你好歹也是天上地下有数的地仙，何必用这种下三烂的招数，搞得自己像那些凡夫俗子一样，自降身价。”

太乙真人依旧趴在地上，高声答道：“兹事体大，太乙也是无奈之举，还请万寿大仙见谅。”

“这事情你那师父都不管了，你管有什么用？”

“太乙自知人微言轻，所以只能求助于万寿大仙。那玄奘西行证道，当真是非比寻常。当日一战，我道家损失惨重，那佛门早已成掌握三界之势。若此次玄奘证道普度再成，佛门必大盛。届时，我道家必沦为二流教派，再掌三界之日，遥遥无期。想当日，便是因为众大能错估了妖猴的实力，才铸成大错，今日万万不可再重蹈覆辙了呀。还请万寿大仙念及天下同门，早日出手干预！”

话到此处，太乙真人痛哭流涕，以袖拭泪。

镇元子捋着长须注视着伏在地上的太乙真人沉默了许久，轻声问道：“你去见过通天教主了吗？”

“见过了。”

“他怎么说？”

“通天师叔说按师父的意思办。”

“兜率宫去过了吗？”

“去过了。”

“太上老君跟你怎么说？”

“太乙去了三次，太上老君始终不肯接见。”

“斜月三星洞呢？”

“同样不肯接见，只以琐事推搪。”

镇元子微微仰着身子，笑道：“合着，是老夫不够坚决，所以你总往老夫这里跑？”

“万寿大仙怎么能这么说呢？”太乙真人连忙抬起头，面露惊恐之色。

“那不然怎么说？”镇元子反问道。

被他这么一问，太乙真人却也只能微微低下头去。

又沉默了许久，镇元子朝殿外望了望，撑着膝盖轻声叹道：“这样吧，西行究竟是利是弊，老夫暂时也不敢断言。反正呢，他们一行，会路过万寿山。既然如此，老夫就请他们在这里小住些时日，届时再作打算吧。”

第五百二十章

万寿山

三十三重天。

如荫绿木间，清心气冲冲地走着，雨萱踏着碎步紧紧跟随。

“师叔，这真不能怪我，悟空师叔的脾气你不知道，他真生起气来，连南天门都给攻破了，玉帝不也给他杀了一个吗？真要放你下来，万一被他看到了，可就不是吊一夜这么简单了。雨萱真的不是有意不放师叔下来啊。”

清心停下脚步回过头去，冷冷地瞥了雨萱一眼道：“跟着那猴头儿去，别跟着我。”

“师叔……”

“他才是你师叔，我不是了。”

说罢，清心迈开步子继续往前走，脸色阴沉。

雨萱稍稍犹豫了一下，加快脚步跟了上去，低声劝道：“师叔，悟空师叔真是招惹不得的。你看连太乙真人都拿他没办法，要求助于万寿大仙。你别听万寿大仙左一个收拾右一个收拾的，那说的都是场面话，当年悟空师叔还没突破到天道修为，他自己不也被打得满地找牙吗？如果不是元始天尊和通天教主出手相救，他早就神形俱灭了。”

“所以，我就该咽下这口气吗？这世间难道真没人治得了他？”

“有。”

“谁？”清心当即停下了脚步，回头看向诗雨萱。

眨巴着眼睛，雨萱支支吾吾地答道：“如来。”

“这说了跟没说一样，难道你要我去找如来？换一个。”

“那就只剩下三圣母了。”

“三圣母？”清心眉头不由得蹙了起来。

“对，找三圣母。”雨萱点了点头道，“悟空师叔对她绝对是打不还手骂不还口，师叔可以试试……试试到华山去找三圣母，她现在被二郎神压在华山下，已经六百多年了。兴许她愿意帮师叔出这个头。”

闻言，清心的眼神顿时变得冷淡了许多。她喃喃自语道：“去找他老婆来帮我出气，丢不丢人？”

说罢，清心扭过头又迈开步子气冲冲地朝前走，雨萱只得硬着头皮跟了上去。

这一路遇见的兜率宫道童，望见清心这副神色一个个恨不得绕道走，实在躲不过的，便默默立定行礼。

真要论起来，他们都还是清心的师兄，可惜这入室弟子与旁的弟子地位实在相差甚多。再加上太上老君的宠爱，清心的任性，这小师妹一旦生起气来，他们这些当师兄的除了躲还能如何？

转眼之间，两人已经来到了一处小阁楼前。

清心站在楼前抬头望了两眼，迈开脚步便要朝里走。

一旁把门的道童连忙上来阻拦，低声道：“清心师妹，这里没有师父的手令，是不能擅自进入的。”

瞧着他，清心冷冷道：“我找师父。”

“师父不在里面。”

“师父在不在，我进去一看便知，不用你来说。”

“可这里没有师父的手令，任何人不得擅闯。”

听他这么一说，清心当即笑了，笑得那道童一阵心慌。

指着自己的脸，清心对那道徒说道：“我就是手令，兜率宫就没有我清心去不得的地方。”

说罢，清心一把推开道童，大步跨过了阁楼的门槛。

那道童也不敢强加阻拦，只能在身后默默地跟着。

闯入空荡荡的阁楼中，清心气冲冲地踢开了一扇又一扇房门，转眼之间，将整个阁楼搜了个遍，可惜什么都没找到。

翻到最后，实在没办法了，她只好叉着腰在阁楼的大厅中来回踱着步，冥思苦想。

门外，兜率宫的道童已经聚集了四五个，一个个都远远地看着，没有人敢开口制止。

雨萱小心翼翼地说道：“太上老君会不会真的不在呢？”

“肯定是躲起来了。”清心气鼓鼓地说道，“就不该提前告诉他我来找他干吗。”

“也许太上老君有什么事呢？”

“他早退隐了，还能有什么事？平日里什么闭关、云游之类的都是说给玉帝听的，骗谁啊！”

正当此时，身为兜率宫大管家的雀儿从门外走了进来，看见遍地狼藉，轻声问道：“清心妹妹怎么啦？”

清心淡淡看了她一眼，稍稍收了收脸上的怒意，抿着唇，嘟囔道：“没什么，找师父呢。不知道老头子跑到哪里去了。”

“师父有些琐事要处理，所以得离开兜率宫几天。”瞧着清心，雀儿恬静地笑了笑。

听雀儿这么一说，清心不由得看着她愣了。

许久，她狐疑地转过身去，走到一旁放置的一个一人高的精致木盒前。

雀儿顿时一惊，不自觉地伸出一只手去制止。

还没等她开口，只听清心故意拉长了声音道：“他在不在，看来，只有一个办法可以证明了。”

说着，她伸手翻开了木盒的盖子，随手抓起了一把黑色碎末。

在场的众人不由得都惊呆了。

阁楼的地下室中，两个老头儿挤在狭小的空间里面面相觑。

须菩提低声问道：“那个……是天道石的粉末吧？”

太上老君苦着脸点了点头：“本想留个纪念的。”

须菩提捋着长须笑了出来：“你教出来的好徒弟呀。”

“教她你没份吗？怎么就是老夫一个人的错了？”白了须菩提一眼，太上老君悠悠道，“别急，她找不到我，自然会去找你。到时候有你的苦头吃。”

稍稍沉默了一下，太上老君又愤愤道："你怎么就想得出让她去见那猴子呢？以她那脾气，再加上那猴子的脾气，这两个人撞在一起能不出事？"

"你之前不是还让我早点让他们相会吗？"

"那是一回事吗？老夫是让你告知他们真相，再让他们相会，哪有你这样操办的？"

"我这么操办怎么啦？"

太上老君把嘴一撇，叹道："这么操办害人不浅，亏你还是个大能，尽干缺德事。徒有虚名，徒有虚名哪。"

握着那把天道石的粉末，清心又在阁楼的大厅中绕了几圈。

许久，那紧蹙的眉头总算缓缓松开了。

"难道真的不在？"

"师父真的不在。"一旁的雀儿应道。

犹豫了一下，清心这才无奈地将手中天道石的粉末撒回了木盒中，拍了拍手，将木盒盖好。

缓缓走到清心身旁，雀儿轻声问道："清心妹妹这是怎么啦，生那么大气，是发生什么事了吗？"

"有个混蛋……算了，不说了。"转过头，清心看向一旁呆立的几个道童。

那些道童被她这么一看，当即一惊，一个个连忙往后退了两步。

不管三七二十一，清心伸手指了指其中的两个道童道："你，还有你，带上师父的法宝，跟我下界收拾那猴子！"

正当此时，猴子一行已经缓缓来到万寿山下，望见那座依附于五庄观的万寿城，不禁感叹。

与凡间的一般城池不同，这是一座开放式的城市，没有城墙，甚至连用于防御的法阵都少见。

层层叠叠的房屋，雅致的庭院，宽敞的街道，络绎不绝的行人，空中时不时可以见到驾驭法器滑翔而过的修士。在这些修士之中，甚至还混了一些妖怪，看上去，镇元子的门徒对他们并不排斥。

这也就不难理解，为什么当初几位妖王会想方设法从镇元子手上去搞法器丹药了。

一来，五庄观与昆仑山不同，并不十分排斥妖怪；二来，五庄观也不同于斜月三星洞那样偏安一隅，他们拥有庞大的人力物力，供得起数量巨大、价格低廉的丹药和法器。

当然，这里也不完全是一个开放的修仙社会。无论何时，它都牢牢掌握在镇元子的手中，所有人唯镇元子马首是瞻。

这也就是当初镇元子一声令下就让六妖王半个丹药都拿不到的原因了。

回过头来，猴子瞧着玄奘问道："进去吗？"

"为何不进？"玄奘淡淡笑道，"既然来了，总要看上一看，长一长见识。"

说着，玄奘迈开步子沿着宽敞的步道朝万寿城走去，其他人也一并跟了上来。

不多时，一位道徒拦住了众人的去路，躬身拱手道："几位想必是往西天取经的吧？"

猴子抢先拦到了玄奘身前，棍子一顿，啃了一口握在手中的果子，懒洋洋地道："没错，有何指教？"

"这位想必就是大圣爷吧？"

猴子瞧着那道徒，面无表情地说道："先说说你有什么指教吧。"

听他这么一说，那道徒看向猴子的眼神都有些闪烁了，连忙转向相对面善一些的玄奘拱手道："家师镇元子想请几位入住五庄观，特命弟子前来引路。"

"去五庄观？"猴子哑然失笑，"有人参果送吗？"

"家师已经命人备下两个，一个给大圣爷，一个给玄奘法师。权当见面之礼。"

"两个怎么够？"猴子随手把果子一抛，"你数数我们这里有多少人，要不识数我帮你数。"

那道徒怔了一怔，伸手点了点，道："总……总共五人……"

"你数错了吧？"

"这……"道徒仰头又数了一遍，来回掐算了半天，苦着脸低声道，"大圣爷，玄奘法师，加上这位龙兄，还有熊兄，以及这位先生，总共五人，没错呀。”

猴子随手一指，却是指向了那匹马，道：“它不算吗？”

“马？”闻言，那道徒眼角顿时抽了抽。

一旁的小白龙强忍着不笑出声来。

猴子往前一步靠到那道徒身前，笑嘻嘻地说道：“它是一匹马没错，但它是一匹有佛性的马。跟着玄奘法师从东土走到这里，更是一匹神马。你说，你该不该也给它一个人参果？”

“大圣爷莫捉弄小的了。”犹豫了许久，那道徒抹了一把额角的汗，强撑起笑脸低声道，“这人参果何其珍贵，怎么能给一匹马吃呢？大圣爷说笑了，说笑了。”

玄奘也忙说道：“大圣爷，既然万寿大仙诚意邀请，我们就去住上一住吧。也莫为难这位道长了。”

见玄奘开口了，猴子才往后退了一步，却又用手搓了搓道徒的肩道：“说好的，五个，少半个，跟你没完。”

那道徒惊恐地点了点头。

在那道徒的带领下，一行人直接绕过了万寿城，一步步登上了万寿山的石阶。

上了山顶，一行人远远地就看见镇元子领着十几个门徒守在门外。

看到猴子的瞬间，镇元子脸上的表情微微僵了一下，又迅速恢复了淡淡的笑，道：“大圣爷，玄奘法师，一路辛苦了。”

玄奘忙答道：“哪里哪里，劳烦万寿大仙久候，贫僧何德何能！”

两边的人缓缓聚拢到一处，互相躬身行礼，唯独猴子只是棍子一顿，昂着头意味深长地瞧着镇元子。

收了收神，镇元子侧过身作出一个“请”的手势，对玄奘道：“诸位一路劳顿，还是先到观里放下行李安顿下来，稍后，再作打算吧。”

玄奘双手合十道：“叨扰万寿大仙了。”

紧接着，在一道徒的带领下，小白龙牵着白马朝着专门准备的马厩前去。其余人等则随镇元子缓缓攀上了宽敞的石阶，跨过大门的门槛，一步步朝五庄观的深处走去。

自始至终，猴子不发一言，默默地注意着镇元子，而镇元子则刻意闪避猴子的目光，一心与玄奘交谈。

说起来，六百多年前的那一战，镇元子是猴子的手下败将，时至今日，当日的恩怨依旧未化解。以镇元子的身份，要他主动向猴子低头，那得是多大的面子？这让猴子如何不疑呢？

走过宽广的广场，跨过精致的拱桥，绕过狭长的回廊，一行人很快来到位于五庄观侧方的庭院中。

独栋的小阁楼，四周鸟语花香，放眼望去，一片雅致景观。

进了阁楼，迎面而来的是高耸的博古架，各种用品摆设极其讲究。

对拥有过齐天宫的猴子来说或许没什么，可真要论起来，这恐怕是玄奘今世住过的最好的房子了。

指挥着一众弟子帮忙将行李放好后，镇元子转而轻声对玄奘道：“贫道听闻玄奘法师决心证道普度，甚感好奇。稍后，还请玄奘法师为贫道讲一讲这普度之道。”

听镇元子这么一说，玄奘不由得微微一愣。

其他人倒是不以为意，只当是客套话，依旧该干吗干吗，可玄奘却知道这句话的分量。

第五百二十一章

人参果

道与佛，乃是两派，虽说并无直接冲突，但到底教义不同。

所谓道不同，不相为谋。

若是玄奘主动提出也就罢了，这堂堂万寿大仙镇元子，道家仅有的几位大能之一，竟然说出对归属于佛法的“普度”好奇，要玄奘来给自己讲一讲这样的话，这确实不能不让玄奘感到疑惑。

一时间，一向泰山崩于前而面不改色的玄奘竟也有些拿不定主意了。

当然，此时在场的人之中疑惑的也不仅仅是玄奘，一旁的猴子双目早已眯成一条缝。

就在不久之前，清心不是告诉猴子他招惹了道家吗？要说三清或者须菩提出手阻挠，猴子实在不大相信。这不是他们的作风。想来想去，几位大能之中，还真就只有这位愣头青镇元子有可能强出头。

莫非所谓的招惹了道家，指的就是他？

想到这儿，猴子的眉头微微挑了挑，看镇元子的目光越发意味深长。

见玄奘略微有些犹豫，镇元子又接着拱手道：“还望玄奘法师不吝赐教。”

说着，他躬身作势要拜。

玄奘一惊，只得上前搀扶，道：“万寿大仙多礼了，此礼玄奘万万受不起。”

“那玄奘法师是答应咯？”抬起头，镇元子笑眯眯地瞧着玄奘。

“这……”呆呆地眨巴着眼睛，玄奘看向一旁的猴子，又犹豫了好一会儿，才双手合十，轻声道，“玄奘……尽力而为便是了。”

闻言，镇元子缓缓直起身子，捋着长须笑道：“贫道在此先行谢过玄奘法师了。”

玄奘双手合十，回道：“不敢。”

一旁的猴子那眉头早已蹙成了八字。

就镇元子这态度，猴子打死也不相信他无所图谋。

正当此时，几位道徒端着各色菜肴从门外缓缓走了进来，迅速摆满了一桌子，五颜六色的。

其中一位道徒缓缓走到镇元子身旁道：“师父，斋菜都准备好了。”

镇元子点了点头，又朝玄奘道：“这是我五庄观特地为诸位备下的斋菜，诸位还请慢用。一路旅途劳顿，贫道也不打搅诸位休息了。待午后，贫道再派人过来接玄奘法师。”

玄奘双手合十，躬身道：“有劳万寿大仙了。”

“贫道，告辞。”说罢，镇元子转身便往外走，那一众道徒也紧紧相随，只留下一个守在门外随时听候差遣。

待镇元子走后，众人才缓缓朝那桌菜肴围了过去。

原本简单的斋菜在五庄观的厨子手中变化出了无数花样，有飞禽，有走兽，有鲜花，有绿叶，各种花样菜式，就好似一件件艺术品，甚至已经让人难以辨别它原本的材料了。

看到这些菜式，小白龙顿时乐开了花：“这才像人吃的东西嘛，不错，不比我西海龙宫的大厨差。不过，还得试试味道才能最终定论。”

说罢，他拿起筷子一顿，就往那菜肴伸了过去。

可还没等他触碰到那菜肴，只听“啪”的一声，手已经被猴子拍开了。

被猴子这么一拍，小白龙顿时一愣，连忙双手捧起筷子送到他面前，笑嘻嘻地说道：“对对，应该大圣爷先动筷子。你瞧敖烈，这太久没吃好东西，连馋虫都养出来了。唉，糊涂，糊涂。”

说着，小白龙还装模作样地掌自己的嘴。

伸手接过小白龙递过来的筷子，猴子淡淡瞥了他一眼，叹道：“那么馋，毒死了也不冤枉啊。”

“有毒？”

此话一出，在场的众人皆怔住了。

玄奘深吸了口气，道：“应该不至于吧，他可是万寿大仙啊。”

“你懂什么！他邀我们来能是好意吗？你倒说说，就凭我跟他的那些过节，在什么情况下他会热情款待我们？还是小心为妙。”说着，猴子一脚踩在椅子上，伸长了筷子在那些菜里翻，道道灵力透过他的手，顺着筷子流入菜肴之中。

直到满桌如同艺术品般的菜肴都被翻得乱七八糟，猴子才摆了摆手道：“确认过了，没有毒，吃吧。”

说罢，他自己却将筷子往桌上一放，转身朝门外走了出去，留下众人对着一桌菜肴面面相觑。

好一会儿，小白龙瞧着那菜肴缓缓地笑了出来：“大圣爷，是不是太过了？万寿大仙怎么可能做这种下三烂的事情？”

抬起头，他才发现其他人不只没有笑，还一个个神情严肃，只得连忙收了收脸上的笑意。

许久，天蓬淡淡叹了口气。“小心点没什么不好的，既然确认过没有毒了，就吃吧。”说着，他率先坐到了椅子上。

此时，五庄观的另一处，一个道徒端着盖有红布的盘子走入了大殿中。

“师父，人参果已经摘好了，一共五个。”

正盘腿闭目而坐的镇元子缓缓睁开了一只眼睛。

那道徒立即将红布揭开了一角。

红布下，一个个形状如婴儿的人参果放射着乳白色的微光。

将那红布重新盖上，道徒轻声问道：“师父，现在是否将人参果送过去？”

缓缓闭上双目，镇元子低声道：“先放着吧，不急。等为师与那玄奘法师谈过，再行决定。”

“弟子遵命。”

那道徒朝着镇元子躬身行礼，端着装有人参果的盘子退出了大殿。

此时，猴子正在五庄观中四处搜寻着。

偌大的五庄观，规模如同宫殿一般，这居住其中的却不过六七十名道徒。至于防御法阵，虽说不少，却都没有启动，以至于猴子如入无人之境。

就这一会儿的工夫，玄奘等人连饭都还没吃完呢，猴子便已搜遍了整个五庄观，甚至去过了人参果树下，然而，他什么异常都没有发现。兴致索然的猴子只得转而回到所住的阁楼。

转眼之间，已是午后，镇元子果然派人来了。

那道徒刚一跨过门槛，便见猴子的金箍棒横在身前。

跷着二郎腿，猴子晃晃悠悠地瞧着那道徒。

见状，那道徒只得停下了脚步，隔着金箍棒朝玄奘行了个礼，又朝猴子行了个礼，道："家师命弟子前来接玄奘法师往正殿。"

猴子仰起头，笑嘻嘻地问道："我一块儿去行吗？"

"行。"

"那其他人一起去呢？"

"也行。"

扭过头，猴子朝其他几个人摆了摆手道："既然这样，我们就一起到大殿走一趟吧。"

"几位请。"说着，那道徒便侧过身去作了一个"请"的手势。

众人互相对视了一眼，起身随行。

不多时，在那道徒的引领下，众人便来到大殿中。

见到众人，镇元子依旧如同先前那般客气，当即起身相迎。

双方互相见了礼，待到各自入座，上了茶，镇元子轻声道："关于这'普度'，贫道一直有一事不解，还请玄奘法师阐明。"

"万寿大仙请讲。"玄奘当即道。

镇元子清了清嗓子："所谓普度，这'普'，属众生大同之意，这'度'，是抵达彼岸。贫道如此说，可有错？"

"未有错。"

"哦？"镇元子淡淡笑了笑，捋着长须道，"既然如此，那么贫道就得好奇地问上一句了，这彼岸，究竟是在何方？"

玄奘微微仰起头，略微思索了一番，双手合十恭敬地答道："彼岸，所相对者，在于苦海也。度，乃是助其脱离苦海之意。彼岸所指，自然是极乐之所在了。”

镇元子捋着长须，呵呵地笑了起来：“那可否请玄奘法师将这‘极乐’，细细说与贫道听啊？”

“贫僧献丑了。”玄奘微微躬身，又稍稍顿了顿，似是理一下思路，才开口道，“这所谓极乐之所，并非一实地，乃在于顿悟了生苦、老苦、病苦、死苦、爱别离苦、怨憎会苦、求不得苦、五阴炽盛苦，脱八苦之意……”

两人就这么你一言我一语地聊着，镇元子不断地问，玄奘则有问必答。时不时地，镇元子会点头表示赞同。

一旁的猴子看得有些蒙。

这怎么看，镇元子都没有刁难的意思，反倒是一副虚心讨教的姿态。

这算怎么回事？

难道堂堂万寿大仙也打算改投门派了？

要真这样，那还真是好事一件呢。有这么一位名扬三界的大能压阵，这西行之路想必会畅顺许多。

就这么谈了许久，两人从何为普度，讲到了如何证道普度，又讲到了证道普度的各种细节。

这一部分，玄奘坦言自己还没有真正顿悟，镇元子也表示谅解，甚至提出了一些小建议。

那态度真是和蔼至极。

“难道是我多心，以小人之心度君子之腹？”猴子不由得疑惑了起来。

两人越聊越玄，渐渐地，在场的众人，恐怕只剩下玄奘听得懂了。

伸了伸懒腰，猴子留下众人，自己拄着金箍棒缓缓地走出殿外抬头望天，做出一脸茫然的样子。可直到此时，他依旧用神识死死地锁定玄奘所在方圆一里的范围，任何风吹草动都逃不过他的耳目。

然而，镇元子态度依旧如故，并没有要撕破脸皮干点什么的意思。

“嘿，看来还真是我想多了。”无奈地摇了摇头，猴子转身返回殿内。

镇元子到底是道家大能，许多法门，放诸佛门道门，其实是相通的。玄奘只需说一句，那镇元子便可意会玄奘之所想，进而举一反三。

不多时，大殿内的论法已经接近尾声，玄奘再无可讲解之事，只得俯首拜服。

那镇元子也不多作刁难，只哈哈大笑起来，手一扬，一直守候在一旁的道徒便将盖着红布的盘子送到了镇元子面前。

“贫道谢过玄奘法师今日讲解，普度之道，着实令贫道茅塞顿开啊。若此道得证，当真是众生之福。”伸手揭开那红布，镇元子轻笑道，“这，乃是我观中自种的人参果，一共五个，就送与诸位了，只当是玄奘法师今日为贫道讲解之资，聊表心意，还请玄奘法师不要推辞。”

看见那一个个散发着柔和光芒、呈婴儿状的人参果，在场的众人都不由得多看了两眼。

三界皆知，人参果乃是与天庭蟠桃齐名的延寿宝物。对他们来说，蟠桃算不得什么，即便是此时，一行人的行囊中，也还有三个蟠桃。在场的，天蓬、小白龙更是吃过蟠桃。

这两者功效齐名，稀罕程度，可就不可同日而语了。

虽说蟠桃种在九重天，天上一天地上一年，成熟所需时间又极为漫长，但到底是有一整个蟠桃园，千千万万棵蟠桃树。真算下来，凡间一天，天庭就有数枚蟠桃成熟。而这人参果树，天上地下，却只此一棵，别无分号，所需成熟时间，更是凡间上万年。再加上人参果摘取之后保存时间极短，这三界之中听过它名号的人多了，可真正见过的却是极少，更别提有机会一饱口福了。

这在场的人当中，也仅有天蓬早年当天庭侍卫的时候，曾在镇元子进献人参果给玉帝之时闻过味道。至于之后天蓬与镇元子的私下会面时镇元子拿出的有人参果味道的茶，那算不得。

端着那盘子，道徒缓缓地走到玄奘面前，轻声道：“玄奘法师，请。”

玄奘看着那盘中的人参果，犹豫了一番道：“无功不受禄，这礼，玄奘收不得。”

“收了吧。”镇元子淡淡道，“贫道已经说了，就当是玄奘法师今日为贫道讲解之资。这人参果自果树上摘下之后，只可保存一日。既然已经摘下来了，还请玄奘法师不要推辞，以免暴殄天物。藏经值万贯。只要玄奘法师日后参悟了这普度之道的真义，记得回到五庄观中与贫道讲上一讲，贫道也就心满意足了。”

闻言，玄奘朝着猴子望了过去，在确认猴子没有明确表示反对之后，才双手合十，躬身道：“既然如此，玄奘就谢过万寿大仙了。”

此时，已是夜幕降临。

接过人参果，道别了镇元子，众人便在道徒的引领下返回了住所。

刚一回到住所，猴子便又将到手的人参果检查了一遍，在确认无毒之后才放心发给众人。

黑熊精乐呵呵地将人参果藏在袖中，时不时闻一下，说是要多留一夜，明天再吃。

小白龙接过来就开始吃，细嚼慢咽，一副极其享受的神情。

天蓬拿了人参果，坐在月光下细细地看着，似乎很是好奇这果子为何会生成婴儿形状。

猴子干脆没拿，他那个和玄奘的那一个一起放在盘中，摆在桌上。他默默地走出门外担负起守夜的责任。

时间就这么缓缓过去，到了深夜，盘腿坐在屋顶上的猴子低头望见天蓬还捧着人参果坐在院子里看，忍不住说了一句：“别看了，再看都让你看坏了，还是赶紧吃吧。如果是想明天一早送过去给霓裳仙子呢，我那还有一个，拿去便是了。”

天蓬抚着如同白玉一般的果体道：“谢大圣爷的好意了，霓裳已经有蟠桃，再吃这人参果，也毫无意义。若只是想尝鲜，等天蓬记住味道了，往后见了面变两个，也是一样的。”

“嘿，我还以为你琢磨着怎么开口去送人参果呢。”

“在下既然答应了西行，就不会随便离开。”

猴子长叹了口气，道：“这点我还是相信你的。”

正当此时，小白龙推开房门从里面捂着肚子晃晃悠悠地走了出来，嘴里嘟囔着：“这镇元子，果然不怀好意，送人参果就送嘛，还要阴我们一招儿，也真是的。”

听他这么一说，猴子连忙站了起来，厉声喝道：“发生什么事了？”

仰起头，小白龙朝着猴子咧了咧嘴笑道：“也没什么，大圣爷不用紧张。镇元子那家伙，送人参果也不说明一下人参果的食用方法。这东西跟蟠桃不同，吃的时候……嘿嘿，吃的时候必须运灵力，不然的话就会经脉紊乱。不过也没啥，自己调息一下就可以了。我刚刚不知道，直接就吃了，结果现在发作了。”

说着，他呵呵地笑了起来。在场的猴子、天蓬却已经脸色煞白。

此时，一个道徒匆匆奔入烛火通明的大殿中，跪倒在镇元子面前，低声报道：“师父，那供玄奘法师一行人差遣的弟子刚刚报了三更了。”

“哦？”镇元子睁开双目，笑了出来，悠悠叹道，“这么说，玄奘已经吃下人参果咯？吃了就好，吃了就好。这么多年了，这还是第一个吃人参果的佛教门徒呢。”

第五百二十二章

两个选择

大殿中，烛火摇曳，那一根根巨柱沐浴在火光中，龙形浮雕就好像活过来了一般张牙舞爪。

那道徒俯着身子抬起头来，静静地注视着一动不动端坐着的镇元子。

许久，他轻声问道："师父，接下来怎么办？那妖猴恐怕要发难了。我们是不是应该……应该向三清求助？"

闻言，镇元子缓缓摇了摇头，捋着长须道："向三清求助有何用处？刚一见面，为师便探查了那猴子的实力。虽说他天道修为已失，但比当年与为师在地府一战之时，恐怕实力有增无减。即便是三清来了，怕也束手无策。再说，若他们真要出手，早已出手，何必等我五庄观求助？"

"那我们接下来应该怎么办？"

"召集众门徒吧。"撑着膝盖，镇元子迎着殿外透入的风缓缓地站了起来，面色淡然。

"咣"的一声巨响，两片门板直接就被踹飞了，重重撞在对面的墙壁上，将屋内的家具摆设撞坏了许多。

猴子带着天蓬还有小白龙冲入玄奘房中。

此时，玄奘正端坐在卧榻上，手握经文借着烛光细细研读。那另一只手上，还握着没有吃完的半个人参果。

眼看众人鱼贯而入，他不由得微微一惊。

还未等他开口，猴子已经一个箭步将玄奘手中的人参果拍落在地，一把握住了他左手的脉门，紧闭双目细细探查；与此同时，天蓬也一个箭步来到玄奘身旁，握住了他右手的脉门。

两人就这么一左一右将玄奘死死拽住。

这一下，玄奘彻底呆住了。

“发生……什么事情了？”

“把人参果吐出来。”

“啊？”

“把人参果都吐出来！”

猴子一声暴喝，伸手便揪起了玄奘的衣领。

一旁的天蓬连忙制止他：“吐出来也没用。人参果入口即化，那灵气早已入体，还是想想其他解决办法吧。”

“其他解决办法……”转过头，猴子望向了身后的小白龙，厉声问道，“你是怎么知道吃人参果要运灵力的？光凭吃完的感受？”

小白龙吓得连忙摇头，道：“这个是我问的三姐。”

“三姐？”猴子双目缓缓眯成了一条缝，“西海敖寸心？”

小白龙惊慌地点了点头，道：“以前姐夫曾经从镇元子手上要到过一个人参果给杨婵姐，也就把吃法一并要了过去。三姐曾听杨婵姐讲起……我也是刚刚吃了有些不舒服，才想起用玉简问一下三姐。”

猴子眼角猛地抽了一抽，咬牙啐道：“妈的，镇元子果然是故意而为！给杨戬就告诉他吃法，给我们就他妈的装傻！”

说着，他一掌重重砸在一旁的圆桌上。

顿时，一声巨响，实木制成的圆桌化作木屑充满了整个房间，小白龙吓得连连后退，就连闻讯赶来的黑熊精也愣在当场。

小白龙强撑起笑容，有些忐忑地劝慰道：“大圣爷，您也不用那么生气吧……又没什么大碍，只要稍稍动动就能化解的。这又不是真的下了毒。”

说完，他才发现猴子与天蓬的神情依旧凝重万分。

至于玄奘，则依旧不明所以。

瞪大了双目，猴子怒道：“这比下毒更加严重！”

此时，五庄观上下六七十名道徒均已聚集到了大殿中。

两位道徒正合力抬着一个竹筐穿行其间，将竹筐中装着的一个个蓝色的小包裹分发给一众道徒。

那些拿到包裹的道徒无不一脸的茫然。

站在主位上的镇元子捋着长须，叹了口气，道："这包裹中的丹药法器，还有人参果，便当是为师赠予你们的出师礼物了。往后，须得刻苦修行，莫辜负了为师的一番期望。"

"发生什么事了？"

"不知道啊，师兄刚把我叫过来。"

"师父这是要逐我们下山吗？"

道徒们一个个面面相觑，不明所以。

深吸了口气，镇元子接着说道："那妖猴很快就会来找老夫了。为免殃及池鱼，为师命你们即刻下山，无论道观发生什么事，都不准回来。"

此话一出，即便是再不知情的道徒，也已意识到发生了重大变故。

整个大殿中顿时一片死寂。

许久，人群之中一个如同蚊子般细小的声音问道："师父让我们走，那……接下来五庄观会怎么样？"

没有回答。

大殿中只剩下透窗而过的呼呼风声。

那提着竹筐的两位道徒从筐中取出包裹朝两边的人递过去，却发现再没有人伸手去接。

所有的道徒都呆呆地注视着那站在主位上的镇元子，一脸的错愕。

许久，有弟子低声说道："这怎么可能，师父是地仙之祖，即便是三清也要给师父几分面子，怎么可能……谁能将师父逼到如此田地？"

"是今天那只妖猴。"

"他究竟是什么人？"

"万妖之王孙悟空……"

一股极为悲观的情绪迅速蔓延开来。

在场的，或许并不是每个人都见识过六百多年前那一场惊天动地的大战，但或多或少都听过。更重要的是，他们不认为向来严肃的镇元子会开这种奇怪的玩笑。

渐渐地，道徒们窃窃私语了起来。

“我们都走了，那道观会怎么样？”

“也许，会被烧了吧，连同人参果树一起。”

“这怎么可能……人参果树可是天赐的宝物，那妖猴……”

“他就是这样的脾性。当年，天庭的月树，还有那万千宫殿，不都是他烧的吗？连金乌都被他杀了一次，他还有什么做不出来？”

一阵喧哗之中，其中一位道徒忽然“扑通”一声跪倒在地，叩首道：“一日为师，终生为父，弟子愿与道观共存亡！恳请师父让弟子留下！”

话音未落，那四周的道徒也一个个丢下包裹，跪倒在地，高声喊道：“弟子愿与道观共存亡！”

只一会儿，满殿的道徒跪成一片，一个个哭着喊着求镇元子让他们留下。

“静一静——！”

一声叱喝，顿时，整个大殿都安静了下来，所有人都怔怔地望着镇元子。

他扯着嗓子厉声道：“那妖猴，不是你们对付得了的，留下来，也只是徒增伤亡罢了。”

指着那大门的方向，镇元子吼道：“拿好包裹，为师命你们即刻下山！离开这里！这是师命，不可违！修道之人，若连这般简单的道理都想不清楚，为师这些年，就白教你们了！往后，也莫跟人提起是我五庄观的弟子！”

说罢，镇元子一拂袖，转身便走。

那大殿中的一众道徒皆怔住了。

“大圣爷，真没多大的事。”阁楼中，小白龙小心翼翼地说道，“也就经脉紊乱罢了，我刚刚也就一炷香不到的时间，就给调了过来。”

闻言，猴子冷哼一声道：“你用内息调，他用什么调？”

被猴子这么一问，小白龙顿时蒙了。

一旁的天蓬脸色越发难看了。

玄奘摸了摸自己的胸膛，轻声道：“贫僧感觉并无不妥啊。”

“那是还没发作而已，刚吃下去，没那么快。”拄着金箍棒，猴子瞪圆了双眼缓缓地笑了出来，叹道，“这镇元子根本就是故意下套。你既未成佛，也未修习道家功法，哪里来的内息？他这是想逼你：要么放下执念，立地成佛，要么……弃佛从道。”

默默地自我感知了一番，玄奘有些疑惑地问道：“经脉紊乱，如若不治，会如何？”

一旁的天蓬轻声道：“先是四肢冰冷，说话结巴，进而浑身乏力，最后全身瘫痪，口不能言，目不可视，耳不能听。就像死人一样。”

这一通严重的后果说出来，玄奘却仅仅是蹙着眉，许久，轻声问道：“那，贫僧还有多长时间？”

“多则一年，少则三个月。若修道，也还来得及。要调息，并不需要多么高深的修为。只是，这西行，就没法儿继续了。”

“我看他是活腻了！”说着，猴子扭头就走。

“你去哪里？”天蓬连忙问道。

在门口停下了脚步，猴子回头道：“还能去哪里？去把始作俑者揪过来，他肯定有办法解决。”

“可是，他愿意解决吗？”注视着猴子，天蓬缓缓道，“镇元子也是道家大能，做事不可能没分寸。既然他冒着激怒你的风险用此手段，要么他是有后手，要么，就是早抱定了玉石俱焚的决心。”

猴子冷哼一声，大步跨过了门槛，化作一道金光直冲天际，转眼之间，又落到了五庄观中的另一处。

微风中，放射着如同萤火虫般点点微光的擎天巨木缓缓摇曳着枝丫，绿叶之间，一个个人参果依稀可见。树下，镇元子静静地站着。

许久，他微微低下头，笑着叹道：“来啦？”

那身后，猴子用金箍棒直指他的后脑，厉声道：“给你两个选择，要么交出解救办法，要么，把你的命交出来，挑一个吧！”

缓缓地转过身来，镇元子捋着长须仰起头道：“贫道也给玄奘法师两个选择，要么立地成佛，要么弃佛从道。”

和解

第五百二十三章

上古大妖

人参果树下，树影摇曳。

寂静的画面之中，两人默默对视着。

几片落叶从身旁卷过，猴子脸上的绒毛微微颤动着，镇元子的衣袖扬起。

镇元子的嘴角微微上扬，猴子的双目却缓缓眯成了一条缝。

“你还是和六百多年前一个样，明知不可为而为之，愣头青，强出头。就这种性格，你怎么就没死在哪个犄角旮旯里？”

“你不也和六百多年前一样吗？以为全世界都会屈服在你的棍棒之下。在大义面前，性命又算得了啥？”

“大义？”挺着金箍棒，猴子缓缓地笑了，“普度就不是大义了？”

“普度是大义，那‘道’又是什么？”镇元子握着拂尘，捋着长须面色淡然，“所谓普度，虽然与现行佛法相左，其理念，却又无一不契合。脱八苦，去执念，你就没想过当三界众生都被普度成了佛，这三界之中可还有我道家的位置？”

猴子冷哼一声道：“道家有没有位置，与我何干？”

“你也是道门中人，一身的本领，哪一处不是源自道法？可惜你从未信过。道家‘不争’‘无为’，亏你修成了天道，又做到了什么？说穿了，你没有信仰，任何东西能为你所用，你便信，不能为你所用，你便不信，更没想过去守护教会你一身本领的道门。空有一身修为，却于三界，于天地无益啊。”

“你这算是在教训我吗？守护道门……”猴子咧开嘴笑，又忽然瞪大了眼睛怒叱道，“别自欺欺人了，谁和你们一家？永远别忘了，我只是一只妖怪，是一只妖怪！一只天庭、玉帝最最厌恶的妖怪！天军追得我满世界跑的时候怎么不见他们顾念我是道门中人？现在和我谈这些，太迟了吧？”

那直指镇元子鼻梁的金箍棒又推进了几分。

“老夫从未想过说服你。”镇元子两手一掐，那侧边上的空间一阵扭曲，如同一卷巨大竹简般的“地书”迅速浮现，缓缓地展开，将镇元子护在中央。

拉开迎战的架势，镇元子面无表情地瞧着猴子，轻叹道：“既然说服不了，那就只能兵行险着了。只要将玄奘的证道之路扼杀，那么，道门的危机也便不复存在了。至于你这妖猴……呵呵呵呵，莫非你还想如六百年前那般来场大战？别忘了，如来可是在一旁虎视眈眈，只缺一个出手的借口罢了。这毁坏天地，想必会是一个不错的借口啊。”

闻言，猴子的眼睛忍不住微微抽了抽。

“呵呵呵呵，对付你，需要毁坏天地？顶多也就毁坏你这五庄观罢了！接招！”

话音未落，一个纵身，猴子手中的金箍棒已经化作一道金光朝着镇元子疾驰而去。

就在这一瞬间，镇元子身形猛地后退，已然闪过。

然而，猴子手中的金箍棒势头并未有丝毫的衰减。只见他一个旋转，凌空跃起，那棍棒照着镇元子的天灵盖重重地砸了下去。

千钧一发之际，只见一道绿光忽然挡在镇元子身前，无声无息地便将猴子震退了。

稳稳地落地，猴子再抬头，看到挡在镇元子身前的，是一撮枝叶。

紧接着，一阵阵刺耳的声响传来。疯狂的灵力化作飓风席卷而过，整个世界顿时陷入一片混沌之中，飞沙走石，裂纹如同藤蔓植物的根茎般在高耸的围墙上蔓延开来，就连五庄观主殿上的瓦片也被一片片掀上了天空。

顶着呼啸而过的风，猴子缓缓仰起头，看到镇元子的身后，那庞大的人参果树竟然动了！不仅仅是动了，就在猴子惊愕的目光中，它正摇晃着那遮天蔽日的树冠，将自己深入地底的根须拔起来，如同一只巨大的八爪鱼一般将自己凌空撑起。

在它的面前，猴子就如同一片指甲般大小。

这一刻，它的每一根枝丫都在摇动，如同千万人在呼喊。

沉默了数万年的巨木，在这一刻变成了狰狞的巨人。风云色变。

庭院中，匆匆奔出门外的玄奘一行望着遮天蔽日的枝叶，早已惊得张大了嘴。

山脚下的万寿城中响起了惊天动地的尖叫声。无数的修士走出门外，抬头仰望山顶上挥舞着枝叶的人参果树，一个个惊恐不已。

就在猴子的注目下，镇元子腾空而起，缓缓落到那树枝上，抚着主干轻声叹道："最后还是得麻烦你出手，实在是抱歉。"

"没关系，偶尔活动一下筋骨也好……"

"这妖猴对你来说难缠了点。"

"放心吧，有我在，他伤不了你。"

无数雷鸣般的声音答道。

拄着金箍棒望着眼前的巨木，猴子嘎嘎地笑了起来，那脸上的神情渐渐多了几分狰狞。

"原来如此，难怪你这么有恃无恐。人参果树已经成精了……想想也是，都多少万年了，也该成精了。只是，我原本没想动这人参果树，现在怕是不动不行了。哈哈哈哈。"

猴子的每一声笑，都伴随着肉眼可见的澎湃灵力在四周形成旋风，他的每一根绒毛都竖了起来，那身上的肌肉更是猛地膨胀，道道青筋暴起。

只一瞬，猴子已经将自己的力量提到了极致。

"既然出来了，那就一起去死吧——！"

再次仰起头时，猴子一跃而起，化作一道金光朝人参果树冲了过去。

紧接着，是惊雷一般的闷响。

猴子重重地撞在半透明的绿色护盾上，将那护盾都撞凹陷了。

如同涟漪般的冲击波沿着地表疯狂地扩散，瞬间将草木连根拔起。

只一瞬间，人参果树的四周已经亮起了一面面绿色的护盾，凭着其中的一面护盾，它硬生生扛下了猴子的一击。

就连猴子也不由得暗暗有些吃惊。

这些护盾不同于平常修士所使用的护盾，它并不坚硬，却柔韧至极。这使得它可以有效化解并承受猴子强大的攻击。

当然，这种承受并不是没有代价的。

这一击之下，最主要的十九根巨大枝丫中的其中一根便掉落了无数的叶片，眼看就要折了。

镇元子带着地书，如同一只飞舞在巨木之下的蜜蜂，迅速落到了那受伤的枝丫上，双手舞动金色的光晕。

灵力的滋润之下，那产生了裂痕的枝丫得以迅速修复。

“看你们能撑到几时！”一声暴喝，只见猴子凌空盘旋，一击接着一击。

恐怖的声响夹带着冲击肆虐了每一个角落，绿色的闪光照亮了整个夜空。

庞大的五庄观如同豆腐般坍塌，即便是处于山脚下的万寿城也惨叫声连连，楼房成片地被掀上天空。

在这疯狂的冲击之中，天蓬、小白龙、黑熊精三人围成一团，将玄奘护在中间才免于出事，而猴子的战斗还在继续。

转眼之间，整个五庄观已经变成了一座废墟，沙石、草木横飞。

万寿山的表面如同被剃刀刮过一般，所有的植被都消失无踪，连那山脚下的城邦也如同遭受了大灾般坍塌，哀鸿遍野。居住其中的修士们开始疯狂地外逃。

空中，猴子握着金箍棒重重地喘息着。

在那对面，早已经发须凌乱的镇元子同样重重地喘息着，那一根根受了重创的枝丫正在缓缓地修复，一面面绿色护盾又一次悬空而起。

“没错，老夫没办法收服你，即使有人参果树出手相助，也无能为力。但在这里，只要你未恢复天道修为，同样无法压制老夫。”

“打过才知道——！”

猴子已经气得浑身发抖，咬着牙，咆哮着抡起金箍棒上前又是一阵乱砸。

一次又一次的重击之下，人参果树的身形也隐隐有些不稳了。

庞大的根须在地面上拉开一条深达数丈的鸿沟。那地面飞速龟裂，整座万寿山都摇摇欲坠，隐隐有了崩塌的趋势。

渐渐地，巨大的人参果树在猴子凶猛的攻势下被逼到了悬崖边上，眼看着就要被打入谷底。

正当此时，那人参果树好似发了狂一般挥舞着枝丫，如同皮鞭一般的根须迅速掠起，重重地扎入地面。

紧接着，那些根须穿透了整个万寿山，互相交错，迅速地将脚下的土地如同捆粽子一样全部固定住。

原本被猴子打得一点一点后退的树干一挺，竟又压向前来。

电光火石之间，两根巨大的枝丫交错，朝着猴子压了过去。

借着这个机会，猴子凌空一个翻转，与那两根枝丫擦肩而过，抡起棍棒就朝着主干袭去。

正当此时，树冠上所有的叶片都微微闪动，散发出绿光。

道道绿色的灵力从各个角落里迅速生长出来，转眼之间已经编织成一张张巨大的蜘蛛网，以阻挡猴子的棍棒。

然而，猴子并没有收手的意思。

那金箍棒依旧重重地砸了下去。

无数的绿色灵力在冲击之中断裂，化作点点晶莹消散，但这张网最终还是凭借着强大的柔韧性将金箍棒的末端挡在了距离树干不到一丈的位置上。

这一瞬间，猴子猛然怔住了。

因为他看到镇元子竟长出了六只手，双目放射着绿光，那口中伸出了两根巨大的獠牙。

"这是什么东西？蜘蛛？"猴子猛地怔住了。

回头望去，他猛地发现自己四周的路已经被绿光结成的网封死，枝丫在缓缓地移动着，一点一点地向他靠过来。

"原来如此……原来如此……"猴子捂着额头笑了，"蜘蛛，数万年的蜘蛛，数万年的巨木，还真是绝配啊。原来如此，难怪你不排斥妖怪，因为你他妈的本身就是妖怪——！"

握着金箍棒，猴子的身形猛地旋转了起来，那些朝猴子袭去的绿色灵力瞬间被绞得稀巴烂。

整个树冠猛地一震，掉落无数叶子。

待到镇元子再缓过神来之时，猴子早已经脱离了树冠的范围远远地逃开了。

凌空注视着那人参果树，猴子重重地喘息着，脸上是狰狞的笑。

“原来如此，我说妖族怎么没有大能，原来大能在这里。六百多年前那一战差点儿就把你杀了，竟也没有逼你现出真身……是因为没有了人参果树，即使现出真身也没用吗？那你他妈的怎么就忍心看着妖族被屠戮？啊？你告诉我啊！”

“我、三清、须菩提、女娲，还有这人参果树，创世之初便已经存在了。”化去多出来的四只臂膀，镇元子恢复了原本的面容，淡淡道，“我们没有同类，也不会有同类。对于我们来说，人类成仙，也不过是妖的一种。”

“呵呵呵呵，你是蜘蛛，女娲是蛇，那三清是什么？真的是一气化三清吗？还有我那师父又是什么？”

“这你恐怕要自己去问他了。”镇元子面无表情地答道。

“行，我会问的。”说着，猴子又是一声嘶吼，再次抡起金箍棒朝着人参果树砸过去。

狂风中，人参果的效力已经渐渐出现的玄奘开始浑身无力，他却还是握住了天蓬的手，道：“快、快阻止大圣爷，不能再打下去了。再打下去，如来就有足够的理由出手了……快……”

注视着面色惨白的玄奘，天蓬默默地点了点头，转而对一旁的黑熊精交代道：“先带他离开吧，这里太危险了。”

说罢，他往后退了一步，脱离了防护圈。

一次又一次的重击之下，猴子的虎口都震裂了。

人参果树拼命挥舞着枝丫抵挡，根须如同一条条的巨蛇，将整座万寿山死死盘住。

它没有再后退一步，然而，在这疯狂的冲击之中，整座万寿山都在一点一点地移动，沿途的一切都被碾成了齑粉。

这百年难得一见的战斗，看得那些远远躲避的修士都傻了眼。

若是平时，即便是太乙金仙一级的战斗在三界之中也是极少发生的。到了大罗金仙一级，则更是少之又少。

要知道，这天地间大罗金仙总共才多少个？这些人都互相认识，分属不同的势力，同时位高权重，哪里会轻易亲自动手？

而眼前这情形呢？

在场的任何一个修士都知道镇元子，也都知道人参果树，虽说他们不一定认得猴子，但肯定都认得这身修为。

大罗混元大仙中期的镇元子，加上修为不明，但很可能已经达到大罗混元大仙巅峰状态的人参果树，对上了一只很明显已经有大罗混元大仙巅峰修为，而且本身还是彻彻底底的行者道修者的齐天大圣……这是要再一次灭世吗？

随着战斗白热化，这种担忧越来越明显，许多修士已经开始逃散。

眼看着人参果树有些撑不住了，镇元子又一次化出了那六臂的状态，将道道灵力注入人参果树之中。

顿时，无数绿色的灵力如同一根根的触手从树冠中飞射而出。

猴子的金箍棒重重打下，还没触及人参果树的护盾便被无数的触手缠绕住，虽说猴子的力量与那些触手完全不在一个量级上，在拉扯之中触手不断断裂，但更多的触手还在袭来，更重要的是，它们能极大地化解猴子金箍棒的威力，减轻人参果树的负担。

转眼之间，双方已陷入僵持之中，你来我往，却都无法取得任何战果。而作为战场的万寿山地界，则已经被摧残得不成样子了。

伴随着修士们的奔逃，四周几乎所有的山都被削低了一截，而天空中，被激烈的战斗吸引过来的天庭巡天将也驾着天马战车来回盘旋，只是当看清了战斗的双方之后，谁也不敢再靠近一步。他们只是远远地观察着，同时汇报给天庭。

又是一次重重的冲撞，激起的冲击波横扫了一切，人参果树微微往后仰，猴子则整个儿顿挫后退。

正当猴子一个急转准备再次冲上去之时，天蓬已经挡在了他的身前。

一时间，双方都停下来了，整个世界都安静了。

瞧着天蓬，猴子一甩手，道："你来了也没用，这场战斗不是你能参与的。”

“你们不能再打了，再打下去，无论输赢，如来都有了介入的借口。到时候你所要的，照样得不到。”沉默了一下，天蓬淡淡道，“让我试下吧。”

说着，他缓缓回过头去望向镇元子。

此时，镇元子也望着他，捋着长须，那目光之中似乎有一丝疑惑。

只见天蓬朝着镇元子拱了拱手道：“万寿大仙，可还认得在下？”

半眯着眼睛看了天蓬好一会儿，镇元子最终还是摇了摇头。

“那如果这样呢？”说着，天蓬伸手一扬，身上的布衣迅速幻化成了一件银白色的天河水军铠甲，散发着柔和的银光。

镇元子顿时微微睁大了眼睛，好一会儿，才轻声问道：“你是……天蓬元帅转世？”

第五百二十四章

闻风而动

此时，这一场发生在西牛贺洲的惊天大战，那消息已经透过万寿城中居住的万千修士，透过天空中巡视的巡天将传向了三界。

南天门内，兵甲森森，数十万大军严阵以待。

御书房中，玉帝的一颗心已经提到了嗓子眼儿，他一道接一道圣旨地催促巡天府弄清楚情况，再三敦促内务府联系三清和须菩提。

然而，没有任何回音。

隐隐地，玉帝感觉他那刚坐了六百多年的龙椅有些不稳了，放眼望去，满朝的文武仙家唯唯诺诺，没有一个能拿得了主意的。

这究竟是怎么回事？之前不是所有的要求都满足他了吗？为什么那妖猴又忽然发难了？难道是因为上次给得迟了？

不对啊，李靖回来的时候还说妖猴托他寻找潜逃的卷帘大将，如果要翻脸，那时候就该翻了，为何会等到现在？玉帝百思不得其解。

若遇着寻常事，反正只要暂时没有迹象表明对方是针对天庭的，搁一边也就搁一边了，犯不着忧虑。要知道，上一任玉帝的血还没干呢，如今那妖猴这般作为，让张百忍如何放得下心？

看着眼前将头埋得低低的一众文武仙家，玉帝咬了咬牙，轻声对一旁的李靖道："难不成这妖猴进一步，朕就得退一步吗？"

李靖低着头，没有回答。

作为执掌天庭大军元老级人物的李靖不吭声，那剩下的十几位天庭重臣就更不吭声了。

皇帝难当，当天庭的玉帝，更是难中之难。此时此刻，这早已是天庭人所共知的事了。

来回扫视了在场的仙家好几遍，玉帝一掌重重拍在龙案上，指着那一众仙家怒叱道：“有什么办法，说，无论好不好，都给朕说出来！今天说什么都行，就是不准不说话！要……谁要不说话，就干脆把乌纱都给朕留下。冲锋陷阵没胆子，出谋划策说不得，要你们何用？”

一通训斥之下，在场的仙家无不面面相觑。

许久，寿星公唯唯诺诺地说：“陛下，为今之计，还是应该先弄清楚发生了什么事，再作决断啊。”

“弄清楚？”只听玉帝冷哼一声，“朕已经给巡天府下了十二道圣旨。看看那帮懦夫都干了些什么！连抵近勘察都不敢，真打起来，指望他们守卫天庭吗？”

这话玉帝几乎是咬着牙喊出来的，就差掀桌子了。

在场的一十五名天庭要员纷纷低下了头，没有敢吭声的。

“报——！”

正当此时，一位天兵匆匆从门外奔了进来，单膝跪倒在地，朗声道：“启奏陛下，巡天府急奏，万寿山的战事已停。”

“啊？停了？”仙家天将们一个个都朝那天兵望了过去。

玉帝缓缓地站了起来，指着那天兵厉声道：“发生什么事了，快快报来！”

那天兵拱了拱手，朗声道：“启奏陛下，那妖猴一方出现了一个人，正与镇元子谈判。那人似乎是……似乎是……”

“谁？”

那天兵弓着身子，小心翼翼地说道：“据在场资历较深的天将说，那人，似乎是昔日天河水军大元帅天蓬的转世。”

他这么一说，在场的一众仙家都愣了神，一个个面面相觑。

“天蓬元帅……这是怎么回事？”

就连玉帝也有些蒙了，双目来回不断地转。

“探……”短暂的沉默之后，玉帝微微颤抖着指着那天兵，暴喝道，“再探！再探！再探——！给朕把情况都搞清楚了！”

嘶吼声中，玉帝抬手将龙案上的镇纸抛了过去。那天兵吓得连滚带爬奔出御书房，竟连“领旨”之类的话都忘了说。

此时此刻，与万寿山相距万里之处，吕六拐已经召集了兵马，准备出击万寿山。

与此同时，身处西牛贺洲，与猴子距离更近的牛魔王则被突如其来的消息砸得晕头转向。

他故作镇定地坐在自己的宝座上，却又不断地朝万寿山派出密探，焦虑的神色在脸上显露无疑。

这究竟是怎么回事？大圣爷和镇元子开战了？他们之间有什么过节？难道是六百年前旧怨的延续？

如果是这样的话，那六百年前的一切会不会再次重演？

在有限的情报下，牛魔王对于这一切根本没有一个清晰的认识。然而，对于他来说，最重要的问题……他现在是否应该选边站？

对于这个问题，他心中同样忐忑，同样没有答案，以至于举棋不定。

“父王大可不必担心。儿臣以为，这正是个好机会。”一众妖将之中，红孩儿出列拱手道，“若是那妖猴打赢了，我们便趁势登场，虽说迟了，但也算是有救驾之心。若是那妖猴落了下风，我们就继续按兵不动。这次再输，想必那妖猴会万劫不复，也正好解了我方目前的困境。”

在场的许多新晋将领闻言，纷纷点头赞许。另一批老资格的将领却只是沉默着。

淡淡瞥了自己的儿子一眼，牛魔王冷声道：“你以为大圣爷是什么人？救驾来迟？哼，这话他会信吗？迟了就是迟了，若是一开始不去，他即便赢了，也千万不能出现，否则就是个被当场斩杀祭旗的下场。”

“这怎么可能？”红孩儿先是一脸的错愕，进而又笑了笑，“只因延误便斩杀臣子，他如何向效忠于他的万千将士交代，如何让众将心服口服？如此一来，那些没出手的更是会铁了心反到底！得不偿失啊。”

“为父已经说过了，你不了解大圣爷，不要用常理去推断他的考量。”有些不耐烦地揉了揉自己的太阳穴，牛魔王随口答道，“他需要向你交代吗？

我就问你这一句就够了。他需要向你交代吗？他稀罕你投效吗？”

这一句话当场就把红孩儿给呛住了。红孩儿回过头去，他发现父亲手下资格最老的那一批妖将都在用一种无奈的眼神瞧着自己，那目光，就好像在看一个不懂事的孩童。

一时间，红孩儿脸都涨红了。

犹豫了许久，他最终也只得狼狈地回到队列之中，低着头，那拳头却始终攥得紧紧的。

而正当牛魔王一派还举棋不定之时，相距不远的碧波潭水面已经被大批重型战舰破开。

那是遮天蔽日的黑色舰队，飘扬着黑色的九头兽旗，远远看上去就好像一艘艘的海盗船。其上悬挂的帆布破破烂烂，舰体的装甲却擦得通亮。

甲板上，成群的水族妖怪之中，九头虫身穿一袭残旧的戎装静静地站着，紧蹙着眉头凝视前方。

一旁的万圣公主轻声道：“倾巢而出，怕也用处不大。毕竟对方是镇元子，这种层次的战斗，普通的舰队哪里插得上手？”

“你不懂。”九头虫摇了摇头，抿着嘴道，“这是个机会，表态的机会，也是将功赎罪的机会。带上所有的部队，向大圣爷表示臣服。错过了这一次，下次不知道要等到什么时候了。”

湖边，一个衣着破烂的樵夫望着天空中的战舰缓缓退入树丛中，摇身一变，变成了一个身穿银色铠甲的天将，从腰间取出一块玉简贴到了唇边。

“报——！”一位天兵冲入了南天门的大殿中，跪倒在李靖身前，朗声道，“启禀天王，我方探子来报，碧波潭妖军已经倾巢而出，正朝万寿山方向而去！”

李靖顿时觉得自己的头皮隐隐发麻。

这是妖族大集结的意思吗？普天之下，妖族势力再次聚于一处……

“碧波潭出动了，丽云山的吕六拐也出动了。狮犵国呢，鹏魔王、狮犵王、猸狨王，这几个有没有什么动静？佛门有没有出手的意思？还有那个多目怪……”

那天兵微微抬头道：“狮猞国上下所有军力早已经处于戒备状态，暂时没有新的动作。佛门没有动静，多目怪行踪不明。不过还有一个地方有异常。”

“哪里？”李靖连忙问道。

那天兵低声道：“昆仑山。”

他这么一说，在场的天将不由得都沉默了。

猴子的事他们早已知道，也个个都参与隐瞒。一旦公之于众，究竟会引起多大的风浪，他们如何能不知呢？

如今，不过是“东窗事发”罢了。

许久，持国天王轻声问道：“昆仑山现在什么情况？”

那天兵咽了口唾沫道：“昆仑道徒齐聚金光洞，要太乙真人采取措施。不过，太乙真人避而不见，那把门的道徒说太乙真人并不在昆仑山。”

在场的天将面面相觑，半天，都没再有人吭声。

此时，大批的修士都已经从万寿山脚下的万寿城撤到了数十里之外，整个万寿山地界，已经满目疮痍。

在那高空的云层之中，匆匆赶来的太乙真人隐藏了灵力波动，悄悄地注视着整个战场，那目光最终落到了五庄观废墟之中的玄奘身上，却始终没有采取行动，似乎还在默默地等待着什么。

猴子浮在空中远远地看着，依旧没有解除战斗状态。

变回原本的布衣，天蓬缓缓落到了镇元子身前，躬身拱手：“天蓬，参见万寿大仙。”

瞧着天蓬，镇元子那眉头紧紧地蹙着，好一会儿，他有些疑惑地问道：“你真是天蓬元帅？”

天蓬又一次拱手道：“正是在下。一别将近八百年，万寿大仙别来无恙。”

“这是你的真身？”

天蓬缓缓摇了摇头。

注视了天蓬许久许久，镇元子淡淡叹了口气，化去身上多出来的四臂，无奈笑道：“贫道听说你堕入畜生道……这结果倒是与贫道当初估计的相去不远，只是，你又为何与这妖猴一起？你与他，是有不共戴天之仇啊。”

“此事说来话长。”仰起头，天蓬深吸了口气，轻声道，“天蓬先谢过万寿大仙当日的恩惠，另外，天蓬想请万寿大仙看在天蓬的薄面上，放玄奘法师一马。”

“不可能！”镇元子当即拂袖，厉声道，“若这玄奘得以证道，必成道家大患，贫道怎可当这千古罪人？当日断绝与妖王之间的联系，乃是贫道敬佩你这个人，已是给足了你面子。今日之事，贫道早已将生死置之度外，怎可能因为你三言两语就改变？若是还念及昔日旧情，就请元帅站到一边去，莫再插手此事！”

猴子不由得仰起头，微微紧了紧手中的金箍棒准备再战。

那高空之中的太乙真人也暗暗运转灵力。

再次战斗，似乎已经不可避免。可是这样一场战斗，究竟会产生多大的影响呢？这一点，就连太乙真人都不清楚。

天蓬回头望了猴子一眼，又低头注视着五庄观废墟之中的玄奘等人。

此时，那人参果的效力已经越来越厉害，玄奘已经到了必须有人搀扶才能站立的状态，那脸上更是看不出一丝血色，只能徒劳地远远望着站在人参果树上的镇元子，说不出一句话来。

镇元子侧过脸去，捋着长须叹道：“贫道也不是一定要加害于他。只要他肯立地成佛，或者弃佛从道，那么，所有的问题自然迎刃而解。若是他坚持西行，那便是他自找的，贫道也无能为力。你若要求情，还不如去求他自己。”

从人参果树上飘散的点点晶莹洒落大地，叶子在风中轻轻摇曳着。

小白龙搀扶之下的玄奘咬紧了牙，艰难地站着。

一滴滴的冷汗从额头滑落，他却丝毫没有松口的意思。

别人或许并不明白，但天蓬明白。

对于镇元子来说，道统，比他的命更重要，因为那是他的信仰；对于玄奘来说，普度，同样比他的命更重要，因为那也是他的信仰。

眼前的，是一场信仰之争。而真正的信仰，是无法妥协的。

缓缓地，天蓬望向了镇元子，躬身拱手道：“在下既是为玄奘法师求情，也是为西行求情，更是为三界众生求情，还请万寿大仙高抬贵手。”

镇元子侧过脸去不看天蓬。

无奈之下，天蓬抿了抿嘴唇，闭上了双目。

月色下，他的身形缓缓地变大，长出了长长的鼻子、扇子一般的耳朵……就在所有人的面前，他化出了他一直以来最不能接受的真身。

就连镇元子也怔住了。

他知道天蓬堕入畜生道，却没有想过天蓬竟会成为一只猪妖，更没想过，天蓬会在他的面前化出真身。

第五百二十五章

后　手

好几拨妖军正从四面八方浩浩荡荡地往万寿山赶，天庭也已经处于最严戒备状态，整个世界似乎都已经闻风而动，那神经绷到了极致。

然而，就在此时，天蓬的出现使局势没有朝着更加恶劣方向发展。

人参果树上，天蓬缓缓现出了真身，这让远处的猴子微微挑了挑眉。

高空中的太乙真人悄悄止住了即将出手的术法。

镇元子只是静静地看着，面带疑惑、不解。

整个世界都安静了。

许久，现出了猪形的天蓬缓缓睁开双目，叹了口气，轻声道："方才，万寿大仙问天蓬这是不是真身……现在这个，是天蓬如今的真身，一只猪……妖。"

镇元子微微愣了神，望着这臃肿的身躯，一时间说不出话来。

原本那个威风凛凛、英俊果敢的天将，最终竟变成了一只猪。虽说早有耳闻，但当他亲眼看见，这一刻的冲击不可谓不大。

微微躬身拱手，天蓬轻声叹道："万寿大仙八百年前与天蓬说的话，天蓬一直没忘。'薄命的不只是红颜，还有忠良。'……真是精辟啊。只可惜昔日天蓬执念甚深，看不透，有负万寿大仙的提醒。"

镇元子微微迟疑，轻声问道："所以，你后悔了？"

"嗯。"天蓬点了点头。

他这一点头，镇元子不由得笑了出来，神色之中带着无尽的嘲讽，悠悠道："后悔了，所以就选择跟着这妖猴，当起了真正的妖怪？这么说的话，贫道当年倒是看走眼了。"

天蓬低头凝视着脚下粗大的树干，道：“天蓬真的后悔了，天蓬以为，当忠良只是薄命那么简单，然而代价远远超乎天蓬的想象。就如万寿大仙方才所说：在大义面前，性命算得了什么？薄命并不可怕，可怕的是，失去所有，连所谓的大义也一并失去了。这便是如今天蓬的处境。

“这么多年了，天蓬一直在想，自己究竟做错了什么，为什么会导致这样一个结局。当忠良，难道就一定薄命吗？不仅仅是薄命，还害了自己周围所有的人，换回一个生不如死的下场。想了足足六百多年呐……直到再次见到万寿大仙，见到人参果，看见万寿大仙如同过往的天蓬一样去捍卫自己的‘大义’。”

“你想说什么？”镇元子的双目眯成了一条缝，意味深长地瞧着天蓬。

缓缓地回过头，天蓬望向了天边的一驾驾天庭战车：“这里的事情，此刻怕是已经传遍了三界。接下来会发生什么，万寿大仙是否预料得到呢？”

“这……”

“万妖群集万寿山，道家的势力，也是如此。一场大战一触即发。”天蓬叹道，“而这一切，将与佛门无关。万寿大仙绝了孙悟空击败如来的念想，你可知他接下来会做什么？没有了玄奘法师，如来真的会及时出手制止这妖猴吗？还是会任他与道家战到最后一兵一卒，再出来收拾残局呢？

“佛门恐惧玄奘法师证道，却无法直接出手沾染因果。道家恐惧玄奘法师证道，可以直接出手，却又忧虑妖族反扑。妖王孙悟空需要玄奘法师证道，因为他无法对付佛门，但却可以对付道家……佛门、道家、玄奘法师、妖族，其实互相制衡，一旦缺失了一环，整个局势都将发生剧烈的变动。虽说道家不愿意见到玄奘法师证道，但道家，真的承受得起立即失去玄奘法师带来的剧变吗？”

天蓬这么一说，远处的猴子眉头顿时蹙成了八字，却未开口说话。

镇元子眨巴着布满血丝的双眼，似乎在细细思索着什么。

缓缓地回过头，天蓬望向了镇元子：“对于道家，最理想的结局，是玄奘主动放弃西行。那样的话，便是他道心不稳。道家也可以免于妖王的迁怒。可是，万寿大仙，就如今的形势看，是这个结局的概率有多少呢？”

镇元子低头望去，废墟之上，玄奘强撑着仰望人参果树，看上去危在旦夕。然而，那双目之中的坚定并未有丝毫的减少。

“如果万寿大仙依旧信得过天蓬，那么就请听天蓬一句，对于道家来说，最好的结局，永远不会出现。如若玄奘法师是贪生怕死之辈，这西行，从一开始就不会有，他根本不可能一路走到五庄观。”天蓬微微顿了顿，接着道，“如果不是这个结局，那么，接下来会发生什么，死伤多少，万寿大仙想必也是猜得到的。道门最大的危机或许解除了，但另一个危机，却被提早激发了。天蓬想说的是，有些忠良，不仅薄命，还会祸国殃民。如果当初天蓬肯以更加委婉的手段处理眼前的困难，那么便不会连累霓裳，不会连累天河水军的兄弟，更不会带来那一场灭世之战……万寿大仙不怕死，天蓬也不怕。可是这背后，有比死更可怕的东西。”

天蓬缓缓躬身，低头拱手道：“所以，天蓬想说，求万寿大仙告知天蓬如何解救玄奘法师，将这个世界从另一场大战的边缘拉回来……天蓬在此替天下苍生，谢过万寿大仙了。”

镇元子不由得怔住了。

整个世界寂静无声。

一缕清风抚弄衣袖，一粒豆大的汗珠从镇元子的额头上缓缓滑落。

许久，他微微低着头，拼命地眨巴着眼睛，低头，抬头，低头，抬头，欲言又止，却始终都没有说出话来，也始终没有下最后的决断。

天蓬回头望了一眼猴子，在天上地下所有的人的注目下，一步步，缓缓地朝镇元子走了过去，弓下身子，在镇元子的耳边低声说着什么。

片刻之后，镇元子瞪大了眼睛，有些错愕地望向天蓬，好一会儿才缓过神来，无奈摇头。那一直握在手上的拂尘缓缓垂下，镇元子瞬间解除了身上凝聚的灵力。

“不打了？”一个雷鸣般的声音在所有人的脑海中响起，那是人参果树的声音。

“不打啦。”镇元子轻轻拍了拍树干，长叹道，“回去吧。”

说着，他又轻轻拍了拍天蓬的肩膀，与他错身而过，沿着巨大的树枝一步步走到前方，仰起头面对悬在空中的猴子，朗声道：“老夫，这就替玄奘法师医治。”

顿时，那远处的修士、天空中的巡天将一片哗然。

“这是怎么回事？怎么说不打就不打了？”

“那个猪妖跟万寿大仙悄悄说了什么？”

“都闹到这番境地了，说停就停？”

此时此刻，那潜藏在云中的太乙真人更是整个儿蒙了。就连猴子也感到有些不可思议。

“会不会有诈？”这是猴子的第一想法。

人参果树缓缓松开了缠绕住整座万寿山的根须，如同一只巨大的八爪鱼般缓缓挪动着，朝着原来的位置而去。

镇元子腾空而起，朝着废墟之上的玄奘飞了过去。

猴子双目微微转动着，握着金箍棒连忙追了过去。

见镇元子缓缓落到自己身旁，玄奘颤颤巍巍地双手合十，躬身道：“贫僧谢过万寿大仙了……”

“哼，谢什么？还不是贫道让你遭此难的？”说着，镇元子伸出手去扣住了玄奘的脉门。

一旁的猴子此时依旧握着金箍棒维持着战斗姿态，一双眼睛也斜着镇元子。

片刻之后，镇元子从衣袖中取出一枚丹药，放在掌心压碎，分出四分之一交到玄奘手中，轻声叹道：“吃下去吧，这个药量，刚刚好。”

玄奘正要吞服，猴子却伸过手来一把握住他的手腕，瞧着镇元子悠悠道：“说好了，如果他有什么事，你这五庄观，我鸡犬不留。就算你遣散了门人也一样。”

镇元子微微仰起头，朗声道：“放心吧，真要害他，老夫方才与你继续僵持下去便是了，无须多此一举换个骂名。”

猴子这才松开了玄奘的手腕。

远处的修者、天空中的巡天将，还有那自始至终潜藏着的太乙真人都不由得伸长了脖子观望。

直到看见玄奘将丹药吞服下去，看见镇元子出手将灵力注入玄奘的体内牵引药力，看见玄奘的脸色渐渐好转，他们才一个个松了口气，紧接着，又一个个面面相觑，一脸的疑惑。

新的消息又传遍了三界。

御书房中，玉帝握着最新呈上的奏折，整个人如同泄了气的皮球一般瘫坐在龙椅上，自嘲式地笑了起来。

然而，对李靖来说，麻烦还没结束。

收到了猴子与镇元子和解的消息，吕六拐下令舰队返航，自己则带着几位部将加速朝着万寿山赶来。其他两拨，牛魔王、九头虫，则停下了整支舰队，徘徊不前。

为了将这好不容易缓和的局势彻底稳住，李靖开始派人与这两位妖王接触，劝说他们撤离部队，让一切恢复原状。

一场一触即发的大战，就这么轻易地化解了。

人参果树又将根须重新扎入土中，镇元子腾空而起，挥舞着手中的拂尘。

点点金光从空中洒下，乱石微微颤抖着飞了起来，重新拼组。

原本被毁坏的一切，正在他的帮助下一点一点恢复原状，包括草木。

瞧着在小白龙的搀扶下缓缓走入刚刚恢复原状的阁楼中的玄奘，猴子不由得蹙起了眉头，转而望向了一旁的天蓬。

“你刚刚和他说了什么？他怎么就忽然改变主意改变得那么彻底？”

天蓬抿了抿嘴唇道：“说了一些，关于普度的事。”

“关于普度的事？”猴子的眉头蹙得更紧了，“什么关于普度的事？你跟我也说说。”说着，猴子伸长了耳朵。

瞧着猴子，天蓬淡淡笑了笑，却转身走了开去，悠悠道：“还是你自己悟吧。玄奘法师每天都在身旁，你就没想过深入了解你正在守护的‘道’吗？”

猴子听得越发蒙了，伸手掏了掏耳朵快步跟了上去，吆喝道：“究竟说了什么，你给我说清楚，说话别说一半呐。”

犹豫了许久，高空中的太乙真人最终还是转身离开了。

此时，兜率宫中，清心正蹙着眉头盯着前来禀报的道童。

那道童被她盯得浑身不自在，那头越埋越低。

好一会儿，清心深吸了口气，问道：“然后呢？”

那道童仰起头来呆呆地眨巴着眼睛。

“我问你然后呢？就这样就结束了？没再打？”

道童呆呆地摇头。

“搞了半天就这样结束了？”清心顿时有些抓狂，“啊——”地尖叫了一声，吓得一旁的雀儿睁大了眼睛有些错愕地望着她。

“我都准备好召集人马下去参战了，你忽然告诉我他们不打了？这算什么意思？什么意思？什么意思——！你给我说清楚——！”

尖叫着，清心伸手就要去拽那道童的衣领，一旁的雀儿连忙握住了她的手腕制止她，轻声道：“清心妹妹息怒，这又不是他的错。”

“我知道不是他的错，可是……可是……我都准备好了……实在是……”

憋了一口气，清心转过身去一脚重重踹在一旁装有天道石粉末的大盒子上。只听“咣当”一声。

还躲在地下室中的太上老君捂着胸口猛地擦汗，一旁的须菩提掩着嘴强忍住不笑。

雀儿低声问道：“清心妹妹这是怎么啦？”

扭过头，清心推开雀儿望向那前来禀报的道童，紧蹙着眉认真地问道：“这前前后后，那猴子受伤了没有？”

“没。”

“一点都没？”

“一点都没。”

“他的对手是万寿大仙呐，还加上人参果树，他居然没受伤？”

那道童仰起头略微想了想，答道：“一路都是他压着万寿大仙和人参果树打，要说万寿大仙和人参果树的话，倒是多少受了点伤，他的话，没有。”

紧接着，就是一阵沉默，两人大眼瞪小眼。

好一会儿，清心抚着胸口深深叹气：“不会的，不会的，他是地仙之祖镇元子，怎么可能那么容易屈服？他肯定还有后手，肯定还有后手。怎么都应该给那猴子一个教训。”

话音未落，只听一位道徒匆匆奔了进来，拱手道：“最新消息，万寿大仙果然有后手！他要和那妖猴结拜了！”

顿时，清心眼睛都直了，差点儿一口血喷出来。

一时间，整个大厅寂静无声。

“这……这就是后手……？”

第五百二十六章

结　义

清晨，已经修复了大部的五庄观与万寿城沐浴在温和的阳光中，被迫流离了一夜的修士们渐渐返回住所。

资格较老的几个修士搬抬了桌椅坐在主干道上，登记着这一夜的损失，以备向五庄观求取一些援助。

五庄观中，几个道徒端着各种器具行走在长长的石阶上，那前方的广场上摆了一张铺着金色桌布的长桌，桌上摆放着简单的几样祭品，外带一只青铜香炉。

几缕青烟袅袅升起。

猴子与镇元子默默地站在长桌前，一旁站着十余名五庄观的道徒，还有赶来的吕六拐及玄奘等人，至于那高空中、远处的群山上，则潜伏着各方的探子。

对五庄观的监控，还远没到结束的时候。

许久，一位童子端着盛有清水的碗放到了桌前。

猴子看了看那碗中荡漾的清水，又瞧了瞧镇元子，眉头蹙成了一团。

镇元子一步步走到长桌前，点起三炷香，象征性地朝东边拜了拜，插到香炉中。紧接着，他用指甲轻轻一划，划破了手指，将两滴鲜血滴入碗中。

鲜红的血遇着清水，迅速扩散了开来。

转过身，镇元子将放置在桌面上的另外三炷香朝猴子递了过去："到你了。"

然而，猴子却没伸手去接。

就这么沉默了好一会儿，镇元子捋着长须轻笑道："怎么？看不上老夫啊？”

猴子眨巴着眼睛道：“看不上不至于，好歹也是有数的大能。”

“那是信不过咯？”

“我信不信得过你，重要吗？”猴子翻了个白眼，看了看头顶的云层道，“他们信不信得过才重要。”

“那还犹豫什么呢？”

瞧着那碗里的血水，猴子悠悠叹道：“我在想，蜘蛛的血会不会有毒。”

他这么一说，镇元子不由得笑了出来：“老一辈的称贫道为六脚蜘蛛镇元子，可实际上，贫道的本相也只是与蜘蛛相似而已，并非蜘蛛。大圣爷大可放心。”

猴子长叹了口气，道：“不过想想也是我多心了，就算有毒，也是毒不死我的。我要那么容易被毒死，那真不如死了算了。”

说着，他伸手接过了镇元子手中的三炷香，点燃，朝着东方象征性地拜了拜，随口叹道：“我这辈子拜的可不多，即便是天地，这也只是第二次。所以啊，这可是给足你面子了。”

“上一次是何时？”

“上一次是成亲的时候。”

“哦……”镇元子微微点了点头，道，“看来我还得抽空到华山探望一下弟媳啊。”

“有说过你当兄长吗？”

“贫道可是比你老了数万年啊，贫道不当兄长，难道你来？”

将那三炷香插在香炉中，猴子回过头来，哼笑道：“只以兄弟相称，不论长幼，如何？”

镇元子无奈笑了笑，摊了摊手道：“行吧，就依你。”

听到这一句，猴子才伸手划破了自己的手指，将血滴入碗中。

一旁的黑熊精悄悄往小白龙的方向靠了靠，低声问道：“这是什么咒法吗？”

“不是咒法。”

“不是？那干吗忽然要结义呢？效仿凡人那一套干吗？”

“这你就不懂了吧？”小白龙微微昂起头，得意地说道，“这是在做给其他人看，三清不吭声，须菩提祖师不露面，镇元子和大圣爷结义，已是表明他对西行的态度。往后，我们也可少去许多麻烦。”

犹豫了好一会儿，黑熊精摇头道：“我还是不懂。这镇元子不是对西行恨之入骨，不惜以命相搏吗，怎么忽然变得这么支持了？居然还主动提出结义。”

“也许是怕其他修士像他这样撞上来吧。”回头望了一眼面色淡然的天蓬，小白龙轻声道，“真正的原因，恐怕只有那头猪知道了吧。不过他也跟我们是一条船上的，他觉得好，应该就是真的没问题了。”

此时，昆仑山金光洞前早已经会聚了上百名样貌各异的修士。

有头发花白似老人的，有看上去正当中年的，有面庞秀气看上去青春依旧的，更有好似孩童一般的。可无一例外的，他们都衣冠楚楚，看上去地位非凡。

这些，其实都是阐教如今没有在天庭任职的各派系大佬。

万寿山战事一起，他们便通过各种渠道获知了消息，在透过五庄观内部道徒知道战事因玄奘而起之后，众人便连夜赶赴金光洞求见太乙真人。

可惜的是，太乙真人并不在观中，而把门的道徒更是不准他们入内，以至于这众多台面上的人物，只能聚在大门口苦等。

忽然间，人群中有人高声喊道：“太乙师叔回来了！”

顿时，所有人都朝着西面望去。

远远地，太乙真人手握拂尘，腾云而来，那脸色很是难看。

“参见太乙师叔！”

“参见太乙师伯！”

“参见太乙师叔祖！”

还没等太乙真人落地，那些修士已经一个个躬身行礼，然而，太乙真人就连半点儿回礼，哪怕是让他们免礼的意思都没有。

刚一落地，太乙真人便铁青着脸大步朝着大门走去，就好像那四周的晚辈都不存在似的。

缓过神来，那一众修士都连忙朝着太乙真人围了过去，七嘴八舌地问了起来。

“太乙师叔，那五庄观的事情究竟要如何处理？”

“太乙师伯，妖猴已经出山，不可不虑啊。”

“金蝉子西行本是他佛门的事，却危及了我道家，恐怕，此事还是早作打算为妙啊……”

说归说，这群吵吵嚷嚷的修士也都是有些资历的人了，自然都懂得礼节，也没人敢直接挡在太乙真人的面前。

至于太乙真人，则依旧当他们不存在似的，铁青着脸一步步地朝大门走去。那一众修士也只得紧紧相随。

转眼之间，太乙真人已经在众修士的簇拥下跨过了门槛。

一位道徒匆匆来到太乙真人面前，躬身拱手道：“弟子恭迎师父。”

太乙真人这才停下了脚步。

他这一停下，四周所有的人都安静了下来，一个个呆呆地望着太乙真人，等着这位阐教的临时当家人表态。而太乙真人却只是静静地站着。

一阵清风吹过，摇曳着金光洞庭院中的草木。

许久，太乙真人轻声道：“把他们，都赶出去。”

“啊？赶出去？”

一时间，在场的修士都有些蒙了，一个个面面相觑。

他们蒙，那道徒可不蒙。

得了自家师父的令，四周的几个道徒当即围了过来，做出一个请的手势，道：“诸位，还请先回去吧。”

为首的几个人欲言又止，可看着太乙真人那不理不睬的坚决模样，他们也无可奈何。

无奈之下，他们只得一个个躬身拱手，转身离去。

不多时，大门轰然闭上，那些外来的修士被一个不剩地驱赶了出去。

太乙真人这才深吸了口气，迈开脚步朝着观内走去，轻声道：“往后，再有人找，就说为师闭关了，什么都不管，也管不了了。如果有哪位能人指责，就将为师那阐教的掌教令牌给他。”

“给他……”那道徒顿时吃了一惊。

“对，给他。谁能管，谁去管吧。为师是无能为力了。”

那道徒怔住了。直到太乙真人走出一丈开外，他才缓过神来，连忙追了上去，低声道：“师父，那如果是几位师叔师伯来问呢？”

“他们来了吗？”

“有几位来过了，不过都没说什么，只是问了一下情况。”

太乙真人冷哼了一声，呆呆地眨巴着眼睛长叹道：“不理也罢啊……”

五庄观中，简单的仪式已经结束，那四周的探子，有的已经离去，有的还滞留在原地试图再刺探一点新的情报。

在镇元子的招待下用过午饭，一行人便向镇元子辞行，任他如何挽留，哪怕是为了向外界做个姿态，猴子也不想再在这五庄观中多住了。

镇元子一阵劝说，再加上天蓬最终表态认为应该再住一宿，猴子才勉为其难地接受。

借此机会，镇元子再次向玄奘提出想与他探讨普度之道。

对于这个，玄奘可是心有余悸。

镇元子先前那般客气，哪怕是探讨的过程，也是相当愉快的，可刚探讨完，一转眼，他便变了脸……任谁都会多少有些担忧。

又是在天蓬的劝说下，玄奘最终答应了镇元子的请求。

当然，肯定不能立即探讨。一夜未眠，其他人倒好说，玄奘到底只是一介凡夫，自然得先休息。

于是，众人便又回到刚刚修复好的阁楼中。

一进门，吕六拐便开始喋喋不休地在猴子耳边讲着此次事件中各方的反应，重点谴责了鹏魔王、狮狔王这一路，对作出了反应的牛魔王、九头虫则简略带过，他一路念叨着，念得猴子都有些烦了。猴子强找了几个理由将他和随行的几个妖将都给撵了回去，顿时觉得耳根清净了不少。

一闲下来，猴子便又想起天蓬与镇元子说的悄悄话，可这一感知，他才恍然发现天蓬不见了！

此时，距离五庄观二十里开外，已经幻化回人身的天蓬缓缓降落到绿树成荫的小溪边，四下张望。

不多时，一个银色的身影从齐膝的溪水中缓缓站了起来。

“来者可是天蓬元帅？”

闻言，天蓬缓缓回过头去。

站在溪流之中的是一个身穿银色天军铠甲的大胡子天将，瞧那臂章，他应该是隶属于巡天府的。

天蓬缓缓地朝他伸出一只手去，那手中握着的是一块白色的绢子。

“这是你留下的？”

“启禀元帅，正是末将留下的。”

说着，那天将从小溪中一步步走上岸来，单膝跪地，向天蓬行了个军礼。

瞧着对方那标准的姿势，天蓬哑然失笑，深吸了口气，道：“起来吧，我早已经不是什么元帅，我现在叫猪刚鬣，你这礼，我也受不得。说吧，是谁让你来找我的。”

那天将淡淡笑了笑，缓缓起身，拱手道：“这是陛下的旨意。”

往五庄观的方向看了看，那天将朝着天蓬走近了两步，低声道：“因为是密旨，所以没有正文，也是为了避免留下话柄。不过，末将手中有陛下的灵霄宝殿的信物。”

说着，那天将从腰间取出了一面小巧的嵌金玉牌朝着天蓬递了过去。

天蓬接过玉牌随意看了一眼，便又丢了回去，冷声道：“说吧，什么事。”

天将将重要的玉牌收好，拱手道：“陛下有旨，着令元帅您潜伏在那西行队伍之中，若有异动，随时经由巡天府向陛下回报消息。”

他这么一说，天蓬顿时僵住了，一动不动地瞧着他。

紧接着，是许久的沉默，久得连那天将都感觉浑身不自在了。

“元帅这是……怎么啦？”

只听天蓬冷哼一声，轻笑道：“我现在属于什么编制？”

“元帅的编制，陛下并没有……”

“我再问一句。”打断了那天将的话，天蓬缓缓道，“我还是元帅吗？如果不是，你一直叫我元帅是什么意思？如果是，那我的帅印呢？我的兵马呢？”

说罢，天蓬便笑盈盈地盯着那天将看。那笑，看上去更像冷笑。

此时，那天将已经被问得哑口无言，憋了好一会儿，才结结巴巴地说道：“元帅多虑了，关于那六百年前的事，陛下也曾提起，确是冤案无疑。”

“冤案？那为什么不平反呢？”

那天将微微收了收神，低声道：“那毕竟是上一任玉帝定的罪，一场大战，许多人证物证如今都已经不在了，现在要平反，着实有些困难。”

天蓬差点儿笑出来。

姑且不提那本就莫须有的罪名会有些什么人证物证，就光这“人证物证”都不在了，现任玉帝还能凭空断定天蓬是无辜的，这手段，就已经不比上一任玉帝差了。

天蓬看那天将的眼神越发意味深长了。

察觉到天蓬的变化，那天将还硬着头皮接着说道：“不过，昨日之事，乃是元帅出手，才化解了危机。这功劳，已不可谓不大。陛下一定会找机会为元帅平反，让元帅重返天庭的。在这之前，还请元帅……继续恪尽职守。”

寻找白素

第五百二十七章

小白龙家到了

休息过后，当天晚上玄奘便又一次应镇元子的邀约前往五庄观的大殿为其讲解普度之道。

这一次，猴子依旧亲自跟了去，没敢大意。

镇元子依旧一如先前地客气，玄奘也依旧有问必答，竭心尽力地解说。

时间就这么一点一点地流逝。

子时一到，猴子便以次日还要早起远行为由，将玄奘拉回了阁楼。

这一次，镇元子倒是没多作挽留，一切似乎真的如镇元子所说，他已经彻底放弃了遏止西行的想法。

虽说这结局很符合猴子的利益，可究竟什么样的话，能那么快地改变镇元子的心思呢？

这一点，猴子始终想不明白。

道别了镇元子，回到住处安顿好玄奘，猴子一踏出阁楼的门，才发现白日里不知道跑哪里去的天蓬已经回来了。月色下，他正端坐在雅致的庭院中，悠然地品茗，看上去很是惬意。

“嘿，白天跑哪里去了？”猴子拄着金箍棒晃晃悠悠地走了过去，坐到了天蓬对面的石椅上。

“闷得慌，出去走动走动。”天蓬低下头，为猴子斟了一杯茶，推了过去。

“你也会闷？我以为你生来就是这么闷呢。”伸手端起茶杯，猴子轻轻抿了一口又放了下去。

然后，两人就这么静静地坐着。

明月缓缓穿行云间。微风徐徐吹过，抚弄着枝叶。

整个五庄观安静得只剩下偶尔出现的几声蟋蟀叫。

天蓬低着头凝视着杯中漂浮的一片茶叶，凝视着升腾的热气，不时地叹口气。

猴子则转悠着眼珠子，一会儿仰望空中的圆月，一会儿低头看一眼身旁枯叶上爬的蚂蚁，一会儿又盯着天蓬瞧，那坐姿换来换去。

从某种角度来说，这原本分属不同阵营的两人其实有很多共同点：例如，他们都很执拗，认定了就是认定了，八匹马也拉不回来，什么都不顾；例如，他们都务求对得起自己的心；例如，他们都不喜欢热闹；例如，他们都喜欢一个人待着……

可就这么两个人，又有很多的不同点。

同样是喜欢一个人待着，天蓬是真的待着，一动不动，也许在思考着什么，也许压根就是脑子放空。这一路上，对于这种情况众人早就见怪不怪了。

猴子所谓“静静地待着”则是一个人静静地做点什么。即使是被压在五行山下的日子，他也会自己瞎倒腾，折腾身旁的野草泥沙什么的，如果真的什么都不做，他又会闷得慌，就好像现在这样。

好一会儿，天蓬又淡淡叹了口气，猴子晃晃悠悠地问道：“干吗唉声叹气的？”

天蓬抬起眼皮瞧了猴子一眼，道：“没什么，一点儿没啥影响的事情。”

“没啥影响的事情有什么好叹气的？我老家有句俗话，叹一口气衰三年呢。”

“你老家的俗话？花果山那种地方也有俗话这回事吗？”

“不是花果山，是另一个地方。”微微顿了顿，猴子又接着道，“花果山怎么啦？花果山好得很。在我的统领之下，花果山可是三界首屈一指的妖国，比起天庭也毫不逊色。当日那景象……嘿嘿，可惜你没机会见。”

天蓬瞧着猴子哼笑了出来，又深吸了口气，摩挲着手边的茶杯叹道：“可也是在你手上毁了的。”

猴子眼睛一斜，当即反讥了一句：“你也好不了多少，天河水军在你手中壮大，不也在你手中毁了？”

顿时，两个人都沉默了。

许久，天蓬轻声叹气："成也萧何，败也萧何。看来，我们两个都是如此啊。"

两人互相对视着，笑了出来。

一旁的阁楼上，玄奘静静地俯视着庭院中的两人。

笑声过后，猴子轻声问道："昨天的事谢谢你了，看来带上你，果然是对的。同样的话，我去说，估摸着镇元子那家伙理都不会理我。"

"有什么好谢的，都是一条绳子上的蚂蚱。保护玄奘法师西行，这是我答应过的事情。"

"你究竟跟镇元子说了什么？"

"以后你会知道的，现在说了你也不明白。"

"那你今天去哪里了？不会是天庭发现你在这里，赶紧派人来拉拢你吧？你可别变成天庭的内应哦，我生平最恨的就是叛徒。一旦变成了叛徒，就没有谈判的余地了。"

天蓬仰起头笑了笑，瞧着猴子道："你觉得我是那样的人吗？"

蹙着眉头略微思索了一下，猴子摇头道："应该……不是。"

"那不就成了？要耍这种小伎俩，早就耍了，不至于等到这一天。"

"这点我还是相信你的，虽然你板着脸还是那么惹人厌。"

此时，数十里外的高空中，清心正握着一个巴掌大的八卦镜细细地瞧着。在她的身旁，悬浮着金银两位童子。

那八卦镜中的景象，正是猴子与天蓬在庭院中谈天。

许久，她轻声问道："这个人是天蓬元帅？"

"没错。"一旁身穿金色道袍的童子重重点了点头道，"消息是从巡天府偷偷弄来的，应该不会有错。这个人我以前还见过两次呢，这面容和前世分毫未改。他以前是天河水军大元帅，后来还执掌过天庭所有兵马，南天门被攻破之前，他被前任玉帝以通敌罪投入谪仙井，因为一些失误最终堕入畜生道，成了猪妖。"

"连这个天蓬也跟他混到一块儿去了？"放下手中的八卦镜，清心的眉头不由得蹙成了一团。

另一边身穿银色道袍的童子低声道：“那时候他被判下谪仙井，我还替他叫过屈呢。现在看来，他和妖猴真走到了一块儿，想想当初前任玉帝说他通敌，说不定是真的呢。不过……”

稍稍顿了顿，那银袍童子望着清心有些忐忑地说道：“这样一来，事情就更不好办了。那妖猴本身武力天上地下首屈一指，再加上这通晓军略的天蓬，我们还怎么报复啊？要不……师妹，还是算了吧？”

说罢，那俩童子便小心翼翼地望着清心。

“怎么？”清心脸一黑，冷声道，“你们怕了？”

俩童子微微缩了缩脖子，咽了口唾沫，不敢开口。

瞧着手中的八卦镜，清心抿着嘴道：“既然都那么厉害，那他们两个当初怎么就都栽了？咱不急，只要一直盯着，早晚有机会出手，非给这嚣张的猴子一点儿教训不可。这件事，你们愿意帮得帮，不愿意……也得帮！”

次日一早，猴子一行便早早地收拾好行李，去向镇元子辞行。

临行前，镇元子再次赠送了每人一枚人参果作为礼物，这一次，镇元子特别告知众人人参果的正确食用方法，以示诚意。

告别了镇元子，一行人又踏上了往西的路。

这一出发，小白龙一改往日畏畏缩缩以至于落到后方的常态，牵着马走到了前头，一副兴高采烈的样子，像换了个人似的。

他自己走到前头倒无所谓，问题是那马上还坐着个玄奘呢。

好几次，猴子都不得不特别交代他慢一点儿。将要保护的对象拿去开路，简直荒唐。

一连两日下来小白龙都是如此，而且还有愈演愈烈的趋势，猴子不禁起疑，将他拉到一旁拐弯抹角地问，这一问，才明白原来他家要到了。

准确地说，是他与白素的家要到了。

听他这么一说，猴子也便释然了。

想当初小白龙加入这西行队伍，虽说一大半原因是猴子威逼，但另一方面也是因为小白龙要给自家媳妇找蟠桃延寿。

马上要见自家媳妇了，他能不开心吗？

接下来几日，越走人越稀，越走山越险。原本还能偶尔遇见一两个村落或者一两个道观，到了后来，百里无人烟，连妖怪都见不到半只。

可这路，小白龙却越来越熟，心情更是越来越好。

离开五庄观的十五天后，小白龙家已经近在咫尺，一路上，心情大好的小白龙开始絮絮叨叨念起了他与白素的过往。

“那丫头，原本挺乖巧的，什么都听我的，我让她往东不敢往西，可一成亲，人就变了。凶起来那真是……唉，芝麻绿豆大的小事，动不动就把我往外赶，说让我有种就回西海去，再也别去见她了。你说，这算什么话？

“其实啊，我知道她那都是说的气话。一开始呢，我还跟她吵，后来发现，我压根就吵不赢。这女人啊，生起气来压根就没逻辑的，也不讲道理。久而久之，我就学会了应对她的招数了。

“每次她一发火，我也发火，然后收拾行囊，背上就走，头也不回。”

猴子挑了挑眉问道：“然后呢？”

“然后？”小白龙神秘兮兮地说道，“你猜。”

猴子翻了个白眼道：“爱讲不讲。”

说罢，他加快脚步就往前走。

他这一走，小白龙反倒是急了，拉着白马快步赶了上去，道：“别走嘛，我说，我说。然后呀，我找个地方溜达一圈，带着行囊去哪个朋友的洞府或者道观喝个茶，下个棋什么的，等过一两个时辰，再溜达回去。

“女人呐，就是那么回事，气头上你跟她说什么都没用。气消了，你什么都不用说，也就翻篇了。要是吵了架，我还继续在家里待着啊，嘿嘿，指不定几个时辰之后还在吵呢。”

“她通常多久发一次火？”猴子轻声问道。

“多久啊……嗯，三天两头发火。她要五天没发火，那就有问题了。”

“发火的原因呢？”猴子又问。

“发火的原因那是五花八门：例如，她出门的时候交代我修一下漏水的屋顶，结果她回来的时候发现我忘了；例如，我拿了东西用忘记放回原位，把家里弄得乱七八糟的又没收拾……大概就是这些芝麻绿豆大的小事。”

猴子仰头想了想，低声问道：“那你岂不是经常背着行囊到处跑？”

“那是。”

“你的朋友就没觉得奇怪？”

小白龙微微一愣，挠了挠脸道：“刚开始会说，后来也就见怪不怪了，看我拿着行囊去蹭茶喝，也就明白是什么情况了，连问都不问。”

“你这人生可真够悲催的。”

“嘿，这您就不懂了，这日常的幸福就是这么来的。成了亲，不吵架，难道两个人每天对着发呆啊？”

“我还是第一次听人说成了亲就会吵架。”

“这可是我们相处六百多年我得出来的经验呀，现在免费把这么宝贵的经验传授给大圣爷您，您还不领情了？”

猴子翻了个白眼，却暗暗将小白龙这一套歪理记到了心里。

杨婵发起火来，想必比白素要恐怖多了吧？嗯，不知道这招到时候管不管用？

见猴子不搭话了，小白龙又接着说道：“两个人在一起，总会有很多摩擦，真要吵，每天都有吵不完的架。总得有一个人要让步不是？我这招啊，既能耳根清净，又能维护夫妻和谐，多好？就是经常背着包裹到处走狼狈了点儿。不过咱是男子汉，能屈能伸，这点苦都咽不下去，还谈什么成就大业呢？对吧？”

“行行行，改天让玉帝给你颁个模范丈夫奖。”猴子不由得笑了出来，“这一次这么久没回去，也没听你说要回去一趟，不会也是吵了架离家出走吧？”

他这么一说，小白龙不由得蹙起了眉头，盘起手道：“差不多。不过这次有点儿严重，我把她心爱的镜子给打烂了，本来想着离家出走半个月，再带点礼物回去收尾……所以才会想到去捉玄奘法师当礼物，也才会碰上大圣爷您啊。结果一折腾……这都一年了。”

“你怎么会打烂她的镜子的？”

“照镜子的时候不小心呗。”

“你一个大男人，照镜子干吗？”

小白龙指着自己，认真地说道：“我这么一位风度翩翩的公子，照个镜子，还用问干吗吗？”

猴子顿时无语了。

想来这西海三太子的世界，确实不是他所能理解的。

不多时，众人便来到一座陡峭的山前。

山下是一汪清水，四周草木成荫，鸟语花香，颇有种世外桃源的味道。

如同一支笔般挺立的山峰上，坐落着一座小小的庭院，四周却不见蜿蜒的山道。

仰起头望着那庭院，猴子轻声问道：“那里就是你家？”

“对。”小白龙乐呵呵地说道，“毕竟我们两个都是天庭通缉榜上有名的人，怕天庭追捕，所以选了个偏僻的地方，连山路都没有。好在我们也用不着走山路，飞上去便是了。”

说着，小白龙转身朝着众人拱了拱手道：“我这就去叫我家娘子出来迎接各位。”

转过身，小白龙腾空而起朝着那庭院飞去。

黑熊精将肩上的担子卸了下来，玄奘也下了马，一行人就在原地静静地等着。

许久都不见小白龙回来。

黑熊精低声问道：“他会不会逃了？”

“不会的。”猴子用眼神朝着行囊指了指道，“他的蟠桃还在这儿呢，他要逃，也得带上蟠桃再逃啊。况且这三界才多大，他能逃到哪儿去？”

一行人又默默地等。

约莫又过了一炷香的时间，忽然，小白龙从那庭院中冲了出来，一跃腾空而起，落到众人面前，神色慌张地喊道：“不好了，我家娘子不见了！”

第五百二十八章

失踪的白素

“不好了，我家娘子不见了！”

喊出这句话的时候，小白龙脸上尽是惊恐的表情。

然而，作为观众的几个人却连半点儿反应都没有，只是一个个静静地看着他，一动不动地坐着。

一时间，那气氛有些怪怪的。

小白龙看看猴子，又看看玄奘，紧接着又看向天蓬，好半天，他才惊愕地说道：“我说，我家娘子不见了……你们怎么没反应？”

“你想要什么反应？”猴子问。

“你们……你们最起码应该着急啊。”

“为什么呢？”

小白龙一时语塞。

被猴子这么一问，他还真不知道说什么好了。

为什么呢？

蹙着眉头，小白龙憋了好半天才低声道：“我娘子不见了，这么大的事情，你问我为什么要着急？”

“我问的是我们为什么要着急。”猴子面无表情地说道，“你不是经常离家出走吗？你家媳妇离家出走一次怎么啦？难不成她就得一直在家里等你？”

“这不一样！”小白龙惊叫了出来，嚷嚷道，“她以前每次离开，如果我不在，至少会给我留封书信。可这次没有！不仅如此，她连玉简都没有带！这……这说明她出事了！”

这一通嚷嚷之后，小白龙依旧面带惊恐地看着几个人，现场依旧一片沉寂。

猴子与天蓬微微蹙起眉头，面面相觑。

似乎为了强调事情的严重性，小白龙又嚷嚷了一遍："我是说，我家娘子出事了！"

好一会儿，猴子轻声问道："你家里，有被破坏的迹象吗？"

"没有。"小白龙摇头道。

"没有那你着急个什么劲？"说着，猴子从自己的手腕上取下了金刚琢握在手中，朝着里面注入灵力，轻声道，"白素。"

没有任何动静。

顿时，猴子的表情也微微产生了变化，他紧接着轻声道："天蓬。"

还是没动静。

"猪刚鬣。"

这次有动静了，金刚琢微微闪烁，拼命地晃动着，似乎想挣脱猴子的手掌朝天蓬飞过去。

所有的人都静静地瞧着猴子。

猴子抬眼环视众人，犹豫了下，又低头轻声道："玄奘。"

金刚琢依旧拼命晃动，这次是朝着玄奘的方向。

"敖烈。"

金刚琢又转而朝向小白龙的方向。

"怎么样？"天蓬开口问道。

"奇怪了，没法儿感知到白素的存在。之前找卷帘的时候也是这德行，怎么回事呢？难道有什么东西可以屏蔽金刚琢的感知？不应该啊，连如来都拿它没辙。"猴子略微寻思了一番，又开口道："李靖。"

金刚琢依旧微微闪烁着，却停止了所有的动作，好似一个普通的钢圈一样停放在猴子手中。

"哪吒。"

还是没动静。

"敖听心。"

依旧没动静。

“黑毛。”

又有动静了，这次金刚琢朝着黑熊精的方向猛地晃动。

稍稍舒了口气，猴子将金刚琢套回手腕上，淡淡道：“我明白了，金刚琢的感知范围变小了。”

“几百年没有修理过，感知型的法宝范围变小很正常。”天蓬道。

“你懂吗？”

天蓬端着竹筒，抿了一口水道：“我和你一样修行者道，你觉得我懂吗？”

瞧着手腕上的金刚琢，猴子无奈蹙眉道：“嘿，没早点发现，要早发现了，应该在五庄观让镇元子帮帮忙。”

“你想得太简单了。”天蓬淡淡抬起眼，道，“太上老君的所有法器，基本上都只有他本人才懂怎么修理，你找了镇元子也没用。”

此时，与此地相距数万里的一处洞府之中，白素被五花大绑，捆在一根巨大的柱子上。

穿着一袭蓝色八卦道袍，扎着高高的发髻，两鬓斑白，一只眼睛变成了红色的多目怪阴沉着脸，在她身前来回踱着步。

“说！你丈夫为什么会和大圣爷在一起？”

“我刚刚不是已经说过了嘛。”白素紧蹙着眉头道，“他是想给我找蟠桃延寿，所以才会答应随大圣爷西行的。”

“我再给你一次机会。”

“你给我几次机会也是这样，我说的是实话。”

多目怪停下了脚步，缓缓转过身来，俯视着白素道：“那我问你，大圣爷为什么会让你丈夫随他西行？”

“这我怎么知道？”白素眉头越蹙越深，紧紧地盯着身前空无一物的地面，她显然怒了，却也无可奈何。

虽说捆着她的绳索也不是什么了不得的宝贝，但问题是她的修为也只有那么一点儿啊。好歹也是个妖怪，可她并不属于那种资质特别好的妖怪，应该说她属于那种资质比较糟糕的妖怪。六百多年了，即使修的是行者道，即使拥有龙宫的上品功法，她也还只是炼神境中期修为，突破遥遥无期。

如果不是这样，知道小白龙加入了西行队伍，她早就奔过去找了，怎么可能还在家里等呢？

“呵呵呵呵。”多目怪捋着长须悠悠道，“你那丈夫，西海三太子敖烈也不过就是个金仙修为，连太乙散仙都达不到。就这样一个人，花果山的那些旧部，大圣爷想要多少有多少，何必用一个天庭通缉榜上有名，与西海还有千丝万缕关系的敖烈？说大圣爷主动邀你丈夫西行……你莫不是当老夫傻了不成？”

白素扭过脸去，一声不吭。

盯着白素看了好一会儿，多目怪深吸了口气，又迈开了脚在小小的洞府中来回转悠着，轻声道：“换一个问题吧。我问你，大圣爷为何要西行？西行究竟有何目的？那灵山为何又放出风声说吃玄奘的肉可以长生不老？镇元子又为何出手挑事，之后为何又忽然收手？这些，你都给老夫一一道来。只要说清楚了，自然会放你走。”

“你问我我怎么知道？”

“你丈夫没跟你说过？”

“没有！”

“那就奇了，你丈夫忽然说要随大圣爷西行，你居然也不问清楚？”

“问过了，他也不知道！”

“然后你就没再问？”

白素噘着嘴，怒道：“怎么问？那个没心没肺的，不知道就是不知道，再问也是不知道！你不也是花果山旧部吗？怎么不自己去问你们的大圣爷？”

“呵呵呵呵。”抚摩着手中的拂尘，多目怪缓缓地笑了出来，瞧着白素悠悠叹道，“看来，不让你吃点苦头，你是不会说真话了。”

此时，在小白龙的央求下，天蓬已经进入了他那小小的院子。

院子里总共也就八间房，前后三个厅，其中还有三间是杂物房，一间是厨房。天蓬好像一个侦探似的进进出出。从残留的灵力波动，到椅子下小小的蜘蛛丝，所有的蛛丝马迹他都不放过，细细勘察了一遍。

然而，耗费了大半天时间，他们什么都没发现。

紧接着，天蓬将搜索的范围扩大到了屋子外围，最终，他在屋后一小片菜地前停住了脚步。

“这里住了多少人？”

“就我们两个。”小白龙答道。

“平日里都与什么人往来？”

“也就我家娘子一两个朋友偶尔串门。”

弓下身，天蓬伸手拨开了菜地中的地瓜叶，顿时，那眼睛眯成了一条缝。

一旁的小白龙道：“这菜地是刚建这宅子的时候弄的，那时候白素说想过平凡人家一样的生活，要自耕自种，所以就弄了片菜地。不过……你说我们都是有法术的，干吗要自耕自种那么麻烦呢？要什么没有？实在不行，到树林里打个猎都比耕种快。为了这个我们吵过几次……后来就变成她一个人倒腾了，再后来，她干脆就全部种了地瓜……因为地瓜比较好种。”

说着，小白龙摊了摊手，无奈地叹了口气。

回头瞧着小白龙，天蓬用手指轻轻拨开了身旁茂密的地瓜叶，那下面露出了几株已经被连根拔起，却又直接丢弃在田中的杂草。

“怎么啦？”

“这些草还没完全枯。你们除完杂草，就这样直接丢在田里？”

“我看她除草一般都会背个筐，拔起来的杂草丢到筐里。”

天蓬略微想了下，缓缓站了起来，在菜地中四处勘察，不多时，他拍去手上沾的泥土，轻描淡写道：“你家娘子被什么人带走了。”

“啊？”小白龙一下惊叫了出来。

指着脚下的菜地，天蓬道：“你仔细看一下，这里有至少六种脚印，而且大小不一，估计是几天前留下的。这些脚印只出现在田地正中，这说明他们是从天而降，而那时候你家媳妇正在除草。这脚印无论尺寸还是样子，看上去都不是天军所留，来人应该属于妖族。”

还没等天蓬说完，小白龙就已经呆住了。

天蓬轻轻拍了拍小白龙的肩，轻声叹道：“好消息是，这里没有搏斗的痕迹，也没有特别强烈的灵力残留，这说明双方没有动手。最起码……可以断定他们只是想劫持，并没有要杀她的意思。”

说罢，天蓬转身就走，留下小白龙呆呆地站在原地，一脸的惊恐。

“被人劫持了？”

不是天军，是妖族……此时此刻，他的脑海中蹦出来的第一个人，就是他老爹西海龙王。

这么多年了，西海的人知道他就住在这里，而这门亲事，西海龙宫，乃至四海，从来都持反对意见。但这都六百多年了，如果要劫持，他们不是早该劫持了吗，怎么等到现在才动手？这不应该啊。

可如果不是西海龙宫，又不是一直通缉他们的天军，会是谁呢？

夫妇两个住在这里，平日里并没有与什么人结怨。甚至在妖怪的派系当中，他们与吕六拐一派关系也还不错。

小白龙实在想不明白。

第五百二十九章

南天门

直到黄昏时分，小白龙才回到山下与众人会合，神情无比沮丧，整个人恍恍惚惚的，如同失了魂一般。

“去哪儿了？”猴子轻声问道。

“去……去了一趟西海龙宫……还到其他几个龙宫也走了一遍。”

“找到了吗？”

小白龙缓缓摇了摇头。

一步步走到猴子身旁，他瘫坐在地，一双眼睛不断地闪烁着，那口微张，像是要说话，却半天都没蹦出一个字来。

几个人就这么沉默着。

好一会儿，天蓬和黑熊精一起抱着柴火从远处走来，在空旷的地面上架起了篝火堆。

随着夜幕降临，熊熊的篝火也燃了起来。

小白龙依旧沉默不语，紧盯着篝火堆一直发呆，玄奘取出两块薄饼送了过去，也被他婉拒了。

一时间，众人越发沉默了，一个个面面相觑，又时不时看看小白龙。

许久，玄奘轻声道：“大圣爷，要不，您看看有没有什么办法帮敖烈寻一下他娘子的下落吧。”

猴子仰头思索了一番，蹙眉道：“要说是天军捉的，还好办，顶多去趟灵霄宝殿要人。可妖怪捉的就麻烦了……这三界之中妖怪势力众多，哪怕是六百年前，虽说花果山一枝独秀，但也不是真就只有花果山这一支。大角还时不时被派出去招安或者围剿呢。现在就更麻烦了，我能做的，顶多也就是让吕六拐配合着找一找。”

说着，猴子的目光微微斜向了天蓬。

天蓬刚巧也抬起眼来，稍稍犹豫了一下，轻声道：“吕六拐就算举着你的牌子，估计也查探不到什么，如果对方有心隐瞒的话。我的建议……如果你能找太上老君把这金刚琢修好，那，才是最快的办法。只要金刚琢的力量达到极致，但凡她还在三界之中，还活着，就一定能将她找出来。”

天蓬这么一说，连小白龙在内，大家都朝着猴子望了过去。

“你们看我干吗？”猴子哼笑了一声，有些慌乱地用手中的木棍挑动着篝火。

点点火星飘起。

一旁，小白龙还在巴望着呢。

又沉默了好一会儿，猴子瞧着那篝火嘀咕道：“我不太确定现在找太上老君，他会不会答应帮我修理。再说了，当初他也没明确说过这玩意儿是要送我的。说不准，我这一去他就给要回去了呢……你们说，对吧？”

远处山间的一棵百年老松下，清心正握着八卦镜静静地坐着。

许久，她微微蹙起眉头，望向了一旁的金童子。

“那个金刚琢是师父的手笔，没错吧？”

“没错。”金童子点了点头道，“金刚琢原本是师父的护身法宝，莫说我们了，天庭的老人们都认得。且不说威力如何，就光那感知……只要见过要找的人，知道名字，无论他藏在三界之中何处，都可以轻而易举地锁定。光凭这点，它就已经是天上地下万千法宝所不能及的了。”

“既然是这么重要的法宝，那怎么会落到他手里的？”

“当年他被困天庭的时候，师父给他的。”

“师父给的？你是说师父还帮了他一把？”清心顿时有点蒙了。

这和她所知道的有些不一样啊。

诗雨萱曾经说过，当年的事情并不全是这猴子的错，可是以清心所知道的而言，几乎所有的事情都是这猴子引起的。这当中是不是真有什么了不得的秘密呢？

见状，那金童子连忙闭了嘴，悄悄朝着银童子望了一眼。

“说！”清心当即反应了过来，指着金童子叱道，“是不是还有什么事情是我不知道的，立即给我说清楚。”

她这一叱，金银两个童子微微缩了缩脑袋。

犹豫了好一会儿，金童子开口道：“师妹，这些事说来话长，而且，师父是不让外传的。有机会你还是自己问师父吧，你问我们，我们说，还是不说呢？”

“我不管！”清心指着金童子厉声道，“我要你现在就给我说清楚，这究竟是怎么回事！”

“如果是妖怪捉了，肯定是别有所图，不是吗？你媳妇没反抗，他们也没破坏任何东西，这显然是有备而来。用不了多久，他们肯定会联系你，也许是想要龙宫的财宝，也许是要你帮他们做什么事。不用担心，真的。过一段时间，他们肯定会联系你。对不对，大家说对不对？”

猴子撑起一副笑脸朝着四周看了过去，似乎想寻找一点认同。然而，那四周的人一个个都默不作声。

猴子瞪大了眼睛望向天蓬：“猪头蓬，你说，我说得对不对？是不是这个理儿？”

天蓬蹲在篝火前晃悠着身子，也不开口。

话是没错，按推论，确实如此。可谁又能百分百保证呢？况且，这话这时候说出来，明显就是推搪之词。这让天蓬如何评论？

顿时，猴子的嘴角微微抽了抽。

篝火堆旁，小白龙还在眼巴巴地望着猴子，其他人也时不时瞧猴子两眼。

虽然大家都没开口说话，但那眼神之中，似乎已经有了一种别样的味道，看得猴子浑身不自在。

“大圣爷……”

“我明白了。”猴子抬手制止了小白龙，没让他继续往下说，收了收脸上的神情，深吸了口气站了起来，“我去兜率宫走一趟吧。你们接着向西，我会尽快回来的。”

说着，他将一块玉简丢给玄奘，想了想，觉得不保险，又丢了一块给天蓬："拿好了，有什么事就叫我，我会即刻赶到。"

转过身，他轻轻拍了拍小白龙的肩："别多想了，我一定会把你媳妇找回来的，安心向西吧。"

说罢，猴子腾空而起，化作一道金光朝着东北方向疾驰而去。

"什么？你说他是因为一个女的才跟师父拼命的？"清心不由得瞪大了眼睛。

"嗯。"金童子点了点头道，"那个女的叫风铃，还在兜率宫住了些时日呢，我们都叫她风铃小姐。金刚琢原本也不是在妖猴手上，而是在风铃小姐手上。那位风铃小姐似乎有些来历，师父原本对她也特别好，还有好几次训斥我们不如她呢。"

"那时候我就觉得师父特别想收她为徒。"一旁的银童子接过了话茬，"不过啊，她已经是须菩提祖师座下首徒清风子的弟子了，这改投门派的事，除非万不得已，否则谁愿意呢？"

"不过也是奇怪，就算不改投门派，按理说师父也不至于让她魂飞魄散啊。"

"魂飞魄散？"清心不由得一惊。

"就是因为师父让风铃小姐魂飞魄散，那妖猴才气疯了，杀金乌，拆地府，还在南天门外引发天劫，杀上三十三重天，说到底，那都是为了找师父报仇。根本不是外界传的那样，他人心不足蛇吞象，想推翻天庭自己当三界之主。"

清心低声问道："那他现在和师父岂不是还有深仇大恨？"

金银两位童子对视了一眼。

银童子抿着嘴道："应该不算吧。天庭之战打到最后，如来出现了，他们之间有过一通对话。具体我们也听不太明白，但好像那妖猴已经知道所有的一切都是如来布的局，他对师父也就没那么恨了。其他的我们也不太清楚，大师兄应该知道得比较多。"

"紫袍？"

“嗯。”金童子点了点头道，“紫袍师兄一直跟着师父，知道的肯定比我们多，似乎这件事还牵扯到了天道石。不过……这都是兜率宫的禁忌，所以我们也没敢多问。”

清心不禁有些错愕。

这是她第一次知道这些事情。

原先，在她的印象里，这个所谓的十师兄就是个飞扬跋扈的家伙，尽惹事，祸害师门，祸害三界。甚至她一度纳闷，为什么身为师父的须菩提不亲自出手清理门户。

然而，事实似乎远比她想象的要复杂。

可是，眼前的人说的就是真的吗？

那妖猴是什么人？是杀人如麻的万妖之王。死在他手上的天兵天将，少说也有几十万，因他而死的天神、凡人、妖怪，乃至于那些魂飞魄散的地府鬼兵，真要算起来，数以百万计。

就这么一只绝世大妖，不惜拼个玉石俱焚的下场，杀入南天门内致使生灵涂炭，甚至差点儿毁了三界，竟然只是为了替一个女子复仇？这话说出去有人信吗？

因为爱情？

如果是因为爱情，那被压在华山下的三圣母算什么？

还是说仅仅是因为师门之谊？

别人清心不知道，清心自己反正是不信的。毕竟这故事太匪夷所思了。可眼前的这两个师兄看上去又不像是说谎的样子。

而且，听说妖猴出击的那一天，还刚巧就是他的大婚之日，连洞房都还没来得及入，就起了战火……

究竟是怎么样的一个人，又跟那妖猴有着什么样的过往，居然能让他放下一切杀上天庭呢？

清心实在想不明白。

一直以来，斜月三星洞中的人都很少提及这些东西。而她对这一段历史其实也没有多大兴趣，甚至偶然有人在天庭说起的时候，她还会找借口岔开话题。

毕竟，在她的眼中，这位十师兄一直都是斜月三星洞的耻辱。也就是听说他已经从佛门挣脱出来，清心才会注意这方面的事。

现在看来，那些先入为主的看法真有些偏颇了。

三人就这么呆呆地沉默了许久，金童子小心翼翼地问道："看情形，师妹你先前也是误会了什么。要不，我们还是回兜率宫吧？这妖猴确实不好对付，别说我们了，就连师父都拿他没辙。"

清心脸一红，蹙眉道："谁说的？哪里有什么误会？别的事我不管，他把我捆上树，这个是实打实的事情，赖不掉，一定要给他一点儿教训！"

说着，清心将手中的八卦镜塞到了银童子手中："你们在这里继续盯着他们，我回兜率宫一趟，看看那妖猴搞什么花样儿！"

此时，数万里之外的洞窟中，大片的钟乳石之下，多目怪正盘腿闭目养神。

一位长相美艳的青衣女子迈着碎步，来到了他的身旁。

多目怪缓缓睁开双目看了那青衣女子一眼，轻声道："怎么样了，问出什么了没有？"

青衣女子缓缓摇头，道："没有，还是跟原来一样，一问三不知，真说出来的，也是漏洞百出。依妹妹看，这样下去，如果不上重刑，怕是再问也问不出什么。"

"上重刑？"多目怪的眉头缓缓蹙了起来，摆手道，"事情还没弄明白，就连敌我都还分不清，上了重刑，万一以后发现她丈夫真是效忠于大圣爷的，怕是不好说话。"

"不上重刑的话，那怎么办？"

深吸了口气，多目怪问道："吕丞相那边有消息吗？"

"吕丞相已经从万寿山回去了，似乎也没什么异样。"

多目怪的眉头越蹙越深。

要说猴子重新出现，他得到消息的时间并不比吕六拐晚多少。可始终，他都感觉情况并非其他人所想的那么简单。

要知道，猴子可是万妖之王，既然出来了，他为何不重新召集旧部呢，难道是已经心灰意冷？

即使真是心灰意冷了，那堂堂一代妖王也不至于跑去给佛门跑腿，给取经人当保镖啊。这也实在太掉价了。

还有那匪夷所思的西行取经。

为何要走这十万八千里路？如果单纯要将经文传入东土，佛门随时可以做到。即使真要走个过场，传一段佳话，再怎么样灵山也不至于故意放出风声陷害这取经人。

隐隐地，他总觉得这里面另有乾坤，对于是否应该立即接触猴子，他也一直拿捏不定。

犹豫了许久，多目怪只得叹了口气，轻声道："暂且将她收监吧，硬的不行，那就试试软的。你们姐妹几个，每日与她做伴，看看能不能套出点其他的消息来。"

"妹妹明白了。"那青衣女子福身道。

片刻之后，南天门。

空旷的平地，高耸的围墙，风景一如几百年前，只是少了血腥。

接获消息的大队天兵匆匆拥入南天门内，巨大的红门轰然关闭。

直到此时，猴子才稳稳地落地。仰头望去，那四周，别说人了，连半个鬼影都没有。

这情形，也在意料之中。今时今日，天庭的神仙除了像李靖那样有圣旨在身不得不见他的，还有哪个想碰见他呢？听到风声他们都跑得比兔子还快。

叹了口气，他拄着金箍棒，一步步地朝那大门走去。

那金箍棒拖拽之中发出的刺耳声响，成为了此时唯一的主题曲。

万众瞩目。

"陛下——！不好了——！"一位天将推开把门的天兵，在跨入御书房的瞬间被门槛绊倒，整个人栽倒在地。

把门的天兵也跟着进了御书房："陛下，他……"

玉帝摆了摆手，让那天兵先出去。

此时，御书房中的几位仙家都朝着天将望了过来。就连原本安坐龙椅上的玉帝也站了起来，伸长了脖子去瞧那趴倒在地的天将，有些不悦地说道：“天大的事情也得等兵卫禀报，这是规矩。你这么一惊一乍的……成何体统？”

“陛下，陛下！”那天将慌忙从地上爬了起来，拱手道，“那妖猴来了，已经到了南天门外！”

顿时，在场的仙家都倒吸了口凉气。

玉帝手中的奏折“啪嗒”一声掉落在地。

四周看上去空旷无人，却有无数双眼睛隔着南天门厚厚的城墙静静地注视着他，注视着这万妖之王一个人走在空旷无边的地面上。

每一个天兵都屏住了呼吸，每一位天将都按住了剑柄。

他懒懒地抬头瞧了大门一眼，轻声道：“开门。”

这一句话轻描淡写，那门内，严阵以待的数万大军的心却都提到了嗓子眼儿。

这一刻，门内，没有人回答，或者说，没有人敢回答。

城楼上，李靖匆匆地赶来，在场的天将都慌忙围了上去。

拿起千里镜，李靖朝着南天门外看了看，望见了那站在大门前手持金箍棒的猴子，那心顿时咯噔了一下。

放下千里镜，他低声问道：“怎么回事？他怎么忽然就来了？”

“不知道啊，没有收到任何消息。还是半路上被我们的岗哨发现了，汇报过来才知道的。刚刚要是再跑慢一步，戍守部队非得跟他撞个正着不可。”

“凡间的妖族大军可有异动？”

“没有……或者说我们还没发现。刚刚已经下令细细查探，不可放过任何蛛丝马迹。”

此时，在场的所有天将，连同李靖在内，都已脸色煞白。

…… ……

仰着头，猴子对着那门悠悠道：“我说，开门。你们听见了没有？”

那声音在南天门外空旷的广场上回荡着。

“天王，怎么办？怎么回答？”

“先别说话……”李靖的手紧了又松，松了又紧，舌头舔着干瘪的嘴唇，额头上豆大的汗珠缓缓滑落。

这究竟是怎么回事？他怎么忽然就来了？

是什么激怒了他吗？还是说，他仅仅是想讨要别的什么东西呢？

一时间，掌握天庭所有兵马、权倾天下的李天王也慌了。

“先……先派人禀报陛下。”

“诺。”

李靖身后的一位天将拱了拱手，转身离开。

其余的天将依旧站在原地，面面相觑，忐忑不安。

眼看着对方没有半点儿反应，猴子深吸了口气，憋足了劲头，暴喝道：“立即开门——！听懂了没有！”

这一声吼，如同雷鸣一般，就连那空中的流云都跟着微微颤动。

门内的数万天兵天将，包括李靖在内通通一个激灵，瞪大了眼睛。

南天门是天庭最后的屏障，谁都知道打开南天门意味着什么。

可是不开，难道他就真的进不来吗？

李靖一次又一次地擦汗，浑然不觉自己的衣袖已经湿透。四周的一个个天将也是如此。

扬起金箍棒指着大门，猴子歪着脑袋道：“不开，信不信我砸烂这大门？”

李靖缓缓咽了口唾沫。

一旁的天将低声道：“天王，这妖猴还没恢复天道修为，无法破南天门法阵。”

这话说得在情在理，可那四周的天将却没有一个附和的，他们依旧脸色煞白。

许多许多年前，也有人说过这话，然而，说这话的那些人大都已经死了。

他们敢再搏一次吗？

李靖铁青着脸，双目不断地来回转动，心中在盘算掂量。

…… ……

此时，门外的猴子金箍棒一顿，呵呵笑了起来："真不开吗？跟你们好好说话，不搭话是吧？那就别怪老子不客气了。"

…… ……

李靖心中开始玩儿命盘算，玩儿命掂量。那脸上的肌肉看上去已经有点抽筋的苗头了。

许久，门内依旧没有半点儿动静，猴子咯咯地笑了起来："行，既然你们跟我铆上了，那就别怪我手下不留情了！"

说着，猴子咬紧了牙，举起了金箍棒，照着大门就要下手。

就在这一刻，李靖忽然高声喊道："大圣爷手下留情啊！李靖这就开门——！"

在场的天将一个个都怔住了，有些错愕地望向李靖。

站在李靖身旁的一位天将低声道："天王，就这么开门了？最起码也要看看陛下的意思啊。"

"派个人去灵霄宝殿问问陛下，让陛下召集众仙家好好商讨一番，然后再下个圣旨开门？"李靖白了那天将一眼，微微颤抖着说道，"用用你的脑子，你确定圣旨到的时候这门还在吗？"

说着，李靖伸手将那天将推开，来到持国天王面前，低声道："开一条缝，我出去，然后你们立即关上门。除非我让你们开门，否则就别再开了。明白我的意思吗？"

持国天王微微一愣，连忙道："天王大义，不过，这南天门还需天王您亲自坐镇，不可以身赴险。还是让卑职前往吧。"

"我都未必镇得住场，你能镇得住吗？"李靖瞪着眼睛道。

刺耳的声响之中，大门缓缓开出了一条缝。

李靖一侧身，从那门缝钻了出去。

远远地望见猴子，他撑起笑脸，躬身拱手道：“末将李靖，参见大圣爷。”

话音未落，他身后的大门已经轰然关上了。

抬眼看了看那高耸的门，又瞧了瞧李靖，猴子意味深长地笑着：“你这是什么意思呢？”

说着，他拄着金箍棒一步步朝李靖走了过去。

此时此刻，那红缨头盔下的李靖早已大汗淋漓，身后门内的天将更是一个个屏住了呼吸。

整个南天门寂静无声。

嘴唇微微颤了颤，李靖硬着头皮拱手道：“大圣爷莫怪……开南天门，须得有陛下的旨意才行。末将已经派人前往灵霄宝殿请旨了，怕大圣爷等得急，所以……所以就出来陪大圣爷谈谈天。不知道大圣爷此次前来，所为何事？”

“是吗？开南天门得有玉帝老儿的旨意，那你刚刚怎么出来的？”猴子在李靖身前停下了脚步，上下打量了李靖两眼，直视李靖的双目道，“其实也没什么。有点事情要找老君聊聊，去三十三重天必经南天门，所以才要你开门。”

门内的持国天王已经火速提笔记下了猴子的原话，交与一旁守候的天将，令他即刻赶赴灵霄宝殿知会玉帝。

“找老君聊聊？”李靖微微颤抖着，咧开嘴赔笑，小心翼翼地说道，“不知大圣爷找老君是为了……”

“修理金刚琢。”猴子将手腕上的金刚琢在他眼前晃了两晃，悠悠道，“怎么，你也会？”

李靖连抹了两把汗，低头道：“这个末将哪里会，大圣爷说笑了。”

猴子一字一顿地问道：“那，你，究，竟，是，开，门，还，是，不，开，呢？”

这一句话出来，李靖的心顿时又提到了嗓子眼儿，门内的天将也一个个瞪大了眼睛。

所有的人就这么沉默着。

李靖悄悄地回望，心中打鼓，反复掂量着得失。

那南天门后的诸将则猛地擦汗。

好一会儿，猴子瞥了一眼李靖道："别跟老子耍什么花样了，开，还是不开，就一句话。你觉得我有必要骗你吗？"

李靖一个激灵，连忙摇了摇头，赔笑道："大圣爷真爱说笑，大圣爷怎么会骗卑职呢？"

说着，他转过身去吆喝道："开门——！给大圣爷开门！"

命令已经下了，然而，南天门内的天兵天将却连半点儿动静都没有。

"怎么办？还要不要等陛下的旨意？"站在持国天王身边的天将低声问道。

犹豫了好一会儿，持国天王朝一旁摆了摆手，道："开吧，既然天王已经下令，那就开吧。"

第五百三十章

兜率宫

高耸的红门缓缓打开了。

猴子迈开脚步往里走，身后，李靖低着头紧紧地跟着，就好像一个奴才一般小心翼翼，生怕自己的主子有半点儿不高兴。

金箍棒在地上拖出了刺耳的声响，整个世界似乎都在静静地聆听。

他一步步穿越南天门，仰起头，看到广阔的校场，看到林立的旗帜，看到无边无际的银色铠甲，还有漫天飞舞的战舰。

数十万大军已经悄无声息地集结完毕，无数的目光汇聚在他身上，那当中，多半饱含恐惧。

猴子停下了脚步。

这一刻，整个世界寂静无声。

他身后的李靖似乎意会到了什么，连忙干咳两声。

站在城楼上的持国天王醒悟过来，连忙一拳重重捶在胸甲上，朗声道："恭迎大圣爷！"

在场的天兵天将也都一拳重重捶在胸甲上朝着猴子行了个军礼，却一个个都低着头。

顿时，猴子嘴角微微上扬，笑了出来。

他回头瞧着李靖点了点头。

李靖猛地擦汗，尴尬地笑了笑，低声道："谢大圣爷……赞赏。"

御书房中，玉帝手握朱笔，拿着那奏折还在犹豫不决。

忽然间，又一个天将未经通报匆匆闯入御书房。

顿时，在场的所有人都朝他望了过去，一个个睁大了眼睛。

那天将微微低着头，拱手道："启……启奏陛下，那妖猴已经进了南天门了。"

在场的仙家一片哗然。

"这……这究竟是怎么回事？"

"李靖放他进来的，还是他打进来了？"

"陛下，还是快快派人请西方如来佛祖吧，只有他能制得住这妖猴。再晚就来不及了！"

玉帝的心已经凉了半截。嘴唇微微颤抖着，眼睛眨巴着，好一会儿他才低声道："那……那现在究竟怎么样了？"

那天将朝着四周扫了一眼，低声道："是李天王放他进来的，现在李天王正带着南天门大军跟着呢。看情形，那妖猴确实是想上三十三重天见太上老君，别无他想。"

听他这么一说，玉帝才缓缓松了口气，抚着胸膛好一会儿，低声道："南天门大军不够，快、快将朕的御前天将都召集起来，让他们一起跟着那妖猴！提防他动手！"

"诺！"

那天将转身要走，玉帝却又连忙伸手将他唤住，叮嘱道："切勿激怒妖猴，如果……如果他问起，就说是给他派的护卫……帮他领路。"

"诺。"

云雾缭绕的天庭，若隐若现的宫阙，偶尔见到一两艘悬空舰，却也是军舰。

眼前，一切都沐浴在璀璨的阳光之中，看上去，如此的圣洁。只是，天庭仿佛被清场了一般，平日里往来频繁的仙家们，此时此刻一个都见不着。

猴子缓缓地飞着，一点一点地提升自己的高度。身后，李靖带着哪吒，像一个小跟班似的。

一座座的宫殿从他的身旁掠过。

随着他速度的渐渐提升，原本在四周将他团团围住的天将有许多已经落到了后方。然而，有更多来自各个方向、实力尚可的天将加入，依旧将猴子团团包围在其中。到最后，也就剩下四五百名天将还能跟上猴子的速度。

此时此刻，除却那些文职仙家以及三十三重天以上的一干人，天庭所有顶尖的战力都出动来“护送”猴子了。

淡淡叹了口气，猴子放弃了继续加速的打算。

毕竟是来求人办事的，在这关头闹出事来终归是不好。既然对方已经退了一步开了南天门，他也得见好就收啊。

狗逼急了还跳墙呢，何况是玉帝呢？

人群中，新任的角木蛟似乎有些分神，低着头在众将之中搜寻着什么。

“奎木狼呢？怎么没见到他？”

身旁的一个天将低声道：“奎木狼大人先前说要闭关修行，所以请了假，已经十余日没见人。这次陛下令所有御前天将必须到场，派人去传令，却发现他早就不在自己的府邸之中，手下的人也说不清他究竟去了哪里。现在正派人找呢。”

闻言，角木蛟点了点头，转而将所有的注意力集中到猴子身上，不再多问。

从南天门所在的六七重天交界处，一行人浩浩荡荡地往上走，这一路，除了几个好奇不怕死的仙家，其余仙家通通都紧闭门户。

三十三重天上，一位紫衣道童匆匆奔入阁楼之中，拱手道：“雀儿小姐，那妖猴已经朝三十三重天来了。”

“南天门没挡住他吗？”正跪坐在厅堂中的雀儿轻声问道。

那目光淡如止水。

“没有，李靖怂了，给开了门。”

“陛下呢？”

“陛下吓得瘫在龙椅上，一听说妖猴不是找自己，欢喜得不得了，赶紧派人恭送他朝兜率宫来了。”

闻言，雀儿无奈地叹了口气。

六百多年前的那一战实在把天庭折腾得够呛，以至于现在听到这妖猴的名字，众将就已经吓得畏缩不前。

明明是一只危害极大的妖怪，竟然如此轻易地就放他进了南天门，放到往常，当真是不可想象。

不过，在他身上不可想象的事情多了去了，也不差这一桩。

“老夫就不见他了，你见一下他吧。”太上老君的声音在雀儿的脑海中响起。

雀儿犹豫了一下，对一旁的道童说：“你去迎接他吧，也省得他四处乱找。”

“我这就去。”那紫衣道童点了点头，急急忙忙奔出门外。

望着那道童远去的身影，雀儿在衣袖下攥着手绢的手微微紧了紧。

“怎么，还怕见到他吗？”太上老君的声音又在雀儿的脑海中响起。

“还是……有点。”深吸了口气，雀儿恬静地笑了，轻声道，“应该很快就会习惯吧。”

…… ……

密室中，太上老君蹙起了眉，无奈地叹了口气。

身为兜率宫大师兄的紫袍带着两个师弟施展了术法腾空而起，悬在兜率宫的下方，望着下界静静地等着。

不多时，那下方缭绕的云雾之中便出现了一个人影，却不是猴子，而是清心。

比起猴子，清心的速度肯定要慢上许多，自然也比猴子更晚抵达南天门。不过南天门开门之后猴子慢了，毕竟，他还要迁就那些天将。

由于他的到来，整个天庭的神经都已经绷到了极致，任何异动都可能导致不可预知的后果。结果，倒是绕了远路的清心反而先一步抵达了。

一见紫袍，清心便缓缓地朝他飞了过来。

“师妹怎么来了？我在等那妖猴呢。”

“我和你一起等。”说着，清心便站到了紫袍身后。

不多时，他们便远远地看到被天将里外三层包围着的猴子了。

这一见，清心顿时开眼了。

进出南天门这么多年，她还从未见过如此大的阵仗，整个天庭，所有她能叫得出名字、排得上号的大将几乎都在其中。

天庭资历最老、权位最重的李靖，更好似一个小媳妇似的老老实实跟在猴子身后，一副谄媚的嘴脸。而穿着一身廉价铠甲的猴子，在众将包围之中，却依旧面色淡然，毫无惧意……更确切地说，有惧意的是那些包围他的大将们。

明眼人一眼就看得出来，那些天将很怕，怕到要死。只要猴子一动手，这些将他团团围住的天将就会一哄而散，没有人会怀疑这一点。

看到这一幕，清心愣了神。

堂堂天庭，堂堂玉帝，在这妖猴面前，就好像个笑话。

前来迎接的几位道童远远地便躬身，恭敬地喊道："弟子奉命恭迎大圣爷驾临兜率宫。"

或许是迫于猴子的威势，清心也不自觉地躬身拱手。

淡淡瞧了紫袍一眼，猴子的目光最终落到了他身后的清心身上："怎么，清心师妹也跑到兜率宫来了？"

清心的眉头微微蹙了起来，没说话。

猴子深吸了口气，对着紫袍问道："是你们师父让你们来接我的吗？"

"不是。是雀儿小姐让我们来接您的。"

"雀儿小姐？"猴子的眉头微微颤了颤。

侧过身，紫袍轻声道："请大圣爷随我来。"

说着，他便驱动术法朝着头顶的兜率宫飞去。

其余众人也都迅速跟上。

与此同时，那些原本将猴子包围在内的天将却散开了，连同随后赶到的大军一起，将整个兜率宫所处的浮石里外三层团团围住。

紧随着紫袍，前来迎接的其他两个道童、猴子、李靖，还有清心，一同落到了兜率宫边缘的小道上。

这一路上，猴子时不时瞥一眼一旁的清心。清心却一直铁着脸，一声不吭。

沿着鹅卵石过道一路走，路过了栽满奇花异草的树林，路过了流淌着清澈水流的小溪，众人走到一座小小的红色阁楼前。

那阁楼的大门敞开着，站在门外远远望去，就可以看到雀儿跪坐在那阁楼的厅堂中，一旁的炭炉上，水已经沸腾。

“大圣爷，请吧。”

“你们师父呢？”猴子轻声问道。

“师父他老人家不在，这期间，兜率宫的一切事务都由雀儿小姐执掌。”

猴子没有再多问，深吸了口气，迈开腿，跨过了高高的门槛。

李靖也想跟进去，却被紫袍拦了下来。

原因，紫袍没讲，李靖也没问。

走过只有五丈宽的庭院，猴子抬腿迈上了石阶，走入正厅，一步步来到雀儿跟前。

雀儿微微抬头看了猴子一眼，低头轻声道：“大圣爷大驾光临，有失远迎，还请见谅。”

说着，她做了个“请”的手势。

猴子点了点头，走到一旁，盘腿坐下。

提起一旁早已煮沸的水，雀儿泡起了茶，那动作轻盈得好像舞蹈。

猴子默默地斜眼看着，门外，李靖伸长脖子观望，清心则偶尔看两眼。

厅堂中寂静无声。

不多时，雀儿将一杯热茶连同垫子放到了地板上，似乎在等着什么，只是静静地看着，并没有进一步的动作。除了一开始那一眼，雀儿一直都微微低着头，没有正视猴子。

约莫三分之一炷香燃尽之后，她伸手将茶杯连着垫子一起朝着猴子推了过去。

“大圣爷请用茶。”

猴子默默端起茶杯抿了一口，那温度刚刚好。看来，方才雀儿是在等茶水的温度降下来。

“太上老君呢，不在兜率宫吗？”

“师父出去了。”

“你拜了他为师？”

“大圣爷还记得小女子吗？”

雀儿这一问，猴子顿时一愣，扭过脸去轻声道：“记得是记得……”

微微顿了顿，猴子再次问道：“你拜了他为师？”

雀儿微微点了点头，低声道：“没什么地方去，要留在兜率宫，必须要有一个正经的身份，所以就行了师徒之礼。”

“哦。那他现在跑到哪里去了？”

“师父的事，当弟子的终归不好过问。”

“能联系到他吗？”

“这个，恐怕不能。”

将金刚琢从自己的手腕上取下来放到地板上，猴子轻轻将它朝着雀儿推了过去，问道：“这法宝需要修理一下了，不知道，要多久。”

雀儿拿起金刚琢细细看了两眼，又放了回去。

就在这一眨眼的工夫，雀儿微微低着头，将一个声音传到了藏在密室中的太上老君耳中：“师父，这金刚琢修理，要多久？”

“修理……嘿，这东西哪有那么容易？没了天道石，这等法器，还有谁能修理？”

“那……”

“没事，你先和他喝会儿茶吧。为师没办法修理金刚琢，却有办法找到他要找的人，而且，还能让他乖乖将这金刚琢还回来。这么多年了，也是时候物归原主了。”

犹豫了一番，雀儿低声对猴子说道：“恐怕得等师父回来了才行。”

“具体要多久？”

“说不清。”

一时间，厅堂之中又是沉默。

门外，清心伸手将紫袍拉到了一旁，低声问道：“我怎么觉得雀儿姐姐有点怪怪的呢？”

“这有什么好奇怪的，你没发现她对妖猴不自称‘雀儿’，而是用了‘小女子’这个字眼吗？”

“为什么？”

“因为‘雀儿’原本并不是她的名字。”

“不是她的名字？那她原本叫什么？”

“你应该问‘雀儿’原本是谁的名字？”

“那，‘雀儿’是谁的名字？”

“这……跟你说一时半会儿也说不清。”

说着，紫袍又往大门口走，留下清心一个人满脑子疑惑。

…… ……

天上一天，地上一年。就在猴子待在兜率宫的这一会儿，玄奘一行已经进入了宝象国的地界。

奎木狼

第五百三十一章

宝象国

兜率宫外，大批的军舰已经赶来，将整个兜率宫团团围住，那些悬空的天兵天将终于不用继续悬在半空中，可以到军舰上稍事休息了。

一位天将缓缓穿过了人群，来到与天庭诸将一起站在舰首甲板上的角木蛟身旁，低声道："启禀星君，四处都找遍了，没有找到。"

角木蛟的脸色顿时微微变了变。

一旁的持国天王轻声问道："星君，是否出了什么事？"

角木蛟嘴角微微抽动了两下，连忙笑道："没什么，一点琐事而已。"

说着，他握住那天将的手臂，拉着他脱离人群，往船舱的方向走去。

看着角木蛟急匆匆的背影，持国天王缓缓望向了一旁的多闻天王。

这一对视，多闻天王当即朝着四周的其他二十八星宿天将扫了一眼。持国天王会意地点了点头。

两人若无其事地转身踱步，走到了远离众人的船舷边上。

持国天王低声道："怎么回事？"

"奎木狼不见了。"

"啊？"

"下落不明。"多闻天王缓缓靠到持国天王身旁，一面若无其事地察看着周围，一面压低声音道，"角木蛟刚刚派人四处找呢，听说闭关修行十余天，结果开了门，发现不知所终。"

"天庭就这么大地方，能跑哪儿去？"

"天庭是不大，出了南天门可就天高地广了。刚刚我派人到南天门看了下出入登记，有奎木狼的名字。他十三天前下了凡，拿的还是他们二十八星宿的公务令牌。”说着，多闻天王伸手拍了拍持国天王的肩，低声道，“别说破，这事，他们不说，咱就假装什么事也没发生。看他们自己怎么处理。”

说罢，多闻天王转身朝围在一起的天将走了过去。

瞧着不远处急得乱转的角木蛟，持国天王抚着下巴悠悠叹道：“没想到啊，这奎木狼，可比当日的天蓬执着多了。角木蛟这下有的烦了。”

此时，庭院之中正是一片安静祥和的景象。

阳光斜斜地照在猴子身前的地板上，光影缓缓东移。

清心的位置已经从大门外移到了庭院内，却没有踏入厅堂之中，而是隔着一道门槛，不时地往里瞧。

雀儿也不开口说话，只是静静地泡茶，一杯接一杯，只要猴子杯中的水少一点，她立即就给斟上。

那动作，配上那妆容，那气质，雀儿宛如静静开在角落里的梅花，堪称风华绝代。

然而，猴子却连半点儿欣赏的心思都没有。

他微微侧过脸去望向空荡荡的庭院，静静地坐着，心忽然有一种空荡荡的感觉。

眼前的这个人，拥有与雀儿一模一样的记忆，一模一样的性格，却又不是她。如果雀儿还活着，这么多年过去了，她是否也会长成这样呢？

如果是风铃呢？

脑海中无数的画面混杂在一起，以至于猴子无法理出半点儿头绪。

他只能无奈地苦笑。

对他来说，雀儿、风铃，就是一个永远无法愈合的伤疤，永远无法弥补的过错。如果不是见到这一位“雀儿”，现在他都已经不敢再去想那些了。

这也是一种苦吧？八苦之中的一种。

魂飞魄散……

天蓬还在“求不得”；而自己，早已只剩“放不下”。

这种苦，玄奘是否也能度呢？

至于太上老君，他早就恨不起来了。如果太上老君是杀死风铃的凶手，那自己又是什么呢？

就连对如来的恨，此时想想，其实也只剩下一种单纯的执念。

思绪混乱中，猴子的双目微微眯起，凝视着庭院中明媚的光影。

有一种恍如隔世的感觉。

密室之中，太上老君默默地感知着厅堂中人的一举一动，眉头缓缓蹙成了八字，似乎有疑惑，好一会儿，又缓缓地舒展了开来。

他淡淡笑了出来，这一笑，有一种难得的轻松的意味。

低下头，他继续用一根朱砂笔在地面上绘制繁杂的法阵。

转眼之间，整整一壶的水用完了，雀儿开口将门外的其中一位道童唤了进来，让他再去打一壶。那道童恭敬地点头，双手捧着水壶，就往外走。

“你现在在这里是什么身份？”猴子忽然开口问道。

“主事。”雀儿轻声答道。

“主事？”

“兜率宫主事，负责兜率宫上上下下一应用度安排。原本没有这职务，师父硬是让陛下给批了一个，附带着，还准我入了仙籍，并赐了自由出入南天门的令牌。不过，这么多年了，我还从没踏出过南天门一步。”

猴子微微点了点头，笑叹道：“太上老君那老匹夫对你还真好。”

“师父是个好人。”

“他算好人？”

“他是好人，而不是算。”

猴子缓缓闭上双目，盘着腿，好像凡间大树底下打瞌睡的老头儿般摇晃着身子，叹道：“还是第一次有人跟我说太上老君是个好人，真是稀奇。”

“师父从来就是个好人。”雀儿低垂的目光缓缓斜向猴子所在的位置，却在触及猴子的瞬间又收了回来，轻声道，“师父对所有人都好，不，准确地说，他对天地万物都好。”

“嘿，怎么个好法儿，你倒是跟我说说。”

猴子依旧紧闭着双目，门外，清心静静地听着。

此时，那道童已经捧着装满了清水的壶走入屋内，放到炭炉上，又悄悄退了出去。

雀儿注视着炭炉，轻声道："凡间有句话，'授人以鱼，不如授之以渔'。治理三界也是一个道理。如若无法改变根本，那么最好的办法就是放任。逆天而行，只会招致更大的苦难，到那时，悔之晚矣。"

"这话像他说的，看来，你当真是他的好徒弟啊。"

"所以我说，师父对谁都好，只是，对我和清心稍稍多了一点溺爱。"说到"清心"二字的时候，雀儿稍稍加重了下语气。

猴子微微一愣，那目光朝门外扫了过去。

清心当即别过脸去，装作若无其事的样子。

"你和清心？清心不是我斜月三星洞的小师妹吗？怎么，她经常往兜率宫跑？"

雀儿轻声道："她是你的师妹，也是我的师妹。"

"什么意思……"话没说完，猴子便已经恍然大悟，哼笑道，"原来如此，我说我们师兄弟中就没一个她这种性格的，原来是有两个师父啊。难怪这么飞扬跋扈，不知天高地厚。"

门外的清心听了，脸刷的一下涨得通红。不过她也只是咬了咬牙，并未发作。

这一言一语之间，雀儿都在悄悄地注意着猴子的反应。然而，猴子似乎并没有将她说的话往深处想。

回过头，猴子对着雀儿慢悠悠问道："老君究竟什么时候回来，能给个大概的时间吗？我不可能一直在这里等下去。"

"让他再等等，就快好了。"

密室之中，太上老君口中叼着两支笔，手上还拿着两支飞速地舞动着。

地面上，繁杂的法阵已经渐渐成形，即将进入闭合阶段。

此时，西牛贺洲，宝象国的都城。

一面面画着白象图腾的旗帜在风中飘扬，城楼上的兵卫吹响了号角。

落在琉璃瓦上的鸟雀被惊上了天空。

宫殿层层叠叠，兵甲巍巍，列阵于宫殿中巨大的广场，文武百官分列朝堂。

看着宫殿犄角处精致的雕塑，看着禁军身上厚重的铠甲、手中明晃晃的兵刃，小白龙惊叹不已。

一直以来，他都以为，在凡间，只有那东土的帝王才有这样的威严，在西牛贺洲，就在距离他家数千里的地方，不知何时竟冒出了这样一个国度。

刚踏入都城的时候，他就有些惊讶，没想到更加震惊的还在后头。

更奇怪的是，黑熊精不小心现出了原形，原本玄奘以为自己这一帮人很快就会被驱逐出境，没想到，国王却在第二天发来了请帖，邀请玄奘一行进宫参见。

“宣——玄奘法师上殿！”

“宣——玄奘法师上殿！”

“宣——玄奘法师上殿！”

一声声的吆喝从那宫廷的深处传来，站在侧边的宫廷侍从微微躬身道：“玄奘法师，请吧。”

身穿袈裟、头戴万佛冠的玄奘手握佛珠，缓缓迈出了一步。与此同时，他身后的侍卫却已经将长戟横在了随行的黑熊精、天蓬、小白龙身前。

侍卫长躬身拱手道：“诸位还请在此等候，陛下只宣了玄奘法师一人，那便只有玄奘法师一人可上殿觐见陛下。”

“我们是保护玄奘法师的。”小白龙脱口而出，指着那侍卫质问道，“万一你们要对玄奘法师不利，怎么办？”

“这……”那侍卫长缓缓看向了玄奘。

一旁前来领路的宫廷侍从也注视着玄奘。

犹豫了一会儿，玄奘低声道：“诸位就在这里稍候片刻吧，贫僧见过陛下便回来。”

玄奘开口了，其他人也只得同意。

那宫廷侍从领着玄奘缓缓地行走在长长的过道上，四周，全副武装的兵卫都默默地看着。

一路走着，玄奘的眉头渐渐蹙了起来。

毕竟那长安的皇宫，玄奘也是进去过的。

这国家虽不小，也确实够繁华，可比起东土长安，却还是差了那么一截，即便单论这王宫的大小也是如此。可此时此刻看上去，这皇宫的守卫却比大唐皇宫还要严密许多。

不仅如此。从那侍卫的外貌，从铠甲的磨损程度上看，这些部队操练十分频繁，显然是处于一种高度备战的状态。可在来到这王宫以前，玄奘便已经知道这宝象国并无足以威胁它生存的邻国。这是针对谁备战呢？

提起袈裟前摆，玄奘低着头缓缓攀上了高高的石阶，一步步走入殿堂中，看见了两侧林立的文武百官，也望见了那高坐王位之上的宝象国国王。

这国王头戴一顶狐绒冠，身穿一件白色嵌金长袍，留着齐腰的长须，身材魁梧，虽说已年过五旬，却硬朗得很。

不过，他此时看上去双目深陷，面容有些憔悴。

一路走到大殿正中，玄奘提起前摆，恭敬地双膝跪地，双手合十，道："贫僧玄奘，参见陛下。愿陛下万福。"

整个大殿寂静无声。

那宝象国国王坐在高高的王位上，低头俯视着玄奘，捋着长须。

沉默了许久，他才轻声道："本王听说，你从东土大唐来，欲往西天取经，可有此事啊？"

玄奘恭敬地答道："启奏陛下，确有此事。"

那宝象国国王点了点头，接着问道："听说，你身边还跟着几只妖精？"

"这……"玄奘稍稍犹豫了一下，朗声道，"启奏陛下，确有几位友人同行，毕竟这路途艰险。"

"哦？这么说，你懂降妖之道了？"

"贫僧，不懂。"

"不懂，那几个妖精又如何会心甘情愿地跟着你呢？"

玄奘双手合十，微微躬身道："贫僧已经说了，那几位，乃是贫僧的友人。"

他这么一说，高坐王位之上的宝象国国王领头儿笑了起来，顿时，大殿中的文武大臣也都笑了起来。

玄奘静静地跪着，不发一言。

好一会儿，等那笑声渐渐平息了，宝象国国王才悠悠道：“这妖和人，还能是朋友？你这出家人说话好生有趣。平身吧。”

玄奘缓缓起身，轻声道：“贫僧并未欺瞒陛下，说是友人，便是友人。”

“行，本王也不管你们究竟是什么关系了。”那宝象国国王摆了摆手道，“本王再问你一次，你可懂得降妖？”

玄奘缓缓摇头：“贫僧不懂。”

“那，你那几位……‘友人’？他们可懂降妖？”

玄奘轻声道：“懂得一些。”

“这便好。”宝象国国王重重地点了点头，攥紧了拳头咬牙道，“本王现有一事托付给你。替本王降一只妖，若成了，本王便封你为国师，金银财宝，要多少赏多少。还可以在这王都之中为你择一块地，兴建一座方圆万里无可比肩的寺庙。至于西天取经一事，路途遥远，本王也可派一支军队前去替你取来。你呀，在我这国都等着看经文就行了。”

第五百三十二章

妖怪驸马爷

坐落于王宫旁边的驸马府，此时早已被数千军士团团围困。

拥挤的巷子里挤满了全副武装的士兵，一队队的骑兵骑着马在四周来回巡视，见了面互相之间也只是默默点点头。

那民房的屋顶上、窗台边，通通站满将弓弩拉得满弦的射手。一支支泛着寒光的箭矢直指驸马府紧闭的大门。

整个区域都已经被严密封锁。一阵风吹过，扬起漫天的落叶。所有的居民都被勒令待在家中，不准外出，不准谈论外面的事，更不准将消息外传。

那气氛一片肃然。

驸马府中，一座三层高的阁楼上，二楼的窗边，一位浓眉大眼、相貌俊秀的男子正悄悄将竹帘揭开一条缝细细察看外面。

这男子身穿一身黑色嵌金华服，发髻上坠着一枚硕大的紫色宝石，虽说是文士装扮，那魁梧的身材却一点儿都不输于武将。

许久，他淡淡叹了口气，将竹帘放了下去。

“怎么样了？”

在他身后的卧榻上，端坐着一位美艳的妇人。

她雪白的肌肤，着一身粉红色的长裙，仿佛一朵盛开的粉色百合，高高梳起的长发上插着一支白玉簪子。那气质，有一种说不出的雍容华贵。只是她面容略显憔悴，眉目间更是有一股惆怅挥之不去。

在她的身旁，还有两个孩童。

大的看上去已经有十来岁，小的看上去也有五六岁。

女子怀中的襁褓里，还有一个婴儿。

此时，那妇人连带着孩童，都眼巴巴地望着男子。

男子犹豫了一番，叹了口气，轻声道："还是老样子，整个驸马府都被围住了。陛下连边疆的部队都调回来了。"

说着，他转身走到一旁的长椅上坐了下来，端起茶壶，给自己倒了一杯茶，送到嘴边，却只是抿着，似乎在细想着什么。双眉紧紧地蹙着。

"那……接下来怎么办？要不，妾身进宫跟父王说说吧。"

"没用的，先前该说的都已经说了，他只会以为是我施了妖法迷惑了你。你一进宫，多半会被陛下软禁起来，到时候，我们一家子便要分隔两地了。"

说着，男子将茶水一饮而尽。

女子呆呆地眨巴着眼睛，低下头，发现自己的三个孩子都在眼巴巴地望着自己，那较大些的更是伸出一只手紧紧拽着自己的衣袖。

女子连忙笑了笑，将他们一同拥入怀中，低声道："放心，娘不会去的，我们一家五口，不会分离。"

"外公为什么要捉拿父亲呢？"年龄较小的孩子低声问道。

"外公是受了谗臣迷惑，过几天，就会醒悟过来。"

这两人，男的是宝象国的三驸马庄狼，女的是宝象国三公主百花羞，至于那三个孩子，皆是他们所生。

沉默间，屋外传来一阵马蹄声，驸马爷又起身朝着窗台走去，掀开竹帘看了一眼。

"怎么样了？"公主又问。

"没什么，巡视的兵卫罢了。"

公主轻声道："每日提心吊胆的，这样下去，总归不是个办法啊。"

"办法多的是，只是不能用罢了。"

"不能用？"

驸马爷回头看了公主一眼，哼笑道："要战，这宝象国全部军力集结一处，也不是我的对手。即便不施法力，只要我修书一封送往军营，明日，自然兵变。即使是这围困驸马府的西允将军，也早在围困此地之前便给我偷偷来了密函，询问该如何应对陛下的旨意。"

说着，驸马无奈摇头，接着道："这些将帅都是我一手提拔的，怎么可能凭陛下几句话，就信我是妖对我兵戎相见呢？若当日不是我点头，陛下哪里调得到兵马围困驸马府守护王宫？”

公主微微低着头，一动不动地坐着。

“放心吧，我不会这么做的。”

闻言，公主勉强笑了笑。犹豫了许久，她又低声道：“你……真的是妖吗？”

“怎么，你到现在还不信？不是第一次见面就跟你说了吗？”

“我那时候……以为你在开玩笑。这个世界上哪有这么好的妖怪啊。”

注视着公主，驸马轻声道：“其实严格来说我也不算妖，我应该算是……偷偷下凡的天神。被天庭招安的妖便不再是妖了。六百多年前那一场大战，天庭元气大伤，仙位多有空缺，不得不用凡间招安的妖填补。而你，前世则是天庭披香殿的侍女。你被判下谪仙井，我是追着你来的。”

公主没有接话。

低下头，她用手轻轻抚摩着自己长子的额头。

那额头上，有一小撮狼绒。

不仅如此，孩子的耳朵也好像狼耳朵一样，只是覆盖在特制的假发下，平日里看不清。

其他的两个孩子，包括那襁褓中的婴儿，也都是如此。

十余年前，宝象国还只是西牛贺洲一个名不见经传的小国，甚至还需要给周边的王国上贡才得以安身立命。

然而，这位忽然出现的男子给这个国家带来了翻天覆地的变化。

他先是在危难之中加入了宝象国的部队，万军之中取敌将首级，以一己之力力挽狂澜，硬生生将这个国家从覆灭的边缘拉了回来。

紧接着，这个刚刚受了封赏的年轻将领向国王提出，给他五千兵马，他便可直取敌国都城，条件是，事成之后，他要娶三公主为妻。

所有的人都以为他被胜利冲昏了头，想当驸马想疯了。

莫说五千兵马，就是五万，举国上下也没有任何将领敢接下这任务。

与所有人一样，宝象国的国王，也并不相信这个口出狂言的年轻将领，婉拒了他的请求。

结果，他连夜带着自己的五百亲兵出击。

没有后援，没有粮草，他孤军深入敌境，然而，他真的成功了。敌国三万大军被打得措手不及，一溃千里。

仅仅一个月时间，他便结束了这场打了十五年的战争，将敌国王室所有成员的人头打包送了回来。从此之后，方圆万里再也没人敢小瞧宝象国。

想起自己与驸马初见之时，公主不由得面露甜甜的笑。

那一天，他骑着高头大马，带着血染的旗帜得胜归来，整个都城都在为这位战神欢呼。

她戴着面纱，易了装，混杂在人群之中，喊哑了嗓子，拍红了手掌，像一个热情的小粉丝。

他们没有见过面，然而，他却一眼就认出了她。

骑着马，他脱队朝她飞奔而来，单膝跪地，双手将一封卷轴捧到她的面前。那是敌国的地图，也是他准备献给宝象国国王的聘礼——一块相当于宝象国国土三倍大小的领地。

那一刻，所有的人都注视着这位公主殿下。她感觉自己要被那炙热的目光融化了。

他用只有他和公主能听到的声音说，他是一只狼妖，是天庭二十八星宿之一，天将奎木狼；而公主是披香殿的侍女，因犯错被判下了谪仙井，所以，他就跟来了。他说他想娶她，问她愿不愿意嫁。

其实那时候她什么也没听清，只觉一股热血上涌。她被突如其来的爱情冲昏了头，只记得他问自己愿不愿意嫁给他。所以，她拼命地点头，什么矜持都不要了。

紧接着，国王也同意了他们的婚事，王都中的每一座房子都挂起了红绸以示庆贺，宴席足足摆了三个月，举国欢庆。

那一刻，她无疑是天地间最最幸福的女子。

婚后，他被委以重任，好像变戏法似的整顿吏制，强化军统，兴修水利……每一项政策都恰到好处，每一个举动都卓有成效。就连什么年份应该种植什么作物，他都一清二楚，从未有过错漏。

仅仅十几年的时间，他就将一个原本贫弱的国家变成了一方霸主。也正因此，他在这个国家有着远远超过国王的威望，有人敢抗旨，却没有人胆敢违抗他的命令。

因为违抗他命令的人会被所有人唾弃。

如果故事到这里就结束，也许，会变成一段千古传诵的佳话。

可惜，这个世界上从来就没有那么完美的事。

当日，第一个孩子出生，便已经吓坏了驸马府里的人。一直以来，他们都想尽办法不让孩子接触外界。当时所有知道的人，包括公主自己都以为这特异的长相不过是巧合。谁知道，第二个孩子又是如此；紧接着，第三个依旧如此。

纸终究是包不住火的，坊间早有各种谣传，而直到前几日……最终，事情就变成了如今这样。

“怎么？”驸马缓缓地朝公主走了过来，低声问道，“后悔嫁给我了？”

公主缓缓摇了摇头：“荣华富贵都享受过了，这患难，也该跟你共渡才是。”

“不介意我是妖？”

“这不重要。”

“那什么重要？”

“重要的是，你是我的丈夫。”

说着，公主仰起头看着驸马，淡淡笑了笑。

驸马微微一愣，伸出手，将公主拥入怀中。

“放心吧，没有人能分开我们的。即使是玉帝，也不能。”

此时，王宫中，年纪一大把的宝象国国王正在书房中来回地踱着步，嘴里不断叨念着。

“那妖怪十几年前用妖法迷惑了所有人，就连本王也着了他的道，他娶了本王的三公主，成了我宝象国的驸马。这些年来，他在我宝象国作威作福，一人之下万人之上……不，有时候他连本王的旨意都敢不听。那些臣子，一个个也阳奉阴违，显然都是受了他的迷惑！此妖不除，难解我心头之恨！”

“那他究竟为什么这么做呢？”一旁的玄奘轻声问道。

“为什么？还有什么？”宝象国王勃然大怒，吼道，“肯定是为了本王的王位！为了我宝象国的江山！”

“还有贪图三公主的美色。”一旁的大臣附和道。

“对对对！一定是如此！”宝象国王猛地点头，看着玄奘，又重重地重复了一遍，“一定是如此！”

玄奘与身旁的天蓬面面相觑。

只听天蓬干咳两声，道：“陛下，此事，恐怕另有内情。”

“什么内情，你说！”

深吸了口气，天蓬道：“这妖怪，在下见多了。可古往今来，妖怪莫不归于山林，会为了美色王权跑到城邦之中的，当真是少见。如果他真如陛下描述的那般，识得变化之术，又懂得观风测雨，那起码也有化神境了。如此妖怪，放到哪里都是一方霸主，犯不着冒风险跑到这里来当驸马。”

“怎么？”宝象国王把眉一横，冷声道，“你这是觉得本王在撒谎，还是觉得我宝象国的驸马之位不值一文？”

“不敢。”

一旁的大臣低声道：“就算不是为了美色王权，也是为了我宝象国国库中堆积如山的财宝。”

咬着牙，宝象国王重重啐道：“对！一定是如此！只要你们替本王除了这妖怪，要什么，本王都给你们！我堂堂宝象国的驸马竟然是一只妖怪，若是传出去，本王颜面何存？让本王如何面对我宝象国的列祖列宗？”

紧接着，宝象国王又是一通咒骂，越骂越难听，越骂越匪夷所思。

一旁的玄奘与天蓬都静静地听着，默不作声。

到末了，宝象国王抬头望了一眼窗外灰蒙蒙的天，重重哼道：“今天天色已晚，也不为难你们了，就先休息吧。养足了精神，明天替本王除妖！听懂了吗？”

说罢，他甩手就走。

也不等两人回答，一旁的侍从便将他们请出了书房。

一路上，天蓬与玄奘对视了好几眼，却都只是沉默。而那四周的侍卫则时不时地悄悄朝他们望，眼神之中似有异样的讯息。

到了宫门口，他们与在门外等候的黑熊精和小白龙会合，众人一起跟侍卫到了城中一处僻静的别院里。安顿好了，那些带路的兵卫才离开院子，却并没有走远，而是将这所别院团团围了起来，好像生怕他们跑了一样。

那兵卫刚把大门关上，小白龙便急匆匆地问道："不是要我们降妖吗？妖在哪里？"

"大圣爷不在，那宝象国王所说，听上去又不合情理……"说着，玄奘转而望向了一旁的天蓬。

"怎么啦？"小白龙有些疑惑地瞧着两人，"还是什么了不得的大妖不成，要大圣爷出马？难不成我们三个加起来都打不过他？"

沉默了一阵，天蓬轻声道："此事，事出蹊跷，暂且还不能妄下定论。今夜我先夜探驸马府，探一探虚实。"

第五百三十三章

夜探驸马府

兜率宫中，金刚琢还静静地躺在地板上。

猴子盘起手道：“究竟行不行，给句话。你不是说你没法儿联系到太上老君吗？”

“师父刚刚跟我说，他很快就回来了。”

“刚刚？”

雀儿默默点了点头。

猴子不由得一阵冷笑：“看来，他知道我来了啊。”

雀儿低着头，也不答话，只是仔细地泡茶。那眼睛时不时朝院中瞥去。

清心盘着手在院中若无其事地踱着步，一旁的树上片片枯叶飘落。

密室中，太上老君气喘吁吁地站了起来，将口中叼着的、手里握着的四支笔都丢到一旁的笔筒里。

低头看着已经绘好的繁杂法阵，他呵呵地笑了起来。

一步步退出法阵之外，只见他双手一掐，道道银色灵力汇于一处，原本幽暗的密室之中顿时被照得通亮。

紧接着，他隔空对着那法阵的阵心一指，以那法阵为中心，地面掠过一圈涟漪，阵心缓缓出现了一股小小的银色喷泉。

银色的泉水顺着法阵的纹路流淌，很快遍布整个法阵，道道银色光华闪烁着。

见此情形，太上老君缓缓闭上双目，口中念念有词。

咒文之下，那原本固定不动的法阵纹路迅速转了起来，正中拱起一个拳头大小的银色圆球，悬浮在半空中。

不多时，那四周的纹路之中也浮现了一个个大小不一的银色圆球。大的如拇指，小的犹如黄豆。所有这些银球在法阵的上空飞速运转，形成一道道银色的纹路。

道道闪电交错。

太上老君停下了口中的咒文，双目猛然睁开。

顿时，空中运转的银色球体纷纷炸开，化作银色液体洒落在地，形成了不规则的图案。

这些图案若是在寻常人眼中，也就如同勺子泼出去的水，没有什么规律可言。可在太上老君眼中却不是。

一刻也没有停顿，太上老君迅速步入阵心，低头细细查看。

与此同时，那些银色的液体正在迅速渗入地面，到最后一滴也不剩，就好像这里什么都没发生过。

微微仰起头，太上老君捋着长须无奈地摇头。

“果真是今时不同往日啊，不过……也好，知道这么多，也就够了。”

阁楼的厅堂中，雀儿微微仰起头，轻声道：“师父回来了。”

“回来了？”

猴子和门外的清心皆是一怔。

话音未落，太上老君的身影已经出现在了门外。

见了太上老君，李靖连忙躬身拱手道：“李靖参见老君！”

“免礼吧。”

一旁，紫袍以及其他两位道徒也连忙走上前去躬身拱手。

“师父，大圣爷已经等候多时了。”

“知道了。”太上老君摆了摆手，与紫袍擦肩而过，提起裤腿跨过了门槛。

再抬头时，太上老君便看到叉着腰站在厅堂之中的猴子。

一别六百五十多年，再见面，猴子、太上老君皆是一愣。不同的是，猴子面无表情，太上老君却笑眯眯的。

短暂的沉默之后，太上老君轻声叹道：“出来多久了？”

说着，太上老君便缓缓地走入厅堂之中。

原本居于正位上泡茶的雀儿简单地行了个礼，将自己的位置让了出来。

“刚出来不久……我出来，连玉帝都知道了，没人告诉你吗？”

“当然有人告诉老夫了。老夫再不济，也是三清之一嘛。”卷起裤腿，太上老君晃晃悠悠地坐到雀儿原本的位置上。

门外，清心微微蹙起眉头，仔细观察着两人的举动。

指着一旁的蒲团，太上老君轻声道：“坐吧。说起来，这是你第一次到我的兜率宫来做客吧？”

猴子叹了口气，躬身坐了下去：“是第一次来吗？”

“不是第一次来，不过，是第一次来做客。先前那一次，应该不能算做客。”用手中拂尘指了指四周，太上老君轻声道，“怎么样？不破不立，这可是你那师父说的。老夫的兜率宫整个儿都被你毁了，这重新建起的，你感觉如何啊？”

猴子礼貌性地扫了两眼，道：“还不错。”

低头倒腾着茶具，太上老君微微点了点头：“不错就好，老夫也是比较欣赏如今的布局。原本的兜率宫显得太冷清了，还是如今的好。”

说着，他微微侧过身子，亲手给猴子将茶斟上，笑眯眯地问道：“不怨老夫了？”

“怨。”猴子面无表情地答道。

“嘿。”将手中的茶壶放下，太上老君轻声叹道，“还怨啊……那可真是不容易，若是以前的你，怎么可能心中怨恨老夫，还跟老夫一起坐在这儿喝茶呢？”

“但更怨我自己。”猴子补充道。

太上老君微微点了点头。

“说正事吧。”猴子伸手将地板上的金刚琢推了过去，“这次过来，是想请你修理一下这个金刚琢。”

太上老君斜斜地瞥了金刚琢两眼，缓缓地摇头，道：“没了天道石，修理不了。”

“是修理不了，还是不愿意修理？”

“既修理不了，也不愿意修理。”太上老君歪着脑袋，悠悠道，“以前老夫要守护天道，许多事是不得已而为之。如今，这三界走向与我何干？不过，老夫倒是可以给你一些你要找的那个人的有用信息。”

“哦？”猴子当即抬头瞧了太上老君一眼。

捋着长须，太上老君轻声道：“不过啊，这求人办事，可就今非昔比了。要老夫忙前忙后的，总得有点好处不是？”

说着，那眼睛悠悠地瞥向猴子。

“你想要什么好处？”猴子狐疑地问道。

太上老君抿着嘴轻声道：“把金刚琢还给老夫就行了，也算是物归原主，你也没亏。如何？”

猴子的眉头微微挑了挑。

此时，凡间，天蓬趁着夜色悄悄出了居住的宅院，隐藏了气息，幻化成小兵的模样，很快找到了驸马府。

仅能容得下一辆稍大一点儿的马车的巷子里，一队队的士兵举着火把来回巡视。

其中一个士兵注意到了孤零零的天蓬，正准备走过来盘查，只见天蓬朝他望了一眼，眼中一道白光闪过。

顿时，这个士兵就被定住了。

利用这短暂的一刻，天蓬低下头与他擦肩而过，迅速绕到了驸马府的另一面。

很快，天蓬便发现，驸马府的四周，几乎每一个角落都有无数的士兵盯着。

除了小巷里，街道上还有大队人马巡逻，那些阴暗的角落里更是隐藏了无数暗哨。

这样的阵仗，那妖怪为什么还不走呢？

天蓬实在想不明白。

略微思索了一番，他走到一个光线相对较暗的角落，趁着那些岗哨中的士兵不注意，施法穿墙而过。

当他再次睁开眼睛之时，已经身在驸马府的院子里。

别致的凉亭，雕花的石椅，错落有致的假山，修剪整齐的花草……奇怪的是，围墙之外一片通明，围墙之内，却是一片黑暗。

放眼望去，整个驸马府中，只有一座阁楼有灯光。看样子，这府里的下人多半都已经被遣散了。

天蓬蹑手蹑脚地往前走了几步，又忽然停了下来。那目光缓缓地朝一旁的假山的角落扫了过去。

一面观察着那有灯的阁楼，他一面掉转身形走向假山。

他伸手一拨，在那花草之后，假山的石壁上嵌着一个小巧的珠子，珠上有一个简单的法阵。

见到这个法阵，天蓬不由得微微一怔，双目缓缓眯成了一条缝。

只见他轻轻一指，那刻有法阵的珠子便无声无息地碎成了几瓣。

深吸了口气，他又蹑手蹑脚地往前走，不多时，他又在一个花盆底下发现了一模一样的珠子。

瞧着那珠子，他的眉头不由得蹙得更深了。

“你是谁？”一个冷冰冰的声音忽然从背后传来。

天蓬猛地回过头，只一瞬间，他已经握着九齿钉耙摆出了迎战的姿态。

就在他身后不过五丈的地方，一个黑影盘着手静静地站着。

“你又是谁？为什么会有这么多出自天庭工匠之手的定界珠？”

“你居然认得定界珠，你又是谁？”那黑影迈开脚步，缓缓地朝天蓬走来，手中握着一柄九环大刀。

直到月光照亮，天蓬才看清了对方的面容。这张脸，天蓬在宝象国王手中的画卷里看过。

“你就是那个驸马？”

“你还没告诉我你是谁呢？”扬起九环大刀指向天蓬，驸马冷冷地说，“为什么你会认得天庭的定界珠，不只是认得，还轻而易举地就破解了。这种事，可不是寻常行者道的修者能干出来的。”

天蓬笑了笑，却没有回话。

顿时，两个人都沉默了。

风徐徐吹过，树影摇曳。

围墙之外，一队士兵踏着整齐的步伐从远处缓缓而来，又缓缓地消失在另一个方向。

两人默默地对视着。就在沉默中，双方都已经开始调动灵力，同时注意着对方的一举一动，悄无声息地以各种秘法探知对方的虚实。

好一会儿，驸马露出了充满邪气的笑："猪妖，却没有妖气，完全是道家法门，竟然已经是太乙金仙境了。你是吕六拐一支的，还是九头虫一支的？"

天蓬微微仰着头，面无表情地答道："狼妖，带有妖气，但很淡。应该是半道转修道家法门了吧？你也不差啊，也是太乙金仙境。"

"是陛下请你来的吧？我劝你还是别管我的事了，管了，他也给不了你什么，反而有可能一个不小心丢了性命。"说着，驸马已经摆开了进攻的架势。

天蓬淡淡道："有些事，未必要有好处才管。奎木狼，奎星君。"

听他这么一说，奎木狼顿时瞪大了眼睛，有些错愕地望着天蓬。

"其实，你已经输了。"天蓬悠悠道，"只要我从这里出去，随便找座庙，对着里面的木头雕塑将你在这里的消息说出去，你猜天庭多久能派大军赶到？神仙思凡，这可是大罪啊。"

"你究竟是什么人？"奎木狼已顾不得那么多，指着天蓬暴喝道，"为什么你知道我的身份！"

"猜的。"天蓬轻声道。

奎木狼的眼角顿时微微抽了抽，咬着牙阴沉地说道："既然如此，那你就别想离开了！"

电光火石之间，奎木狼已经挥舞着九环大刀，夹带着气劲朝天蓬砍了过去。

只听"锵"的一声巨响，天蓬稳稳地架住了九环大刀。

脚下的地面一下裂开来。

顿时，围墙之外一阵人躁马鸣，大批的士兵已经被这声音吸引了过来。

奎木狼一咬牙，凌空一个翻滚，那九环大刀如同密布的疾风一般朝着天蓬砍了过去。

只见天蓬左挡右闪，将所有的攻击都化解开去。

受到激斗的波及，那四周早已经是草木横飞，一片狼藉。

“里面发生什么事了？”

“是不是妖怪作乱？”

“住口！里面哪里有妖怪！我看是陛下派了刺客了！”

听到这剧烈的声响，围墙之外的部队喧哗了起来。

“不行！我们要立即冲进去！”有人喊道。

这一声呼喊，当即得到了无数士兵的响应。

可还没等他们组织起来，只听一声巨响，高耸的围墙轰然倒塌了。

几乎每一个士兵都掩着鼻子躲避那滚滚而来的烟尘。

待烟尘散去，他们看到奎木狼缓缓地从碎石堆中站了起来，一步步后退。身上的衣物已经破损不堪。

在场的所有士兵、武将，一下子都屏住了呼吸，静静地注视着他们一直以来当成神明膜拜的驸马爷。而自始至终，奎木狼连看都没有看那些士兵，一双眼睛只是死死地盯着驸马府内。

不多时，士兵们看到天蓬提着九齿钉耙从里面缓缓地走了出来。

“今天就算了吧。你老婆、儿子都在这儿，你也不想使出全力和我打，不是吗？”天蓬轻声道。

第五百三十四章

混　战

奎木狼笑了出来：“你的意思是，你走了之后，不会把我的事情说出去吗？”

天蓬只是静静站着，看着，没有回答。

“你猜我信你吗？”奎木狼瞪大了眼睛问道。

阁楼上，百花羞公主打开了窗户惊恐地看着，孩子吓得躲在她的怀里。

一个士兵挤出队列朝着宫门的方向奔去。

其余的士兵都呆呆地看着，将两人团团围住，一脸的错愕。

“怎么办？陛下让我们来围捕驸马爷，现在驸马爷出来了……”

围在前排的几个士兵互相对视，握着兵器，稍稍朝奎木狼的方向挪动。可还没等他们做出下一步的动作，包围圈的外围传来了一声叱喝。

“让开——！都给老子让开——！”

一回头，他们看到身后的士兵让开了一条过道，一位猛将骑着骏马冲入了包围圈，勒着缰绳停了下来。

马匹高大的身躯正好隔在那几个准备行动的士兵和奎木狼之间。

猛将匆匆下了马，却出人意料地单膝跪地，高声喊道：“末将西允，参见驸马爷！”

他这一喊，所有的士兵都怔住了。

很快，所有的士兵都将刀剑入鞘，跪地叩拜。就连站在四周民房顶上手持弓矢的士兵也都松开了弦。

那将领瞧了天蓬一眼，低声问道：“驸马爷，需不需要末将将这个人拿下。”

奎木狼深深地喘息着，抬头朝着远处阁楼上的公主望了一眼，又低头冷冷地注视着天蓬，道：“都给我让开，这件事，不是你们管得了的。”

“诺！”那将领点了点头，起身便往后退。四周的士兵见状，也都一个个地往后退，那包围圈扩大了不少。

叹了口气，天蓬道：“看来，你是一定不会轻易地让我走了。”

“应该说，我绝不能让你活着离开。”奎木狼冷声道。

“行，既然如此，我们还是换个地方打吧。要不然，一个不小心，这座城池怕是都要从地图上抹去了。还是不要伤及无辜，平添罪孽的好。”

“呵呵呵呵，看不出你还有这闲心思。”

远远地，百花羞看到两人化作两道光束，从原地消失了，顿时，她的脑海一片空白。

那些士兵一个个惊得张大了嘴，即便是那匆匆赶来的将领也是如此。

好一会儿，有人来到将领身旁轻声说道：“驸马爷不见了，要不……我们趁机将公主救下？”

“救你娘个头！”那将领一个转身，一拳重重砸在那人脸上，将他整个人击倒在地。

四周的士兵一下都蒙了。

只听那将领重重啐了一口，抽出腰间的长剑吼道：“都给老子听着，驸马爷不在，驸马府现在归我们守护！没我的命令，任何人不得踏入驸马府一步，违者立斩不赦！”

转眼之间，箭矢、刀刃转向对外，前来围困驸马府的大军竟又变成了驸马府的护院。

听到这句话，百花羞才稍稍松了口气。

对于这个国家来说，收驸马这只“大妖”，并不是国王的家事那么简单，它首先是一场轰动朝野的政治斗争。

与此同时，一位将领匆匆推开了宝象国王书房的门。

那门内，早已聚集了好几个大臣。

宝象国王一脸阴冷地端坐在宝座上，抬头看了那将领一眼。

“启奏陛下。”那将领单膝跪地，恭敬地拱手道，“驸马府出事了，今天那和尚一行中的年轻人，带着兵器夜闯驸马府，现在已经和驸马爷打起来了。”

宝象国王伸手摆弄着桌案上的玉石，深吸了口气，悠悠道：“本王已经知道了。嘿……看来这和尚果真有些斤两，没等到明天就已经出手了，也不枉本王对他的一番期望啊。”

“还有……”

“还有什么？”

“启奏陛下，就在方才，那年轻人与驸马一阵恶斗，两人都化作一道金光跑得没了踪影。”

一听，宝象国王当即站了起来：“此话当真？”

“千真万确！”

“那还等什么？”宝象国王迈开脚步迅速奔到门边，朝着远处驸马府的方向望了一眼，扭头指着那将领叱道，“既然如此，就快快传令让西允带兵冲入驸马府，将公主带回来啊！”

那将领却只是静静地跪着不动。

好一会儿，他咽了口唾沫，支支吾吾地说道：“启奏陛下，西允将军……已经易了帜，现在变成驸马府的护院了，他手下的兵将也是如此……”

“你说什么？”宝象国王顿时瞪大了眼睛。

一时间，一股血气上涌，他整张脸都涨红了。拳头紧紧地握着，他浑身发抖。

“西允……这个西允……竟然敢……”咬着牙，他的目光在室内来回地扫视，最终落到了一位瑟瑟发抖的大臣身上。

见宝象国王恶狠狠地盯着自己，那位大臣扑通一声跪倒在地，猛地磕头，高声喊道：“陛下饶命啊！陛下饶命啊！”

一步步走到那大臣跟前，宝象国王抬腿对着正在苦苦哀求的大臣便是一脚，直接将他踢翻在地，吼道：“来人呐，把这老匹夫打入天牢，明日午时菜市口问斩！”

“陛下！陛下，老臣对陛下忠心耿耿！绝无二心啊！求陛下饶命！”

守在门外的两个兵卫冲了进来，不管三七二十一便将已经哭得喘不过气来的大臣拖走了。

“怎么回事？”其他大臣中有人低声问道。

“西允是他举荐的……听说还是他的侄儿。”有人低声答道。

所有人都闭上了嘴。

宝象国王在书房中来回地踱着步，喘着粗气，额头上青筋毕露。

好一会儿，他停下脚步，对着一旁的将领叱道：“去，把本王的铠甲拿来，本王要亲自宰了这个西允！”

那将领犹豫了一下，低头称了声“诺”，退了出去。

很快，国王便领着自己的亲兵雄赳赳气昂昂地冲出了宫门，来到了驸马府门外。

拥挤的巷子里，两军对峙。

两边的民房上，无数的箭矢齐刷刷地指向国王的亲兵。

西允骑着高头大马走到两军的正中，举着手中的马刀高声叱道：“你们都是什么人?！这里已是禁区，任何人不得往前一步。”

那些亲兵当即让开了一条过道，过道的末端，身材臃肿的国王骑着马前行，一张脸铁青。

“连本王都不准吗？”

西允顿时怔住了。

一位将领骑着马靠到他身旁，低声道：“是陛下……将军，这事恐怕不好收场啊。”

屋顶上的士兵已经松开了弓弦，巷中的士兵也隐隐有了怯意，一个个面面相觑。

一咬牙，西允推开了自己的下属，举着马刀直指国王，暴喝道：“不准松弦！所有人，不准后退一步——！”

他这一吼，原本松开的弓弦又重新拉了起来。其他士兵也一个个握紧了手中的兵刃。

国王的眼角微微抽了抽。

他策动白马在狭小的巷子里来回踱着步，与西允遥遥相望。

都城中，所有的百姓都紧闭门窗。空荡荡的街道上只剩下兵甲、马蹄的声响。

听到风声的各方部队都在迅速地朝这里汇聚，然而，目的各异。有来支持国王的，也有来营救驸马的，一场兵变已然难免。

国王高高昂着头，环视着四周，厉声吼道：“用兵器指着本王，你们是想谋反吗？”

那些士兵一个个面面相觑，没有任何动作。

深吸了口气，国王高声吼道：“谋反之罪，株连九族！西允乃是乱臣贼子，他要谋反，你们也想跟着他谋反吗？放下你们手中的兵器，本王承诺，只斩首犯，余者不论！”

士兵们依旧没有任何动作。

只是眼中的犹豫越发明显了。

西允脸上的肌肉猛地抽动，瞪着国王的眼睛布满了血丝。

要知道他仅仅是一名将军，在这些士兵面前，那威势是远远不够的。再让国王说下去，谁也不知道会发生什么。

一旦哗变，他将尸骨无存。

见国王又一次张口，西允一把将身旁将领马鞍后的弓夺了过来，抽出身后箭筒里的箭，抬手就朝国王射了一箭。

“陛下小心！”

国王身边的侍卫手疾眼快，一个侧身撞在国王的白马上。

这一撞，国王的身体微微侧倾，箭从他脸上擦了过去，留下一道浅浅的血痕，却正中身后旗手的咽喉。

“咣当”一声，那旗手跌落马下，没了声息。

“护驾——！”

国王的亲兵猛地呼喊起来。

排在最前面的盾兵冲上前去。匆忙中，几个将领将国王从马背上硬扯了下来，用盾牌护住。

慌乱之中，更有人从后方朝着西允以及屋顶上的弓弩手射了几箭。

这一下彻底炸锅了。

双方再没有什么谈判的余地。

屋顶上的弓弩手开始还击，巷中的近战骤起，双方战成了一团。

听到这一处的兵戈之声，城中其他几支原本对峙的军队也战在一起。一时间，整个都城杀声震天，血流成河。

熊熊火光冲天而起，将天空照成了昏红色。

一片混乱之中，一个文官匆匆来到被一众兵将连拉带拽，已经找不着北的国王身旁，低声劝道："陛下，叛军势大，我们还是尽快回宫吧。"

"回宫？"国王伸手抹去溅在自己脸上的血，一咬牙，用力推开了那文官，怒吼道，"滚开！今晚，无论如何要抢回公主！"

他转身从一位将领的手中夺过一把马刀，扶着头盔吆喝道："所有人跟我来——！"

"那几个孩子怎么办？"有人问道。

犹豫了一下，国王恶狠狠地吼道："妖孽，杀无赦！"

带着几百个精兵，他绕开西允大军聚集的地方朝驸马府另一个方向摸了过去。

此时，一个将领已经带着十几个士兵冲入了驸马府内的阁楼中。

公主吓得紧紧地抱着自己的三个孩子，掩住他们的眼睛，惊恐地望着来者。

只见那冲入阁楼之中的十几个士兵迅速分散开，七手八脚地将门窗都关上。

那将领走到桌前，吹熄了桌上的油灯，拱手道："公主殿下莫怕，我们是西允将军麾下的部队，特来护您周全。"

公主怀中稍微年长的孩童仰起头，战战兢兢地问道："娘，是外公要杀父亲，杀我们吗？"

"不会的，外公不会这么做的。"公主紧紧地将自己的孩子搂在怀中，低声道，"别怕，有娘在。不会有事的，一定不会有事的……只是个误会，很快就会没事的。"

一双明媚的眼睛在窗棂透入的月光下看去，已经隐隐有了泪光。

王宫的另一面，玄奘站在屋顶上手握佛珠，静静地看着，无奈地叹息。

此时此刻，就连原本守在宅院外的那几十个士兵也已经投入了战斗，街道上四处可见厮杀的士兵。

同样的宗族，同样的铠甲，同样的旗帜，此时此刻，在这样一场混乱的巷战中，分辨敌我唯一的方式就是用嘴巴问。

照了面，第一句话就是问对方支持谁，是支持国王，还是支持驸马，不是同一边的，操起兵器便战。

局势已经迅速演变成了一场彻底的政变。然而，这仅仅是开始。

紧接着，失去控制的士兵开始趁乱冲入民宅，打起了百姓金银的主意。一时间，城中的百姓四处奔逃。原本已经极为混乱的都城变得更加血腥了。

“天蓬元帅到哪里去了？”玄奘轻声问道。

一旁的小白龙想了想，指着东边道：“他朝那里去了，应该不会走远。”

“让他快点回来吧，再不回来……”玄奘没有接着说下去，只是深吸了口气。

第五百三十五章

不同意

借着昏红的火光，站在二楼的士兵透过窗棂隐隐约约看见一大群士兵正在翻越驸马府高耸的围墙。

“不好！有其他部队进来了！”

前来保护百花羞以及三个孩子的将领一惊，连忙奔了过去。

“是我们的人吗？”有人轻声问道。

“那铠甲是禁军的。”转过身，将领快步来到百花羞面前，拱手道，“公主殿下，我们还是先躲起来吧，这里不安全。”

百花羞犹豫着，点了点头。

获得了她的首肯，几个士兵当即把孩子都抱了起来。打开房门，一行人飞速地奔出阁楼。

“那里有人！快追！”翻越围墙的禁军当中有人叫了起来。

几个还骑在墙上的士兵一急，直接从一丈多的高墙上跳了下来，摔了个满地找牙。接着，他们操起兵器，飞速追了上去。

此时，逃亡的一方不仅人少，还带着女人和孩子，速度自然要慢上许多。眼看着对方要追上了，那前来保护百花羞的将领当机立断，一个转身，带着四五名士兵留下断后！

与此同时，宝象国都城百里之外的荒野中，奎木狼正小心翼翼地提着大刀走在夜色下。

那目光不住地在四周的山石树木之间搜寻。

额头上，豆大的汗珠缓缓滑落。

刚一离开宝象国，不知怎么地，天蓬猛然加速，无论他如何追都难以拉近距离。到现在，天蓬更是失去了踪影，他连半点儿气息都感觉不到了。

很明显，这家伙说什么换个地方打，其实根本一开始就打着避战的主意，没想过跟他正面交锋。

当然，也有另一种可能。那就是，对方正埋伏在某个角落里，等着自己放松警惕，好发动致命一击。

鉴于对方的实力与自己旗鼓相当，奎木狼不敢大意。

此时的奎木狼并不知道，与此地相距三十里的另一处，天蓬正隐去所有的灵力波动，以极快的速度翻越高山，跨过河流，朝着宝象国都城的方向狂奔着。

这奎木狼也算是二十八星宿当中的佼佼者了。但以天蓬的实力，要克制奎木狼并不难。特别是在手中还有九齿钉耙的情况下，加上还有黑熊精和小白龙，他完全可以压着奎木狼打。

可是，就算有这样的实力差距，奎木狼若是化明为暗，想要通过偷袭的手段取玄奘性命，那也轻而易举。

天蓬不能冒这个险。

就刚刚那种情形，在天庭当了那么多年元帅的他怎么会不知道接下来要发生什么呢？

在这乱局之中，最重要的便是保护好玄奘。而他又不可能在奎木狼的追击下贸然跑到玄奘身边，那无疑是陷玄奘于危险境地。

无奈之下，他灵机一动，将奎木狼诱出都城，自己再转而回到玄奘身边。如此，可保万全。

然而，此时的天蓬同样不知道，小白龙已经被玄奘派出来寻找他了。

隔着六里的距离，小白龙凌空飞行着，天蓬在地面上狂奔着，两人如同两根线一般交错而过。

不多时，正在四处搜寻天蓬的奎木狼望见了天边远远而来的小白龙。

他愣了一下，似乎想到了什么，双目缓缓眯成了一条缝。

趁着小白龙的距离还远，奎木狼将自己幻化成了天蓬的样子，又腾空而起，故意让小白龙发现。

远远地看见奎木狼幻化而成的天蓬，小白龙当即朝他飞了过去，高声嚷嚷道："玄奘法师让你快点回去。"

"玄奘法师？"奎木狼轻声问道。

"是啊，城里打起来了。形势那么乱你还是快点回去比较好，我们几个里修为就你最高，别的倒是不打紧，万一玄奘法师出了什么事，我们可不好向大圣爷交代。"说到这儿，小白龙四下看了看，随口问道，"那个驸马爷呢？被你解决了吗？"

奎木狼淡淡笑了笑，道："这么说，保护玄奘法师是我们最主要的任务咯？"

小白龙微微一怔，惊恐地后退："你的气息怎么变了？"

就在小白龙的眼前，奎木狼缓缓变回本来的面目，抹着手中的九环大刀，邪恶地笑道："也就是说，只要我找到那个什么玄奘法师，就一定能捉到夜闯驸马府的那个人了，对吧？"

转眼之间，天蓬已经潜入了都城，借着夜色悄无声息地穿越一片混乱的街道落到了玄奘面前。回头望了一眼混战中的街道，天蓬轻声道："此地不宜久留，我们还是快点离开吧。"

"可这……这一方百姓遭殃……"

"这件事稍后再处理。此事非同一般，那根本就不是什么妖怪，而是个私下凡间的天神。这种角色比妖怪更难对付。"说着，天蓬背上玄奘腾空而起。

兜率宫中，猴子面无表情地瞧着太上老君，盘起手来悠悠道："你知道我要找谁？"

"知道。"太上老君点了点头道。

"没了天道石，你还能无所不知吗？"

"不能。"

"这么说，这些时日你也没闲着吧。"猴子咧开嘴瞧着太上老君笑，深吸了口气，叹道，"想把金刚琢要回去……不行。"

他这么一说，太上老君愣住了。原本盘算好的话都给咽了回去，两缕白眉缓缓蹙了起来。

“这东西会不断衰弱，感知范围越来越小……很快，就会只剩下肉眼可视的范围。”太上老君捋着长须道，“你，总不至于还要用它来打架吧？再说了，它原本就是老夫的法器，当初，也并没有说送给你啊。”

“用它来打架是不用。”猴子伸手抓起放在地板上的金刚琢，在衣袖上擦了擦，套到了自己的手腕上，“不过，它是风铃留给我的唯一的东西。真要说起来，你是不欠我什么，但是不是也不欠风铃呢？”

听到“风铃”两个字，一直站在院子里的清心提了提神，伸长了耳朵。跪坐在一旁的雀儿也微微抬起眼来。

太上老君脸上的表情顿时微微一僵。

虽说他获得的信息并不全面，可好歹也还是有用的。原本他十拿九稳，以为猴子会将这个很快就毫无用处的法器拿来交换一点儿有用的讯息。然而，他想错了，而且错得离谱，重重地撞在猴子这面墙上了。

缓缓地盘起手来，太上老君抿着嘴，半眯着眼道：“看来，那个人的消息对你来说并不是很重要啊。”

“本来就只是受人之托。”猴子仰起头，挑了挑眉道，“要金刚琢也行，把风铃复活了，别说还金刚琢，给你做牛做马都行。”

一听这话，太上老君哼笑了一声，捋着长须道：“这可是你说的。”

他这么一说，猴子微微一愣，那眉头都蹙了起来，有些错愕地看着太上老君。

魂飞魄散了还能复活吗？

虽说他修的不是悟者道，但这阴阳术的基础，他打得还是挺牢的。他还从未听过魂飞魄散还能复活这么一说。

难道，这定律到了太上老君这里就变了？

猴子百思不得其解。

长叹了口气，太上老君又伸手端起茶壶，给猴子续了一杯茶，轻声道：“难得来一趟，这是老夫亲手栽种的好茶，可别错过了。至于你要找的那个人嘛……莫急，继续往前走，你们自然会碰上。”

“啊？”

“谁让你把老夫的天道石给毁了的，现在只得用卜卦之术了，也就卜出了这么多。这消息啊，就当是老夫奉送的了。”

猴子将信将疑地端起了茶，抿了一口，眼睛依旧紧盯着太上老君。

这老家伙是转性了吗，刚到时，口气那么强硬，要求他拿金刚琢交换，现在这么轻易地就说出来了？

会不会是没有如他所愿，所以他就故意隐瞒了什么？

应该不会，在这种小事上面要手段，堂堂太上老君还不至于。

还是说……他又酝酿了个什么大阴谋？

猴子越想越疑惑，却也想不出个所以然来。一时之间，他倒是拿不准该不该相信太上老君了。

西牛贺洲，宝象国都城西南三十里开外的一片丘陵上，天蓬背着玄奘缓缓地落地，将玄奘放了下来。

身后，黑熊精也随即赶到。

玄奘双手合十，躬身道：“贫僧谢过元帅了。接下来，还请元帅返回城中一趟。解铃还须系铃人，若真如元帅所说，只要寻着那奎木狼，好言相劝，所有的问题都可迎刃而解。我等行普度之道，怎可见百姓遭殃而坐视不理呢？”

“我试试吧，不过他看起来并不是那么好劝。”天蓬微微点了点头，指着黑熊精道，“玄奘法师就交给你看护了，待到事情解决得差不多，城中再无危险之时，我再回来接你们。”

“行！”黑熊精握着黑缨枪重重点了点头。

转过身去，天蓬化作一道银光消失在天际。

朝着天蓬消失的方向望了好一会儿，黑熊精深吸了口气，转过身。

猛然间，他看到奎木狼已经无声无息地站在玄奘的身后！

与此同时，百花羞一行人眼看着就要冲到驸马府的大门。

出了门，便是西允的大军。届时，凭那几百个禁军，根本奈何她不得。

然而，就在他们距离驸马府大门不到二十步的时候，追击的禁军已经砍翻了殿后的将领，从身后冲上来将他们团团围住。

仅存的几个士兵将百花羞以及三个孩子护在中间。

襁褓中的孩子似乎也受这腾腾的杀气感染，啼哭不止，其余的两个孩子靠在百花羞身旁，紧紧地拽着她的长裙，瑟瑟发抖。

面对那一把把染血的钢刀，百花羞怔住了。

“你想去哪里？”

禁军缓缓让开了一条过道，在过道的末端，浑身沾血的宝象国王提着刀一步步走来，脸上尽是怒意。

见了自己的父王，百花羞抱着孩子“扑通”一声跪倒在地。

一步步走到与百花羞相距两丈不到的地方，宝象国王铁青着脸重复道：“你想去哪里？”

“父王……”跪在地上的百花羞眨巴着满是泪花的眼睛，微微颤抖着说道，“女儿愿意跟父王回宫，请……请父王放过三个孩子，还有这几位将士……”

“你已经被妖法迷惑了。”

话音未落，只见宝象国王一扬手，挡在他身前的士兵已是身首异处。

还没等其余的几个士兵反应过来，禁军之中已经冲出几十个手握长枪的士兵，将百花羞四周仅存的西允手下的将士刺死。

几个禁军士兵朝着孩子走了过去。

眼看着前来保护自己的士兵一个个倒地，百花羞惊得瞪大了双目。

此时，天蓬已经来到了都城的上空，望着遍地的火光，正思索着从何处下手阻止这场灾难。

忽然间，他微微一怔，连忙从自己的腰间摸出了玉简，贴到唇边。

顿时，他的脸变得煞白。

兜率宫中，太上老君一边泡茶，一边悠悠地说道：“既然出来了，若有空闲，该去探望一下你师父。”

猴子朝着院子里的清心瞥了一眼，面无表情地答道：“就算我要去，他也未必肯见我。再说了，见了面，我还真不知道要跟他说什么……难道问他当初算计我究竟是为了什么？这不太合适吧。”

“嘿，就算抛开这些，还可以聊聊昔日的师徒情谊啊。说到底，他没昭告三界逐你出师门，你也没宣布背弃师门。这师徒的情分，还是在的。”

猴子摆了摆手：“我是曾试过把他当师父，不过……他似乎没打算把我当徒弟。对他来说，我就是件达到目的的工具而已。行了，我们斜月三星洞的事情就别多说了。你说了我也不会听。”

说着，猴子似乎想起什么，转而问道：“你怎么收了我小师妹当徒弟？难道现在流行一个徒弟两个师父？”

太上老君抬起头看了一眼门外的清心，捋着长须道：“因为她与老夫有些渊源。”

“什么渊源？”

“你猜？”

猴子当即白了太上老君一眼，心中嘀咕道：猜这种老狐狸的心思，纯属没事找事。

忽然，他一愣，低头看到挂在腰间的一块玉简在微微闪烁！

第五百三十六章

角木蛟的烦恼

拿起玉简，猴子的眼睛瞪得犹如铜铃一般大。

凡间与天庭之间，隔着南天门，因此无法用玉简正常传递信息。即使是天庭的命令，也必须由南天门镇守军中转。如果不是因为这样，当初猴子受困于天庭的时候也不需要利用“连牍”给杨婵传递消息了。

不过，隔着南天门激活另一块玉简，问题还是不大的。

这玉简的另一片在谁手上？

答案是，天蓬。

那么，天蓬在什么情况下会使用玉简呢？

毫无疑问，天蓬使用玉简的情况只有一种，那就是他们在凡间遇到问题了，而且这个问题，他无法解决。

极有可能是玄奘出事了。

只一瞬，猴子便明白了过来。连忙抬头对太上老君拱了拱手，道：“在下还有急事，告辞了。”

还没等太上老君答话，猴子已经起身冲出门外。他与清心擦肩而过，只是连看都没看她一眼。到了大门口，也不等李靖开口，他就化作一道金光腾空而起！

望着猴子远去的身影，太上老君呵呵地笑着，捋着长须道：“他刚刚可是对为师自称‘在下’？”

“回师父的话，他确实自称‘在下’。”一旁跪坐着的雀儿轻声答道。

“‘在下’啊……”太上老君缓缓闭上双目，叹道，“这么多年了，他倒是礼貌了不少啊。嘿，好事，好事。”

门外的清心注视着太上老君，紧蹙着眉头，想了好一会儿，才迈开脚步走入厅堂之中。

此时，战舰的角落里，角木蛟还在团团转。

一仰头，他看到猴子从兜率宫所处的浮石上跃起，在场的大军都还没反应过来，猴子已经往下界冲了下去，转眼之间没了影。

顿时，战舰上陷入一片死寂。

这算怎么回事？那战舰上的天将一个个面面相觑，惊出了冷汗。

正当此时，李靖出现在了他们的眼前，稳稳地落到战舰上。

“天王，接下来……怎么办？”所有的天将都眼睁睁地望着李靖，一脸的呆滞。

“别担心，没事了已经。”李靖指着持国天王道，“通知南天门给他开门吧，应该是凡间出事了。”

“诺！”持国天王一拱手，就要转身。

“还有——”

持国天王连忙停下脚步。

李靖接着说：“跟陛下说一声，好让他安心。”

“诺。”

灵霄宝殿御书房中，一位天将匆匆跪地，拱手道：“启奏陛下，李天王来报，说那妖猴很快就会离开天庭，军势可以解除了。”

微微抬起头，那天将的表情一怔。

在场的几个仙家都小心翼翼地瞧着玉帝。而玉帝的脸仍旧铁青。

往侧边望去，那天将才注意到，一个臂章上带有巡天府标记的天将早早站在一旁，似乎有什么情报先他一步送到了玉帝手中。

“解除？”玉帝的眼角抽了两抽，一掌重重拍在桌案上，怒道，“告诉李靖，南天门的部队返回驻地。然后，让角木蛟领着自己的部队到宝象国去一趟。”

接获军令的南天门轰然打开。

还没等那些士兵做好心理准备，只见一道金光闪过，猴子已经与他们擦肩而过，冲了出去。

疾风沿着南天门扫过。

天蓬悬在半空中，呆呆地注视着自己手中的两片玉简，许久，他将玉简放入了衣袖中。

他并没有正面答复玉帝的密旨，却把巡天府让他用来报信的玉简留了下来，以备不时之需。

透过巡天府给的玉简，知会天庭奎木狼在宝象国，他也不知道对不对。但他知道，这样一件事如果任其发展下去，可以带来无限多的误解。

最直接的一点，猴子知道是一个天神捉了玄奘，万一玄奘有个三长两短，那后果简直不堪设想。

说到底，是他一开始掉以轻心了。在这种情况下，无论如何都应该死死地守住玄奘。玄奘一旦出事，引起的浩劫，将远不是眼前的事能够相提并论的。可他怎么能想到奎木狼会对玄奘出手呢？

掉转了身形，他缓缓地朝着玄奘所在的方位飞了过去。那思绪如同一团乱麻。奎木狼要的是他，说白了，奎木狼是想断掉自己在宝象国的消息外传的可能性，为此，才掳了玄奘。所以，只要他一时半会儿没出现，玄奘就依旧是安全的。至于他出现之后玄奘是否还会安全，这已经不是他所能控制的了。

空中，猴子正以一瞬千里的速度朝西牛贺洲呼啸而去。

他一脸怒容，牙咬得紧紧的。

身下无边的云海在猛烈的气流之下掀起惊天巨浪。

还身处兜率宫外围的角木蛟此时脸色煞白，那目光不停闪烁着。

“你……你说奎木狼在西牛贺洲，还劫持了玄奘法师？那猴子急着赶回去就是为了这个？”

单膝跪在他身前的天将低着头，轻声道："是陛下亲口说的，若不是如此，陛下不可能急着下旨治奎星君的罪。"

角木蛟整个儿软瘫了下去，辛亏一旁的两个天将搀着，不然他恐怕已经瘫坐在地上了。

"他……他跑到下界去了？他跑去下界干什么？"

四周属于禁军序列的御前天将一个个面色凝重，不发一言。

属于南天门镇守军的天将，则一个个悄悄挪动脚步远离，似乎不想蹚这摊浑水。

李靖更是面无表情地转身离去。

一位天将悄悄凑到他耳边，低声道："星君，接下来我们该怎么做？"

"还……还能怎么做，照着陛下的旨意到下界拿人啊。"

"那……是快走，还是慢走呢？"

他这一句话问出来，四周一下安静了。

军舰上，只剩下呼呼的风声，还有众将重重的喘息声。

"走快……还是走慢？"角木蛟怔住了。

这当中的奥妙，他自然懂得。

奎木狼私下凡间，事已至此，作为上级的角木蛟肯定要承担些责任。但这不是重点。重点是，除了玉帝的怒火之外，奎木狼现在还惹了一个他们惹不起的人。

走快，如果他们能顺利说服猴子将奎木狼交给天庭处置的话，就是去救奎木狼。如果说服不了猴子，弄不好他们要跟着奎木狼一起遭罪。

走慢，则毫无疑问地还是要扛下玉帝这边的罪责，至于猴子那边的迁怒，则推得一干二净。去晚了，也就是替奎木狼收收尸。

当然，还有另一种更为严峻的情况，那就是奎木狼伤了甚至杀了玄奘法师……那样的话，倒霉的就不仅仅是他角木蛟了，而是整个天庭……

想到这儿，角木蛟不由得打了个冷战，仰头道："快、快出发！"

"星君，要不要调集驻守在内廷的部队？"

"调你个头！去晚了，渣儿都没了！"角木蛟吼道，"快！所有化神境……不，所有太乙散仙以上修为的立即随我出发！妈的！你个奎木狼，这次给老子闯大祸了！”

此时，猴子正以极快的速度朝着宝象国进发。

奎木狼正一手掐着玄奘的脖子，一手提着九环大刀与手握黑缨枪的黑熊精对峙。

小白龙被五花大绑捆在树上，已经昏厥过去。

都城中，三个孩子，无论长幼，都被倒吊在宫门外，变成了人质。百花羞哭得晕厥了过去。

在这种胁迫之下，支持驸马的军队只好退出了都城……

第五百三十七章

奎木狼的处境

山坡上，风徐徐地刮过，吹低了野草。

奎木狼一手掐着玄奘的脖子，一手提着九环大刀，冷冷地盯着黑熊精问道：“你们那个同伴，什么时候才过来？”

黑熊精咽了口唾沫，低声道：“马上就过来了。”

只见奎木狼扼住玄奘咽喉的手稍一用力。

“别！”黑熊精当即失声叫了出来。

奎木狼轻挑着眉毛，悠悠道：“那就叫他快点儿。太乙金仙的修为，这点距离需要这么久吗？还有，把你的兵器丢到一边去。”

黑熊精朝着玄奘看了一眼，看见玄奘脸上痛苦的神情和他额头上一滴滴滑落的汗，他连忙点了点头，将自己的黑缨枪丢到了一旁。

此时，玄奘早已经连话都说不出来了，只能睁大一双眼睛无奈而惊恐地望着黑熊精。头顶的万佛冠掉落在地，滚到了一边。

黑熊精深吸了口气，小心翼翼地说道：“我奉劝你，千万别动玄奘法师，否则……会有大祸。”

奎木狼缓缓眯起眼睛，看了看被自己制住的玄奘法师，又看了看黑熊精。

他总觉得有些不妥，那眼睛缓缓眯成了一条缝。

刚刚被他制伏的分明是一条白龙。从那白龙口中，他得知夜闯驸马府的那个人十分在意在自己手上这个和尚，也因此，他一路尾随至此，拿下了这个和尚。

可是，那只猪妖和这只黑熊精究竟为什么那么在意这个连半点儿修为都没有的和尚呢？

若是普通的保镖，那这两个人的实力也未免高得有点离奇。先前的猪精是太乙金仙修为，按照自己与他交手的情况看，当时他显然还是保留了实力的，推算一下，他最起码也是太乙金仙中段的修为。

眼前的这个黑熊精最起码也有太乙金仙修为。

在行者道的修行中，从金仙跨入太乙散仙是一道坎，而从太乙散仙跨入太乙金仙又是一道坎。即使在天庭，太乙金仙修为的天将也没几个。就这么一个普通的和尚，身边就有两个太乙金仙修为的保镖，这未免有点不可思议。

如今想起来，虽说那条白龙修为比不上猪精和黑熊精，但也不是等闲货色。龙这玩意儿，虽说实际上也是妖，但比普通妖怪可要高级多了。

最起码按照天军的划分，龙并不会被直接当成妖怪处理。即使是没仙籍，与四海龙王毫无关系的普通龙族，只要不扰乱人间、触犯天条，天庭一般是不会管的。

就这样的身份，一条白龙，为什么会跟一只猪妖和一只熊精混到一块儿去呢？

再有，那猪精为什么能轻而易举地破坏出自天庭工匠之手的法阵珠子，而且那么快就识破了自己的身份……

奎木狼不怕得罪妖族。以他的实力，即便是与妖王正面冲突，也不一定会落下风。这些年他也没少暗地里收拾进犯的妖族。事实上，真正的妖王也没兴趣跟他结仇，毕竟这是吃力不讨好的事儿。

奎木狼最怕的，是自己的身份泄露。

私下凡间，这是重罪，再加上他与百花羞的恋情……这消息曝出去，肯定群仙哗然。谁也保不住他。

身为天庭将帅，他十分了解灵霄宝殿的作风。届时，为了天庭的颜面，大军压境可以说是必然的。就算将整个宝象国铲平，也不足为奇。

这三界之中，根本就不可能有他的容身之所。

为此，他无论如何不能让那只猪妖将自己的消息泄露出去。也正是因为这个原因，他才会穷追不舍。

可回过头来，他却发现这几个人身上竟疑点重重。

想到这儿，他扣住玄奘咽喉的手不由得松了点。

黑熊精说玄奘有事便有大祸，虽说这话奎木狼并不全信，但能得两只太乙金仙妖怪保护的僧人，肯定也是有些背景的吧。

感觉扣着自己咽喉的手松了一点儿，玄奘连忙大口大口地喘气，好一会儿才缓过劲来。

他注视着奎木狼，轻声道："贫僧法号玄奘，自东土而来。敢问这位壮士……如何称呼？"

奎木狼也不答话，只看了他一眼，便又紧盯着黑熊精。

三个人，就这么静静地站着。

不多时，天边出现了天蓬的身影。

一见到天蓬，奎木狼扣住玄奘咽喉的手当即用力，与此同时，他握着九环大刀的手也紧了紧。

玄奘当即露出痛苦的神色，黑熊精已经紧张到不行，天蓬的速度却依旧丝毫没有加快的意思。

缓缓地，天蓬落到了山坡上，九齿钉耙顿地，他不紧不慢地昂起头来，淡然地看着奎木狼。

"你们究竟是什么人？"奎木狼暴喝道。

玄奘低声道："贫僧是……"

"没问你！"扬起刀指着天蓬，奎木狼冷冷道，"说，你们是什么人！"

黑熊精有些慌乱地看着天蓬。

只见天蓬深吸了口气，叹道："我劝你还是赶紧回城里去，支持你的人已经被赶出城去了。"

奎木狼一愣，看神色，还有些不相信。

微微顿了顿，天蓬接着说："支持你的人是多，不过……公主和三个孩子都已经落到国王手中了，他们也无计可施。"

奎木狼的脸色刷的一下变了，一个踉跄，差点儿跌下去，却还是紧紧地扣着玄奘的咽喉。

他双眉紧紧地蹙着，目光闪烁，似乎在思考天蓬所说的话的真实性。那呼吸明显急促了不少。

许久，他开口低声问道："公主……还有我的三个孩子，现在……"

"他们暂时没事，再过一会儿，可就难说了。宝象国国王是什么样的人，你应该比我们清楚。"

奎木狼瞪大了眼睛问道："你们究竟是什么人？"

"我们是什么人重要吗？"天蓬慢悠悠地走到黑熊精身旁，随口道，"现在国王在用你的三个孩子威胁叛军，逼他们出城。一旦城门关上，他们的性命能否保住可就难说了。"

奎木狼明显有些慌乱。

黑熊精稍稍往前一步，却被天蓬一把握住了手腕。

一个声音在黑熊精脑海中响起："你没说那猴子的事吧？"

"没……"

"没有就好，我怕他知道了，到时候破罐子破摔就麻烦了。"

悄悄传递完讯息，天蓬淡定地给黑熊精使了个眼色，让他后退。

黑熊精默默点头，往后退了一步。

短暂的慌乱过后，奎木狼用手中的九环大刀指着天蓬喝道："你们两个，替我去把公主和三个孩子救出来！"

这一吼，天蓬的表情微微僵了一下。嘴角动了动，天蓬轻声笑道："你可想清楚了，公主和三个孩子在国王手上，只要他们还没死，你想救什么时候都可以。如果落到我们手上……那可就不好说了。"

"少废话！我让你们去就去！"奎木狼暴喝道。

"怎么办？"

"没办法，他估计是怕我们在背后偷袭。这关头说什么都没用了。尽量拖时间。那猴子快回来了，天军应该也很快就会到。天庭应该会派角木蛟来，他是二十八星宿之首，奎木狼的顶头上司，无论如何，说话该比我们好使一点儿。猴子来了，切记让他不要说出自己的身份。"

"懂了。"

此时，猴子正咬着牙，铆足了劲往玄奘所在的位置冲，金箍棒紧紧握在手中。

周遭的一切化作光影线条飞逝。

南天门，二十七道颜色各异的光束迅速穿过，转眼之间已经消失在天边。

除了奎木狼之外的星君都在其中，一旁的天兵早已看傻了眼。

城楼中，持国天王缓缓来到李靖身旁。还没等他开口，李靖便轻轻用手背碰了碰他的胸甲，犹豫着说道："关了南天门，保险点儿。"

"诺！"

暗暗给黑熊精传完了话，天蓬微笑着往后退了一步，对奎木狼道："行，既然你都这么说了，那我这就去给你把老婆孩子都救出来。有你老婆孩子在，谅你也不会对玄奘法师怎么样。至于我的这位黑熊兄弟，就暂时在这里陪你们吧。"

说着，他轻轻拍了拍黑熊精的肩膀，示意他盯紧点儿，转身便走。

这一次，他没有再慢悠悠的，而是使出了全力。几十里的距离对他来说不过是一瞬的事儿。

转眼之间，他已经抵达了宝象国。

为了节约时间，他直接使出了法天象地，凌空变成了一个百丈巨人！

那城墙内外的士兵看到天空中忽然出现了这么一个巨人，都惊得合不拢嘴。

短暂的错愕之后，惊天动地的尖叫声响起。

城外那些支持驸马的军队直接溃逃。至于立于城墙上的国王的部队，并不是他们不想逃，关键是城墙就那么点地方，他们没处逃。

没有丝毫的犹豫，天蓬落到了城墙边上，抬起脚对准城墙微微顿了顿。

就在他这一顿的工夫，脚下城墙上的士兵已经连滚带爬地逃向两边，迅速空出了一段城墙。

只见他一脚重重踩下。

一声巨响，那厚实的城墙崩塌了一大段。

面对着脚下连哭带喊的兵将和城中百姓，天蓬高声吼道："告诉你们的国王，把百花羞公主和三个孩子交出来，要活的。否则，这座城谁也别想跑。马上！”

他这一吼，立在城楼上前一刻还威风凛凛的宝象国王已经吓得瘫倒在地，脑海之中，一片空白。

第五百三十八章

花猴子

兜率宫中，清心和太上老君大眼瞪小眼，一旁的雀儿侧过脸去，默默地泡茶假装没看见。

许久，清心的眉头缓缓蹙起，太上老君的眉头则拧成了八字。

“我找你，你就不在，他找你，你就出来了？”

清心这一问，太上老君当即干咳了两声，捋着长须尴尬地笑道：“为师这不是有点事情忙嘛。”

清心歪着脑袋，挑了挑眉道：“忙什么呢？倒是说来听听啊。”

“就是一点小事。”

“嗯，然后呢？”

“一点与你无关的事。”

“无关也可以讲的，讲不出来，就是你心虚了。”清心缓缓盘起手来，那眼睛已经眯成了一条缝，死盯着太上老君，一副打破砂锅问到底的架势。

憋了好一会儿，太上老君没辙了，只得低声叹道：“为师这不是不想让你跟你那师兄起冲突嘛。”

“为什么呢？”清心依旧不依不饶，面无表情。

“那猴子……”太上老君说不下去了，抿了抿嘴唇，皱着眉头说道，“唉，你又不是不知道他不好惹，咱管他干啥呢？这兜率宫多清净，菩提老儿那斜月三星洞也雅致，那猴子爱干吗干吗去，咱眼不见为净，何苦惹得一身骚？”

说着，太上老君一摊手，目不转睛地瞧着清心。

这师徒俩又大眼瞪小眼，整个厅堂一下安静了下来。

一旁的雀儿默默泡好茶，将两杯清茶轻轻推到两人身前，对着太上老君微微躬身，然后起身走了。

然而，这两人的对视还没结束。

清心的目光越来越疑惑，太上老君的目光则越来越闪烁。

好一会儿，正当太上老君撑不下去准备和盘托出的时候，清心忽然哼了一声，嘟着嘴，有些不快地说道："师父啊，那个风铃是谁？"

"嗯？你问这个干吗？"

"以前没听过，随口问问呗。刚听你们说起，似乎那猴子很在乎她。"

太上老君暗暗松了口气，轻声道："风铃是菩提老儿座下首徒的四徒弟。"

"大师兄的四徒弟？那就是我的师侄咯？"

太上老君微微点了点头。

"那她和那猴子有什么特殊关系吗？"

太上老君摊了摊手道："算恋人吧。"

"算？恋人还能算？是便是，不是便不是。"

捋着长须略微想了想，太上老君答道："那便是吧。"

"是恋人，那华山下压着的三圣母和他又是什么关系？"

太上老君蹙着眉头想了想，答道："拜过天地，应该算是他的妻子了。"

清心"哦"了一声，喃喃自语道："搞半天，还是只花猴子啊。"

太上老君刚入口的茶差点儿喷出来。

"怎么啦？我说的不对？"瞅着太上老君，清心有些不悦地说道，"修道之人，讲究的是清心寡欲，即便是修行者道，也一样。虽说散修不比天庭正神有天条框着，成家的也不少，但都有妻子了还勾搭情人……而且是自己的师侄……这人着实不怎么样。师父不同意吗？"

太上老君干笑了两声，默默点头："同意，同意。"

话锋一转，清心又道："我刚听说他当初杀上天庭就是为了这个风铃。如果从这个角度来说，他倒也有一份真心。"

说着，她悄悄瞥了太上老君一眼。

太上老君低着头，端着茶杯一直抿，也不说话，似乎在刻意地保持沉默。

"师父啊……"清心拉长了声音，假装漫不经心地说道，"听说，当初，好像是你让风铃魂飞魄散的。这是怎么一回事呢？”

这下，太上老君彻底呛着了，刚入口的茶喷得满地。

清心就在一旁跪坐着，瞧着他，也不动。

看看地上的水，太上老君又低头看了看身上的衣裳，轻声叹道：“哎呀，真不小心啊，这衣服都弄脏了。”

说着，他起身快步朝厅堂外走去。

这动作看似随意，却极快，还没等清心反应过来，太上老君已经跨过了厅堂的门槛。

等到清心缓过神来追出去，一个转弯，太上老君早已经连影子都看不到了。整个院子里空荡荡的。

随意扫了两眼，清心重重一哼，噘着嘴很是不悦地哼道：“借茶遁，这也太没水平了吧！这老头子，肯定是有什么不想告诉我的。没事，你不说，我自己查。实在不行啊，我直接去问那猴子！”

说着，她转身便走。

阁楼屋檐上，太上老君缓缓地伸出脑袋来，瞧着清心远去的背影说道：“你说这丫头，怎么好奇心就这么重呢？”

说着，他的脸朝一旁扭了下，道：“你怎么也上来了？”

此时，在他的身旁，须菩提正似笑非笑地瞧着他：“嘿，看你这样儿。反正她迟早都会知道的，真不知道你怎么那么怕，怕啥？”

“我怕，是因为我脸皮薄。不像你那样，脸皮厚得跟城墙似的。”说着，太上老君怨恨地瞥了须菩提一眼，“既然迟早会知道，那怎么不见你直接跟她说呢？拐这么多弯，很好玩吗？”

须菩提长叹了口气，摇摇头道：“说不出口，说不出口。还是等她自己弄清楚吧，到时候，她会来质问我们的。”

此时，宝象国的都城之中早已经乱成了一锅粥，除了天蓬所在的一面之外，其他的城门全都挤满了出逃的百姓和士气彻底崩溃的士兵。

躲在城楼上的宝象国国王已经吓得脚都软了，靠几个将领搀扶才勉强站稳，他拽着一旁丞相的手反复地问：“怎么办，怎么办，现在该怎么办？”

那丞相也早就慌了。

不仅仅是丞相，这城楼上陪同国王的，上至大臣将领，下至兵丁小吏，谁见到一个百丈巨人站在自己眼前能不慌呢？

这巨人是哪里来的他们不知道，但他们都知道，这巨人和驸马有关系。

驸马爷会妖法，这他们都清楚，甚至有些还亲眼目睹过。可那毕竟只是小法术，无外乎隔空取物、飞天遁地之类的小技法。即使是万军之中取上将首级，那也没有超出常人的实力太多。

先前，他们认为，只要大军压境，任驸马有三头六臂也无法抵挡。更甚者，他们认为，驸马既然是妖孽，如果能请来一个得道的高僧或者修成正果的老道，说不定就可以将妖孽一举拿下。毕竟民间还有许多诸如牛血狗血破妖法之类的传说。

可如今看来，根本就不是那么一回事……

一下让他们面对一个百丈巨人，谁能不脚软？如果不是国王拽着，丞相可能自己都带头儿跑了。

几个兵丁趁着其他人不注意，偷偷摸摸地从大门溜了出去，可他们刚跑出城楼，又哭天抢地地跑了回来。

“你们干什么？”一位将领暴喝道。

兵丁指着天蓬所在的方向瑟瑟发抖地说道：“他……他在看这里。”

那将领将信将疑地走出门去，抬头一看，吓得一下跑了回来，跨过门槛的时候还被绊倒在地。

“究竟是怎么回事？”另一位将领厉声问道。

“他……他真的在看城楼！”

一听，在场的众人当即感到一阵寒意。

好一会儿，丞相弓着身子小心翼翼地问道：“陛下，现在……现在怎么办？”

呆呆地站了许久，国王抿着嘴唇低声道：“去……把公主和那几个妖孽，都带来。”

“诺……”一个将领微微点头，带着几个随从退出门去。

此时，猴子已经从被火光映得通红的都城上空滑翔而过，一脸怒容，连看都没有看天蓬一眼。

从腰间拿出他送给玄奘的玉简的另一片，他迅速锁定了玄奘所在的位置。转眼之间，他已经重重砸落在玄奘所在的小山坡上。

一时间，沙石横飞，地面仿佛都微微颤了一颤，尘土沿着地表如同涟漪一般迅速扩散，转眼之间，已经掠过了山坡。

那“涟漪”的中心，猴子缓缓地站了起来，怒视着挟持玄奘的奎木狼。

“你是什么人？”这是猴子问奎木狼的第一句话。

此时此刻，奎木狼已经被猴子身上强烈的灵力波动惊得张大了嘴。

行者道讲求刚强，悟者道讲求精准，行者道的灵力强度和悟者道的灵力强度是没有可比性的。

这么多年了，他下界为妖，上天为将，见过的妖怪不计其数，即便是在号称“三界战神”的杨戬身上，他也没有感觉到过如此强烈的灵力波动。

这一惊，他扣住玄奘咽喉的手不自觉地紧了紧。

猴子刚刚迈出半步的脚凌空顿住了。

两人就这么僵持着。

此时，奎木狼彻底慌了。

他实在没想到绑架一个和尚，会引出这么个不知根底的人物。难道这家伙也是这和尚的保镖？那这和尚究竟是什么人？

先前察觉到有一个龙族和两个太乙金仙以上的妖怪在保护这和尚，他已经觉得有些不对了，现在居然又冒出了这么个人物，这已经远远超出了他的认知。

许久，他咽了口唾沫，瞪大了眼睛，忐忑地问道：“你们……究竟是什么人？”

第五百三十九章

临终遗言

黑熊精一动不动地站着，却早已将自己所知道的前因后果都暗暗传给了猴子，末了也没忘补上一句：“元帅说了，最好不要让他知道你的身份，怕他破罐子破摔。”

猴子依旧面无表情，静静地瞧着奎木狼，他挑了挑眉，似乎有些不以为然，轻声道：“你连我们是谁都不知道，居然就敢掳人？”

“你们究竟是什么人？”奎木狼又一次重复了这句话。

深吸了口气，猴子悠悠道：“这么说吧，我就是站着不动，你也永远杀不死我。够明白了吧？”

“站着也杀不死？”

这一刻，奎木狼脑筋转得飞快，很快，他猛地瞪大了眼睛，有些惊恐地望着猴子。

比二郎神杨戬更加强悍的行者道，猴妖……说站着也杀不死，是因为他早就突破到了天道修为，根本就不会死，即使是如来佛祖也没办法杀死他，只能采用封印的方式。

种种条件结合到一起，最终只能得出一个答案：“你……你是齐天大圣孙悟空？”

是的，只能是他了。

黑熊精吓了一跳，有些不安地望向猴子。

猴子依旧面无表情，也不知道是压制了怒火，还是来到这里发现了对手的身份，从根本上就瞧不上这个继任的奎木狼。

虽说当年没数过，但上一任的二十八星宿当中，包括角木蛟在内，有半数以上都是死在他手里的。

低下头，猴子没有正面回答奎木狼的问题，而是轻轻挑了挑指甲，悠悠道：“要么放开他，要么杀了他，二者选一吧。”

说着，他身上的绒毛都竖了起来，道道微弱的闪电跃动其上。

四周的空气因为澎湃的灵力而形成了卷动的风，天空中的云层更是缓缓聚成了旋涡。

虽说猴子还没有任何实质性的动作，但奎木狼知道，猴子这是敞开了，准备拼命的意思。

他扣着玄奘咽喉的手有些无力。

瞪大了布满血丝的眼睛，奎木狼的脑海中开始疯狂地盘算了起来。

他并不知道自己手中的这个和尚和猴子究竟是什么关系，此时此刻，他也没工夫去细思他们之间的关系了。现在他只明确一点，那就是猴子在向他施压，而且猴子给出的两个选择，是真话。

他扣着玄奘的咽喉，要扭断玄奘的脖子只是一瞬间的事，猴子肯定来不及阻止。可是扭断之后呢？他还有时间毁灭玄奘的魂魄吗？

眼前的种种迹象表明，猴子的实力依旧极为强大，根本不会给他这个时间。

只要能保住玄奘的魂魄，那么即使玄奘死了，猴子也完全有能力把他复活。

退一步说，奎木狼压根没把握杀死玄奘。

若是普通人，扭断了脖子肯定就死了。但事实上，扭断脖子并不代表死亡。从扭断脖子，到死亡之间，还有一个过度，一段时间。哪怕只有一瞬间，但它确实存在。难保猴子没有办法在这短短的时间里稳住玄奘的伤势。

毕竟……猴子的境界，已经达到奎木狼完全无法触及的高度。大罗混元大仙的行者道，普天之下，仅此一个……天知道他的力量能达到什么程度。

总而言之，在猴子面前，奎木狼忽然发现自己手里的筹码，根本就已经算不上筹码。

他整个儿怔住了。

此时，远处，天蓬缓缓地朝这里飞了过来，依旧维持着法天象地，百花羞公主还有三个孩子，全部被他用巨大的手掌护着。

看到百花羞和三个孩子，奎木狼当即往前一步，却还犹豫着不敢松开扣着玄奘咽喉的手。

那目光依旧忐忑地在猴子和黑熊精的身上打转。

天蓬缓缓落地，将两个孩子和抱着婴儿的百花羞放了下来。自己则解除了法天象地，站到了猴子身旁。

两个孩子刚一落地就想向奎木狼飞奔过去，百花羞连忙将他们拉住。天蓬也一伸手，将百花羞拽住了。

回过头，百花羞有些忐忑地看了天蓬一眼，又望向站在一旁的猴子。

一时间，所有人都转向了猴子，似乎在等着猴子表态。

猴子长叹了口气，悠悠道："我让你们好好保护他，你们就保护成这样啊？"

"事出突然。"天蓬淡淡道。

"要是我没回来，你们能搞定吗？"

天蓬没有答话。

无奈地笑了笑，猴子道："换人吧，如何？"

奎木狼呆呆地点了点头，松开了扣住玄奘咽喉的手。

玄奘伸手摸了摸喉咙，干咳了两声，捂着胸口缓缓地朝猴子走了过来。

天蓬这才松开手。

那俩孩子一路狂奔，扑入奎木狼怀里，哭得喘不过气来。瞧那样子，他们应该是在国王手里吃了不少苦头。

百花羞也抱着襁褓中的婴儿，朝着奎木狼走了过去，那神色很是复杂，时不时地望望迎面走来的玄奘。

一夜烽火，黎明时分，一家总算是团聚了。

奎木狼一手护着两个孩子，一手揽着百花羞，有些忐忑地抬头望着远处面无表情的猴子。

就看那脸色，百花羞也已经知道不对劲了。

从认识到现在十几年，她从未在奎木狼脸上见过这种表情。他总是那么自信，无论什么，在他眼中似乎都不值一提。可现在，他的眼中有一种特殊的情绪……恐惧。

拖拽着金箍棒，猴子一步步朝这一家五口走了过去。

“你要干什么？”天蓬连忙伸手去拽，却被猴子扬手拨开了。

直到距离奎木狼五步左右，猴子才停下脚步，俯视着半蹲的奎木狼道：“虽说不知者无罪，但不杀你，以后岂不是谁都可以动我的脑筋？”

奎木狼和百花羞的脸色刷的一下白了。

此时，清心正在兜率宫四处转悠，一脸的不悦。那俩眼珠子也转悠转悠的，似乎在想什么，远远看上去，就好像在对某人翻白眼。

太上老君刚一跑掉，她就去找了紫袍追问。可惜紫袍也知道得不多，一听说太上老君借茶遁，他就更不肯说了，清心只能作罢。

其实真要论起来，这件事跟她也没多大关系。虽说扯了个师兄妹的关系，但说到底，她和猴子也才见过一次。打从心底，清心就对自己这个所谓的师兄没什么好感。

但被人瞒着的感觉很不好，非常不好，极度不好。对于一个凡人来说如此，对一个拥有无限寿命，衣食无忧，却还没有足够的时间磨炼出大能一般的心性的修者来说，更是如此。

最重要的是，她早已经被两个师父教得对一切都没什么敬畏之心。三清的胡子都能扯，还有什么是不能干的？

此时的兜率宫已经与以前大不相同了。以前的兜率宫是一座巨大的宫殿，现在的兜率宫却是一座巨大的园林，那些炼丹房、主殿，包括道童的住所，全部都散落在林间。

朝着主殿的方向瞥了两眼，清心正想迈开脚，却又愣住了。

她忽然想起这兜率宫当年被彻彻底底地毁过一次，即使有什么线索，估计也不会留下吧。

“难道真要去找那猴子问？他会说吗？”清心忽然觉得自己这个想法有些幼稚。

刺探一场改变三界命运的大战不为人知的前因后果，这事想想都让人激动。

每天修行的生活令人厌倦，难得有件事让她提起好奇心，确实是好事。可就这么贸然跑过去，会不会让人当成神经病呢？

怎么想这都比当初那个云游三界的计划更不靠谱。

“要不……还是算了吧。感觉这师兄也没我一开始想的那么坏啊。

“可是……这说不定是一个天大的秘密呢，能把佛祖、道祖都扯进来，还弄得整个天宫烧成灰烬。天底下还有比这更大的事吗？

“即使要查，该往哪里查呢？可以确定，完全知道前因后果的有那么几个人……老君师父、菩提师父……还有一个佛祖。好像就这么几个人了。除非他们自己肯说，否则能从他们嘴里问出来才有鬼呢。”

想着，她捡起地上的树枝，在脚下的泥地里画了起来。

那些笔画不像字，也不像图，看上去更像是乱画一通。

她一面画，一面胡思乱想。

画着画着，她的眉头都蹙了起来，一脸茫然。

“我是不是吃饱撑的啊……”

抬起头，她看到围绕着兜率宫的战舰正在缓缓撤离。鬼使神差地，她直接腾空而起，朝着那些战舰飞了过去。

匆忙赶到的二十八星宿的其余人迅速将整个山头围了起来。也许是因为十分忌惮猴子的关系，他们都只是凌空悬浮着，一个个亮出了法器，并没有落地。

玄奘环视了一圈，猴子、天蓬却好像什么都没看到一样。

百花羞大吃了一惊，连忙抱紧了奎木狼，眼睛一红，那眼泪啪嗒啪嗒地往下掉。

虽然所有的事情奎木狼都曾经跟她说过，但直到这一刻，她才真正地、完完全全地相信奎木狼所说的话。或者说，她才对奎木狼所说的一切有了一个清晰的认识。

此时，两个孩子也吓得捂住了嘴巴。

奎木狼仰着头，望了猴子许久，随即无奈地苦笑。

显然，局势比他想象的还要恶劣得多。即使猴子肯放过他，这些奉命而来的同僚是否也能放过他呢？

一缕长发从额间垂下。

他伸出双手，紧紧地搂住自己的老婆孩子。

这一家五口，默默无言。

角木蛟从天空中缓缓地落了下来，选了一个距离猴子相对较远的地方，那目光在猴子与奎木狼之间来回，半天都没憋出一句话来。

整个山坡寂静无声。

许久，天蓬走到猴子身边，望着眼前的一家五口，低声道："算了吧，他是天将，这里的事情还是交给天庭自己处置吧。相信我，思凡是重罪。对这种事情，天庭不会袖手旁观的。"

玄奘也双手合十，道："阿弥陀佛，上天有好生之德。贫僧已无性命之忧，大圣爷……大可以放了奎木狼。"

远处的角木蛟连连点头。

"是吗？"猴子冷笑一声，懒懒地瞥了天蓬一眼，"合着你通知天庭来，是为了救他啊？"

天蓬没有回答。

角木蛟迈开脚步，小心翼翼地朝他们走了过来，脸上堆着谄媚的笑，低声道："大圣爷，这事就交给小的处理吧，保证让您满意。"

说着，他朝奎木狼看了一眼，发现奎木狼也低着头悄悄地看他，一时间，他的视线连忙闪了开去，看上去似乎有些心虚。

也不搭理角木蛟，猴子拄着金箍棒瞧了天蓬一眼。

一个声音在天蓬的脑海中响起。

"和尚要保他，我能理解。普度众生嘛，他总想着给任何人一个机会。你怎么也开口帮他求情？怎么，觉得他的经历和你类似，感同身受，想保他一命啊？"

"他罪不至死。"天蓬答道。

"我饶了他，算你欠我一个人情，怎么样？"

一听，天蓬有些错愕地朝猴子望了过去。

两人对视着。

天蓬紧蹙着眉，一时间竟不知道怎么回答猴子的话。猴子却眉开眼笑，那神情颇为值得玩味。

好一会儿，见天蓬依旧没有正面答复，猴子拄着金箍棒，瞧着半蹲着护住自己老婆孩子的奎木狼，问道："临死前，你还有什么心愿未了？"

"大圣爷……"

玄奘与一旁的角木蛟几乎同时开口，猴子却一抬手，示意他们不要说话。

紧紧地抱住奎木狼，百花羞哽咽道："对不起……对不起……"

"对不起什么……"奎木狼伸手抹去了她眼角的泪。

"你是为了我……才触犯天条，下界为妖的……"

"这都是我心甘情愿的，不用说对不起。"

百花羞抿着嘴唇，猛地摇头，泪如雨下。

奎木狼缓缓地抬起头，望着猴子，不同于先前的恐惧，此时他的眼中只剩下无尽的疲惫。

"我的心愿……说出来有用吗？"

"说出来试试看呗，也许我心情好，就帮你达成了。"

奎木狼实在猜不透对方的心思，犹豫了许久，还是咽了口唾沫，怔怔地说道："我死可以，请……请大圣爷饶过我娘子……还有三个孩子。可以吗？我会不准他们替我报仇的。"

百花羞猛地摇头，已经泣不成声。

所有的人都静静地望着。

猴子略微想了下，道："可以，还有没有其他的？"

他这一问，所有人都愣了一愣，就连奎木狼也隐隐有些惊愕。

眨巴着眼睛呆了好一会儿，他竟不知道说什么好。

猴子悠悠道："你就只有这么一个愿望啊？这时候不许愿，以后可就没机会了。"

蹙着眉头拼命想了好一会儿，奎木狼仰起头，有些茫然地问道："可不可以……保住那些支持我的人一命？他们是无辜的。"

"你指的是谁？"

"就是……就是那些随我叛乱的将领……还有士兵。我死了，他们应该会被追究吧……”

“可以。”猴子摸着下巴想了想，又问道，“还有其他的吗？”

他这一问，当场就把所有人给问蒙了。

此时此刻，猴子脸上早就不见了怒容，剩下的只有一副似笑非笑的表情，时不时地还回头看天蓬一眼。

其他人，早已经看不懂他想干吗了。

“其他……其他的没有了。”奎木狼松开抱住百花羞的手，双膝跪地，对着猴子叩首道，“奎木狼在此谢过大圣爷大恩大德，若有来世，做牛做马，也要还了大圣爷这份恩情。”

百花羞抱着襁褓中的孩子，已经瘫坐在地，哭得梨花带雨。

转过头去，奎木狼招呼自己的两个孩子也跟着跪下，要他们向猴子叩头。

此时此刻的他，看上去竟是如此的平静。

也许是因为自己同僚的出现吧。在面对猴子的时候，开始他有恐惧。当二十八星宿其他人出现的时候，他反而显得平静了。

不过是早已预料到的一天提早到来罢了，偷偷下凡的那一天，他就已经预料到了今天的结局。相比跟着角木蛟回天庭领罪，也许死在猴子的棍棒下是个不错的结局。

在这种时候，猴子还能答应他这些请求，对他来说，确实已经是莫大的恩赐了。

其他人都在旁边默默地看着。

正当此时，猴子嘴角微微上扬，意味深长地瞧着天蓬，指着奎木狼低声道：“看到没有？还记得当初你强攻花果山的时候，我夜探天河水军的军营吗？那时候，你但凡有这万分之一的态度，也就不是今天这个模样了。”

第五百四十章

改变主意

天蓬的眉头微微耸了耸，有些不悦地瞧了猴子一眼。

他很清楚猴子这是在调侃他，在这关头，他也没想跟猴子计较，别过脸去望向远处。

四周的人还在静静地望着猴子，就连奎木狼也是如此。他那眼神之中有些忧惧，就好像生怕猴子忽然告诉他刚刚说的话都是玩笑，然后抡起棒子，一棒结束他的生命。

以他对猴子的了解，猴子确实可能这么做。这猴子的乖张世人皆知。

四周一片寂静。

没成想调侃天蓬如此无趣，猴子沉默了下，瞧着奎木狼，棍子一顿，道："行了，你的遗愿我通通同意，说得不错，我很满意。不过呢……你说下辈子要给我做牛做马，我信不过啊。再说，你下辈子投胎成什么，鬼知道，要投胎成什么蛇虫鼠蚁之类的，就想给我做牛做马，我还不一定要呢。这样算的话，我还是有点亏。"

奎木狼微微一愣，一时间竟不知道猴子是什么意思。那四周的人也是一阵疑惑。

还没等众人反应过来，猴子摸着下巴，佯装思索了一番，道："要不这样吧，你的命就算我的了，先寄存到你那里。不用等下辈子了，这辈子你就替我做牛做马吧。简单地说，我把你收编了。"

此话一出，四周的人眉头都蹙成了一团，一时间反应不过来。就连奎木狼都有些糊涂了。

收编？这算怎么回事？

他眨巴着眼睛，想了好一会儿，才仰起头道：“大圣爷……小的、小的还有天庭罪状在身，就是想……”

他话还没说完，只见猴子摆了摆手道：“那些不用理了，就当你已经被我打死了。命都是我的了，谁要想要你的命，自然得找我要。不问自取谓之贼也，谁未经我同意动我的东西，那就是贼。就算是玉帝老儿，我也得先打两棍再说话。扛不扛得住，就看他身子骨够不够硬了。”

说着，他意味深长地看了角木蛟一眼。那角木蛟被他这么一看，顿时蒙了。

先前他们还在为奎木狼说情，想保奎木狼一命，交给天庭处置，一转眼，猴子竟然改变主意了，不只放过了奎木狼，还要将他犯下天条的事也一并抹去。

这算是怎么回事啊？这猴子忽然发善心了？挖天庭墙角？还是有什么后手？

此时此刻，角木蛟那神情可谓精彩至极，一时间，他竟不知道该喜还是该忧。想起玉帝谕旨里的内容，连忙说道：“大圣爷，奎木狼犯下重罪，陛下命我等前来捉拿，您这样恐怕……不太好吧？”

猴子没有说话，只是用眼角余光静静地瞧着角木蛟，嘴角还维持着方才的笑。

咽了口唾沫，角木蛟往前一步，拱手，有些忐忑地说道：“天条，乃是天庭治理三界之根本，若奎木狼之事没有妥善处理，往后，天庭恐怕再难管束众仙。到时候众仙身负神职，却又下凡为私，如此一来，三界必乱。”

猴子依旧没有说话，依旧用眼角余光静静地瞧着角木蛟，嘴角的笑正在缓缓地消失。

角木蛟接着说道：“大圣爷，此事牵连甚广，还请三思啊。到时候陛下怪罪下来……”

话到此处，角木蛟没再往下说，因为他忽然发现猴子瞧着他的眼神已经有了些微妙的变化。

那种感觉，就好像一块烧红了的石头裸露在空气中，正在以肉眼可见的速度变冷，变黑。

歪着脑袋，猴子用棍子指了指他，面无表情地说道：“说，接着说。”

微微颤抖着张了张嘴，最终，角木蛟什么也没说出来，只是低下头，往后退了一步。

那眼睛再也不敢看猴子。

“怎么不接着说呢？”猴子迈开脚步朝着角木蛟走去，天蓬连忙挺身拦在猴子身前，低声道，“别乱来，他到底是二十八星宿之首，我们的情况，不适合跟天庭起争端。”

猴子伸出一只手，将天蓬拨开，一面朝角木蛟走去，一面悠悠道：“如果我可以被杀死，如果天庭的天兵有可能击败我，我想，我已经死了无数次了。”

说着，他笑了出来，笑得角木蛟头皮发麻。那其他的二十六位星君也都有些恐慌。

此时此刻，角木蛟真的很想转身就逃，因为他很清楚眼前这位“大圣爷”是什么货色。

虽说他没有经历过那次大战，当年大战的起因对于三界绝大多数人来说至今也仍然是个谜，甚至连玉帝都不想去揭开这个谜团的谜底，但有些事终究是假不了的。

角木蛟是一个职位。前一任的角木蛟，是人；现任，是蛟妖。为什么天庭会破例招收妖怪上天庭任职？因为在那场大战中，天庭的主力死了个七七八八，就连凡间的道家一脉也损失惨重。

谁杀的？

世人皆知，就是眼前这只猴子。

那前任的角木蛟，更是在大战爆发之前就被花果山给俘虏了，听说遭受了酷刑，死状极惨，连魂魄都没留下来。尸首更是被丢到了南天门外示威。

也正因此，这猴子睚眦必报的性格三界之中早就人尽皆知了。无论是与他敌对的天庭，还是站在他那边的妖怪，都知道这猴子极为记仇，甚至已经到了一种偏执的境界。

所谓“宁得罪君子，莫得罪小人”，猴子……就属于那种不能得罪的人。

面对这样一只猴子，又完全无法猜透他真正的想法，此时此刻，角木蛟简直都要崩溃了。

他真的很想跑，跑了，一了百了，可他知道他跑不掉。

无奈之下，他只能硬着头皮干站着。

另一边的猴子却是一副怡然自得的神色，绕着角木蛟，踱着步，偶尔仰头叹息，却不说一句话。

没有人说话，所有人都只是静静地待着，只有猴子缓缓踱步，百花羞抽泣。

平日里最爱劝人的玄奘此时竟也不说话，只是静静地站着，默默地看着。

整个山坡静得可怕。

一种恐怖的压抑感向着角木蛟压了过去，把他的脚都压软了。清晨的风划过脸颊，有一种冰凉的感觉。

他惊讶地发现自己早已经汗流浃背。

前一刻他想的还是奎木狼的问题，现在他更需要担心的是自己的性命。

难保，这猴子不会忽然一棍子砸到他脑袋上。

猴子杀他需要理由吗？

答案是，不需要。

猴子刚刚那句话是对的，如果能杀死他，天庭早就杀了，根本不会留他到今天。之所以留着他，只是因为天庭拿他没办法。

假使角木蛟死在这里，天庭会对猴子兴师问罪吗？

那根本就是不可能的事。天庭已知的将领，无论谁领兵，都是羊入虎口。

杀了角木蛟，这猴子兴许连一句道歉的话都不需要，事情就会不了了之。这一点，从猴子强叩南天门就可以看出来。

此时此刻，角木蛟感觉自己的脑筋都打结了。

来这里，根本就是一条死路啊。

那浮在半空中的其余二十六位星君也感受到了这当中恐怖的意味，一个个都做好了准备。但不是准备迎战，而是准备稍有异动就逃跑。

就这么慢悠悠地来回转了二十圈，猴子忽然从后面一掌拍在角木蛟的肩上。

他这一拍，所有人的心都要跳出来了。

只听“扑通”一声，角木蛟终于撑不住了，跪倒在地，磕头喊道：“大圣爷饶命啊！”

“饶什么命？我又没说要取你的命。”猴子走到角木蛟身前，蹲了下去，好似调戏姑娘似的用手指托起角木蛟的下巴，悠悠道，“不过话说回来，就这么让你空手回去，玉帝那边你也不好交代吧？”

此时，两人近在咫尺。角木蛟甚至能清楚地看到猴子脸上的根根绒毛，看到猴子眼中的血丝。

他红着眼微微颤抖着，哪里还有什么大将风范啊，连反抗的欲望都没了。

只听他咽了口唾沫，低声道：“大圣爷说怎么办，就怎么办。小的莫敢不从。陛下……陛下那边肯定……肯定也不会有异议的。”

“天条呢？”

“天条也是人定的，总会有错漏的时候……实在不行，就改。”

说着，他恐慌地干笑起来，朝四周望去。四周的同僚顿时会意，一个个连忙点头，强撑起笑脸附和。

他们一面笑，一面小心翼翼地瞧着猴子，一个个瞪大了眼睛，汗流浃背。

猴子却依旧是那副神情，半点儿反应都没有。

星君们笑到最后，笑声戛然而止。山坡又一次重归寂静。

许久，猴子的嘴角勾起。

见到那似笑非笑的神情，在场的天将们才松了口气。

“你这么说倒也对。”猴子点了点头，撑着膝盖缓缓站了起来，转身就走。背对着角木蛟长叹一声道，“既然如此，你们还不滚？等着我留你们吃早饭吗？”

听到这句话，一众天将如获大赦，也不等角木蛟的命令，一个个掉头就跑，转眼之间全没影了。角木蛟也连忙转身腾空而起，瞬间消失不见。

这地方，他们是真不敢继续待了。

这一下，山坡上就只剩下猴子一行和奎木狼一家了。

奎木狼连忙跪地叩首，道：“小的谢大圣爷救命之恩！”

两个孩子，还有百花羞也学着他的样子跪了下去。

一步步走到天蓬面前，猴子摊了摊手道：“看，都解决了。当年你要是肯降我，结果也会和这差不多。有没有一点后悔呢？”

说罢，他咯咯地笑了起来。

天蓬白了他一眼，道：“角木蛟说的话有他的道理。况且，你这样惹天庭，当真以为天庭是纸糊的吗？”

“它是不是纸糊的不要紧，我不是纸糊的就行了。虱子多了不痒，债多了不愁，这天底下，还有谁得罪天庭得罪得比我更深吗？”

“为什么救他？”

“心情好，突发奇想，任性？我也不知道，反正我忽然想起以前劝你归降那档子事，就忽然想救他。”说着，猴子伸手拍了拍天蓬，与他擦肩而过，朝奎木狼走了过去。

那一家子都还跪在地上呢。

玄奘缓缓闭上双目，默念了两句“阿弥陀佛”，也不知道是什么意思。

一步步走到奎木狼面前，猴子摆了摆手道：“起来吧，都别跪着了。城里好像还在打呢，你自己的残局你自己收拾去。”

第三世

第五百四十一章

珠　子

高空的云层之中，少了一人的二十八星宿缓缓穿行。

“当初，就不应该用那种招数。”有人抱怨道，“不用那种招数，也就不会落到这种境地。神仙思凡，向来都是重罪。也就当年一个云妮仙子因为牵扯了那猴子得以逃脱。这下怎么收场？陛下肯定抓着我们要人！当初……当初就不该那么办！”

“现在说这些太迟了吧。本想着将那侍女贬下凡去，奎木狼也就死了那条心了，没想到他这死心眼儿的居然还跟了下去。嘿，依我看……他压根就没把自己的神职当回事。”

“还看不出来吗？他一心只想着他的老婆孩子。偷偷下凡……这明显是连我们都提防了。”

“这下好，他是如愿了，我们接下来怎么办？这件事肯定是压在我们头上的，回去该怎么说？特别是他偷下凡间我们却全然不知这点，我们是铁定说不清的。”

从头到尾，飞在最前面的角木蛟都一声不吭。

披香殿的侍女被贬下凡，是他开口让人办的。这件事，他知道，这里的人都知道，到最后，奎木狼也知道了。

他还记得当初奎木狼知道事情真相时的神情，简直恨不得把他给吞了。可他实在没想到事情会演变到如今这分上。

当初为的是保住奎木狼，不想他陷得太深。毕竟同僚一场，大家也不想闹到兵戎相见的地步。结果人算不如天算，到头来，猴子插手，这一段姻缘居然以这种匪夷所思的方式成就了。

许久，他轻叹了口气："先别想那么多了，也许事情没我们想的那么糟糕。当初云妮仙子不也是这猴子保下来的吗？他都出手了，陛下肯定也知道这里面的利害关系。事情关乎天庭颜面，陛下气归气，说不定……为了天庭的颜面，这件事也就扔到一边了。"

说着，他加快了速度。其他人见状也迅速跟了上去。

"现在究竟是什么情况？我们还要不要去？"

"听说那妖猴把奎木狼给保下来了。"

"什么？这不可能吧？他为什么要这么做？"

"星君们正在返回天庭的途中，现在头疼的事情才刚开始，这件事该怎么跟陛下交代？"

兜率宫的外围，一群天将围在甲板上议论纷纷，丝毫没有顾忌。

清心静静地站在不远处听着，愣了神。

几位天兵从她身旁匆匆而过，看到她的瞬间都微微一愣，却也没觉得有什么异样的地方。

"他们说的究竟是什么事？"清心伸手拦住了一个天兵。

那天兵沉默了一下，才低声拱手道："将军们说的是奎木狼星君的事情。"

"奎木狼星君的事情？究竟是什么事情呢？"

"这……小的也不知道。"

略微想了一下，清心点了点头，示意那天兵可以走了。

"那猴子又干了什么出格的事情吗？真是比我还能闯祸啊。"她悠悠地感叹了一句。

她漫无目的地在甲板上游荡，一路胡思乱想着。

一个女子，在这大军之中可谓格外显眼，但她手上有太上老君的令牌，许多天将也早见过她，知道她的身份，也就各忙各的了，权当没看见她。

御书房中，玉帝握着刚刚呈上来的奏折，额头上的青筋微微跳动着，一时间竟说不出话来。

在他的身前静静地站着十余位仙家，个个低着头不言不语。很显然，他们已经知道发生了什么事。

许久，玉帝微微颤抖着说道：“你们，先退下吧。”

一听这话，一众仙家连忙拱手回礼，转身就走。

“李靖，你留一下。”

李靖停下了脚步。

很快，一众仙家都退出了门外，御书房中只剩下玉帝与李靖两人。

大门轻轻关上了，御书房安静得听不到一丝声响。

玉帝不言，李靖不语，两人就这么静静地待着。

许久，玉帝放下手中的奏折，虚脱一般靠到椅背上，紧闭双目，喃喃自语道：“李天王……有什么计策吗？”

李靖缓缓地摇头，小心翼翼地看着玉帝。

玉帝没有看见李靖这细微的动作，不过，早在问之前他就已经知道答案了。

紧闭着双目，他的嘴角微微上扬，自嘲道：“朕这玉帝，说是统领三界，到头来……却还不如一只妖猴啊。”

李靖依旧没有说话。

玉帝缓缓睁开眼睛，有些失落地看着身前的龙案，恍恍惚惚道：“他进一步，朕就要退一步，他进十步，朕就只能退十步。他要什么朕都得给他送去，连个‘不’字都不敢说。所有的规矩，所有的天条，到了这猴子身上，就全部行不通了。你说说，这样的天条，有何意义？你说说……这样的天庭，有何威信可言？”

李靖依旧没有说话，头缓缓地低了下去，避开玉帝的目光。

夹起奏折，玉帝轻轻一丢，正好甩到了李靖的脚下。

注视着李靖，玉帝一脸疲惫地说道：“给朕想个办法，无论如何，得想个办法……这样下去……不是办法……无论如何，必须想个办法，制住这只疯猴子。”

犹豫了许久，李靖低声道：“办法……倒是有一个。”

“什么办法？”玉帝微微一愣。

缓缓抬起头来，李靖轻声道：“那猴子实在太强了，用我们现有的力量根本无法压制。但是……我们可以考虑找一个让他忌惮的人来和他打交道。这样，最起码有些事情他就不会太过分了。”

“例如？”

“例如杨戬和杨婵，又或者，他斜月三星洞的同门。”李靖道。

闻言，玉帝却只是无奈苦笑。

理论上，这个方法肯定是对的。然而实际上呢？

杨戬就不提了，手握重兵，听调不听宣。杨婵被压在华山下，就算她肯答应，也得先过杨戬这一关。至于他斜月三星洞的同门……斜月三星洞的弟子，哪是那么容易听天庭号令的？再说当年一战之后，须菩提祖师座下的入室弟子还剩下谁？

想来想去，他也只剩下一声叹息，只能打落了牙齿往肚子里咽。

在绝对强大的实力面前，天庭回旋的余地越来越小了。

沉默了许久，玉帝低声道：“这件事，你去试试吧。尽量找一个能让他忌惮的人来跟他打交道。”

“诺……”

在凡间，因为猴子硬插了一杠子，奎木狼一家算是得救了。

告别了猴子，他快速返回都城收拾残局。

此时，城墙内外的两方都早已无心恋战，即便是宝象国国王也是如此。

奎木狼一出现，战斗就停止了。

有一个百丈巨人在一旁虎视眈眈，谁还有心争战呢？

按着预定的方案，奎木狼迅速将宝象国国王拿下，当着所有人的面，展现了他堪比天蓬的力量，逼着宝象国王赦免了所有支持自己的人，然后奎木狼带着自己的老婆孩子远走他乡。

不得不说，这是当下唯一的解决办法。

在宝象国王面前，奎木狼展现了自己强大的力量，如此一来，只要他还活着，宝象国王便不可能对他的部下秋后算账。

只是，如此一来，百花羞便必须离开生她养她的土地，一年也只能与自己的父母团聚一次。

对于猴子忽然提供的庇护，奎木狼一家千恩万谢。

待到奎木狼一家安顿下来，猴子一行，也踏上了向西的路。

二十八星宿剩下的二十七人返回了天庭，玉帝却连召见都没有召见，在朝堂上也没有哪个不开眼的提起此事，就好像这件事从来都没发生过一样。

不过，明面上风平浪静，背地里却议论纷纷。

在天庭，无论走到哪里，清心都能听到仙家在悄悄谈论这件事，讲得绘声绘色，好像当时自己就在现场，亲眼所见一般，那当中更是不乏羡慕之词。

一时间，没有人明白猴子究竟为什么这么做。这里面自然也包括清心。

“他这是单纯地想要让玉帝难堪吗？可是玉帝并没有得罪他呀，而且，如果想要让玉帝难堪，他有其他更多的方式，无须特别庇护奎木狼。”

对于这位师兄，她是越来越不理解了。

闲着没事，她只能胡思乱想，而越想却又越好奇。

“六百多年前的事情，究竟是怎么回事呢？”

正当她坐在庭院里胡思乱想的时候，有什么闪闪发光的东西从天而降，掉落在她身旁的草地上。

她伸长了脖子观望，半天都不见有什么动静。

犹豫了一下，她起身朝那草丛走去，刚伸手拨开绿草，便看见一颗半透明的茶杯口大小的银白色珠子滚了出来。

“这是……法宝？”

她歪着脑袋将那珠子捡了起来，举过头顶，放在阳光下细细打量了起来。

不多时，珠子里隐隐约约地出现了一些影像……

第五百四十二章

李靖的邀请

从那影像中，清心看到两位仙娥提着篮子飞过。

明媚的阳光下，她微微蹙起眉头，不禁一阵疑惑。

虽说如今的天庭，其强盛不比六百多年前，但有道家上万年的积累支撑，相比于三界之中其他势力也还是人才济济。

除了多达百万的天军之外，还有规模庞大的文职人员。这些人不司武职，每日辛勤劳作于天庭分配的某一项任务。例如监督凡间的姻缘，平衡福禄寿，调控天庭巨大的物流枢纽，等等。

天庭复杂的职能，便是由这些人肩负的。

这些人虽说不司武职，也不以武为荣，但到底都是修仙之人。这当中，不乏手艺精巧之辈，只不过他们并不像那些天兵天将一般热衷于将自己的冶炼技艺用于军武，而是热衷于制造各种打发时间的小玩意儿。

这手中的珠子，难道是某位仙家遗落在这里的小玩意儿?

闲极无聊，清心试探性地将灵力注入珠子中。顿时，那珠子之中的影像紊乱了起来，变得模糊不清。而与此同时，清心也发现这珠子内部结构的复杂程度远远超乎她的想象，她不由得暗暗吃惊。

要知道，她自小师从须菩提和太上老君，这两位可都是道家数一数二的大能，对道家的各种法门可谓见多识广，使用各种法器更是不在话下。短短两百余年的修仙历程，论实力她还不可能在道家修者中有多高的地位，但要做出一件超过她认知的法宝，这可绝非一般人能办到的。

莫非这偶然捡到的珠子，还是件了不得的宝贝不成?

她将珠子握在手中，缓了一缓，那景象又渐渐清晰了。

这一次，她在珠子里看到了一座宫殿。

这是一座天庭样式的宫殿，很明显出自天庭工匠之手，可奇怪的是，这宫殿规模不小，她走遍天庭各处，却从未见过。

握着珠子，她一路缓缓地走着，来回地看。

她看到了从未见过的园林，看到了从未见过的建筑，看到了从未见过的仙家在其中往返。

很快，她发现这些景象并不存在于珠子内。随着珠子的移动，以及她本身视角的变化，里面的景象不断变换。

那种感觉就好像有两个重叠的世界，其中一个是她现在所处的，而另一个，则是通过这奇异的珠子看到的。

不多时，她便发现了两个世界的共通点。

这发现首先源于园林中的一座假山。

现实中有一座假山，珠子里同样的位置，也有一座假山。不同的是，珠子里的假山看上去十分完整，山顶上还有一座小小的凉亭，甚至还有两位仙家在那凉亭之中喝茶闲聊。

而现实中的这座假山则看上去奇形怪状，像是硬生生削去了山顶的部分，正中更是被直接破开，硬生生加了一条小溪。

若没有这珠子里的影像，清心大概会觉得这现实中的假山是某位工匠心血来潮特意设计的。可如今与珠子里的景象一对比，她不由得产生了一种感觉。

珠子里的假山才是假山原本的样子，现实中的假山，是被破坏之后修缮而成的，根本不是什么特意而为的作品。

一个念头在她的脑海中骤然浮现了。

她当即腾空而起，拿着珠子在天庭庞大的浮石群间穿梭。

很快，她就发现了问题所在。

七重天以上，天庭所有的宫殿都是建筑在浮石之上的。每一块浮石，在珠子里几乎都能找到相应的参照，但又略有不同。

例如鸿禧宫。现实中有鸿禧宫，珠子里同样的位置也有一个鸿禧宫。不同的是，现实中的鸿禧宫是建造在三大块浮石聚集在一起的陆地上，互相之间用吊桥相连，四周还有散落的一些小浮石。而珠子里的鸿禧宫，则是建造在一整片浮石陆地上的，其规模远比现实的鸿禧宫要大。

脑海中的那个猜测似乎越来越清晰了。清心一回头，猛然从珠子里看到了一棵从未见过的开满红花的巨木。

顿时，清心完全明白这珠子里的景象是怎么回事了。

这珠子里的一切都是大战之前的天庭的景象。她从珠子里看到的鸿禧宫是未受战火摧残的鸿禧宫。这座宫殿，在六百多年前的战争中被彻底烧毁，就连承载着宫殿的浮石也被砸成了三块。现在的鸿禧宫，是战后在那三块浮石上重建起来的。

最明显的，就是那巨木了。

这是月树，清心曾经听过。但这棵树早在六百多年前便被自己的师兄一把火烧没了。

也就是说，自己手中的这个珠子有一种透视过去的功能！

一件能透视过去的宝物，这种东西，三界之中有谁做得出来？须菩提祖师？元始天尊？镇元子？如来佛祖？还是通天教主？

不，这种东西只有一个人有可能做出来，那就是曾经掌握三界、无所不知无所不晓的太上老君！

瞧着手中的珠子，清心一个激灵。

太上老君的宝库向来都是任她翻，除了他那宝贝天道石粉，其他所有的东西，她都可以随时带走。可她从未听说自己的师父有这么一件宝物，而这种档次的宝物更不可能随意地遗落在天庭的某个角落。

仰起头，她呆呆地望天，那眉蹙得紧紧的。

“刚刚……这东西好像是从天上掉下来的吧？刚好就掉在我看得到的地方，刚好四周就只有我一个人……老头子想干吗？”

正当她百思不得其解之际，一位路过的天将看到了她，朝她飞了过来，躬身拱手道：“在下南天门霍棋，请问，您可是清心上人？”

清心愣住了，好一会儿才反应过来对方所说的“清心上人”是指自己。

微微点了点头，清心道：“我是。我们在什么地方见过吗？”

那天将一听，当即松了口气，连忙拱手道：“李天王方才令卑职去兜率宫找您，他们说您已经离开了，卑职正不知道回去怎么交代呢。没想到就在与南天门近在咫尺的地方遇见您了。”

“找我？我可没在天庭任职，找我干吗？”低下头，清心轻轻将那奇异的珠子收入怀中。

“这，卑职也不清楚。若方便，还请清心上人随我到南天门走一趟。可好？”

清心略微想了想，点头道：“行，那就去看看吧。”

不多时，两人便来到了南天门城楼大殿中。

此时，李靖正与持国天王和多闻天王商量着什么，见清心随天将来到殿外，便摆了摆手，示意两人先行退下，自己整了整衣冠，起身相迎，远远地就拱手道：“李靖参见清心师叔！”

只见清心慢悠悠地跨过大殿高高的门槛，随手回了个礼，便好奇地转悠着四下张望。

这地方她路过了许多次，进来倒还是第一次。

见清心一副漫不经心的样子，李靖不禁干笑了起来。

被这么一个小丫头片子用这种态度对待，若是往常，他大可以摆出架子来。可偏偏，在清心面前他摆不起架子。

清心并不属于天军序列，李靖身为南天门镇守天王，权势滔天，这众仙争相巴结的身份肯定是压不住她的。在她面前，李靖只能论辈分。

可她是须菩提的入室弟子，又是太上老君的入室弟子，这无论是远的还是近的，论起来，李靖都只能是她的师侄。

有些时候，这修仙门派的辈分确实挺让人难堪的。

在凡间，凡人的寿命是有限的。一般来讲，虽说年龄并不一定能说明辈分，但大多数时候还是可以参照一下的。可一旦到了修仙门派中，就往往一点儿用都没有了。

那些大能，个个都是上万岁的高龄。他们的弟子九千岁也不奇怪，徒孙八千岁更是正常无比。可若是大能们一个心血来潮收了一个小屁孩当入室弟子……这可就尴尬了，他那八千岁的徒孙，见了这个可能还没成年的新弟子，也得行师门大礼，喊一声师叔。

也许是因为这个原因吧，除了作风诡异的须菩提之外，其他几个大能早就不收入室弟子了。可偏偏，这个定律到了这丫头身上就无效了。若说只有须菩提收了她当入室弟子，李靖还能糊弄一下，毕竟关系还是比较远的。可奇怪的是，太上老君居然也收了她当入室弟子。

这一下，李靖便糊弄不过去了。

当然，这糊弄不糊弄是李靖的问题，有没有自知之明，则是清心的问题了。

按道理，出现这种情况的时候，李靖喊一声“师叔”，清心应该立即推辞，然后彼此之间确定一个新的称呼。

无奈的是，清心丝毫没有这种觉悟，她理所当然地就将李靖这声“师叔”受用了，全然一副“你本来就该这么叫我”的态度。

一时间，李靖有些尴尬。

李靖沉默了好一会儿，直到清心在南天门城楼的主殿里转到第三圈的时候，才干咳了两声，挺起腰板儿，道：“这次请清心师叔过来，是有件事情想拜托清心师叔。”

“说。”

从开始到现在，清心连看都没看李靖一眼，只一味转悠着四下打量。如此简单的回答，着实让李靖更加尴尬了。

微微顿了顿，李靖接着说道：“您的师兄……”

“你该叫他师叔。”清心仰头补充道。

李靖不由得嘴角微微抽了抽。

叫猴子师叔，这他当真是没想过。不过现在有求于人，也不好横生枝节。

“对，悟空师叔他出山了。”稍稍犹豫了一下，他只得硬着头皮接着说道，“悟空师叔最近和天庭有些不愉快，陛下怕这样下去，迟早会出事。所以，陛下希望清心师叔您能担负起天庭与他沟通的中间人的责任。李靖这么说，师叔大概明白李靖的意思了吗？”

“明白了。”清心低头摆弄着博古架上的瓷器，想也不想地回答。

可还没等李靖松口气，清心又道：“所以，你们打算给我什么好处？”

“啊？好处？”李靖顿时一愣神。

虽说一早他就知道这件事没那么容易，但他从未想过这清心会这么市侩，开口就要好处。

清心回过头来瞥了李靖一眼："没好处，难道你们想要我白干活？"

李靖尴尬地笑了笑，连忙低声道："这，也是为了悟空师叔好啊，避免不必要的误会，所以……"

"所以……"清心的脸色一沉，道，"你们真想让我白干活？"

"这……这说的哪里的话？清心师叔真爱说笑，堂堂天庭怎么会让人白干活呢？"一晃眼，李靖瞧见清心正面无表情地看着他，额头开始冒冷汗。

看来，须菩提座下的弟子都不是那么好说话。

稍稍沉默了一下，清心盘起手来狐疑地瞧着李靖道："然后呢？"

"然后……委派清心师叔当中间人，自然要拟定圣旨，公告三界，有一个相应的官职。有仙籍，自然也就有相应的俸禄。清心师叔大可放心，您辈分如此之高，这职位，自然也不会低。就俸禄而言，自不在李靖之下。"

"俸禄？"

"对，俸禄。"李靖伸手抹了把冷汗，直视清心的双眼。

"什么俸禄？不会是金精吧？"

"这……肯定是金精啦。多少年了，天庭众仙的俸禄都是用金精的方式发放的，若想要什么具体的东西，到府库用金精置换便是了。"李靖摊手道，"那府库里，要什么就有什么。"

话罢，只见清心面无表情地往后退了一步，道："那你还是自个儿留着吧，就是整个府库送给我，我都不稀罕。金精就更别提了。"

说罢，清心转身就要走。

李靖连忙伸手喊道："清心师叔请留步！"

清心停下了脚步，背对着李靖微微仰头，等着他把话说下去。

这一呼一吸之间，李靖汗如雨下。

这也许是最后的机会了，此事能不能成，就看接下来的几句话了。

可，该说什么呢？

他连忙盘算了起来，好一会儿却发现什么都想不出来，只得硬着头皮道："此事乃陛下旨意，况且，本身也是为了悟空师叔好，说到底，他也是您的师兄。斜月三星洞向来团结，所以……”

清心叹了口气，转身瞧着李靖，悠悠道：“团结，那是师兄们还没陨落的时候的事了。悟空师兄，我见都没见过几次。所以，你这说法没有半点儿说服力。另外，你也不必用玉帝来压我，有本事让他通缉我，或者往兜率宫和斜月三星洞发两份圣旨缉拿我。”

李靖眼角微微抽了抽。

这狂傲的程度可一点儿都不比那猴子差啊，很明显也是一个惹不得的主儿。

正当李靖以为事情黄了的时候，清心却嫣然一笑，道：“不过，既然我肯到你这里来，又肯留下来听你说完，就说明你有我想要的东西。这件事还是可以谈的，当然，要按照我的规矩来。如何？”

第五百四十三章

花果山上

不多时，清心便离开了南天门，身旁还带着个一脸莫名其妙的哪吒。

两人朝着凡间飞去，却不是往猴子所在的西行路，而是一路往东南方向飞。

“你究竟想去哪里？”

一路上，哪吒不只一次这么问。然而，清心却半句都没有答，只时不时低头揣摩自己手中的珠子，似乎在思索什么。

数百年的光阴里，她一直都跟随在自己的两位师父身旁，甚至从未离开过他们两人超过百丈距离。即便是她偶然几次偷偷溜出去，一旦出了什么事，他们也会立即出现。也许是须菩提，也许是太上老君，有时候也可能是某位修为已经达到一定层次的同门师侄，总之，无论何时何地，他们总会有一个在照看她。

以前，她只觉得师父对自己的管束很严，特别关心自己，所以才会无微不至。

当然，清心也曾经质疑过这当中的因由，毕竟她并没有很出色的资质，除开两位师父，也没有了得的背景。一个出身平凡的女子，怎么可能一出生就获得两位大能的青睐，被两人同时收为入室弟子呢？

这简直就是前无古人后无来者的事情，几乎每一位刚刚听闻此事的仙家都会感到不可思议，甚至提出某种程度的质疑。不过，这种质疑始终没有得到任何答复，就连清心自己也搞不清个中因由。

时间久了，习惯也就成自然了。

可就在刚刚，她忽然意识到了一个问题……那就是，这种状况，似乎正在改变。

从什么时候开始呢?

好像是从须菩提让她给镇元子送东西的时候开始。

直到刚才，她忽然发现再没人跟着自己了，就连原本跟在自己身旁的斜月三星洞或者兜率宫的门人都不见了踪影。

自己并没有刻意躲避任何人，可是他们都走开了。这种感觉和往常很不一样。就在这时候，这个奇妙的珠子出现了……

隐隐地，她已经知道给她这颗珠子的人是谁了。

可是他究竟为什么要在这时候给自己这颗珠子呢?在她动了调查六百多年前的事情经过的心思时，在她觉得无从入手时，他将这颗自己原本并不知道的珠子用这样一种方式交给自己。

原本无从入手的事情，忽然变得有迹可循了。

这是他在推动自己继续往前走的意思吗?

难道这路的终点，有些什么是自己必须知道，而两个师父又不方便直接告诉自己的?

清心想不明白，所以，她只能顺着这条路走下去。

她隐约感觉到，自己的两个师父正在悄悄地指引着自己，走向一个被掩埋的真相。可惜的是，当她意识到这一点之后，原本那种好奇、激动的感觉忽然就荡然无存了。剩下的只是一种漠然。

不多时，两人便穿越万里到了东胜神洲。

看着清心前进的方向，哪吒醒悟过来，连忙顿住了身形，惊恐地问道："你想去花果山?"

清心也顿住了身形，回头淡淡看了哪吒一眼，反问道:"不行吗?"

"天庭已经有数百年没踏足花果山了，那里是禁地。"

"谁规定的?"

"这……"哪吒挠了挠头，蹙眉道，"倒是没具体的规定，但妖族将那里视作圣地，私自踏足花果山，可能会招来不必要的祸事。这一点，天庭所有人都知道。"

清心仰起头寻思了一番，道:"你之前去过花果山吗?"

“去过。”

“是带兵，还是直接进入内部？”

“两种方式都试过。”

“在花果山见过那猴子吗？”

“那是肯定的，不然我去干吗？”

“这就行了，李靖没介绍错人。”

说罢，清心转身又继续往前。

见清心一路向着东南方向飞去，丝毫没有回头的意思，哪吒犹豫了一下，也跟了上去。

很快，两人落到了花果山的外围。

站在悬崖峭壁上，清心迎着风，有些诧异地望着眼前的一切。

禁雨令的解除，使得这片土地迎来了久违的甘露，也使得原本肆虐的黄沙风暴减轻了不少。然而，这并没有让这片土地看上去更加美好。

原本肆虐的沙尘消失不见了，掩盖在沙尘之下的一切，全部显现了出来，就好像一道长久以来被遮掩的疮疤露了出来。

被黄沙、红土掩埋的废墟，东歪西倒的石柱，残垣断壁，大战之中被砸得碎裂的山体，倒插入地面还露出一截在地表之上的巨大浮石，无边无际……

六百年前那一战给这片土地带来的创伤，时至今日依旧无法完全愈合。

“这里就是花果山？”

“嗯。”

“跟它的名字很不相称啊。”清心轻叹道。

“以前不是这样的。”哪吒淡淡道，“最早的时候，这里是一片山林，四季如春，鸟兽成群。后来，妖族在这里崛起，将它变成了一个妖国。再后来……大战之后，天庭禁雨，妖怪四散，这里才变成这样。禁雨令也刚解除不久，若是一两年前，这里怕是连一点绿也见不到吧。”

两只雀鸟从头顶鸣叫着飞过。

低下头，清心注意到在山石的缝隙中有点点绿意正在顽强地生长，由于时间尚短，在这一片充满死亡气息的土地上它们并不起眼。

稍稍顿了顿，哪吒又接着说道：“这里还有些妖怪，我们这样的身份不太适合，如果想要进去，最好变成妖怪的模样。”

说着，哪吒回头去看清心，却发现她已经腾空而起朝悬崖下方落了下去。

哪吒顿时吃了一惊，连忙化作一只老鼠精跟了上去。

刚一落到地上，哪吒就急切地对着清心吼道：“你这样真会出事的！”

“会出什么事？”清心继续若无其事地往前走。

哪吒感觉头皮有点发麻。

这姑奶奶究竟想干什么？

他想不通，但也没办法丢下她不管，只得提高警惕，维持着老鼠精的模样紧紧跟上去。

风穿行在废墟之间，发出各种诡异的声响。

这行走在废墟之中的两人，一个闲庭信步，一个却好像进入了敌阵，鬼鬼祟祟地四下张望。

瞧着哪吒那紧张的模样，清心悠悠道：“别太紧张，以前天庭不敢踏足这里，是因为当时的局势。虽说妖王们都已经离开这里，甚至彼此之间还经常起冲突，但至今为止，他们也没有任何一个敢宣布彻底脱离花果山。花果山，就是妖族的一面大旗。也就是说，天庭不踏足这里，其实是不想给他们重新团结起来的借口罢了。现在那猴子已经回来了，这种顾虑已毫无意义。”

“你怎么知道？你研究过？”

“我猜的。”清心笑盈盈地说道。

“猜……这种事情能猜吗？”哪吒不由得鼓起了腮帮子，正当他回头准备怒视清心的时候，却发现她正目不转睛地看着手中的珠子。

稍稍放慢脚步，哪吒落到了清心的后头，小心翼翼地偷看清心手中的珠子。

不看不知道，一看吓一跳。

从那珠子里，哪吒看到了昔日花果山繁华的街道，看到了络绎不绝的妖怪。

“这是什么？”

“一面能看到过去的镜子。”清心道，“看来，当初花果山的规模当真是非同一般啊。也难怪那时候的天庭被逼得龟缩在南天门内，完全拿花果山没办法。你不是说你来过这里吗？当时你是在哪个位置见到那猴子的？”

哪吒蹙着眉头想了好一会儿，指着不远处的花果山主峰道：“现在其他地方恐怕都不太好找，不过有一个地方应该是没错的，就是那座山。我第一次见他，是在那座山山顶上的一座小木屋里。”

清心点了点头，腾空而起朝着花果山的主峰飞了过去。在这过程中，她又掉转了身形利用这有限的时间，用手中的珠子细细打量那六百多年前的花果山。

站在地面上用珠子去看这座六百多年前的妖族城邦，她首先感觉到的是自己的渺小，而透过珠子从空中俯瞰花果山城邦的全景，她感觉到的则是震撼。

绵延百里的城邦，遮天蔽日的浮石，辉煌的宫殿，不断往返的庞大舰队……那规模，比如今的天庭都要强数倍。

看到这一幕的时候，清心整个儿怔住了。

她简直不敢相信自己的眼睛。

她曾经听于义和雨萱提起过，花果山在齐天大圣时代创造了一个极为强盛富庶的妖族文明，就连战争用的火器也是由花果山的妖怪首先制造的。鼎盛时期的花果山，三界之中，没有任何势力可以与之相提并论。但那时候，她只是当成笑谈。

如今的妖族活得好像野兽一样，过着茹毛饮血的生活。如果妖族可以过上文明的生活，为什么现在不是呢？

然而，她错了。妖族真的可以无比文明，她透过珠子所看到的一切便是证明。

他们不只是会破坏，只要条件许可，他们也可以创造文明，甚至比人类所创造的更辉煌。

可是，既然六百多年前他们可以创造强盛的文明，为什么会变成如今这般呢？

关于这一点，清心实在想不明白。

缓缓地，两人落到了花果山主峰之上。

拿着珠子四下察看了一番，清心问道：“你大概是在什么时候在这里见到他的？”

“这就记不清了，大概七百多年前吧。具体时间实在是记不……”

正言语间，哪吒忽然看到就在他们前方不远处，一只棕毛猴妖正警惕地注视着他们，那手已经按到了腰间的刀柄上，浑身的绒毛都竖起来了。

一时间，哪吒、清心都停止了动作，瞪大了眼睛警惕地注视着那猴妖。

许久，那棕毛猴妖往后退了一步，缓缓咧嘴露出尖牙，低吼道：“你们是谁？来花果山做什么？”

“炼神境？”清心松了口气，直起身子，往前一步。

那棕毛猴妖一惊，连忙又往后退了一步。

“你们究竟是什么人？到花果山来做什么？再不说，我要动手了！”

说着，猴妖就要拔刀。

可还没等他将腰间的刀完全抽出来，清心已经朝着他伸出五指，那指尖上的五个指环互相呼应，散发着柔和的光芒。

那妖猴当即像被定住一般惊恐地瞪大了眼睛。

他猛然发现自己动弹不得了，浑身上下，就好像被无数双手死死地制住一般，只能维持着原本的姿势一动不动。就连嘴巴也被堵住了，发不出声音。

刀缓缓地回鞘。

“我正愁没向导呢，如果你是花果山土生土长的妖怪的话，那就正好了。”清心道。

第五百四十四章

陷 阱

荒芜一片，几乎见不到半点儿绿色的花果山山顶上，风徐徐地刮过。

棕毛猴妖被捆仙索捆成了粽子，丢在碎石之间。

一双眼睛瞪得犹如铜铃，他惊恐地望着一旁来回踱步的清心，却发不出半点儿声音。以他的修为，在清心面前根本全无还手之力。

似乎是在等这猴妖镇定下来，好一会儿，清心才缓缓地盘起手道:“我问一句，你答一句，不许说不相干的话。只要你把知道的都说出来，我自然会放你走，不会伤你。但是如果你敢说谎，会发生什么事，就谁都不敢保证了。听明白了吗?”

猴妖重重地喘息着，那目光掠向了一旁化作老鼠精模样的哪吒，似乎是在向他的这位“同胞”求助。

哪吒却连半点儿反应都没有，只是静静地看着，一副事不关己的样子。

猴妖绝望了，他乖乖地点了点头。

见状，清心轻轻晃动十指。

一阵灵力波动之后，猴妖当即感觉自己又可以说话了。他剧烈地咳了两声，张口便道:“你们究竟是……”

话音未落，他又僵住了，声音被卡在了喉咙里，不仅如此，这一次，他连呼吸都做不到了。

道道青筋从额头上浮现，那看着清心的眼神越发恐惧了。

“我说了，不许说不相干的，这是你的最后一次机会。明白吗?”

捆仙索缓缓地勒紧，直勒到了肉里去，他痛苦地张大了嘴巴，却连半点儿声响都发不出来。

一旁的哪吒看得都蒙了，轻声道："对这么一只小猴子出手，何必呢？你究竟想干什么？"

"我想知道我那悟空师兄的具体来历。"

"知道他的来历有什么用？想知道这些，去问你的两个师父不就行了？"

清心瞥了哪吒一眼。

微微顿了顿，哪吒又道："我听说他是从石头里蹦出来的。"

"石头里还能蹦出猴子？这可稀奇了。我要的是真相，不是这种毫无根据的传说。"说着，清心十指又微微颤动。

捆仙索以及强加在猴妖身上的灵力束缚减缓了一些。那猴妖，嘴顿时好像炸开了一样，张得老大，拼命地吸着气。

好一会儿他才缓过劲来，紧接着，好像虚脱一般靠在身旁的岩石上。

"你……你是大圣爷的师妹？"

话音未落，只见清心眉头一蹙，手又抬了起来，他连忙改口喊道："别！别！我都说……我什么都说！"

清心这才将手收了回来，依旧面无表情地瞧着那猴妖。

那猴妖咽了口唾沫，有气无力地朝两人扫了一眼，低头道："大圣爷……大圣爷确实是从石头里蹦出来的。"

听他这么一说，清心与哪吒当即都愣住了。

清心瞧着那猴妖轻声道："看来又是一个以讹传讹，人家说什么信什么的。"

说着，她的手又抬了起来。

"是真的……是真的。"那猴妖无力地晃了晃脑袋，道，"别人这么说，都是听来的，我是亲眼所见。所以……是真的。"

"是吗？"清心对着猴妖瞪大了眼睛，那双眸之中银光闪动，随即脸色变了变。

她原本嘲讽的神情不见了，转而带着一丝惊愕。

"怎么啦？"哪吒悠悠问道。

"这猴子……居然有八百多岁？这是怎么回事？八百多岁的炼神境修者，没蟠桃他是怎么活下来的，修的还是悟者道。"

一旁的哪吒闻言也是一呆，似乎忽然想到了什么，顿时一个激灵。

“不要……不要狗眼看人低，蟠桃有什么稀罕的？我不只吃过，而且吃过两个。”说着，那猴妖歪到了地上，斜卧着，似乎刚才被折腾得不轻。

清心抿着嘴唇回头看了哪吒一眼，道：“两个蟠桃，那你先跟我说说你那两个蟠桃是怎么来的？”

“嘿，一个是大圣爷给的，还有一个……不能告诉你是怎么来的。”

“这花果山当年还能种出蟠桃？你想唬我？”

“爱信不信。”说着，那猴妖扭过脸去不看清心了。

“是吗？”

清心抬手又准备上刑了。正当此时，哪吒的火尖枪横到了清心身前。

“怎么？”

“他说的是真的。”哪吒指了指猴妖道，“他没说假话。花果山确实种不出蟠桃，但那猴子八百年前确实得到过一批蟠桃。这都是陈年旧账了，也……不太方便对外公开。后来，听说论功行赏，他分给下面的妖怪了。”

说罢，哪吒无奈地摊了摊手。

清心虽说并不直接接触天庭事务，但常年出入天庭，看哪吒这态度，也就大概知道是什么情况了。

朝着哪吒翻了个白眼，清心无奈地收了收神，接着问道：“既然是论功行赏，你修的是悟者道，八百年前，你是什么修为？”

“凝神境。”

“凝神境他就给你分蟠桃了？花果山可有数百万妖怪，再怎么分，也分不到一个凝神境妖怪身上吧。”

“我有军功。”

“那你倒是给我说说，你是怎么立的军功？”

“我救了大圣爷的命。”

“你救他？”清心当即哼笑了出来。

那猴妖怒视清心道：“你不信？”

“也没说不信。”清心揉搓着手上的指环一步步走到妖猴身旁，蹲了下来，淡淡道，“只是，你说的实在蹊跷。以他的修为，为何要你来救？”

“大圣爷也不是一开始就有那般修为的。”猴妖紧闭双目，面无表情地说道，“大圣爷刚从石头里蹦出来的时候，什么修为也没有，还不会爬树。山里有只老虎。他被老虎追的时候，我们扔水果救了他。后来大圣爷出海十五年修成了仙，回来了，在论功行赏的时候把这件事提了出来，所以我就得了一份封赏。”

“哦？这么说，他从石头里蹦出来的时候，你就已经在花果山了？”

猴妖微微点了点头。

“你叫什么名字？”

“小七。”

清心伸手一扬，捆仙索立刻松开了，凌空卷成一团，被清心收了起来。

这一收，小七当即“哎”的一声叫了出来，瞪大了眼睛，却依旧斜卧着不敢动，有些惊异地望着清心。

“那石头在哪里？带我们过去。”

小七缓缓地直起身子，揉着自己被捆得发疼的手脚道：“你们究竟是什么人？神仙，还是妖怪？”

“你还敢问？”

“你们不说，我就不带你们去找石头。”

清心低头看了他一眼。

这一看，小七当即往后挪了挪，警惕地望着清心。

“你还敢讨价还价？”说着，清心又取出了捆仙索。

小七咬紧了牙，瞪大了眼睛，有些忐忑地说道：“你……你要是不肯说，我死也不会带你们去的！”

说罢，他便闭上眼睛，攥紧了拳头，一副“任你宰割”的样子。

就这么僵持了好一会儿，见那小七是真的铁了心，清心才无奈地叹了口气：“我是你们大圣爷的师妹，他是我的随从。”

小七睁开眼睛，小心翼翼地望着清心道：“你真的是我们大圣爷的师妹，你叫什么？”

“清心。”

“你大师兄叫什么？”

“清风子。”

“五师兄呢？”

“青云子。”

“八师兄呢？”

“凌云子。”

“清风上人的四弟子叫什么？”

清心不由得愣了一下，回头望向哪吒。

哪吒抿了抿嘴唇，道：“风铃。”

小七顿时松了口气。

灵台九子虽说陨落多年，但来人听过他们的名号不奇怪。不过，这风铃的名字，可就不是谁都知道的了。

低头略微想了想，小七又问道：“那我最后问一个问题，行吗？”

“问吧。”清心已经有些不耐烦了。

“你们找大圣爷……的那块石头，究竟有什么目的？我听说大圣爷已经从佛门的手上逃脱了，这件事，你们知道吗？”

清心和哪吒呆了一呆，面面相觑。

好一会儿，哪吒悠悠道：“让你带路你就带路，有你的好处。问那么多，小心连命都没了。”

说罢，哪吒提着火尖枪就朝小七走过去，被清心伸手拦了下来。

小七警惕地注视着清心。

“怎么，不打算继续威逼了？”哪吒问。

清心注视着小七，轻声叹了口气，转身就走。

见状，哪吒一脸的疑惑，只得快步跟了上去。

“怎么，放弃了？”

“他不想说我也不勉强，反正我们自己也能找到，只是多花些时间罢了。”

转眼之间，两人已经消失无踪。碎石之上，只剩下小七呆呆地坐着，紧蹙着眉头，百思不得其解。

风吹过，碎石滚动，发出稀里哗啦的声响。

“他们找那块石头干吗？难道那块石头有什么特殊的作用？”

想着，小七连忙起身，朝一旁的山道奔去。

就在不远处的岩石后，清心和哪吒正远远地看着他。

“你刚刚没听出来吗？那块石头还在花果山，而且似乎没人觉得那块石头很重要。我们刚刚那么一说，他至少会去看一眼的。我们跟着他就行了。”清心道。

“这倒是个好主意。”

说着，两人便静悄悄地跟了上去。

这一路，小七走得格外小心，两人也只得尽量压制自己的步伐。

绕过一块巨大山石的时候，清心低声问道，“你知道风铃的事情？”

“知道。”哪吒一面伸长了脖子暗暗监视远处的小七，一面说道，“她死的时候，我和我爹爹就在现场……当时要走慢点儿，说不定就被迁怒，被那猴子一棍子杀了。事后我去查了查，才知道她是清风子的徒弟，排行第四。”

“她是……怎么死的？”

“跟老君有关系，具体我也不清楚。似乎是那个法阵的关系，魂飞魄散。”

转眼间，他们已经跟着小七走入了一个山洞之中。

这山洞从外面看与普通的山洞似乎没区别，但走过一小段之后，他们便发现里面有大量雕琢的痕迹。越往里，规模越大，就好像没有边际。

在这伸手不见五指的地底世界，他们都要靠着术法才能看清周围的一切。

“难道他们将那块石头藏在这洞穴里了？”清心问。

抬头望了一眼两侧过道上空荡荡的武器架，哪吒伸手摸了摸墙壁上坚硬的石砖，低声道：“这应该是花果山鼎盛时期遗留的东西吧。早期他们实力还较弱的时候，不敢直接在地面上兴建工程，数十万妖怪就都窝在地底下，没日没夜地往下挖。整个花果山地界都被挖空了。还好他们的技术还不赖，否则这么多年早塌了。”

“你们也真够憋屈的。实力那么悬殊，你们都被打得躲在南天门里面出不来？”

哪吒白了清心一眼道：“你不知道我们面对的是什么。”

就这么一路跟踪，他们在这地下洞穴之中足足跟了小七两个时辰。沿途他们看到无数废弃的设施，从工匠房到书院、校场，一应俱全。

一切都被漫长的光阴覆上了厚厚的尘埃，然而，依旧能让人联想到昔日这里所发生的一切。

在那个天庭完全压制妖族的年月里，一群走投无路的妖怪潜藏在这个阳光照射不到的地方修行、练兵、冶炼，将自己彻底武装起来。

抚摩着墙壁上用刀斧劈出的一道道痕迹，她仿佛能想象到当年热火朝天的景象。

所有的妖怪都铆足了劲往前冲。五大三粗大字不识的妖怪从头学起，硬生生地创造出她用珠子在地面上时所看到的一切。

就在片刻之前，清心才取笑了哪吒，现在她已然明白当年天庭所面对的是怎样的对手了。

在这个世界上，最可怕的不是发了狂向你扑过来的野兽，而是非常理智，懂得潜伏下来细细盘算着怎么将你撕成碎片的野兽。

很显然，这些妖怪，或者说那个处于妖族最顶端的自己的师兄，就是这样一只野兽。他是用无可比拟的决心在做这样一件事。

“你有没有觉得他有什么不对劲的地方？”哪吒的声音将清心从思绪中拉回现实。

“怎么啦？”定了定神，清心恍然大悟，惊道，“他在绕路？”

话音未落，只听“砰”的一声巨响，四围看似废弃的火盆铁架上火光亮起，照亮了周遭的一切。

清心与哪吒连忙背靠背摆出了迎战的架势。

此时，他们正身处一个深达十丈的地下空间之中，正中是一座空荡荡的校场。而在两人的正前方，则是一个黑漆漆、深不见底的洞穴。

那洞穴之中缓缓走出了十几个妖怪。正中站着的，是一个女子。

“你们是什么人？为什么擅闯花果山？不说清楚的话，就别想离开这里。”

第五百四十五章

化 缘

西行路上，夕阳下，一行人正缓缓走过蜿蜒的山道。

攀上了高耸的山，玄奘下马远眺，望见远处村庄中升起的袅袅炊烟。

“今天就在这村庄中落脚吧。连日赶路，带的干粮已经所剩无几，贫僧得化缘了。”

猴子在一旁悠悠道：“要吃食还不简单？我们去找就是了，要什么山珍海味没有？”

玄奘摇了摇头，道：“这一路，既是西行，是证道，也是修行。化缘、诵经、打坐、参禅一样都不能少。这化缘，也是历练的一部分，不到众生当中去，又怎能化解众生的苦呢？”

说罢，玄奘扭头对猴子笑了笑。

“行吧，反正这佛门的东西我都不懂，你说什么便是什么吧。”猴子无奈地摇了摇头。

转过身，玄奘伸手去牵自己的马，缓缓地走开了。

下山的路比较陡，也只能步行了。

猴子正想跟上去，扭头看到小白龙站在自己身后朝那村庄张望，一副望眼欲穿的神情。

天蓬和黑熊精已经超过两人先行跟了上去，小白龙还一动不动地站着。

猴子有点儿看不下去了，开口催促道：“还不走，想等村庄自己挪过来啊？”

“大圣爷，你说，我娘子会不会在那村庄里？”

“那也要过去才知道啊。”猴子有些不耐烦了，愤愤道，“没完没了地问这句话，你有完没完啊？瞧你那点儿出息，一个女人而已。”

闻言，小白龙当即白了猴子一眼，道：“你自己好得到哪里去？还不是为了一个女人把天庭都掀了。”

“你！”

猴子抬手作势要打，小白龙连忙往后退了一步，睁大了眼睛随时准备闪躲。

两人僵持了一会儿，猴子才将手放下来，瞪了小白龙一眼转身就走：“我那是为了承诺，一诺千金！娘的，你说话越来越没大没小了，是看准我不会揍你是吧？你这种人果然不能跟你走太近，在花果山的时候我就看出来了。”

小白龙松了口气，乐呵呵地跟了上去，低声道：“大圣爷，那一会儿进了村，你要记得帮我搜一搜，看我娘子在不在村里。”

“知道啦，德行。”

“嘿，谢谢大圣爷。”走了一小段，小白龙又问道，“大圣爷，你说我们在西行路上会遇到我家娘子，这事准不准？我们这都走了几千里路了。”

“这个问题你也问过好多次了。太上老君说的，你说准不准，他要是不准，这三界之中还有谁准？”

“太上老君天道修为不是破了吗？”

“烂船还有三斤钉呢，他既然敢说出来，自然是有把握。”

“对了，大圣爷，那蟠桃……都过期了。”

“知道啦，等找到你家娘子，会帮你重新要几个的！”猴子愤愤道。

自从离开宝象国之后，这一路上，小白龙粘猴子粘得特别紧，有事没事都要凑上来说两句，这让猴子很不习惯。

不过话说回来，太上老君既然都那么说了，要找到白骨精应该问题不大。但是，卷帘呢？在这西行路上，没有他，终究是有点不太放心啊。

要不要回花果山竖杆旗，然后派人在三界范围内掘地三尺地找呢？

望着天边的流云，猴子不禁想。

此时，花果山地下宽敞的洞穴中，双方正在静静地对峙。

站在清心面前的女子，正是当初水帘洞中的那株仙草——草小花。

六百多年过去了，无论是外貌还是衣着，她看上去都没有变化。岁月的磨砺，在她的身上就好像无端失去了效果。

在她身边站着的十几个妖怪则看上去一个个落魄不堪。他们不仅修为不高，连身上的衣服都是破破烂烂的，看着清心与哪吒的眼神还略微有些忐忑。

小七从那岩壁上漆黑的洞穴里溜了出来，手脚利索地顺着洞穴中团团绕绕的老树根爬下岩壁，落到了女子身旁，在她耳边小声嘀咕了几句。

草小花微微点了点头，对着清心朗声问道："你们为什么要找大圣爷出世的那块石头？"

哪吒冷哼一声，往前一步。他刚要开口，却听"砰"的一声，脚下的石头炸开了，扬起一阵沙尘。

他惊得将脚缩了回来。

慌乱之中，哪吒扬起火尖枪就要动手，被身后的清心拽住了。

草小花一行依旧静静地站着，一动不动，似乎对哪吒的举动丝毫没有提防。

"别动。"清心仰起头仔细地打量着四周的一切。

岩壁上的火把吱吱地燃烧着，冒着烟。

昏红的火光之下，这洞穴看上去就好像庞大的地下陵墓一般阴森。

"怎么啦？"哪吒道，"不过就是两个炼神境加上一堆不入流的小妖，他们就算有通天的法宝在手，又能如何呢？别说你我两人了，就是我一个……"

"法宝应该是没有。"清心低下头定了定神，叹道，"不过，这里有很强的禁制。估计是几百年前留下的。"

说罢，清心望向了远处的草小花。

"这里，以前是花果山的招魂殿，自然禁制森严。"草小花面色淡然地说道，"别说你们两个，就是来个一万两万天军，又如何？无论是硬闯，还是要离开，都不是那么容易的。你们之所以能走到这里，是因为我解除了禁制，放你们进来的。现在，它们已经重新启动了。"

闻言，哪吒顿时一惊，连忙朝着四周看去。

直到此时，他才发现在那缠绕于岩壁的植物根须后面，竟然半明半昧地闪烁着一个个的法阵图腾。

“刚才我进来的时候，竟然一点都没察觉。”

“不奇怪。”清心无奈笑了笑，道，“当初花果山实力有多强我们都见识过了，要造一个能困住你我的法阵，没什么可惊讶的。”

草小花脸上缓缓露出恬静的笑，轻声道：“那……现在你们可以说你们究竟是什么人了吗？”

哪吒眼珠子咕噜一转，连忙道：“都说花果山是妖族的圣地，我是从外面来朝圣的，这不是听说大圣爷是从石头里蹦出来的嘛，很是惊奇，想亲眼见见那石头。”

“是吗？”

草小花伸手打了一个响指，四面遮掩在植物根系之中的法阵顿时微微闪烁，一道金色光束从洞顶照了下来。

顿时，哪吒的障眼法失效了！

他恢复了平日里的模样，两个绑着荷花瓣的总角，一身雕刻着荷叶图案的红色铠甲。

在场的妖怪除了草小花之外皆是一惊，连忙后退了两步。

看着自己的双手，哪吒有些惊讶。

这法阵，竟然也有类似南天门照妖镜一样的效果，能直接除去障眼法。

清心无奈地叹了口气，一言不发。

草小花淡淡笑了笑，道：“您应该是南天门的哪吒吧？怎么跑来花果山朝圣了？”

谎言被当场揭穿，哪吒顿时涨红了脸，清心也不知道该如何说才好。

双方都沉默了一下，草小花望向清心，道：“你呢？你又是哪位天神？”

清心避开草小花的目光，挺起胸膛道：“须菩提祖师座下排行第十一，清心是也。”

“哦？既然是须菩提祖师座下弟子，也就是我们大圣爷的师妹。我们自然不应该怠慢。可是，小花数百年没出过花果山，须菩提祖师是否有第十一位入室弟子，小花也不知道。不知道你身上……可有凭证？”

“你想要什么凭证？”哪吒反问道。

草小花笑了笑，微微仰头，对清心说道：“小花虽说不是斜月三星洞的门人，但旧时主司齐天宫库房，与斜月三星洞的诸位上人还是有些联系的。若你真是大圣爷的师妹，自然能拿出些可以证明自己身份的东西。”

与哪吒对视了一眼，清心眨巴着眼睛四下看了看。

虽说论修为，他们俩比草小花强得不是一星半点儿，但现在的形势对他们来说着实不利。这里的法阵之严密，比天庭毫不逊色，自己又深陷其中，一旦动手，会发生什么事情还真不好说。

沉默了下，清心低头将自己手上的戒指取下一枚，朝着草小花抛了过去。

伸手接下那戒指，草小花借着火光细细察看。

“能自动调控大小，戴上之后，可以随心所欲地运用灵力塑形，也可以用来制伏较弱的对手。这是三师兄丹彤子的遗物。如果你认得三师兄，那么这套诱灵指环你也许见过。”

草小花的眉头微微蹙了起来。

见草小花看得入神，小七低声问道：“丹彤上人戴过戒指吗？我怎么不记得？”

草小花轻声答道：“有，是一套十枚的诱灵戒指，出自青云上人之手。”

“就算有，这套也说不准是假的。”

“这是真的。”仰起头，草小花对清心道，“光这一件还不够，你还有其他证明自己身份的东西吗？”

“你有斜月三星洞的腰牌之类的吗？”哪吒回头问道。

“你以为斜月三星洞是昆仑山吗？总共才几个人，要什么腰牌啊？”清心蹙着眉头想了好一会儿，却愣是没想起什么来。

她是连出入南天门都不需要出示手令的人，没事带着一堆证明自己身份的东西干吗？就连这套诱灵戒指她也是偶然带出来的。

自己有特色的法器倒是不少，可对方是个连须菩提有没有第十一位入室弟子都不知道的人，那些东西拿出来有用吗？

一下子，双方陷入了僵局。

就这么僵持了好一会儿，草小花扭头朝一旁的小妖使了个眼色，那小妖立即会意地遁入身后黑漆漆的洞穴之中。

哪吒悠悠道："他们想干什么？如果他们想离开的话，我们只好硬闯了。我好歹也是太乙金仙境，怎么说，都不至于闯不出去吧。"

"再等一等，硬闯是下下策。"清心道。

不多时，那小妖回来了，手中还拿着笔墨纸砚，抬手一样样朝两人抛了过来。

"默写一遍斜月三星洞的基础修行法门吧。如果你真是斜月三星洞的人，肯定写得出来。"草小花道。

夜幕下，一个毫不起眼的村庄里，玄奘正挨家挨户地化缘。

虽说身处佛教兴盛的西牛贺洲，但这里的百姓并不信佛，甚至将和尚当成好吃懒做的无赖。

平日里，这偏僻的乡村也没见过外来的和尚。

刚开始的时候，对于猴子和黑熊精，他们还很恐惧，玄奘好说歹说，总算打消了他们的顾虑。然而，也就仅仅是打消顾虑，他们一个个都以欠收、家中无余粮为由拒绝了玄奘的化缘，甚至连门都不愿意开。

如果不是身后还站着面目狰狞的黑熊精的话，说不定玄奘已经被赶出村庄了。

虽说事情不顺，但玄奘也不气馁，挨家挨户地敲门。转眼之间小小的村庄已经走过了一半，木钵之中依旧空空如也。

猴子拄着金箍棒悠悠道："我看还是算了吧，他们都不信佛，化什么缘啊？看来今晚又要露宿荒郊了。"

玄奘叹了口气，甩开衣袖，继续朝着下一户人家前进。

这一次，走到门前，玄奘特地叮嘱猴子他们几个不要跟着，自己孤身走进了院子。

几个人就在门外静静地等着。

小白龙凑到猴子身边，低声问道："大圣爷，我家娘子……"

"不在这里，刚刚我都探查过了。"猴子想也不想地答道。

听他这么一说，小白龙又是一副失望的神情。

这次的时间比先前久很多，好一会儿，才见玄奘从屋里出来，他径直走向行囊，从中翻出了一些草药。

那屋子的主人是一个中年男子，转眼之间，他也跟了出来。

见状，猴子连忙拉着黑熊精闪到了一旁的大树后。

玄奘细细思量了一番，简单地抓了三副药包好，转身递给了中年男子，道："不是什么大病。按照贫僧方才给施主的方法煎好，一日两次，三天可以痊愈。"

这一听，猴子顿时无语了。

不是去化缘吗，怎么又变成给人看病了？合着玄奘还是个赤脚医生啊。

第五百四十六章

普度之道

洞穴中，清心提着笔默默地写着。

其他人都静静地看着，时间缓缓地流逝。

这辈子，她还没被人这么质疑过。居然要她证明自己的身份，这真是荒唐！她越写越气，到后来，她的脸色都有些不太好看了。

足足写了半个时辰，她才将多达千字的口诀全部默写出来。

匆匆卷起写好的口诀，她抬手朝草小花抛了过去。草小花稳稳接住。

捋开以后，草小花借着火光仔细地看了起来。

一旁的小七伸长了脖子观望。

好一会儿，小七低声道："好像不太对啊，看来她真是假货了。"

"不，她的才是对的。"草小花摇了摇头，将口诀卷了起来，淡淡道，"圣母大人给我们的口诀作过几次修改。原版的我在管理库房的时候曾经见过，这才是斜月三星洞最原始的修行法门。"

清心眨巴着眼睛，仰起头道："既然确定是真的，可以解开禁制了吗？"

"不行。"草小花想也不想地回答。

"为什么不行？！"清心顿时气不打一处来，怒斥道，"既然都对了，你还要我证明什么？"

草小花看着清心，淡淡笑了笑。那笑落到清心眼中，却犹如火上浇油。

此时此刻，清心简直要气疯了。只可惜身陷禁制，犹如肉在砧板上，她也不好发作，只能攥紧了拳头。

两个人就这么对视了好一会儿，草小花才轻声道："我相信你真是大圣爷的师妹，就算不是，至少，也应该是他的师侄，否则不应该有这么完整的口诀。这一点，你算是已经成功证明了。不过，也难保你不是斜月三星洞的叛徒。所以……接下来你要证明的是，你们没有恶意。或者，你们两个将这个戴上。”

说着草小花从身旁小妖的手中接过了什么东西，远远地朝两人抛了过来，“叮当”一声落到两人身前。

当清心看清楚对方抛过来的东西之时，火冒三丈。

这是两对琵琶锁，穿透琵琶骨，可以暂时锁住修为。对方这是要他们两个自废修为，将他们当成犯人看待的意思？

清心嘴角微微抽了抽，那目光中尽是熊熊怒火。

长这么大，她还没受过这种羞辱！

然而，草小花却好像没看到一般，只是静静地与她对视着，恬静地笑着。

“带近战的法器了吧？”一个声音在哪吒的脑海中响起。

“浑身都是近战法器，干吗？”

“杀出去！”

“什么？”

还没等哪吒反应过来，一根金色皮鞭如同长蛇一般已经从清心的衣袖之中飞蹿而出，稳稳地握在手中。

怒视着草小花，清心叱道：“解开禁制，否则等我出去了，有你们好受的！”

草小花以及那一众小妖往后退了一步，都摆出一副观望的姿态。

哪吒稍稍往清心的方向靠了靠，低声道：“喂……你不是说这禁制很厉害吗？怎么就……”

“估计很难全身而退。不过，即便无法全身而退，也比被人当犯人强！”

说罢，清心一咬牙，扬起手中的鞭子就往四周抽去。

那金色皮鞭瞬间长到百丈长，如同一根细长的蛇，贴着地底洞穴的墙壁翻滚。

瞬间，禁制都被激活了。

恐怖的轰鸣声从四面八方传来，一切似乎都在震动，细小的沙尘从洞顶撒下。

暗红色的符文从岩壁上的几个点蔓延开来，只一瞬，便爬满了每一块石头。暗红色的光将整个地底洞穴都变成血一样的颜色。

顷刻间，各式各样的攻击从四周袭来。

有如千万大军的嘶吼，震慑心神；有同为暗红色、肉眼难以识别的护盾从四面八方压来，将整个空间分割得如同迷宫一般；有一道道蓝色闪电在这些护盾之间来回弹射，诡异莫测……就连地面也凸起了石刺！

清心眼睁睁地看着自己手中的皮鞭被凌空飞转的风刃切成了数十段。

一旁的哪吒已经看得傻了眼。

这里面，最起码有二十种以上的机关法阵相互作用，而且每一种都威力极强，稍有不慎，自己就会被撕成碎片，这一点他丝毫不怀疑。

机关法阵他见多了，但除了猴子大婚前夕闯花果山那一次，平日里他还真没什么研究。而那一次，他也只是闯过了外围，距离花果山的核心地带还远着呢。

此时此刻，他紧张地攥紧了手中的火尖枪。

“现在戴上还来得及，如果你们真的没有恶意，自然不需要害怕。”草小花低头看了一眼地上的两副琵琶锁。琵琶锁当即被推到了两人面前。

此时，那机关法阵虽然声势浩大，却仅止于威慑，还没有危及两人的安全。

清心低头看了一眼那两副散发着银光的琵琶锁，瞪大了眼睛，气得牙齿都在微微打颤。“打过才知道！”

一甩手，数十道银光从她的衣袖中飞出，朝着草小花射去，但转眼之间就被禁制筑起的护盾悉数挡了下来。

“谈判破裂。”只淡淡一句，草小花与众妖怪便往后退了几步，消失在身后幽暗的洞穴之中。顿时，所有的攻击都朝着两人飞扑了过去！

此时，玄奘在世界的另一端、西牛贺洲的某个角落里，忙得团团转。

不得不说，在这样一个偏僻的不信佛的村庄里，和尚是不受欢迎的。但大夫却是极受欢迎的身份，特别是玄奘这种不收诊金还倒贴药材的大夫。

消息传开，许多村民都将家中的病人带了过来。一时间，场面热闹非凡，玄奘更是忙得不亦乐乎。

其他人都站在一旁远远地看着。

村庄不大，没多久，玄奘便将可以诊治的病人都看了一遍。由于不收诊金，村民们自发给了施舍，化缘问题一下子就解决了，借宿的问题自然也一并解决了。

原本猴子以为玄奘帮人看完病应该就没什么事了，没想到诊断还没结束，玄奘又开始了新的业务——写信。

这个偏僻的村庄不只缺大夫，就连识字的人也一并很缺。距离这里最近的一座私塾也要翻越数十里的山路。当然，这还不是重点，重点是玄奘还负责送信。

这个村庄缺识字的人，其他的村庄也同样缺。偶有一两个嫁过来的女人、入赘的女婿，或者有外乡亲戚的，即便是找着了代笔的人写下家书，送过去人家也未必能找到识字的人来看。

玄奘倒好，一站式服务，反正他还要西行，代笔写了信，顺路送过去，再顺便帮忙读一下就是了。

就这么折腾了好久，直到深夜，玄奘才将所有的事情做完，赚足了未来好几个月的吃食。

猴子做梦也没想到，自己有一天会陪着一个和尚在一个小村庄里帮一堆村民看病、写信，完了还要当兼职邮差。他不由得一阵苦笑。

或许，这就是普度之道吧。普度，可以很大，也可以很小。

一行人好不容易在一座小茅屋安顿下来，玄奘却点起油灯，借着灯光仔细地规划接下来的路线，以便将信函全部送达。

猴子有点儿看不下去了，伸手道："把信都给我吧，让敖烈去送，今晚就能全部送到。你早点休息。"

玄奘抬头看了猴子一眼，摇了摇头道："这也是修行的一部分。"

低下头，他又继续研究起自己手中的地图。

猴子无奈地苦笑道："这算什么修行？"

"这叫入世。"玄奘轻声叹道，"贫僧乃是出家之人，六根清净，身无长物，又不事营生。这一路走来，先前从金山寺带出来的盘缠都已经花光了，接下来的一路，自然要靠化缘。可若贫僧什么都不做，不入世，哪里来的缘可化？大唐每逢旱灾水患，饿殍遍野，死者众多。若贫僧无些法门，兴许也不过是其中的一具。”

“我们还能饿死你？”

“若没你们呢？”玄奘轻声道，“贫僧只是第一个，参悟了这普度之道，往后，还有千千万万个。他们身旁，是否也有你们呢？”

沉默了一阵，玄奘道：“所以，除非涉及神佛妖，非人力所能及之事，其余，贫僧都须亲力亲为，不能仰赖于你们。这一路走来，许多地方的百姓都不信佛，认为和尚不过是坑蒙拐骗之辈，贫僧做些实事，兴许能让他们改观吧。”

看来，当和尚，特别是行僧，真得要十八般武艺样样精通啊。

这么看，如果这世界没了这些妖魔鬼怪，没了那些天神，没了西方诸佛，猴子相信眼前这和尚还真能孤身一人从东土走到大雷音寺。

怎么说，他也比当初的自己强太多了。饥饿、疾病，甚至是强盗拦路打劫，这个世界上，似乎已经没有什么事情能阻止玄奘完成自己的理想了。

摊了摊手，猴子不再过问了。

花果山，星夜。

一声巨响之下，地面炸开了一个巨大的口子。

漫天的烟尘之中，两个身影从里面飞速蹿出，落到了远处的悬崖峭壁上。

清心一个踉跄，差点儿跌坐下去。

此时此刻，她身上的衣物多有破损，左肩更是受了伤，鲜血染红了衣裳，狼狈不堪。

捂着胸口，她微微一顿，鲜血溢出了嘴角，她脸色惨白。

见状，哪吒连忙要去搀扶，却被她伸手制止。

相比之下，哪吒到底是常年征战的天庭悍将，虽说手中的法器不如清心多，也不熟悉各种阵法，但好在战斗经验丰富，反应灵敏，此时此刻看上去只是受了些轻伤，状态要远比清心好。

“没事吧？”

清心缓缓摇了摇头，双目紧闭着，好一会儿才缓过来。

“我去杀了他们！”

说着，哪吒转身就要朝那缺口飞。清心连忙伸手将他拉住。

“你傻吗？这下面的通道有多复杂你我都不清楚，说不定禁制不止那一处……再说了，他们要是有心躲，你是无论如何也找不到的。”清心紧紧地蹙着眉，面露痛楚之色，轻叹道，“别……别添乱了。”

哪吒咬了咬牙，只得冷哼一声，转身问道：“那现在怎么办？你都伤成这样了，要不我们先回去吧？”

清心摇头道：“不碍事，你帮我护法，我自己调理一下就行了。”

说着，清心盘腿坐了下去，掏出两粒丹药服下，闭目调息。

哪吒也掏出几枚丹药服下，拄着火尖枪站在原地警戒。

远处漆黑一片的山石间，草小花远远地看着两人，那眉头微微蹙起。

“都这样了，他们还不走？”

“兴许刚刚就不该放他们一马。”一旁的小七轻声道。

“哪吒是太乙金仙境，我们的禁制只可能重伤他，杀不死他。一方面因为他是行者道，另一方面，他本身的法器也不少。至于那个清心……经验还是少了些，虽说现在还不清楚她的动机是什么，但好歹她是须菩提祖师的门人。万一她真死在这儿了，往后大圣爷问起，你我也不好交代。”

“那接下来怎么办？就一直这么盯着他们吗？”

草小花沉默了一下，交代道：“你去一趟东海龙宫，向四公主打听一下，须菩提祖师是不是真的有第十一个入室弟子，如果有的话，这第十一个入室弟子叫什么，是男是女，外貌有些什么特征。顺便了解一下大圣爷的近况，还有……大圣爷跟南天门现在的关系究竟怎么样，南天门有没有可能派人对我们出手。”

“行。”

不多时，清心便将吞服的丹药完全化开了，伤势迅速得到控制，只是体力还没恢复过来。无奈，她只得就地躺下小睡片刻。可心中有事，她无论如何都睡不着。

哪吒隐约听到清心梦呓般的喃喃自语。

“这两个死老头儿……这次居然真的不出来帮我……”

第五百四十七章

追　寻

天蒙蒙亮的时候，清心才缓缓睁开眼，望见有些昏黄的天空，她心中一惊，坐了起来。

当看见远处依旧站着没动的哪吒时，她才稍稍松了口气。

这一放松，肩上的伤迅速传来痛感。剧痛之下，她的脸色越发苍白了，豆大的汗珠一颗颗从额头上冒出来。

“没事吧？”哪吒看了她一眼，道，“除了外伤，还有内伤，一时半会儿怕是好不了了，不如先回天庭去吧？”

“我没事。”

“反正那妖猴暂时也没惹什么事，也就是面子上的问题，回去修养一下……”

“我说了我没事！”清心的声音顿时高了八度，紧接着，是一阵咳嗽。

哪吒静静地看着她，不说话了。

微风拂动清心的发梢。

缓了一下，清心捂着肩站了起来，望着灰蒙蒙一片的花果山，她有些茫然。

“他们夜袭了八次，我一次次数的。”

“昨晚？”

“凌晨的时候，出来吼两句，我刚一有动作，他们就钻进洞里去了。你在这里，我也不好追过去。”望着天边缓缓升起的朝阳，哪吒道，“本来只要不入洞穴，他们也奈何不了我。可你有伤在身，这样实在是危险，万一出了事，我可没办法向老君交代。”

清心用衣袖抹了把额上的冷汗，轻声道："老头子默许我来，就肯定不会有事。"

哪吒依旧挺直了腰板儿拄着火尖枪，好像一个站岗的士兵一样静静地站着，悄悄瞥了清心一眼："那……接下来做什么？"

"我也不知道。"清心从衣袖中掏出珠子，放在清晨的阳光下看了看，拿到唇边呵了口热气，又用衣袖反复地擦。许久，她才低声道："四处看看吧，总有他们想让我看的东西。"

哪吒不由得叹了口气。

这是清心有生以来最落魄的一次吧。可她在坚持什么呢？这里有她必须要找到的东西吗？

身份尊贵如她，为什么要在这个几乎寸草不生的地方冒这样的风险呢？

哪吒实在不懂。

洞穴进不得，妖怪也都已经有了戒心，别说问了，就是找估计也找不到。

实在没办法了，清心拿着那珠子开始四处走，借着清晨的光，她开始一点一滴地看，看得入了神。

珠子里的画面飞速流转着：

大批像难民一样落魄的妖怪带着染血的刀从四面八方赶来，在宏伟的城邦前规规矩矩地排着队登记；

各种体型、年龄不一的妖怪挤在学堂里聆听个头儿比他们矮了不止一截的先生的教诲，读书习字；

猴子带着大军与天河水军激战，杀得昏天黑地，血流成河；

一个身穿紫衣的乖巧女子站在猴子的身边，猴子开口喊她。

清心一惊，连忙放下了珠子，眨巴着眼睛。

珠子里只有画面，没有声音，但清心读得懂唇语。

"他叫她……风铃？"

再拿起珠子之时，清心无论如何也找不到刚才的画面。

花果山太大了，花果山有无数的妖怪，在短短的百年光阴里，他们历经了数次变迁。而清心连这个地方原本的格局都不知道。别说找回刚才的画面了，就是要再找到刚才的女子，也犹如大海捞针。

更何况，她至今都还没能熟练地使用这个珠子。

折腾了整整一天，也许是因为伤势又有些恶化，也许是因为没能找到刚才忽然发现的关键，又或许是想起自己的两个师父这本身就很诡异的暗示，清心有些泄气了。

她并膝坐在一根倾斜的巨柱边发起了呆。

“怎么啦？要是不继续找，就休息一会儿吧。”

清心缓缓地摇头。

哪吒无奈地摊了摊手，一跃跳上了视野广阔的岩石，继续默默担当她的贴身侍卫。

西牛贺洲一边。

一行人早早出发，走了整整一天的山路，无惊无险，到了晚间，便在山间一处小溪边点起篝火露宿。

刚一停下，玄奘便又忙碌了起来，抄抄写写，一刻都不停。

猴子无聊得都要打瞌睡了。

就体力而言，猴子比玄奘强无数倍。这西行一路对他最大的折磨，其实是无事可做。

玄奘是去辩法证道的，对他来说，西行就是今生今世最大的考验，大战之前，他有做不完的事情。即便是骑着马走在路上，看他那神情也都在不断地思考。

对猴子来说，西行却是单纯地当保镖。保镖这种角色，有人找碴儿才有事干，没人找碴儿就只能干瞪眼。

原本在五行山下的时候其实比现在更无聊，更无事可做。但那时候，猴子学会了睡觉。睡着了，便会做梦，也就不那么无聊了。可现在不行。

有时候，猴子甚至希望每天都有人来找碴儿，神仙也好，妖怪也罢，哪怕是佛陀也行。那样，起码就不用这样打哈欠看风景了。

一直盯着溪水看，当数到第二十五条跃起的鱼时，猴子实在受不了，只得起身来回踱步，让凉风吹一吹脸。

他回头看去，玄奘还在没完没了地折腾，黑熊精在发呆，小白龙已经在打呼噜了，天蓬端端正正地坐在篝火边上，时不时添柴火。

火光映着他的脸，让他看起来就像一个木头人，也不知道他在想些什么。

琢磨了好一会儿，猴子决定找点事做。

找小白龙？

算了吧，找他除了聊他娘子还能聊啥？现在猴子一听他提起这个话题就头疼。

找天蓬？

这个……好像可行，不过猴子不想。

找黑熊精？

这家伙比被压五行山下六百五十年的猴子还闷，实在没意思。

难不成去和那匹马聊天儿？

兜兜转转，猴子走到玄奘身旁，伸长了脖子。

“你在干什么？”

“清点先前用掉的药材，接下来，恐怕要留心搜集药材才行。”说着，玄奘伸手拨弄着身旁的算盘。

“你还会记账？”猴子无奈地笑了笑，“先前你说功夫是寺院里的武僧教的，这记账，不会是账房先生教的吧？”

玄奘头也不抬地说道：“金山寺是大寺，自然有账房一职。”

猴子微微蹙眉，叹道：“能记账、能看病、能打架……你还有什么不懂的吗？”

玄奘抬头看了猴子一眼，似乎有些不太明白猴子想说什么。

盘起手，猴子悠悠道：“我看你啊，除了修仙、成佛这两样，就没你不懂的了。这样的人当和尚着实可惜。你要是甘心在凡间混，封官拜爵，应该不在话下。”

说着，猴子看了玄奘一眼。

玄奘笑了笑，低下头继续忙活起来。

“要不你跟我讲讲你的普度之道吧，我们探讨一下，也好过没事可干。”

“普度不是靠讲的。”

“那接下来你打算怎么办？一路送信？”

“信，是肯定要送的。送了信，借宿、化缘都能有着落。不然，还没走到大雷音寺，贫僧已经变成了一具枯骨。”

瞧了玄奘许久，猴子最终只蹦出两个字：“折腾。”

“什么？”玄奘仰头问道。

“没什么。”盘着手，猴子扭头朝着一边走去，悠悠道，“我还是和马聊天儿去吧。嘿，你说它跟我们一路走下去，会不会还没到大雷音寺就成精了呢？”

望着猴子的背影好一会儿，玄奘想了想，低头又忙碌起来。

花果山，月明星稀。

同样百无聊赖的清心枕着手臂躺在岩石上，一面熟悉珠子，一面借着手中的珠子仰望天空。

“用这珠子看夜空，倒真有一番不一样的景象啊。数百年的斗转星移，整个星盘的变化推演，都在这里面了。”

一旁的哪吒微微挑了挑眉，不作声。

离此二里的山坡上，草小花与小七静静地注视着两人。

小七低声问道：“那个珠子，是干什么用的？”

草小花没有回答，深吸了口气，转而问道：“你确定她真是须菩提祖师的弟子？”

“嗯，也不能说确定。但四公主说了，须菩提祖师确实有第十一个入室弟子，是两百多年前收的，是个女的，叫清心。之前的蟠桃会上，四公主见过她一面，描述的相貌确实跟她相似。还有……”

“还有什么？”

“还有就是，她同时也是太上老君的入室弟子。”

草小花的眼睛缓缓朝小七瞥了过来。

“这事不只你觉得奇怪，我也觉得奇怪。就连四公主也觉得很奇怪。虽说两人这些年关系好了不少，但应该也还没到两个人一起收一个弟子的地步吧。而且听说是刚出生就被两人收入了门下，具体原因，连他们的门人都不清楚。”说着，小七吧唧了两下嘴，道，“原来是个养尊处优的大小姐，也难怪脾气那么硬了。怎么样，要不要去见她？”

草小花摇了摇头道：“她身边还有个天将呢。无论如何，哪吒总不会站我们这边吧？”

小七挠了挠头道：“四公主说李靖最近被大圣爷折腾得焦头烂额，按道理他不敢授意自己的儿子对大圣爷使昏招。”

稍稍收了收神，草小花道：“还是小心为妙，最好能引开哪吒再将她拿住，问上一问。”

“我今晚试试能不能引开哪吒吧。”小七道。

此时，云端之上，正有两个人默默地注视着花果山。

瞧着清心身上已经干了的血，太上老君的眉头都蹙成了一团，啧啧叹息：“这花果山的禁制也太凶险了，居然……哎哟，你不是说花果山不危险吗？”

“我只是说不会有性命之忧。”须菩提捋着长须道。

太上老君扭过头来看了须菩提一眼，摇了摇头，没好气地哼道：“你当初说让她自己看，老夫就不该赞成。”

“怎么？心疼了？”

“同样当师父，老夫可没你那么铁石心肠。”

“得了吧，对其他徒弟可没见你这么上心过。我对门下弟子可是好得很。”说罢，须菩提呵呵笑了起来。

太上老君抿着嘴又瞥了他一眼，悠悠道：“当初也不知道是谁，自己的徒孙都要淹死了，居然还不准徒弟出手救人。为师不仁，寡情呐。”

“那不是知道你会出手嘛。”

“那这次呢？”

“磨一磨也好，这丫头从小让你给宠坏了，吃点苦头，是好事。”须菩提道，“这次我跟过来，就是特意来阻止你出手搭救的。”

两人正言语间，清心忽然坐了起来，眨巴着眼睛，握着珠子发愣。

“怎么啦？”

“我好像找到这珠子的使用方法了。可以控制景象间隔时间的长短！”说着，清心连忙站了起来，忍着身上的伤痛和疲惫，拿着珠子开始四下查看。

哪吒快步跟了上去。

远处的草小花不由得伸长了脖子，不明所以。

虽说清心已经负伤，但有哪吒在，无论清心做什么，花果山的妖众也只能干瞪眼。

忍着伤痛，清心快速行动起来，哪吒紧紧相随，花果山的妖众则在远处观望，丝毫不敢放松警惕。

一路走着，那珠子里的景象随着清心的心意快速变换着。

兜兜转转，不多时，凭着那珠子里的景象，时间很快便被锁定在八百年前。在花果山的山脚下，清心亲眼看着一块巨石从正中裂开，里面摇摇晃晃地走出一只稚嫩的猴子，那猴子惊恐地看着四周，慌了神。

“还真是从石头里蹦出来的……这么说来的话，他还是猴妖吗？”

“这……应该还是猴妖吧。不过他是什么有那么重要吗？”哪吒答道。

手中的珠子快速闪过旧日的景象，清心看着那刚刚出世的猴子四处折腾，说着胡话，忽悠猴群，攀着自己编织的绳索进水帘洞当了猴王，从水帘洞里出来，还没吃饱，又被老虎追得无处可躲，还是靠着一只金丝雀的指引才保住一命。

紧接着，伤还没养好的猴子开始发狂地和老虎玩儿命。

看着他身上捆着几片叶子、举着木棍咧嘴咆哮的模样，清心不由得笑了出来。

就这样一只猴子，谁能将他跟多年以后无法无天、震撼三界的万妖之王齐天大圣孙悟空联系到一起呢？即便是比起刚化形的小妖，都略有不如啊。

当看到猴子跟金丝雀提出出海求仙，提到西牛贺洲斜月三星洞的时候，清心微微蹙了蹙眉，却也没往心里去。

一路追寻着猴子的步伐，很快，她看到猴子带着金丝雀登上了出海的木筏，看到木筏被风暴掀翻，看到一猴一雀在木桩上相依相偎，许下了一个荒唐的承诺。

光影飞逝。

她看到这一猴一雀都失去了知觉，看到一条金色鲤鱼出现在他们身旁。或许是出于好心，这条金色鲤鱼将他们送到了海的对岸，然后离去。

当猴子带着奄奄一息的金丝雀躲在树上颤抖的时候，清心似乎也能体会到猴子的酸楚与无奈。

清心一路追寻。

直到这一猴一雀被困到荒漠中的枯木之上，清心从猴子的口中读出了两个字——“雀儿”。

这一刻，清心一个激灵。

“雀儿……这只金丝雀居然叫雀儿？”

睁大了眼睛，清心恍然想起兜率宫一直以来对自己照顾有加的那位雀儿姐姐，她说过一句话。

“雀儿”这个名字，原本并不属于她！

第五百四十八章

梦　境

她本就负伤，还强撑着从花果山一路追到南赡部洲，此时，握着那颗珠子，清心的脸色越发白了。

额头上尽是冷汗，整个身子也摇摇欲坠。

一旁的哪吒看得心惊胆战，连忙低声问道：“要不，养好伤再说吧。反正珠子在手里，你想知道什么，最终都是能够知道的。你出事我可担不起哦。”

清心缓缓闭上双目，有些疲惫地摇头道：“哪吒，你听过‘雀儿’这个名字吗？”

“雀儿？兜率宫那一位，还是另一位？”

“你知道两个？”

“嗯。”哪吒点了点头道，“除了兜率宫的那一位之外，我还知道你之前提过的那个风铃的前世，是一只金丝雀，也叫雀儿。那次大战前夕，陛下曾经派我们偷偷潜入花果山去拿她。直到她神形俱灭的一刻，那只猴子才知道她真正的身份。”

闻言，清心整个儿怔住了。

月色下，她睁大了双目。惨白的面容之中渐渐多了一份惊愕。

“风铃的前世……就叫雀儿？”

她握着珠子的手在微微地颤抖。

“雀儿就是风铃，风铃就是雀儿，雀儿就是风铃，风铃就是雀儿……”

清心不断默念着，神情有些恍惚。

猴子对金丝雀的玩笑话一样的诺言浮现在脑海中，恍然间，她似乎明白了这当中究竟发生了什么事。

兜率宫里的雀儿、金丝雀雀儿、猴子、六百多年前大战的起因、魂飞魄散的风铃，还有太上老君那一句话……原本混沌一片的线索交织了起来，形成了渐渐清晰的脉络——

当猴子提出归还金刚琢的条件必须是风铃复活时，太上老君的回答是：“这可是你说的。”

那神情，是何等的自信，就好像风铃早已经复活了。

为什么天地间一等一的两位大能，会选择同时收自己这个微不足道的女子为徒，并如此溺爱？

为什么她如何胡闹太上老君都不生气？

为什么当她问及风铃的问题时，太上老君总是避而不答？

为什么这颗明显出自太上老君之手的珍贵珠子，会从天而降，刚好掉落在自己身旁？

所有的问题连成一条线，答案呼之欲出。

她的嘴角微微抽动着，似乎想笑，却又笑不出来。

渐渐地，她的意识有些模糊。

听说当初太上老君对风铃很好，最终却选择了让风铃魂飞魄散……清心不知道那一刻风铃是什么样的感受，但此刻的她……一股莫名的酸楚在心中蔓延开来。

那种感觉，就好像弥漫的浓雾终于散去，好不容易看到一直以来期待的景色，却恍然发现它残酷得让人无法直视。

眼前的一切渐渐模糊。

“为什么……居然会是这样……”

所有的力量都在这一刻被抽离，天旋地转。

恍惚间，她听到了哪吒的惊叫，看到哪吒惊恐地朝她冲来。

漫天星斗，是她最后看到的画面。

云端之上，两个老头子蹙着眉，面面相觑。

“一下子知道这些，冲击……似乎有点大啊！”太上老君轻声叹道。

“该知道的，终归是要知道。再躲也躲不过。这是我们亏欠她的，说到底，这些年我们都是在还债。”说着，须菩提凌空一指，指向了清心，“既然要知道，不如让她知道得更为详细一些，也好了了你我多年的心结。”

荒漠之中，哪吒手忙脚乱地取出丹药喂入清心口中，急得满头大汗。

“你可不能死啊，千万不能死！你死我了我怎么交代啊！”

一道灵力无声无息地从天而降，没入清心的眉心之中。

蒙眬间，清心做了一个很长很长的梦。

她梦见自己变成了一只雀鸟，无忧无虑地翱翔在天地间，直到在山林中遇到一只怪异的猴子。

那是一只倒霉的猴子，很野，很怪，很荒唐，很好战，居然还异想天开地想出海求仙。

难道他不知道一只猴子想穿越整个世界，除非奇迹发生，否则根本不可能吗?

清心不喜欢这只猴子，直觉告诉她，应该远离这只猴子。可梦中的身体并不受她控制。最终，她还是跟着这只奇怪的猴子踏上了求仙的路。

木筏被风浪打翻了，他们漫无目的地漂流在海上，等待死亡的降临。

某一天，在她的要求下，这只猴子似乎出于愧疚，许诺修成了仙，便娶她。

说这话的时候，猴子的脸上带着一点玩笑的意味。

一只猴子和一只金丝雀的爱情，无论怎么听都是那么的荒唐。清心不信，这猴子看上去也没当回事，因为他答应得很勉强。然而，梦中的那个她却傻傻地信了。

接下去的一路，很苦，很累，很彷徨。一猴一雀相依为命，走过了漫长的路。

清心明白，没了猴子，雀鸟便没有了负担，可以继续自由自在地在天地间翱翔。可是没有了雀鸟，猴子却会很惨，只能沦为野兽的一顿晚餐。这一路上，其实都是雀鸟在照顾猴子，用尽所有的心力帮助他去完成那一个遥不可及的梦想。

她看得出来，猴子越来越愧疚了，以至于他一再重复那个承诺，说了很多很多次，哄得雀鸟很开心。

渐渐地，清心真的有些信了。也许猴子也开始相信了吧。

然而，没有等到猴子修成仙，她便“死了”，死在一个猎人手里。

这一切来得太突然，让人没有丝毫的心理准备。

当看着那猴子跪在自己的碎骨前嗷嗷大哭的时候，梦中的那个她已经失去了所有的感觉。

然而这一刻，清心和猴子都彻底地信了，这就是爱情。一段荒唐却真实存在的爱情。

猴子红着眼眶说让雀鸟等他，他一定会回来履行诺言。

夕阳的余晖下，刻着“齐天大圣夫人之墓”的墓碑，看上去就如同一张永远无法偿还的欠条。

猴子孤身踏上了西行的路。

“这是个梦，很快就醒了。”清心这样提醒自己。

然而，这个梦并没有就此结束。又或者说，这个梦才刚刚开始。

猴子走后，金色巨佛取走了她的魂魄，将她带到了西方，承诺只要她皈依佛门，就复活她。

一个凡尘中的生灵，竟然劳驾佛祖出手赐予重生的机会，这是何等的荣幸啊。

然而，梦中的雀鸟却问：“皈依了佛门之后，我还可以嫁给猴子吗？”

她只在乎这个。

“西方极乐，四大皆空，不沾凡尘，自然是不能。”那巨佛答道。

“那我不皈依。”雀鸟固执地说，“我要等猴子复活我，他答应了我的，一定会做到。”

巨佛不说话了，只是静静地看着她。

雀鸟骄傲地昂着头。

此时此刻的她，坚信自己的爱情会开花结果。

许久，巨佛问道：“你真的，那么确定吗？”

“猴子不会骗我的。”

“既然这样，我们一起去问问他吧。”

带着雀鸟的魂魄，佛祖飞越了十万里。

他们来到猴子身边的时候，他正在熟睡，满身伤痕，似乎在做噩梦，那手拽着树藤，肌肉绷得紧紧的。

即使在梦中，他依旧在一刻不停地与这个世界战斗，就好像一张上了弦的长弓，绷得紧紧的。

见到这一幕，不知道为什么，清心心里忽然有一种酸楚的感觉。

巨佛伸手穿透了猴子的身体，将他的“心”抽离出来，在雀鸟的面前，一样样地分解，一样样地细数。那当中，有愧疚，有依恋，有执着，有坚持，有承诺，却唯独没有爱情。

那一刻，清心仿佛听到心一点一点碎裂的声音。

一滴滴的眼泪无声滑落。

雀鸟哭了，哭得从未有过的伤心。

“你骗我！”

“这是你亲眼看到的，怎么说贫僧骗你？”

“是假的！是假的！一切都是假的！你骗我！”

佛祖静静地注视着她，一言不发。

雀鸟哭得伤心欲绝。

她以为自己在坚守爱情，却不知道，那份爱本就不存在。

她对佛祖说：“他不爱我，一定是因为我不够好，一定是因为我只是一只金丝雀……他说喜欢仙子，我……如果我能变成他喜欢的仙子，如果我能变成他喜欢的模样，他一定……他一定会兑现诺言的。对吗？”

她怔怔地望着佛祖，希望得到一句肯定的答复。

然而，佛祖却只是注视着她，缓缓地摇头。

“他一定会娶我的！这是他答应我的！这是他答应我的！他不会骗我……一定不会……”

“你是游灵，皈依我佛，是你最好，也是唯一的出路。拒绝，只会让你魂飞魄散。”

“那我宁愿魂飞魄散……”

眼泪，已经流成了河。

夜色下，金丝雀倔强地昂着头，直视佛祖，微微颤抖着，用仅存的一缕魂魄，坚定不移地捍卫着原本就不存在的希望，毫不退缩。

没有人知道，是什么给了她这样的勇气。

此时，遥远的地方，猴子正枕着手卧在草坪上望着星空。

寂静的夜里，除去篝火噼啪的声响，就只剩下一旁的白马时不时哼哼两声。

十万八千里……这一路，他并不是第一次走。八百年前的那一次，他的心中充满了恐惧，惧怕这个世界的一切，也无暇去看周遭的风景，只想早日走到斜月三星洞。

那个冰冷漆黑的夜里，那双吃人的眼睛，那堆碎骨，是他永远的梦魇。

那时候的他有着极深的执念，做梦都想变成无所不能的齐天大圣，复活雀儿，完成诺言。那仿佛成了他活着的唯一目的。他甚至没有勇气去质疑那是否是爱情，因为只要那份坚持稍稍松动，他真的、真的不知道自己是否还有力量迈开脚步继续向西。

然而，当他真正走到终点的时候，却发现终点什么都没有。

望着天空中的点点繁星，他彻底放空了自己，感到一种无来由的疲惫。

梦境之中，清心看见自己如愿以偿地转世了，拜入斜月三星洞门下。有和蔼可亲的师父，疼爱她的师兄，一切都美好得让人心醉。

在那里，她无忧无虑地成长。

光影流转，那只猴子终于跨越了十万八千里路，拖着伤痕累累的身躯来到了红门之外。

他真的成功了！一只猴子，咬着牙，憋着一口气，穿越了整个世界而来。

然而，他变了。

在他的眼中，清心再也看不到原本那些不着边际的幻想，有的，只是欲望，那是一种对力量的极度渴望。他的手在微微地颤抖，就好像一头恶狼，随时都会不顾一切地扑向自己的猎物。

这个世界硬生生地将他逼成了一只彻底的野兽。

也许，只有这样一只野兽，才有可能走过如此漫长的路，去捍卫自己的坚持吧。

阔别十年，两个人终于再相见了，只可惜都早已认不出彼此。

看到这一幕的时候，清心的心中有一种落寞。

这就是雀鸟期待的相聚吗？

一个春秋的坚守，一个春秋的照料，猴子终于进了斜月三星洞的门。梦中的自己喜极而泣。

他偷书，她就帮他打掩护，惶惶不可终日。

他受伤，她就照料他，哭红了眼睛。

从他出现的那一天开始，她的一切都在围绕着他转，一切似乎来得那么自然，无论是猴子，还是那只转世的雀鸟，都没有感觉出其中的异样。

清心静静地看着这一段离奇的姻缘。

日子一天天过去。

他要去昆仑山，其实她也想跟着去，却没敢说出口，以至于送行的那一天，她都没出现。

每日拂经、打坐、修行，她静静地等待着他归来。

一天天地苦等，每天写信，到头来却只等到猴子诀别师门的消息。

姻缘线交错，他们又一次离散了。

清心静静地看着，看着她离开斜月三星洞，看着她遇到太上老君，看着她走过十万八千里路，终于抵达了花果山，带着无与伦比的勇气，去追寻她懵懵懂懂的爱情。

那是她从出生的那一刻起便带着的印记，也是前世遗留的执念。

然而，猴子已经不是原来的猴子，他已经是妖王，掌握着强大的军力，对抗天庭。他的身边，还有一个杨婵。

当猴子在绵延的山路上说他的原配夫人是雀儿的时候，不知道为什么，清心只能无奈地笑。

她依旧静静地看着，看着猴子为了坚守的信念向前冲，战天军、斗妖王，看着梦中的雀鸟在他的背后拼命追赶，却无论如何也赶不上他的脚步。

本就是两个世界的人，也许他们的相遇，本就是一种错误吧。

上天为官。

当梦中的自己遇见假雀儿时，清心能感受到她心中的彷徨。当梦中的自己知道自己就是真正的雀儿时，清心能感受到她心中的那份绝望。而当三份喜帖搅动三界的时候……清心已经分不清这究竟是一个梦，还是自己真实的记忆了。

她只是静静地看着，看着自己犹如飞蛾扑火一般，想要用一种特殊的方式去为所有的事情画上一个句号。

一串风铃……

她无奈地想要笑，却无论如何也笑不出来。

梦境的最后一幕，清心看到太上老君、须菩提、镇元子在她魂飞魄散的地方用一种匪夷所思的方式合力布下法阵，收回她散落凡间的残魂……

梦境结束了。

她缓缓地睁开眼睛，躺着，有些茫然地望着屋顶。

天，已经亮了。

“你怎么啦，吓死我了，昏迷了还一直哭。”哪吒的脸出现在了她的眼前。

“我在哪儿？”清心有些木讷地望向四周。

“这里是金光洞。你昏迷了三天了，我只能就近把你带到昆仑山来，还好师父说你只是虚脱了，修养一下就行。要喝水吗？”

清心嘴唇微微动了动，眨巴着眼睛别过脸去，望向空无一物的墙壁。

“你能说话吗？”

“我……我没事。”

“你的样子看起来不像没事啊。”

“我……真的没事。”

太乙真人从窗外路过，透过窗棂往房间里看了一眼。

“师父，清心醒了！”

太乙真人一言不发地走了。

“别介意，我师父最近心情不太好。嘿嘿，你没事就好，没事就好。你要出事了，这责任我可担不起啊。”说着，哪吒转身去倒了一碗水递过来。

清心缓缓闭上双目，轻轻摇了摇头。

此时此刻，她的脑海中犹如一团乱麻，一会儿浮现郁郁苍苍的花果山，一会儿浮现小山坡上的孤坟，一会儿又出现鼎盛时期的花果山，四处披红挂彩……

哪吒无奈地摊了摊手，将手中的碗放到了桌上。

“金光洞这里什么丹药都有，你先养好伤。养好了，我再陪你去花果山吧。”

“不……不用回去。”

“不用回去？你要找的东西已经找到了？”

清心咽了口唾沫，微微点了点头。

“那我们可以回南天门了？”

清心又摇头。

“那是什么意思？还有其他地方要去？你究竟要找什么啊？”

沉默了许久，清心微微睁开双目，轻声道：“我……想去华山一趟。”

第五百四十九章

休 养

“我……想去华山一趟。”

听到这句话的时候，哪吒忽然有种说不出的感觉。在她面前的这个清心，就好像换了个人，全然没有了先前的那种刁蛮任性劲儿。

难道是因为伤势的关系？

“你想去华山？”

清心没有回答，只是缓缓闭上了双目。

“你想去华山干什么？华山那里……是二哥的地盘，即使我有南天门的令牌，那地方也不是随便就能去的，比进灌江口还难。”

清心依旧没有回答，她紧紧地闭着眼睛，就像睡着了一样。

咽了口唾沫，哪吒接着说道：“华山那里真没什么好去的，进去难，而且里面什么也没有，是不是……”

哪吒的话戛然而止，因为他看到清心的眼角隐隐有泪光。

一时间，他整个儿怔住了，微微张口，却不知道说什么好。

整个房间里的气氛忽然变得十分压抑。

犹豫了好一会儿，他只得低声道：“你好好休息吧，去华山也得养好伤才能去啊。我先出去了。”

说罢，他默默点了点头，转身就走。

待到退出门外，关上房门，他才缓缓地舒了一口气，伸手抹去额头的冷汗。

不知道为什么，他总觉得眼前的这个清心已经不是原本的清心了。

透过窗棂的缝隙，他看到清心依旧静静地躺着，一动不动，就好像真的已经睡着了。只是那眼泪顺着眼角一滴滴地滑落，打在枕头上。

“这……这是怎么回事？”哪吒的眉头蹙成了一团，犹豫了半天，却不知道如何是好，只得喃喃自语道，“还是问问师父吧。”

院落中，哪吒扭头朝着金光洞主殿的方向匆匆而去。

云端之上，两个老头儿还在静静地看着。

太上老君仰起头半眯着眼，好一会儿，无奈叹道：“一桩心事总算了了，不过，麻烦还在后头呀。”

“她要去华山，你说……她想去华山做什么？”

“是去见杨婵吧。我们两个老家伙这时候也不好现身，想见我们的时候，她自然会回去的。”

“见杨婵做什么呢？”

太上老君侧过脸来看了须菩提一眼，捋着长须道：“说不清，一个人，忽然重叠了三世的记忆，完全不同的三种性格，这种事，古往今来也从未有过，天知道会发生什么转变。”

“连你也说不清？”

“若是天道石还在，倒是能测上一测，现如今，恐怕谁也预测不出来了。”

低眉凝视着那院落，须菩提轻声叹道：“她已经知道了自己的身份，虽说不是爱情，但那猴头儿是神是鬼，也就在她一念之间了。”

“呵呵呵呵，那你希望他是神，还是鬼呢？”太上老君意味深长地看着须菩提，道，“早知道你令她重生，不会只是补偿她那么简单。真是只老狐狸啊。”

须菩提淡淡瞥了太上老君一眼，捋着长须道：“那猴子太野了，不死不灭，这天地间什么都困不住他。即便是佛门的法印，解开其实也只是时间问题。天道无极，六百五十年，若是那猴子当初在五行山下想通了，想出来，莫说是正法明如来，便是释迦牟尼也困他不住。我只是忧心，万一，金蝉子无法度他，那么，这把刀便需要一个刀鞘，否则必定涂炭生灵。清心来当这个刀鞘，是最合适不过的了。”

闻言，太上老君忽然呵呵地笑了起来，默默地点头，那笑声之中充满着无奈。

好一会儿，太上老君轻叹道："当初为何是我修出了无为，而不是你呢？怎么看，你都比我更合适啊。"

说罢，太上老君侧过脸去看须菩提。

须菩提一言不发地注视着下界的院落，似乎在细想着什么，又似乎只是单纯地不想接太上老君的话。

"清心适合当刀鞘……嘿，不是有个现成的杨婵吗？"

须菩提缓缓摇头道："杨婵工于心计，有野心，有手段，这种人当不了刀鞘。放到一起，甚至可能是火上浇油。"

"呵呵呵呵，若这么说，适合当刀鞘的其实只有当初的风铃，而不是今天的清心。自己亲手从牢笼里放出来的猛兽，现在想再关回去，为时晚矣。"太上老君捋着长须悠悠道，"老夫也不知道清心会变成什么样，但可以这么跟你说，她绝对不会按着你的想法去做。这从她第一选择不是去找那猴头儿，而是去找杨婵就可以看出来。哈哈哈哈。当此乱局，还是继续回兜率宫当闲云野鹤省心啊。"

说罢，太上老君拂袖扬长而去，转眼之间已消失在天际，只留下须菩提依旧静静地注视着那院落。那眉头紧紧地锁着。

日升日落，转眼之间已是三天过去。

这三日当中，哪吒送来的饭菜、丹药，清心碰都不碰，只用自己随身携带的丹药疗伤，更不与哪吒说一句话，也不曾与师门联系，只一味地坐在卧榻之上发呆。那面容看上去越来越憔悴了。

这期间，太乙真人也曾来看过她一次，诊断的结果是，身体早已好转，不过这般调理往后恐怕会留下隐疾。

对于这说辞，清心一声不吭，无论哪吒怎么说，从头到尾，她甚至都没看太乙真人一眼。

那样子，就好像掩住了双目，堵上了耳朵，全然沉浸在自己的世界之中，不受外界半点儿干扰。

到了第四日的清晨，哪吒依旧如同往常一般早早地送饭菜来，心中思量着虽说清心不吃，但吃不吃那是她的事，自己该做的还是要做，万一日后真有事，追究起来也好有个说辞。

可刚一推开门，他只觉脑子嗡的一响，吓得差点儿魂飞魄散。手中的盘子“咣当”一声掉落，饭菜撒了一地。

他看到清心打碎了碗，抿着嘴唇，将碎裂的瓷片搁在自己的手腕处。

两人就这么静静地呆着。

哪吒惊恐地看着清心，清心面无表情地盯着自己的手腕，那贴着手腕的瓷片割破了皮肉，鲜红的血顺着指尖滴落在地，如同一朵朵的梅花绽开。

哪吒呆呆地看着，整个儿怔住了，半天都不敢吭气。

咽了口唾沫，哪吒小心翼翼地说道：“你……你别干傻事啊，要死你也等回到天庭再死。不……我是说，人生多美好啊，何必呢？”

许久，清心微微松手，瓷片掉落在地，发出刺耳的声响。

哪吒瞪大了眼睛看着那伤口，直到确定伤口并不深才稍稍松了口气。

清心静静地坐在卧榻边上，一动不动，依旧好像失了魂一般。

好一会儿，哪吒才缓缓地抬起脚，往前迈了一步。在确定清心没任何反应之后，他连忙快步走到清心身旁，伸出手准备替清心处理伤口。

可还没等哪吒触碰到清心的手腕，清心便将手收了回去。哪吒抓了个空，不由得一愣。

“我没事。”清心道，“你说得对，人生多美好啊。”

说着，清心的唇角微微扬起，露出了这么些天以来的第一个笑脸。

那笑容看得哪吒心中一抽。

这是招谁惹谁了？为什么好好的一个人，昏迷了几天之后忽然就变成这样了？

虽说哪吒并不喜欢清心原本那高傲的态度，可她忽然间变成这样，这……这一趟说好了是哪吒配合清心，同时也保护清心，万一出了事可怎么办啊？

清心凝视着地面鲜红的血，轻声道：“我的伤快好了，明天一早就出发吧。你现在先出去，我想睡一下。”

“行，明天就出发。”哪吒一边抹着汗，一边呵呵地笑着，一个转身，他迅速将地面上散落的瓷片全部叠到他带来的木盘上准备带走。

想想又觉得不放心，三下五除二，他将房间里的花瓶、剪刀之类的物件全部收走，就连仅有的几件家具的棱角也用术法磨圆了。

想想，他还是觉得不放心。

房间里的东西是都解决了，可清心身上有什么，他不知道。说不定，她的法器之中就有一两把匕首之类的，又或者药瓶里本身就有毒丹……

一出门口，哪吒哗啦一下将手中的东西全部丢到院子里，转身又进了房间。

“我不是让你出去了吗？”

“要不……我们聊聊天儿如何？”哪吒咧着嘴说。

清心面无表情地看着哪吒。

“行吧，不聊天儿也行，你睡你的，我在一旁待着，不碍事。”说罢，哪吒就坐到了椅子上，目不转睛地盯着清心。

清心依旧面无表情地看着哪吒。

“行，明白，我出去。”

无奈地甩了甩头，哪吒退出门外，关上门。一扭头，他蹑手蹑脚地跑到窗棂边上，偷偷探出头去观望，打起十二分精神留意着房间里的动静。

房间里，清心依旧静静地坐着没有半点儿动静，那目光空洞得令人心慌。

此时此刻，四周的一切对她来说好像已经没有半点儿意义。

时间一点一滴地流逝，两个人一个坐在房中，一个守在门外，就这么静静地待着，仿佛两尊石像，一动不动。

次日一早天还没亮，清心便打开了房门，对在门外守了一天一夜的哪吒说道：“走吧，出发，去华山。”

第五百五十章

去华山

离开了昆仑山，他们开始往东飞。

清心的目光始终直视前方，一路沉默。

那种沉默，就好像一个巨大的阴影，能够笼罩一切。只要靠近她一丈范围，哪吒都能感觉到压抑，让人十分不舒服。

如果只是单纯帮忙的话，也许哪吒已经找了借口逃之夭夭了吧。可惜的是，哪吒还有军令在身，无奈之下，他也只能硬着头皮继续跟着。

兴许是因为这种压抑气氛的关系，一路上，哪吒多次欲言又止，准备要问的话，到头来一句都没问出来。就这么默默飞越了千万里，两人抵达了华山外围。

“等一下！”

清心凌空掉转了身形，缓缓回过头来。

哪吒咽了口唾沫，道：“其实……要进华山，最好先去一趟灌江口。这边有灌江口的军力把守，所以……”

“带着你也不行吗？”

“这……”哪吒脸一红，支支吾吾地说，“带着我能有什么用啊？我是南天门的人，又不是灌江口的。”

清心转过身，头也不回地往前飞。

哪吒犹豫了一下，只得跟了上去，那眉头蹙得紧紧的。

一路飞越山川河流，两人很快进入了华山内围。

“三圣母被压在哪里？”

哪吒几乎是条件反射般地伸手朝着远处的悬崖指了指，又一惊，手微微一颤，连忙收了回来。

清心掉转身形就朝着哪吒所指的方向飞了过去。

哪吒只得蹙着眉头缓缓地跟了上去。

落到哪吒所指的悬崖上，很快，他们看到草木繁盛、雾气缭绕的悬崖底下有一处紧靠着崖壁的宅院若隐若现。宅院之中，有身穿天军装束的人在来回巡视。

“就是这里？”

哪吒已经彻底放弃了抵抗，微微点了点头，叹道：“那是看守的兵将住的地方，跟山洞是相连的。别看这宅院不大，其实把守的兵力可不少。二哥手下大部队都是树妖，放到这里，刚刚好。”

“你来过几次？”

“来过……”哪吒蹙着眉，噘起嘴有些不悦地答道，“这个问题能不回答吗？让我爹知道了没我好果子吃的。”

还没等哪吒反应过来，清心已经纵身一跳，跃下了悬崖。哪吒一惊，也连忙跟了上去。

转眼之间，两人的身影已经没入了浓雾之中。

在半空中调整了身形，清心降落到了宅院的大门前。

“来者何人，快快报上名来——！”一个浑厚的声音嗡嗡地响起。

还没等她站稳，四面八方已经出现了数十名灌江口的兵将，一个个都亮出了兵刃指向她。茂密的树林之中一阵骚动，无数鸟雀被惊上了天空。

那感觉，就好像整片树林都在朝他们围过来。

正当此时，哪吒也落到了清心身旁。

清心淡淡看了哪吒一眼。

无奈，哪吒只得硬着头皮喊道：“吴龙大哥，是我，哪吒！我来看杨婵姐的。”

“哪吒？”迷雾之中，一个修长的身影缓缓穿越了将他们团团围住的兵卫，径直走到哪吒面前。

吴龙是一条蜈蚣精，虽然化作人形，但额头上还保留着长长的须。他身材消瘦修长，那眼睛却大得出奇。

低头看了哪吒一眼，吴龙便伸手摆了摆，道：“自己人。”

闻言，那四周的兵卫一个个都将兵刃收了起来，四散开去，就连树妖们也都缓缓回归了原位。一下子，四周便恢复了他们下到崖底之前的状态。

看着清心，吴龙有些忌惮地拱手道：“在下梅山吴龙，还没请教道友尊姓大名。”

清心一动不动地与吴龙对视着。

哪吒连忙开口道：“这是我的朋友，叫清心。”

“她也来探望三圣母？”

“对。”

“跟三圣母认识吗？”

“认识认识，肯定认识啦。清心是斜月三星洞的门徒，也算是三圣母的同门，多年没见了，特地跟着我一同过来的。”说罢，哪吒呵呵地笑起来，却又不自觉地捏了把冷汗。

吴龙淡淡扫了两人一眼，大概觉得哪吒不可能骗他吧，也没有多问，轻声道：“跟我走吧。”

说罢，吴龙转身朝宅院走去。

两人跟着吴龙入了宅院。

这地方，与其说是一座宅院，还不如说是一座军营。

简陋朴素的房舍，宽敞的院子，里面没有常见的假山凉亭，倒是有两座高耸的塔楼岗哨。一队队的士兵往复地巡查着。

至于过道两侧栽种的几株巨木，一看就是已经成了精的。

一路上，大概因为心虚的关系，哪吒没话找话地和吴龙攀谈，各种琐事乱问一通，吴龙则漫不经心地回答着。

清心走在最后方，一言不发。

她抿着嘴唇，眉头紧紧地蹙着，手紧了又紧，看上去似乎有些紧张。

三人很快穿过了这座本就不大的宅子，来到后院紧靠崖壁的一面，一扇三丈高的褐色大门映入眼帘。

把守大门的士兵有意无意地瞥了清心一眼，朝着吴龙点了点头，转身便推开了紧闭的大门，露出一片漆黑的洞窟。

站到大门口，吴龙深吸了口气，道：“你们去陪三圣母聊聊天儿也好，我们这一群大老爷们儿，每天见她也不知道说什么好。”

说着，他淡淡看了清心一眼。

清心目光呆滞地凝视着那洞窟的深处，一动不动地站着。

伸手朝洞窟指了指，吴龙道：“去吧。”

哪吒朝着吴龙拱了拱手，带着清心缓缓走入了洞窟。

外面把守森严，这内部却松懈得很。不但没有巡逻的兵卫，就连岩壁也未经打磨，保留着原来的样子。一路走过，别说法阵了，就连照明的火把都看不到。

茫然地望着四周，清心轻声叹道：“在这种地方待六百多年，会是怎样一种感觉呢？”

“肯定很闷吧，反正我是受不了。要让我在这种地方待几百年，我还不如……”说到这儿，哪吒连忙捂住了自己的嘴，低声道，“再往里走，杨婵姐就能听到了。你可别乱说话呀。对了……见她究竟是为了……”

清心一言不发地往前走，就好像没听到似的。

望着清心的身影，哪吒心里有些发毛，却也无可奈何，只能无趣地收了收神，紧紧地跟着清心。

不多时，远处便出现了紫色的亮光。

清心微微一怔，停下了脚步。

一个不注意，哪吒走到了前面，回过头来有些疑惑地看着清心：“怎么啦？”

清心一手捂在胸前，闭上双目，摇了摇头，不断地深呼吸。她似乎已经紧张到了极点。

看着她那有些慌乱的神情，哪吒越发疑惑了。

就这么站了好一会儿，清心才再次迈开脚步往前走。

远处的紫色光芒越来越亮，渐渐地，已经能隐约看到另一端的景象。

清心又停下了脚步，好一会儿才再次往前走。

就这么走走停停，短短的一段路，她足足走了一刻钟，哪吒都有些看不下去了。

当他们渐渐接近那紫色光芒所在的空间时，一个声音从彼端传了过来。

“是哪吒吗？”

这是个女人的声音，略带沙哑，听上去冷冷淡淡的，有一种说不出的疲倦。

两人停下了脚步，哪吒连忙扯着嗓子喊道：“是我，杨婵姐。我来看你啦。”

“还有谁？”

“呃……还有……清心。你不认识，她是须菩提祖师的第十一位入室弟子，应该算是你师叔。”

沉默了好一会儿，彼端才再次传来声音：“是斜月三星洞的人……来这里，有什么事吗？”

“她想来见见你，可能想问你什么事吧。”说着，哪吒朝着清心使了个眼色，示意她往前走，清心却依旧站在原地一动不动。

哪吒压低声音道：“干吗？不是你自己要来的吗？”

清心依旧一动不动地站着，一手掩在胸前，呆呆地眨巴着眼睛，似乎在努力平复自己的情绪。

就这么沉默了许久，洞窟之中再次传来了杨婵的声音：“找我，有什么事吗？”

清心深吸了口气，仰起头道：“你想出去吗？”

哪吒顿时愣了一下，连忙望向洞窟深处，又转过脸来看清心。

他做梦也想不到，清心跑过来居然是问杨婵这句话。

然而，许久，那洞窟深处都没有回答。

又深吸了口气，清心将声音提高了八度，喊道：“你想出去吗？我可以帮你。我可以帮你逃出这里。”

“出去？我能去哪里？”

“去……去任何地方，任何你想去的地方。想去哪里都行。”

“我没有想去的地方。”那声音依旧冰冷。

哪吒的目光不断在紫光所在与清心之间来回，他略微有些惊慌。

这是要干吗？劫狱吗？这事让二哥知道了还得了？

此时此刻的清心，已经全然没有了在洞窟之外时的那种冷漠，反倒像个慌乱的小女孩，她反复地张口，似乎想说什么，每每话到嘴边却又收了回去。

哪吒压低声音对着清心质问道："你疯了，想干什么？"

清心望着洞窟深处的紫光，没有回答。

那洞窟之中的杨婵也沉默着，没有说话。

许久，也不知道过了多久，清心才鼓起勇气喊道："他回来了，他已经回来了。"

没有回答。

"他之前被佛门压在五行山下，压了整整六百五十年，现在终于逃出来了。"

依旧是沉默。

"所以，你想出去吗？"

问完，清心便睁大了眼睛呆呆地望着那紫光所在，等待着答复。

许久，那洞窟之中才传来声音："不想。"

那声音依旧冷冷淡淡，却比先前多了一丝不易察觉的波动。

"为什么不想？难道你不想和他团聚吗？"

"有意义吗？"

"为什么没意义？你在花果山苦守了那么多年，不就是为了这个吗？"

"如果他想我了，自己会来，而不是让你来。我宁愿永远地等下去，也不要……也不要在他身边，看着他丢下我离开……"她声音之中带了一丝哽咽。

"不是他让我来的，是我自己要来的。"

"那我就更不会出去了。"

一时间，对话似乎陷入了僵局。整个洞窟之中安静得只剩下清心沉重的呼吸声。

哪吒稍稍松了口气，无奈地哼笑。

如果杨婵真的愿意出去，而清心又想劫狱，这一趟，他还真不知道如何自处呢。

就这么僵持了许久，洞窟深处再一次传来了杨婵的声音："回去吧，我不会出去的。"

清心往前跨了一步，喊道：“为什么不出去呢？风铃已经死了，魂飞魄散，再也不会复活了。没有她，你不是应该很开心吗？没有了风铃，没有了雀儿，你们之间再不会有任何障碍。”

“回去吧。”

“你……”

“回去吧。”洞窟之中传来杨婵冰冰冷冷的声音。

清心微微张着嘴，一时间，却不知道说什么好。

时间缓缓地流逝着，紫色的微光之中，一滴清水顺着岩壁缓缓滑落，无声无息。

清心呆呆地眨巴着眼睛，轻声道：“我会让他亲自来接你的。”

说罢，她转身便走。

哪吒顿时一阵错愕，连忙对着杨婵所在的方向喊道：“杨婵姐，我先走了，下次再来看你。”

说着，他转身快步朝清心追了上去。

“你究竟想干什么？”

清心默默地加快脚步。

“你刚刚是想劫狱吗？二哥可不是那么好惹的！”

清心依旧沉默着，快步向前。

“那妖猴四处惹事，杨婵姐在这里怎么都比跟在他身边安全。要不然二哥为什么要软禁她？再说了，杨婵姐有没有跟那妖猴在一起关你什么事？你没事掺和这个干吗？”

清心猛地停下脚步。

哪吒也连忙停下脚步，瞪大了眼睛望着清心的背影。

许久，清心仰头道：“关我事。”

说罢，她又加快了脚步继续往前走。

呆呆地望着清心，一时间，哪吒的脑筋都有些转不过来了。